SE05

La diferencia entre aprobar y sacar plaza

Personal Auxiliar de Servicios Generales y Auxiliar de Conserjería de Universidades

Accede a tu **Curso MAD360** y disfruta de los siguientes rec...

- Técnicas de Memoria 360.
- Test *online.*
- Temario en formato digital.
- Planificación de estudio.
- Foro entre opositores.
- Recursos y novedades exclusivas.
- Consulta sobre la oposición y el proceso selectivo.
- Actualizaciones legislativas (Boletines Oficiales).

Para acceder al Curso MAD360* será necesaria la compra de todos los libros para esta especialidad de la edición 2024.

Valida los códigos que encuentras en la última página de tus libros y disfruta de la experiencia MAD360.

Infórmate en: mad.es/registro-campus

NOTA IMPORTANTE:

* El acceso al CURSO MAD360 estará disponible desde diciembre de 2023 (algunos recursos podrían estar disponibles en fecha posterior). Tendrá una duración de 365 días, desde la validación de códigos, o hasta el 31 de diciembre de 2024, lo que se cumpla antes.

MAD se reserva el derecho a ampliar dichas fechas.

Personal Auxiliar de Servicios Generales y Auxiliar de Conserjería de Universidades

Diciembre, 2023

Personal Auxiliar de Servicios Generales y Auxiliar de Conserjería de Universidades

Temario General
Volumen 2

JESÚS M.ª CALVO PRIETO
LICENCIADO EN DERECHO

SERGIO JIMENO MOLINS
INGENIERO SUPERIOR EN TELECOMUNICACIONES
PROFESOR DE EDUCACIÓN SECUNDARIA OBLIGATORIA Y BACHILLERATO

CARLOS TOJEIRO ALCALÁ
INGENIERO INFORMÁTICO
TITULADO MCP DE MICROSOFT

Primera edición, noviembre 2023 (420 páginas)
Derechos de edición reservados a favor de 7 Editores
IMPRESO EN ESPAÑA
Diseño Portada: 7 Editores
Edita: 7 Editores
Avda. San Francisco Javier, 9 · Edificio Sevilla 2 · Planta 11 · Módulos 25-27 · 41018 Sevilla
Teléfono: 954 784 411 · WEB: www.mad.es · e-mail: administracion@7editores.com
ISBN: 978-84-142-7673-0
ISBN Obra Completa: 978-84-142-7674-7

Presentación

Presentamos el segundo volumen de nuestro Temario General para la adecuada preparación de las oposiciones de acceso a plazas de Personal Auxiliar de Servicios Generales y Auxiliar de Conserjería de las distintas Universidades, con el desarrollo de los temas que frecuentemente se exigen en las pruebas de ingreso a dicho personal.

Incluye el desarrollo de los temas dedicados a la Ley Orgánica de Universidades, la información y atención al usuario, el manejo de máquinas reproductoras y medios audiovisuales, la gestión de la correspondencia, el control de accesos, la actuación ante emergencias y los conocimientos básicos de internet y de correo electrónico, desarrollados con profundidad y rigor para que tu preparación sea lo más completa posible.

La colección se completa en un primer volumen de Temario y un manual de Test, con el que podrás autoevaluarte y comprobar los conocimientos adquiridos.

Finalmente, a través de nuestro Curso *online* MAD360, te ofrecemos una serie de recursos adicionales para completar tu preparación. Consulta las condiciones en la primera página de tu manual.

Tema 11. La Ley Orgánica 2/2023, de 22 de marzo, del Sistema Universitario: La organización de las enseñanzas y los Títulos Universitarios. El Personal Técnico, de Gestión y de Administración y Servicios de las Universidades Públicas 11

Tema 12. La Ley Orgánica 2/2023, de 22 de marzo, del Sistema Universitario: Los estudiantes en el Sistema Universitario. El personal docente e investigador de las universidades 21

Tema 13. Información y atención al público en la Administración Pública. Derecho a la información. Técnicas de comunicación y habilidades de atención al público 51

Tema 14. Nociones básicas sobre máquinas reproductoras. Medios audiovisuales. Funcionamiento y mantenimiento básico de medios audiovisuales. Conexión de equipos informáticos a equipos de proyección 89

Tema 15. Nociones básicas de protocolo universitario: Tipos de actos, las precedencias, los tratamientos 165

Tema 16. Gestión de la correspondencia. Paquetería y certificados. Franqueo. Clasificación y reparto de la correspondencia 177

Tema 17. Control de accesos. Revisión de instalaciones. Manejo y manipulación de cargas. Pantallas de visualización de datos 195

Tema 18. Planes de Autoprotección. Riesgos contemplados en el Plan de Autoprotección. Plan de Actuación ante Emergencias. Actuaciones en caso de incendio. Instalaciones de protección contra incendios. Extintores. Primeros auxilios 253

Tema 19. Conocimientos básicos de Internet y de correo electrónico a nivel de usuario 363

TEMA 11

La Ley Orgánica 2/2023, de 22 de marzo, del Sistema Universitario: La organización de las enseñanzas y los Títulos Universitarios. El Personal Técnico, de Gestión y de Administración y Servicios de las Universidades Públicas

Índice

1. La Organización de las Enseñanzas y los Títulos en la Ley Orgánica del Sistema Universitario
2. El Personal Técnico, de Gestión y de Administración y Servicios de las Universidades Públicas

1. La Organización de las Enseñanzas y los Títulos en la Ley Orgánica del Sistema Universitario

1.1. La función docente

El artículo 6 de la LOSU establece que la docencia y la formación son funciones fundamentales de las universidades y deben entenderse como la transmisión ordenada del conocimiento científico, tecnológico, humanístico y artístico, y de las competencias y habilidades inherentes al mismo. La función docente la ejerce el profesorado universitario.

La docencia constituye, asimismo, un derecho y un deber del personal docente e investigador sin más límites que los establecidos en la Constitución y las leyes y los derivados de la organización de las enseñanzas en sus universidades. Dicha docencia se ejercerá garantizando la libertad de cátedra.

La docencia, preferentemente presencial, podrá impartirse también de manera virtual o híbrida.

Deberá garantizarse la plena y efectiva participación del estudiantado en la elaboración, seguimiento y actualización de los planes de estudio y sus efectos en las guías docentes.

La innovación en las formas de enseñar y aprender debe ser un principio fundamental en el desarrollo de las actividades docentes y formativas universitarias.

Las universidades desarrollarán la formación inicial y continua para el desempeño de las actividades docentes del profesorado y proporcionarán las herramientas y recursos necesarios para lograr una docencia de calidad.

Las universidades deberán evaluar permanentemente la calidad de la actividad docente. En dicha evaluación se garantizará al estudiantado de cada universidad una participación efectiva.

La docencia y la formación universitarias se estructuran, por una parte, en la docencia oficial con validez y eficacia en todo el Estado, configurada por los títulos de Grado, Máster Universitario y Doctorado, y, por otra parte, en la articulada en los títulos propios. En ambos casos, dichas titulaciones podrán organizarse como titulaciones conjuntas entre universidades españolas o entre universidades españolas y extranjeras.

Los títulos propios también podrán establecerse conjuntamente entre universidades y la Administración pública, con la finalidad de orientar su contenido a las características y necesidades específicas de determinados colectivos.

La docencia y la formación universitarias forman parte del conjunto del sistema educativo. Las Administraciones públicas, de acuerdo con sus competencias, garantizarán la interrelación entre todas las etapas que conforman dicho sistema especialmente desde la perspectiva de la formación a lo largo de la vida.

1.2. Los títulos universitarios

De conformidad con lo dispuesto en el artículo 7 de la LOSU las universidades impartirán enseñanzas conducentes a la obtención de títulos universitarios oficiales, con validez y eficacia en todo el Estado, y podrán impartir enseñanzas conducentes a la obtención de títulos propios, incluidos los de formación a lo largo de la vida, en los términos establecidos reglamentariamente.

Todos los títulos universitarios deberán reunir los estándares de calidad establecidos en el Espacio Europeo de Educación Superior.

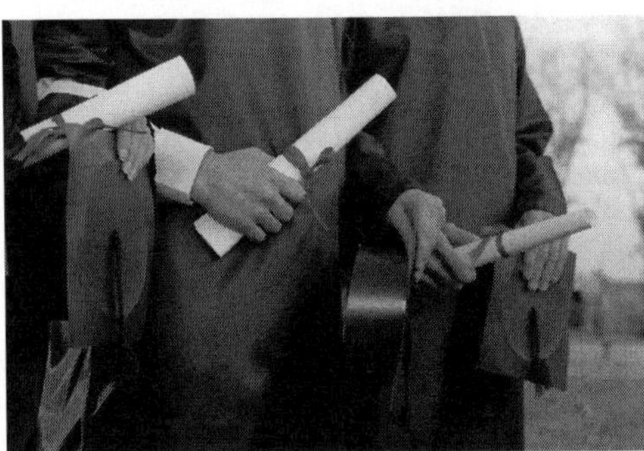

Los títulos universitarios de carácter oficial deberán inscribirse en el Registro de Universidades, Centros y Títulos. Esta inscripción tendrá efectos constitutivos respecto de la creación de títulos universitarios oficiales y llevará aparejada la consideración inicial de título acreditado a los efectos legal y reglamentariamente establecidos. Podrán, igualmente, inscribirse otros títulos no oficiales a efectos informativos.

El Gobierno regulará el procedimiento y las condiciones para la inscripción de los títulos universitarios.

Las universidades y otros centros de estudios superiores deberán evitar que la denominación o el formato de sus títulos propios puedan inducir a confusión con respecto a los títulos universitarios oficiales. Las universidades deberán informar al estudiantado del carácter oficial o propio de sus títulos.

La formación a lo largo de la vida podrá desarrollarse mediante distintas modalidades de enseñanza, incluidas microcredenciales, micromódulos u otros programas de corta duración.

1.3. Los títulos universitarios oficiales[1]

El artículo 8 de la LOSU señala que el Gobierno, mediante Real decreto, previo informe de la Conferencia General de Política Universitaria y del Consejo de Universidades, establecerá

---

1 La Disposición adicional décima de la LOSU establece lo siguiente: "Los títulos universitarios de Diplomado Universitario, Arquitecto Técnico, Ingeniero Técnico, Licenciado, Arquitecto e Ingeniero mantendrán su plena vigencia académica, administrativa y profesional en los mismos términos en que se establecieron".

las directrices y condiciones para la obtención y expedición de los títulos universitarios oficiales. Estos serán expedidos, en nombre del Rey, por el Rector o Rectora de la universidad.

La iniciativa para impartir una enseñanza requiere el informe preceptivo y favorable sobre la necesidad y viabilidad académica y social de la implantación del título universitario oficial por la Comunidad Autónoma competente, el informe favorable a efectos de la verificación de la calidad de la memoria del plan de estudios por la agencia de calidad correspondiente, la verificación por el Consejo de Universidades del plan de estudios y la autorización de la implantación de este por la indicada Comunidad Autónoma.

Una vez completados los trámites anteriores, el Gobierno establecerá el carácter oficial del título y ordenará su inscripción en el Registro de Universidades, Centros y Títulos, tras lo cual el Rector/a ordenará publicar el plan de estudios en el «Boletín Oficial del Estado» y en el diario oficial de la Comunidad Autónoma competente.

Le corresponde al Gobierno, mediante Real decreto, establecer el plazo máximo de que dispondrá la universidad para implantar e iniciar la docencia desde la publicación oficial del plan de estudios del título, así como los efectos de su incumplimiento.

Finalmente, la Disposición adicional décima tercera de la LOSU establece que los títulos universitarios, tanto oficiales como propios, no podrán inducir a confusión ni coincidir en su denominación y contenidos con los de los títulos universitarios que habiliten para el ejercicio de una profesión sanitaria o con los títulos de especialista en Ciencias de la Salud regulados en la Ley 44/2003, de 21 de noviembre, de ordenación de las profesiones sanitarias.

1.4. Estructura de las enseñanzas oficiales

Tal y como establece el artículo 9 de la LOSU las enseñanzas universitarias oficiales se estructuran en tres ciclos: Grado, Máster Universitario y Doctorado. La superación de tales enseñanzas dará derecho a la obtención de los títulos oficiales correspondientes.

Los estudios de Grado tienen como finalidad la obtención por parte del estudiantado de una formación básica y generalista en una disciplina determinada.

Los estudios de Máster Universitario tienen como objetivo la formación avanzada, de carácter especializado temáticamente, o de carácter multidisciplinar o interdisciplinar, dirigida a la especialización académica o profesional, o bien encaminada a la iniciación en tareas de investigación.

Por Real Decreto 1393/2007, de 29 de octubre, se estableció la ordenación de las enseñanzas universitarios oficiales y fue derogado por el Real Decreto 822/2021, de 28 de septiembre, por el que se establece la organización de las enseñanzas y del procedimiento de aseguramiento de la calidad.

Los estudios de Doctorado tienen como finalidad la adquisición de las competencias y las habilidades concernientes a la investigación dentro de un ámbito del conocimiento científico, técnico, humanístico, artístico o cultural.

Actualmente la normativa más importante sobre estudios de tercer ciclo se contiene en el Real Decreto 822/2021, de 28 de septiembre, por el que se establece la organización de las enseñanzas y del procedimiento de aseguramiento de la calidad y fundamentalmente en el Real Decreto 99/2011, de 28 de enero, por el que se regulan las enseñanzas oficiales de doctorado.

Las prácticas académicas externas en los estudios de Grado y Máster Universitario constituyen una actividad de naturaleza plenamente formativa cuya finalidad es la de complementar la formación académica.

Las directrices generales para el diseño de los planes de estudio en las enseñanzas de Grado y Máster Universitario, incluyendo el número de créditos del Sistema Europeo de Transferencia de Créditos (ECTS, en sus siglas en inglés) que los conforman, serán establecidas reglamentariamente por el Gobierno.

Los estudios de Doctorado se organizarán en la forma que determinen los Estatutos o normas de organización y funcionamiento de las respectivas universidades, de acuerdo con los criterios que para la obtención del título de Doctor o Doctora apruebe el Gobierno, mediante real decreto, previo informe del Consejo de Universidades. Este real decreto regulará, entre otras, las menciones internacional e industrial en el título de Doctor/a.

El doctorado con mención industrial, que requerirá en todo caso de un convenio con la universidad, podrá desarrollarse mediante el contrato predoctoral previsto en el artículo 21 de la Ley 14/2011, de 1 de junio, de la Ciencia, la Tecnología y la Innovación, bien por entidades públicas, bien por empresas o entidades privadas cuando sean beneficiarias de ayudas o subvenciones públicas que tengan como objeto la contratación de personal predoctoral para esta modalidad de doctorado.

En relación con las estructuras curriculares en las enseñanzas universitarias oficiales, las universidades, en el ejercicio de su autonomía, podrán desarrollar estrategias de innovación docente específicas, como los títulos oficiales con itinerario abierto, mención dual[2], dobles titulaciones u otras modalidades, en la forma en que se desarrolle reglamentariamente.

1.5. Convalidación o adaptación de estudios, homologación y declaración de equivalencia de títulos extranjeros, validación de experiencia y reconocimiento de créditos

A tenor del artículo 10 de la LOSU corresponde al Gobierno, previo informe del Consejo de Universidades, regular:

a) Los criterios generales a los que habrán de ajustarse las universidades en materia de convalidación y adaptación de estudios cursados en centros académicos españoles o extranjeros. Este procedimiento deberá estructurarse partiendo de

---

2 Las universidades que a la entrada en vigor de la LOSU cuenten con títulos oficiales con mención dual, dispondrán de un periodo transitorio hasta el curso 2026-2027, para la adaptación de su actividad formativa en la entidad colaboradora al modelo de contratación laboral formativa en alternancia. Todo ello, sin perjuicio de la aplicación del artículo 11 del texto refundido de la Ley del Estatuto de los Trabajadores al sistema universitario (Disposición transitoria décima de la LOSU).

los principios que sustenten el Espacio Europeo de Educación Superior, en cuanto al mutuo reconocimiento de títulos académicos de los países que lo han implementado, así como de acuerdo con el Convenio sobre reconocimiento de cualificaciones relativas a la educación superior en la Región Europea (número 165 del Consejo de Europa), hecho en Lisboa el 11 de abril de 1997.

b) Las condiciones de homologación de títulos oficiales extranjeros de educación superior con títulos universitarios oficiales españoles.

c) Las condiciones para la declaración de equivalencia de un título oficial extranjero de educación superior en relación con el nivel académico universitario oficial de Grado o de Máster Universitario. Los títulos de Grado expedidos por universidades en los Estados miembros de la Unión Europea serán equivalentes, a todos los efectos, a aquellos expedidos por universidades españolas.

d) Las condiciones para el reconocimiento académico de la experiencia laboral o profesional, así como la formación a lo largo de la vida.

e) El régimen de convalidaciones y de reconocimiento de créditos entre las enseñanzas oficiales universitarias y las otras enseñanzas que constituyen la educación superior.

2. El Personal Técnico, de Gestión y de Administración y Servicios de las Universidades Públicas

2.1. Personal técnico, de gestión y de administración y servicios: Clases y régimen jurídico

A tenor de lo dispuesto en el artículo 89 de la LOSU el personal técnico, de gestión y de administración y servicios de las universidades públicas estará formado por personal funcionario y laboral, suficiente para desarrollar adecuadamente los servicios y funciones de los centros.

Este personal estará especializado en uno o varios de los distintos ámbitos de la actividad universitaria. Las universidades determinarán las funciones y perfiles de tales actividades, así como la cualificación necesaria para asegurar un desempeño plenamente eficaz y eficiente, en el marco de la negociación colectiva que corresponda.

El personal técnico, de gestión y de administración y servicios funcionario se rige por lo establecido en esta ley orgánica y en el texto refundido de la Ley del Estatuto Básico del Empleado Público, así como por los Pactos y Acuerdos previstos en su artículo 38. En el caso de la Comunidad Foral de Navarra se aplicará la presente normativa en los términos establecidos en el artículo 149.1.18.ª y disposición adicional primera de la Constitución y en la Ley Orgánica 13/1982, de 10 de agosto, de reintegración y amejoramiento del Régimen Foral de Navarra.

El personal técnico, de gestión y de administración y servicios laboral se rige por lo establecido en esta ley orgánica, por el texto refundido de la Ley del Estatuto de los Trabajadores, así como por el texto refundido de la Ley del Estatuto Básico del Empleado Público, la demás legislación laboral y los convenios colectivos aplicables.

Asimismo, este personal funcionario y laboral se regirá por lo dispuesto en los Estatutos de las universidades.

En relación con este personal, corresponde a las comunidades autónomas la regulación de las materias expresamente remitidas por esta ley orgánica y aquellas otras que puedan corresponderle en el ámbito de sus competencias.

Las universidades podrán contratar otro personal con cargo a financiación externa o financiación procedente de convocatorias de ayudas públicas en concurrencia competitiva en su totalidad para la gestión científico-técnica rigiéndose por lo previsto en el texto refundido de la Ley del Estatuto de los Trabajadores y en el artículo 23 bis de la Ley 14/2011, de 1 de junio[3].

El personal técnico, de gestión y de administración y servicios, funcionario y laboral, tiene derecho a la participación libre y significativa en el diseño, implementación y evaluación de la política universitaria, y el derecho a su representación en los órganos de gobierno y representación de la universidad, de acuerdo con lo dispuesto por esta ley orgánica y los Estatutos de las universidades.

Las universidades deberán asegurar el ejercicio efectivo de los derechos de conciliación de la vida personal, laboral y familiar de su personal técnico, de gestión y de administración y servicios, funcionario y laboral. A tal fin, adoptarán las medidas necesarias para, de conformidad con el principio de transparencia retributiva, asegurar la igualdad efectiva en la aplicación del régimen de dedicación, así como en la participación en los planes y programas de formación y movilidad.

2.2. Carrera profesional

El artículo 90 de la LOSU señala que las universidades establecerán escalas de personal técnico, de gestión y de administración y servicios, de acuerdo con los grupos de

3 Se trata del Contrato de actividades científico-técnicas.

titulación exigidos por la legislación general de la función pública, y atendiendo al nivel de especialización en los distintos ámbitos de la actividad universitaria.

Este personal podrá desarrollar su carrera profesional, mediante la progresión de grado, categoría, escala o nivel, sin necesidad de cambiar de puesto de trabajo y con la remuneración correspondiente a cada uno de ellos, atendiendo a su trayectoria y actuación profesional, la calidad de los trabajos realizados, los conocimientos adquiridos, la formación acreditada y la evaluación de su desempeño.

Asimismo, podrá desarrollar su carrera profesional, mediante el ascenso en la estructura de puestos de trabajo, atendiendo a la valoración de sus méritos, su grado de especialización y las aptitudes por razón de la especificidad de la función que desempeña y la experiencia adquirida.

En todo caso, en la carrera profesional de este personal se observarán los principios de transparencia retributiva y de igualdad efectiva en los procesos de promoción profesional.

2.3. Acceso a plazas de personal técnico, de gestión y de administración y servicios de las universidades públicas

De conformidad con lo dispuesto en el artículo 91 de la LOSU la selección del personal técnico, de gestión y de administración y servicios, funcionario y laboral, se realizará mediante la superación de las pruebas selectivas de acceso, en los términos establecidos por la normativa aplicable y por los Estatutos de las universidades y, en todo caso, de acuerdo con los principios de igualdad, mérito, capacidad, transparencia, publicidad y concurrencia, así como la posibilidad de recurso ante la propia universidad.

Las convocatorias relativas a dichos procesos de selección deberán publicarse en el «Boletín Oficial del Estado» y en el diario oficial de la respectiva Comunidad Autónoma. Asimismo, las universidades garantizarán la transparencia y objetividad de los procesos, la imparcialidad e independencia de los órganos de selección, así como una composición equilibrada entre mujeres y hombres en los mismos, la adecuación de los contenidos de las pruebas selectivas a las funciones y tareas a desarrollar, y la disponibilidad de mecanismos de revisión de los resultados de acuerdo con lo dispuesto por la normativa aplicable y la negociación colectiva.

2.4. Provisión de puestos de trabajo

El artículo 92 de la LOSU establece que en la provisión de puestos de trabajo las universidades deberán atender a las necesidades del servicio y garantizarán los principios de publicidad, transparencia, igualdad, y mérito y capacidad.

La provisión de puestos de personal técnico, de gestión y de administración y servicios en las universidades se realizará mediante el sistema de concurso y podrá concurrir tanto su propio personal, como el personal de otras universidades, así como, en las condiciones que reglamentariamente se determinen, el personal perteneciente a cuerpos y escalas de las Administraciones públicas.

Solo podrán cubrirse por el sistema de libre designación aquellos puestos de personal funcionario que se determinen por las universidades atendiendo a la naturaleza de sus funciones, y de conformidad con la normativa general de la función pública.

Las universidades y las comunidades autónomas garantizarán que las ofertas de empleo en la universidad se ajustan a las previsiones establecidas en la normativa que, con carácter general, sea de aplicación al sector público en materia de reserva de cupo para personas con discapacidad.

2.5. Retribuciones

El artículo 93 el personal técnico, de gestión y de administración y servicios, funcionario y laboral, será retribuido con cargo a los presupuestos de sus respectivas universidades.

El régimen retributivo del personal funcionario y laboral se determinará dentro de los límites máximos que determine la Comunidad Autónoma, mediante negociación colectiva y en el marco de las bases que fije el Estado.

El Gobierno, las Comunidades Autónomas y las universidades podrán establecer programas de incentivos para este personal vinculados a sus méritos individuales y a su contribución en la mejora de la actividad que desempeña en relación con la docencia, la investigación, la transferencia e intercambio del conocimiento o la gestión y prestación de servicios especializados.

En todo caso, los incentivos económicos se asignarán mediante un procedimiento que garantice su publicidad, y de acuerdo con los principios de objetividad e imparcialidad del órgano evaluador, y de transparencia retributiva.

2.6. Formación y movilidad

A tenor del artículo 94 de la LOSU las universidades establecerán planes plurianuales de formación a lo largo de la vida que garanticen la mejora profesional de su personal técnico, de gestión y de administración y servicios, en los distintos ámbitos de especialización de la actividad universitaria.

Las universidades implantarán, asimismo, planes plurianuales destinados a la movilidad de su personal técnico, de gestión y de administración y servicios para el desempeño de sus funciones en otras universidades o Administraciones públicas y, a tal fin, formalizarán convenios que aseguren la reciprocidad.

Las universidades incluirán en estos planes la movilidad internacional, en coordinación con las Administraciones públicas, y mediante programas y convenios específicos incluidos aquellos que instituya la Unión Europea mediante estancias con fines formativos en instituciones de educación superior, entidades o empresas.

2.7. Proceso de estabilización de las plazas del personal técnico, de gestión y de administración y servicios de las universidades públicas

La Disposición transitoria novena de la LOSU establece que antes del 31 de diciembre de 2024 y conforme a lo establecido por la Ley 20/2021, de 28 de diciembre, las universidades públicas deberán articular procesos de estabilización de las plazas de su personal técnico, de gestión y de administración y servicios.

El sistema de selección en estos procesos será el de concurso o concurso-oposición garantizando los principios de igualdad, mérito, capacidad, publicidad y concurrencia. Estas plazas no computarán en la tasa de reposición de efectivos. De la resolución de estos procesos no podrá resultar, en ningún caso, incremento de efectivos.

TEMA 12

La Ley Orgánica 2/2023, de 22 de marzo, del Sistema Universitario: Los estudiantes en el Sistema Universitario. El personal docente e investigador de las universidades

Índice

1. Los estudiantes en el Sistema Universitario
2. El personal docente e investigador de las universidades en la Ley Orgánica del Sistema Universitario

1. Los estudiantes en el Sistema Universitario

1.1. Derecho de acceso

El artículo 31 de la LOSU establece que el derecho de acceso a los estudios universitarios, de acuerdo con el artículo 27 de la Constitución, se ejerce en los términos establecidos por el ordenamiento jurídico. Las Administraciones públicas deberán garantizar la igualdad de oportunidades y condiciones en el ejercicio de este derecho a todas las personas, sin discriminación de acuerdo con lo dispuesto en el artículo 37 de la LOSU[1].

Corresponde al Gobierno, previo informe de la Conferencia General de Política Universitaria y del Consejo de Estudiantes Universitario, mediante real decreto, establecer las normas básicas para el acceso del estudiantado a las enseñanzas universitarias oficiales, siempre con respeto de los principios de igualdad, mérito y capacidad y, en todo caso, de acuerdo con el artículo 38 de la Ley Orgánica 2/2006, de 3 de mayo, de Educación, así como con el resto de normas de carácter básico que le sean de aplicación.

Con el fin de facilitar la actualización de la formación y la readaptación profesionales, el Gobierno, previo informe del Consejo de Universidades, establecerá reglamentariamente las condiciones y regulará los procedimientos para el acceso a la Universidad de quienes, acreditando una determinada experiencia laboral o profesional, no dispongan de la titulación académica legalmente requerida al efecto con carácter general.

En relación con el acceso a la Universidad de las personas mayores de 25 años y las tituladas en enseñanzas deportivas, de artes plásticas y diseño y de Formación Profesional, se estará a lo dispuesto por la Ley Orgánica 2/2006, de 3 de mayo, y por el resto de las normas de carácter básico que le sean de aplicación.

Las Comunidades Autónomas efectuarán la programación de la oferta de enseñanzas de las universidades de su competencia y sus distintos centros, de acuerdo con ellas y conforme a los procedimientos que establezcan. Dicha oferta se comunicará a la Conferencia General de Política Universitaria para su estudio y aprobación, y el Ministerio de Universidades le dará publicidad. En dicha oferta las universidades reservarán, al menos, un 5 % de las plazas ofertadas en los títulos universitarios oficiales de Grado, Máster Universitario y Doctorado para estudiantes con discapacidad, en la forma en la que se establezca reglamentariamente.

Con arreglo al Convenio Marco Europeo sobre cooperación transfronteriza entre comunidades y autoridades territoriales (Madrid, 21 de mayo de 1980), y en el ámbito geográfico comprendido en los respectivos convenios de cooperación transfronteriza suscritos, se reconoce el derecho del estudiantado a disponer de mecanismos transparentes que faciliten el reconocimiento automático de estudios, de conformidad con los principios de igualdad, reciprocidad y no discriminación.

---

s Véase el apartado 10.5: Equidad y no discriminación.

Las Comunidades Autónomas partícipes en las eurorregiones conformadas por los señalados acuerdos establecerán los referidos mecanismos que serán remitidos a la Conferencia General de Política Universitaria para su conocimiento, ratificación y difusión.

El Gobierno, previo acuerdo de la Conferencia General de Política Universitaria, podrá establecer límites máximos de admisión de estudiantes en los estudios de que se trate para cumplir las exigencias derivadas de la Unión Europea o del Derecho Internacional, o bien por motivos de interés general igualmente acordados en dicha Conferencia. Dichos límites afectarán al conjunto de las universidades públicas y privadas.

Finalmente, la Disposición adicional décima séptima de la LOSU establece que las personas que no posean ninguna titulación universitaria habilitante para acceder a las titulaciones de formación permanente y que puedan acreditar experiencia laboral o profesional con nivel competencial equivalente a la formación académica universitaria, podrán acceder a las enseñanzas universitarias de formación permanente mediante un procedimiento de reconocimiento de la experiencia profesional.

1.2. Becas y ayudas al estudio

El artículo 32 de la LOSU señala que se garantizará la igualdad de oportunidades en el acceso a la Universidad y en la continuidad en las enseñanzas universitarias del estudiantado, con independencia de la capacidad económica de las personas o familias y de su lugar de residencia. A tal fin, se reconoce el derecho subjetivo del estudiantado universitario a acceder a becas y ayudas al estudio, siempre que cumpla con los requisitos recogidos en las normas reguladoras de las mismas, y de conformidad con los principios fundamentales de igualdad y no discriminación.

El Estado establecerá, con cargo a sus presupuestos generales y sin perjuicio de las competencias de las Comunidades Autónomas, un sistema general de becas y ayudas al estudio.

Las Comunidades Autónomas, en el ejercicio de sus competencias, podrán ofertar y regular un sistema propio de becas y ayudas al estudio con cargo a sus presupuestos. Asimismo, las universidades, en el ámbito de sus competencias, podrán establecer su propio sistema de becas y ayudas al estudio con cargo a sus presupuestos.

El Gobierno regulará de forma básica con carácter de mínimos las modalidades y cuantías de las becas y ayudas al estudio a las que se refieren los párrafos anteriores, las condiciones económicas y académicas que hayan de reunir los beneficiarios, así como los supuestos de incompatibilidad, revocación, reintegro y cuantos requisitos sean precisos para asegurar la igualdad en el acceso a las citadas becas y ayudas, preservando las competencias de las Comunidades Autónomas que, con cargo a sus presupuestos, regulen y gestionen un sistema de becas y ayudas al estudio[2].

---

2 La regulación básica a que se refiere este artículo se contiene en el Real Decreto 1721/2007, de 21 de diciembre, por el que se establece el régimen de las becas y ayudas al estudio personalizadas.

Para asegurar la eficacia del sistema y una gestión descentralizada, se establecerán los oportunos mecanismos de información, coordinación y cooperación entre la Administración General del Estado y las Administraciones de las Comunidades Autónomas.

La concesión de las becas y ayudas al estudio contempladas en los párrafos anteriores responderá prioritaria y fundamentalmente a criterios socioeconómicos, sin perjuicio de los criterios académicos y de otros criterios que, de conformidad con los principios de igualdad e inclusión, puedan, en su caso, establecer las bases reguladoras atendiendo a la discapacidad y sus necesidades de apoyo, al origen nacional y étnico, a las circunstancias sociales, cargas familiares, situaciones de violencia de género y otras formas de violencia contra la mujer, así como otras características específicas del estudiantado.

En particular, se tendrán en cuenta la distancia al territorio peninsular y la insularidad y la necesidad de traslado entre las distintas islas y entre estas y la península con el fin de favorecer la movilidad y el ejercicio del derecho de acceso y continuidad del estudiantado en las enseñanzas universitarias en condiciones de igualdad.

Con independencia del sistema general de becas a que se refieren los párrafos anteriores, las Comunidades Autónomas podrán ofertar becas y ayudas para el fomento del estudio con cargo a sus fondos propios, conforme a lo establecido en sus correspondientes Estatutos de Autonomía.

Para garantizar el acceso y la permanencia en los estudios universitarios, las universidades públicas podrán establecer, con cargo a sus propios presupuestos, modalidades de exención parcial o total del pago de los precios públicos y derechos por prestación de servicios académicos que, en cualquier caso, tomarán en consideración la diversidad del núcleo familiar atendiendo a criterios socioeconómicos. El estudiantado con discapacidad y las víctimas de violencia de género y otras formas de violencia contra la mujer tendrán derecho a una bonificación total por los servicios académicos universitarios liquidados en la matrícula en los términos establecidos en la normativa específica y mediante acreditación formal.

1.3. Derechos del estudiantado

1.3.1. Derechos relativos a la formación académica

A tenor de lo dispuesto en el artículo 33 de la LOSU, en relación con su formación académica, el estudiantado tendrá los siguientes derechos, sin perjuicio de aquellos reconocidos por el Estatuto del Estudiante Universitario aprobado por el Gobierno[3]:

a) A una educación inclusiva en la universidad de su elección, en los términos y condiciones establecidos por el ordenamiento jurídico.

3 Se dispuso que en el plazo de un año desde la entrada en vigor de la LOMLOU el Gobierno aprobará el Estatuto del Estudiante Universitario y fue aprobado por Real Decreto 1791/2010, de 30 de diciembre.

b) A una formación académica inclusiva de calidad, que fomente la adquisición de los conocimientos y las competencias académicas y profesionales programadas en cada ciclo de enseñanzas, para los estudios de que se trate.

c) A conocer los planes docentes de las asignaturas en las que prevea matricularse y ser informado de la lengua de impartición.s

d) A ser informado previamente al periodo de matriculación de las modalidades, presencial, virtual o híbrida, de la docencia y la evaluación.

e) A las tutorías y al asesoramiento, a la orientación psicopedagógica y al cuidado de la salud mental y emocional, en los términos dispuestos por la normativa universitaria.

f) A una evaluación objetiva y a la publicidad de las normas que regulen los procedimientos de evaluación y verificación de los conocimientos, incluido el procedimiento de revisión de calificaciones y los mecanismos de reclamación disponibles.

g) A la publicidad de las normas que regulen el progreso y la permanencia del estudiantado en la universidad, de acuerdo con las características de los respectivos estudios.

h) A la orientación e información sobre las actividades que le afecten y, en especial, a un servicio de orientación que facilite su itinerario formativo y su inserción social y laboral.

i) Al acceso prioritario a los cursos de actualización de estudios y formación a lo largo de la vida que su universidad de origen realice.

j) A acceder y participar en los programas de movilidad, nacionales e internacionales, en condiciones que garanticen la igualdad de oportunidades, atendiendo en especial a las desigualdades por razón socioeconómica y por discapacidad.

k) Al reconocimiento académico y a favorecer la compatibilidad de su participación en actividades universitarias de mentoría, aprendizaje-servicio, Ciencia Ciudadana, culturales, deportivas, de representación estudiantil, asociacionismo universitario, solidarias, de cooperación y de creación de nuevas iniciativas sociales y empresariales.

l) Al acceso a formación para el desarrollo de las capacidades digitales, así como a recursos e infraestructuras digitales.

m) A la seguridad de los medios digitales y a la garantía de los derechos fundamentales en Internet.

n) A un diseño de las actividades académicas que facilite la conciliación de los estudios con la vida laboral y familiar.

o) Al acceso y, en su caso, gestión de los distintos servicios universitarios dirigidos al estudiantado.

p) A la protección de la Seguridad Social, en los términos y condiciones que establezca la legislación vigente.

q) Al paro académico, respetando el derecho a la educación del estudiantado. Las universidades desarrollarán las condiciones para el ejercicio de dicho derecho y el pro-

cedimiento de declaración del paro académico, que será efectuada por el órgano de representación del estudiantado. El paro académico podrá ser total o parcial.

r) A la accesibilidad universal de los edificios y sus entornos físicos y virtuales, así como los servicios, procedimientos, suministros y comunicación de información, los materiales educativos y los procesos de enseñanza-aprendizaje y evaluación.

1.3.2. Derechos de participación y representación

El artículo 34 de la LOSU establece que las universidades garantizarán al estudiantado una participación activa, libre y significativa en el diseño, implementación y evaluación de la política universitaria, así como el ejercicio efectivo de las libertades de expresión y los derechos de reunión, manifestación y asociación, en los términos establecidos en la Constitución y en el resto del ordenamiento jurídico.

Las universidades promoverán y facilitarán la participación del estudiantado en actividades de representación y asociacionismo estudiantil, así como su implicación activa en la vida y actividad universitarias. Asimismo, garantizarán su participación en:

a) La creación del conocimiento y su concreción en los planes de estudios.

b) La evaluación de los títulos universitarios y de la docencia.

c) La gestión de los servicios vinculados a la vida universitaria.

d) La promoción activa de la innovación docente.

e) La vinculación con la sociedad y el entorno local e internacional.

f) Y la convivencia universitaria y la mediación y resolución alternativa de conflictos.

El estudiantado tendrá derecho a una representación activa, significativa y participativa en los órganos de gobierno y representación de la universidad, así como en los procesos para su elección, en particular, en los consejos de estudiantes de su universidad y en el Consejo de Estudiantes Universitario del Estado, así como, de existir estos, en los consejos autonómicos de estudiantes.

Las universidades garantizarán al estudiantado un acceso real a la información y a mecanismos adecuados para el ejercicio efectivo de los derechos de participación y representación, incluidos aquellos mecanismos destinados al seguimiento y la evaluación.

Asimismo, adoptarán medidas para que estos derechos resulten compatibles con su actividad académica, como el reconocimiento de créditos por su implicación en las políticas, las actividades y la gestión universitarias, incluidas las actividades de asociacionismo y representación estudiantil, culturales, solidarias, de cooperación y de colaboración con el entorno.

1.3.3. Eficacia y garantía de los derechos

Las universidades garantizarán al estudiantado el ejercicio de sus derechos en el ámbito universitario, tanto en su dimensión individual, como colectiva. A tal fin, asegurarán la disponibilidad de procedimientos adecuados para su implementación y cumplimiento efectivos.

Las universidades informarán al estudiantado de sus derechos en el ámbito universitario.

Las universidades deberán garantizar la participación de la representación estudiantil en la elaboración de las diferentes normas que afectan al estudiantado (art. 35 LOSU).

1.4. Deberes del estudiantado

A tenor de lo dispuesto por el artículo 36 de la LOSU el estudiantado universitario queda sujeto a los siguientes deberes:

a) Participar de forma activa y responsable en las actividades docentes y en las demás actividades universitarias.

b) Respetar la normativa universitaria, incluida la reguladora de la convivencia en el ámbito universitario, en los términos recogidos en la normativa específica.

c) Observar las directrices del profesorado y de las autoridades universitarias.

d) Respetar a los miembros de la comunidad universitaria, así como al personal de las entidades colaboradoras o que presten servicios en la universidad.

e) Ejercer, en su caso, las responsabilidades propias de los cargos de representación.

1.5. Equidad y no discriminación

El artículo 37 de la LOSU establece que las universidades garantizarán al estudiantado que en el ejercicio de sus derechos y el cumplimiento de sus deberes no será discriminado por razón de nacimiento, origen racial o étnico, sexo, orientación sexual, identidad de género, religión, convicción u opinión, edad, discapacidad, nacionalidad, enfermedad, condición socioeconómica, lingüística, afinidad política y sindical, por razón de su apariencia, o por cualquier otra condición o circunstancia personal o social.

Las universidades favorecerán que las estructuras curriculares de las enseñanzas universitarias resulten inclusivas y accesibles. En particular, adoptarán medidas de acción positiva para que el estudiantado con discapacidad pueda disfrutar de una educación universitaria inclusiva, accesible y adaptable, en igualdad con el resto del estudiantado, realizando ajustes razonables, tanto curriculares como metodológicos, a los materiales didácticos, a los métodos de enseñanza y al sistema de evaluación.

Las universidades facilitarán a las personas usuarias de las lenguas de signos su utilización cuando se precise.

Las universidades promoverán el acceso a estudios universitarios de las personas con discapacidad intelectual y por otras razones de discapacidad mediante el fomento de estudios propios adaptados a sus capacidades

2. El personal docente e investigador de las universidades en la Ley Orgánica del Sistema Universitario

2.1. Personal docente e investigador de las Universidades públicas

2.1.1 Normas generales

Es conveniente poner de relieve que las clases y el régimen jurídico del profesorado universitario han sufrido cambios relevantes respecto a la regulación contenida en la ya derogada Ley Orgánica de Universidades del año 2001.

A) Personal docente e investigador

De conformidad con lo dispuesto en el artículo 64 de la LOSU el personal docente e investigador estará compuesto por:

1. El profesorado de los cuerpos docentes universitarios y
2. Por el profesorado laboral.

El personal funcionario de un cuerpo docente universitario en situación de servicio activo y destino en una universidad pública, igual que el personal docente e investigador contratado a tiempo completo, no podrá ser profesorado de las universidades privadas ni de los centros privados de enseñanza adscritos a universidades, sin menoscabo de lo establecido para los contratos de investigación en el artículo 60.1 de la LOSU.

El profesorado funcionario será mayoritario, computado en equivalencias a tiempo completo, sobre el total de personal docente e investigador de la universidad. No se computará como profesorado laboral a quienes no tengan responsabilidades docentes en las enseñanzas conducentes a la obtención de los títulos universitarios oficiales, ni al personal propio de los institutos de investigación adscritos a la universidad y de las escuelas de doctorado[4].

El profesorado con contrato laboral temporal no podrá superar el 8 % en efectivos de la plantilla de personal docente e investigador. No se computará a tal efecto el profesorado asociado de Ciencias de la Salud y el profesorado ayudante doctor.

Todos los puestos de trabajo de profesorado funcionario y laboral deberán adscribirse a los ámbitos de conocimiento que serán establecidos reglamentariamente por el Gobierno, previo informe del Consejo de Universidades. Dichos ámbitos serán suficientemente amplios para permitir y favorecer la movilidad del profesorado y facilitar su carrera profesional.

---

[4] La mayoría de profesorado funcionario establecida en el artículo 64.3 deberá cumplirse dentro del periodo previsto en el artículo 155.2 de la Ley Orgánica 2/2006, de 3 de mayo, relativo al plan de incremento del gasto público en educación (Disposición transitoria sexta de la LOSU).

B) Promoción de la equidad entre el personal docente e investigador

El artículo 65 de la LOSU señala que se podrán establecer medidas de acción positiva en los concursos de acceso a plazas de personal docente e investigador funcionario y laboral para favorecer el acceso de las mujeres. A tal efecto, se podrán establecer reservas y preferencias en las condiciones de contratación de modo que, en igualdad de condiciones de idoneidad, tengan preferencia para ser contratadas las personas del sexo menos representado en el cuerpo docente o categoría de que se trate.

Las universidades y las Comunidades Autónomas, en el ámbito de sus respectivas competencias, garantizarán que las ofertas de empleo en la Universidad se ajustan a las previsiones establecidas en materia de reserva de cupo para personas con discapacidad en el artículo 59 del texto refundido de la Ley del Estatuto del Empleado Público[5].

Todas las comisiones y órganos de concursos y acreditaciones a que hacen referencia los artículos 69 (Acreditación de los cuerpos docentes universitarios), 71 (Concursos para el acceso a plazas de los cuerpos docentes universitarios) y 86 (Concursos para el acceso a plazas de personal docente e investigador laboral) garantizarán el principio de composición equilibrada entre mujeres y hombres.

Las universidades y las Administraciones públicas, en el ámbito de sus respectivas competencias, deberán favorecer la corresponsabilidad en los cuidados y asegurar el ejercicio efectivo de los derechos de conciliación de la vida personal, laboral y familiar. Con este fin deberán aplicar criterios que aseguren la igualdad efectiva de todas las personas en la aplicación del régimen de dedicación y el acceso a los programas de movilidad que sean de su competencia, y analizar y corregir las desigualdades por razón de género, edad, discapacidad, origen nacional o etnicidad en los usos del tiempo académico.

Asimismo, los procedimientos de acreditación del profesorado funcionario y laboral deberán incorporar criterios que garanticen que la igualdad y la conciliación sean efectivas.

C) Movilidad temporal del personal docente e investigador

El artículo 66 de la LOSU establece que la movilidad constituye un derecho, sin perjuicio de lo establecido en el artículo 69.

---

5 Dicho artículo dispone: "En las ofertas de empleo público se reservará un cupo no inferior al 7 % de las vacantes para ser cubiertas entre personas con discapacidad, considerando como tales las definidas en el apartado 2 del artículo 4 del texto refundido de la Ley General de derechos de las personas con discapacidad y de su inclusión social, aprobado por el Real Decreto Legislativo 1/2013, de 29 de noviembre, siempre que superen los procesos selectivos y acrediten su discapacidad y la compatibilidad con el desempeño de las tareas, de modo que progresivamente se alcance el 2 % de los efectivos totales en cada Administración pública. La reserva del mínimo del 7 % se realizará de manera que, al menos, el 2 % de las plazas ofertadas lo sea para ser cubiertas por personas que acrediten discapacidad intelectual y el resto de las plazas ofertadas lo sea para personas que acrediten cualquier otro tipo de discapacidad".

Será de aplicación al personal docente e investigador de las universidades públicas la regulación de movilidad del personal de investigación prevista en el artículo 17 y concordantes de la Ley 14/2011, de 1 de junio. En lo no previsto por dicha norma legal se aplicará la reglamentación propia de cada universidad, los convenios que se establezcan entre universidades o instituciones de educación superior (nacionales e internacionales), y entre estas y otros organismos públicos o privados de investigación, institutos de investigación o entidades o empresas basadas en el conocimiento, y los acuerdos que se establezcan entre las Comunidades Autónomas.

La vinculación del personal docente e investigador a otra universidad pública, centro adscrito de titularidad pública, organismo público de investigación, instituto de investigación, centros de I+D+i dependientes de las Administraciones públicas o entidades o empresas basadas en el conocimiento podrá ser a tiempo completo o a tiempo parcial y, en ambos casos, el personal docente e investigador mantendrá, a todos los efectos, su adscripción a la universidad a la que pertenece.

Asimismo, los periodos de adscripción a otra universidad pública, organismos públicos de investigación o centros de I+D+i dependientes de las Administraciones públicas computarán a efectos de antigüedad y no impedirán el progreso en la carrera profesional.

Las universidades y las Administraciones públicas dotarán de la adecuada financiación presupuestaria a los planes de movilidad para el refuerzo de los conocimientos científicos, tecnológicos, humanísticos, artísticos, culturales, lingüísticos, la creatividad y el desarrollo profesional del personal docente e investigador. Sus correspondientes programas de gasto tendrán en cuenta la singularidad de las universidades de los territorios insulares y la distancia al territorio peninsular.

D) Formación

A tenor de lo dispuesto en el artículo 67 de la LOSU las universidades garantizarán la formación docente inicial y continuada de su profesorado. Asimismo, establecerán planes de formación inicial y de formación a lo largo de la vida que garanticen la mejora profesional de su personal docente e investigador, en los distintos ámbitos de especialización de la actividad universitaria, en el marco de la planificación estratégica y de las prioridades de las propias universidades en materia de formación.

E) Funciones de tutoría en universidades no presenciales

La Disposición adicional novena de la LOSU establece que las universidades no presenciales disponen de profesorado propio y, en determinados casos en atención a sus especiales características, también de profesorado colaborador que desarrolla funciones de apoyo docente y efectúa actividades de orientación y acompañamiento en el aprendizaje del estudiantado, a tiempo parcial, externamente, con plena independencia y autonomía organizativa, y con aportación de los medios necesarios y de su experiencia técnica y profesional. Estos colaboradores deben acreditar ejercer su actividad principal fuera del ámbito académico universitario.

Las universidades no presenciales, promovidas o participadas por el sector público y que operen con precios públicos, en atención a sus especiales características y necesidades, podrán acogerse a la modalidad de contratación laboral propia del profesorado asociado.

No obstante lo establecido en el apartado A) anterior (artículo 64.2 LOSU), el profesorado de universidades públicas podrá realizar funciones de tutoría en universidades no presenciales, públicas o parcialmente financiadas por las Comunidades Autónomas, y que operen con precios públicos.

F) Concursos para la cobertura de plazas de personal docente e investigador

La Disposición transitoria décima primera de la LOSU establece que las convocatorias para la cobertura de plazas de personal docente e investigador oficialmente publicadas antes del 31 de diciembre de 2023, podrán regirse por la normativa vigente antes de la entrada en vigor de esta ley orgánica.

2.1.2. El profesorado de los Cuerpos docentes universitarios

A) Cuerpos docentes universitarios

El artículo 68 de la LOSU establece que el profesorado universitario funcionario pertenecerá a los siguientes cuerpos docentes:

a) Catedráticas y Catedráticos de Universidad.

b) Profesoras y Profesores Titulares de Universidad.

El profesorado perteneciente a estos cuerpos tendrá plena capacidad docente e investigadora.

El profesorado funcionario se regirá por las bases establecidas en la LOSU y en su normativa de desarrollo, por las disposiciones que, en virtud de sus competencias, dicten las Comunidades Autónomas, por la legislación general de función pública que le sea de aplicación y por los Estatutos de su universidad.

La LOMLOU en el año 2007 suprimió los Cuerpos de Catedráticos de Escuelas Universitarias y de Profesores Titulares de Escuelas Universitarias y la Disposición adicional décima primera de la LOSU contempla un procedimiento de integración y de acceso de estos cuerpos docentes en los siguientes términos:

a) Previa solicitud dirigida al Rector o Rectora de la universidad, los funcionarios y funcionarias Doctores/as del Cuerpo de Catedráticos/as de Escuela Universitaria podrán integrarse en el Cuerpo de Profesores/as Titulares de Universidad en las mismas plazas que ocupen, manteniendo todos sus derechos, y computándose la fecha de ingreso en el Cuerpo de Profesores/as Titulares de Universidad la que tuvieran en el cuerpo de origen.

   Quienes no soliciten dicha integración mantendrán su condición de profesorado de las universidades y conservarán su plena capacidad docente y, en su caso, investigadora, de transferencia e intercambio del conocimiento e innovación. Asimismo, podrán presentar la solicitud para obtener la acreditación para Catedrático de Universidad.

b) Los Profesores y Profesoras Titulares de Escuela Universitaria que, a la entrada en vigor de la LOSU, posean el título de doctor o doctora o lo obtengan posteriormente, y se acrediten específicamente en el marco de lo previsto por el artículo 69 de la LOSU, accederán directamente al Cuerpo de Profesores/as Titulares de Universidad, en sus propias plazas.

c) Para la acreditación a Titulares de Universidad de los Profesores/as Titulares de Escuela Universitaria se valorará particularmente la docencia, así como la investigación y, en su caso, la gestión.

d) Quienes no accedan a la condición de Profesor/a Titular de Universidad permanecerán en su situación actual, manteniendo todos sus derechos y conservando su plena capacidad docente y, en su caso, investigadora, de transferencia e intercambio del conocimiento e innovación.

e) El requisito de movilidad previsto en el párrafo segundo del apartado B) siguiente (artículo 69.1 LOSU), no será de aplicación al profesorado al que se refiere esta disposición adicional décima primera.

B) Acreditación de los cuerpos docentes universitarios[6]

Tal y como señala el artículo 69 de la LOSU el acceso a los cuerpos docentes universitarios exigirá, además del título de Doctor/a, la previa obtención de una acreditación por parte de la ANECA que, valorando los méritos y competencias de las personas aspirantes, garantice la calidad en la selección del profesorado funcionario en el conjunto del país. La ANECA acordará, mediante convenio, el desarrollo de la evaluación de dichos méritos y competencias por parte de las agencias de calidad de las Comunidades Autónomas[7].

En todo caso, será requisito para obtener la acreditación, la realización de actividades de investigación o docencia en universidades y/o centros de investigación distintos de aquella institución en la que se presentó la tesis doctoral, de acuerdo con los criterios establecidos reglamentariamente.

El procedimiento de acreditación garantizará:

a) Los principios de igualdad, mérito y capacidad, así como los de publicidad, transparencia e imparcialidad de los miembros de los órganos de acreditación.

b) La agilidad y la petición de documentación accesible, en modo abierto, abreviada y significativa, utilizando los repositorios institucionales.

---

6 La ANECA y las agencias de calidad autonómicas dispondrán de un periodo de un año desde la entrada en vigor de esta ley orgánica para adaptar los criterios de la acreditación a Profesor/a Titular de Universidad y a la figura de Profesor/a Permanente Laboral, a la duración de la etapa inicial de la carrera académica que establece esta ley orgánica (Disposición transitoria cuarta de la LOSU).

7 En el plazo de un año desde la entrada en vigor de esta ley orgánica, la ANECA acordará con las agencias de calidad de las Comunidades Autónomas los convenios a que se refiere este artículo (Disposición transitoria cuarta de la LOSU).

c) Una evaluación tanto cualitativa como cuantitativa de los méritos docentes y de investigación, y en su caso de transferencia del conocimiento, con una amplia gama de indicadores de relevancia científica e impacto social.

d) Una evaluación basada en la especificidad del área o ámbito de conocimiento, teniendo en cuenta, entre otros criterios, la experiencia profesional, en especial, cuando se trate, entre otras, de profesiones reguladas del ámbito sanitario, la relevancia local, el pluralismo lingüístico y el acceso abierto a datos y publicaciones científicas.

e) La adecuación de los méritos requeridos a la duración de la etapa inicial de la carrera académica que establece esta ley orgánica.

f) La composición de los órganos de acreditación por profesorado de los cuerpos docentes universitarios y expertos/as, tanto nacionales como extranjeros, de reconocido prestigio.

g) La justificación de forma detallada, objetiva y transparente del resultado del proceso.

Por real decreto del Consejo de Ministros, previo informe del Consejo de Universidades, se regulará el procedimiento de acreditación. En estos procedimientos el sentido del silencio administrativo será desestimatorio[8].

C) Personal de los cuerpos docentes universitarios que ocupe plaza vinculada a servicios asistenciales y de salud pública de instituciones sanitarias

El artículo 70 de la LOSU dispone que el personal de los cuerpos docentes universitarios que ocupe una plaza vinculada a los servicios asistenciales y de salud pública de instituciones sanitarias, en áreas de conocimiento de carácter clínico asistencial y de salud pública, de acuerdo con lo establecido en el artículo ciento cinco de la Ley 14/1986, de 25 de abril, General de Sanidad[9], se regirá por lo establecido en este artículo y los demás de esta ley orgánica que le sean de aplicación. Dicha plaza se considerará, a todos los efectos, como un solo puesto de trabajo.

---

8 En la actualidad dicho procedimiento se encuentra regulado por el Real Decreto 1312/2007, de 5 de octubre, por el que se establece la acreditación nacional para el acceso a los cuerpos docentes universitarios.

9 Dicho artículo dispone lo siguiente: "En el caso del profesorado de los cuerpos docentes universitarios, las plazas vinculadas se proveerán por concurso entre quienes hayan sido seleccionados en los concursos de acceso a los correspondientes cuerpos docentes universitarios, conforme a las normas que les son propias. Quienes participen en los procesos de acreditación nacional, previos a los mencionados concursos, además de reunir los requisitos exigidos en las indicadas normas, acreditarán estar en posesión del título que habilite para el ejercicio de la profesión sanitaria que proceda y, en su caso, de Especialista en Ciencias de la Salud, además de cumplir las exigencias en cuanto a su cualificación determinada reglamentariamente. El título de especialista en Ciencias de la Salud será imprescindible en el caso de las personas con la titulación universitaria en Medicina. Asimismo, las comisiones deberán valorar los méritos e historial académico e investigador y los propios de la labor asistencial de los candidatos y candidatas, en la forma que reglamentariamente se establezca. En las comisiones que resuelvan los mencionados concursos de acceso, dos de sus miembros serán elegidos por sorteo público por la institución sanitaria correspondiente. Estas comisiones deberán valorar la actividad asistencial de los candidatos y candidatas de la forma que reglamentariamente se determine".

En atención a las peculiaridades de estas plazas se regirán también en lo que les sea de aplicación, por la Ley 14/1986, de 25 de abril, y demás legislación sanitaria, así como por las normas que el Gobierno, mediante real decreto, a propuesta conjunta de las personas titulares de los Ministerios de Sanidad y de Universidades y, en su caso, de Defensa, establezca en relación con este personal funcionario. En particular, en estas normas se determinará el ejercicio de las competencias sobre situaciones administrativas y se concretará el régimen disciplinario de este personal. Independientemente de lo anterior y, a iniciativa conjunta de las Ministras o Ministros indicados previamente y a propuesta del Ministro o Ministra de Hacienda y Función Pública, se establecerá el sistema de retribuciones aplicable al mencionado personal.

D) Concursos para el acceso a plazas de los cuerpos docentes universitarios.

De conformidad con lo dispuesto en el artículo 71 de la LOSU, las universidades, de acuerdo con lo que establezca su normativa interna, convocarán concursos para el acceso a plazas de los cuerpos docentes universitarios que estén dotadas en el estado de gastos de su presupuesto, según se desarrolle reglamentariamente. En todo caso, dichos concursos contemplarán las siguientes condiciones:

a) La experiencia docente y la experiencia investigadora, incluyendo la de transferencia e intercambio del conocimiento, tendrán una consideración análoga en el conjunto de los criterios de valoración de los méritos a considerar por las universidades. Las universidades podrán establecer en la convocatoria otros méritos a valorar.

b) Las comisiones de selección estarán integradas por una mayoría de miembros externos a la universidad convocante elegidos por sorteo público entre el conjunto del profesorado y personal investigador de igual o superior categoría a la plaza convocada. Dicho sorteo se realizará a partir de una lista cualificada de profesorado y personal investigador elaborada por la universidad, en los términos en los que se desarrolle en la normativa interna.

c) Se aplicará una reserva en el cómputo anual, de un mínimo del 15 % del total de plazas que oferten las universidades para los cuerpos docentes de Universidad y el personal permanente laboral, para la incorporación de personal investigador doctor que haya superado la evaluación del Programa de Incentivación de la Incorporación e Intensificación de la Actividad Investigadora (I3), o que haya obtenido el certificado como investigador/a establecido/a (R3). Las plazas objeto de reserva que queden vacantes se podrán acumular a la convocatoria ordinaria de turno libre de ese mismo año.

Las universidades establecerán programas de promoción interna, que estén dotados en el estado de gastos de su presupuesto, para el acceso desde la categoría de Profesora y Profesor Titular de Universidad y de Profesora y Profesor Permanente Laboral a otra de superior categoría. Las plazas de estos programas no podrán superar el número máximo de plazas que sean objeto de la Oferta de Empleo Público de turno libre, en ese mismo año, para el acceso a los Cuerpos docentes de funcionarios y de Profesorado Permanente Laboral.

Solo podrán acceder a dichas plazas profesoras y profesores que hayan prestado, como mínimo, dos años de servicios efectivos en el puesto de origen y que estén acreditados para la categoría a la que promocionan.

La universidad regulará, en su normativa interna, el procedimiento a seguir en los programas de promoción interna. En todo caso, el procedimiento de acceso será el de concurso de méritos.

E) Concursos de movilidad del profesorado

El artículo 72 de la LOSU señala que las universidades podrán convocar concursos de movilidad para la provisión de plazas docentes vacantes dotadas en el estado de gastos de sus presupuestos.

Estas convocatorias se publicarán en el «Boletín Oficial del Estado» y en el diario oficial de la Comunidad Autónoma correspondiente, y deberán contener, como mínimo, criterios de valoración de carácter curricular para la adjudicación de las plazas vacantes.

Podrán participar en los concursos de provisión de vacantes quienes hayan desempeñado durante al menos dos años el puesto de origen y sean funcionarios/as Profesores/as Titulares de Universidad para los puestos de Profesor/a Titular de Universidad y funcionarios/as Catedráticos/as para los puestos de Catedrático/a, así como el personal investigador de los Organismos Públicos de Investigación (OPIS) de las categorías que se determinen en las convocatorias, siempre que cuenten con la acreditación correspondiente.

La plaza obtenida tras el concurso de provisión de puestos deberá desempeñarse durante al menos dos años, antes de poder participar en un nuevo concurso para obtener una plaza distinta en esa u otra universidad.

Las plazas vacantes cubiertas en estos concursos, en tanto no suponen ingreso de nuevo personal, no computarán a los efectos de la Oferta de Empleo Público.

F) Comisiones de reclamaciones

A tenor de lo dispuesto en el artículo 73 de la LOSU podrá presentarse una reclamación ante el Consejo de Universidades contra las resoluciones de las comisiones de acreditación. Una comisión, cuya composición se determinará reglamentariamente, valorará la reclamación.

Contra las propuestas de las comisiones de los concursos de selección podrá presentarse una reclamación ante el Rector o Rectora. Una comisión, cuya composición se determinará estatutariamente, valorará la reclamación, siendo vinculante su informe. El Gobierno establecerá los requisitos que deban reunir sus miembros. Admitida a trámite la reclamación, se suspenderán los nombramientos hasta su resolución.

Las resoluciones del Consejo de Universidades y del Rector o Rectora a que se refieren los apartados anteriores ponen fin a la vía administrativa y serán impugnables directamente ante la Jurisdicción Contencioso-administrativa, de acuerdo con lo establecido en la Ley 29/1998, de 13 de julio, reguladora de la Jurisdicción Contencioso-administrativa.

G) Reingreso de excedentes al servicio activo

El reingreso al servicio activo del funcionariado de cuerpos docentes universitarios en situación de excedencia voluntaria se hará conforme a lo establecido en el texto refundido de la Ley del Estatuto Básico del Empleado Público (artículo 74 de la LOSU).

H) Régimen de dedicación[10]

A tenor de lo dispuesto en el artículo 75 de la LOSU el profesorado de las universidades ejercerá sus funciones preferentemente en régimen de dedicación a tiempo completo, aunque podrá ser a tiempo parcial a petición del interesado o interesada con los requisitos, condiciones y efectos que se establezcan reglamentariamente. La dedicación será, en todo caso, compatible con la realización de trabajos científicos, tecnológicos, humanísticos o artísticos en los términos del artículo 60 de la LOSU.

El profesorado funcionario en régimen de dedicación a tiempo completo tendrá asignada a la actividad docente un máximo de 240 y un mínimo de 120 horas lectivas por curso académico dentro de su jornada laboral anual.

La universidad podrá modificar esta horquilla para:

a) Corregir las desigualdades entre mujeres y hombres derivadas de las responsabilidades de cuidado de personas dependientes.

b) Hacerla compatible con el ejercicio de cargos unipersonales de gobierno y con las tareas de responsabilidad en proyectos de interés para la universidad en la forma en que lo determinen los Estatutos.

c) Permitir las tareas del profesorado que represente los intereses de los empleados públicos.

Los planes de dedicación individual anuales reflejarán las actividades académicas encomendadas y respetarán el desarrollo profesional y la igualdad de oportunidades y de resultados del profesorado funcionario.

---

10 Las universidades deberán adaptar el régimen de dedicación de su personal docente e investigador permanente a lo previsto por esta ley orgánica para su aplicación a partir del inicio del curso académico 2024-2025. Respecto del profesorado asociado será de aplicación lo dispuesto por la disposición transitoria séptima (Disposición transitoria décima segunda).

Las bases del régimen general de dedicación del personal docente e investigador funcionario se regularán en el Estatuto del personal docente e investigador universitario[11].

I) Retribuciones del personal docente e investigador funcionario

El artículo 76 de la LOSU señala que el Gobierno determinará el régimen retributivo del personal docente e investigador universitario perteneciente a los cuerpos de funcionarios. Dicho régimen será el establecido por la legislación general de funcionarios, adecuado específicamente a las características de dicho personal[12].

A estos efectos, la norma que determine su régimen retributivo establecerá los intervalos de niveles o categorías dentro de cada nivel correspondientes a cada cuerpo docente, los requisitos de promoción de uno a otro, así como sus consecuencias retributivas.

Reglamentariamente se podrán establecer retribuciones adicionales a las anteriores ligadas a méritos individuales por el ejercicio de cada una de las siguientes funciones: actividad docente, actividad investigadora y actividad de transferencia e intercambio del conocimiento e innovación. A tales efectos, el personal docente e investigador podrá someter a evaluación la actividad realizada en España o en el extranjero, en universidades o en centros u organismos públicos de investigación.

Dichos complementos retributivos derivados del desarrollo de dichas funciones se asignarán previa valoración por la ANECA (Agencia Nacional de Evaluación de la Calidad y Acreditación).

La ANECA podrá acordar con las agencias de calidad autonómicas, mediante convenio, el desarrollo de la evaluación de dichos méritos individuales.

Asimismo, el conjunto de las agencias de calidad acordará criterios mínimos comunes, en aplicación de los cuales la ANECA reconocerá las valoraciones realizadas por las agencias de calidad autonómicas para determinar los complementos retributivos del profesorado laboral que acceda a los cuerpos docentes universitarios.

Las Comunidades Autónomas podrán establecer retribuciones adicionales ligadas a méritos individuales por el ejercicio de las mismas funciones (actividad docente, actividad investigadora y actividad de transferencia e intercambio del conocimiento e innova-

---

11 En el plazo de seis meses desde la entrada en vigor de esta ley orgánica el Gobierno presentará al Congreso de los Diputados un proyecto de Ley del estatuto del personal docente e investigador universitario (Disposición final décima de la LOSU).

12 Sigue vigente el Real Decreto 1086/1989, de 28 de agosto, sobre retribuciones del profesorado universitario, modificado por el Real Decreto 1949/1995, de 1 de diciembre, por el Real Decreto 74/2000, de 21 de enero y por el Real Decreto 1325/2002, de 13 de diciembre, que estructura las citadas retribuciones en el marco general retributivo de los funcionarios, adecuándolas a las peculiaridades del personal docente universitario, estableciendo al mismo tiempo, un mecanismo incentivador de la labor docente e investigadora individualizada.

ción). Los complementos retributivos a que se refiere este apartado se asignarán por el Consejo Social, a propuesta del Consejo de Gobierno, dentro de los límites que para este fin fijen las Comunidades Autónomas y mediante un procedimiento transparente.

Las universidades podrán establecer retribuciones adicionales ligadas a méritos individuales, mediante procedimientos negociados con la parte social y transparentes.

2.1.3. El personal docente e investigador laboral

A) Normas generales

El artículo 77 de la LOSU establece que las universidades públicas podrán contratar personal docente e investigador en régimen laboral, a través de las modalidades de contratación específicas del ámbito universitario que se regulan en esta ley orgánica[13].

Asimismo, podrán contratar, con financiación interna de la universidad o con financiación externa, personal investigador en las modalidades de contrato predoctoral, contrato de acceso de personal investigador doctor, contrato de investigador/a distinguido/a y contrato de actividades científico-técnicas, en los términos previstos por la Ley 14/2011, de 1 de junio.

El régimen jurídico aplicable a estas modalidades de contratación laboral será el que se establece en la LOSU y en sus normas de desarrollo y, supletoriamente, en el texto refundido de la Ley del Estatuto de los Trabajadores, aprobado por el Real Decreto Legislativo 2/2015, de 23 de octubre, y en sus normas de desarrollo, así como el derivado de los convenios colectivos aplicables y, en su caso, en el texto refundido de la Ley del Estatuto Básico del Empleado Público.

En relación con este personal, corresponde a las Comunidades Autónomas la regulación de las materias expresamente remitidas por esta ley orgánica y aquellas otras que pueden corresponderle en el ámbito de sus competencias.

El régimen de dedicación del personal laboral se ajustará, en todo caso, a los principios previstos para los cuerpos docentes universitarios en el apartado 10.1.2.h, salvo lo dispuesto en los apartados siguientes respecto de la dedicación de las Profesoras y Profesores Asociados.

El personal docente e investigador laboral tendrá derecho a negociar sus condiciones retributivas con la universidad, quedando fijadas en los convenios y acuerdos específicos que se alcancen. Igualmente, tendrá derecho a tomar parte en las convocatorias que las Comunidades Autónomas establezcan para fijar retribuciones adicionales ligadas a méritos individuales por el ejercicio de actividades docentes, investigadoras, de transferencia del conocimiento, innovación o gestión.

---

[13] La LOSU ha suprimido la modalidad de Contratado/a Doctor/a. La acreditación vigente de Profesor/a Contratado/a Doctor/a o de la figura equivalente en la normativa autonómica, será válida para la figura de Profesor/a Permanente Laboral a la que se refiere el artículo 82 de la LOSU.

B) Profesoras y Profesores Ayudantes Doctoras/es

A tenor de lo dispuesto en el artículo 78 de la LOSU la contratación de Profesoras y Profesores Ayudantes Doctores se ajustará a las siguientes reglas:

a) Las universidades podrán contratar bajo esta modalidad a las personas que ostenten el título de Doctora o Doctor sin necesidad de acreditación[14]. Ninguna persona podrá ser contratada mediante esta modalidad, en la misma o distinta universidad, por un tiempo superior a seis años.

b) La finalidad del contrato será desarrollar las capacidades docentes y de investigación y, en su caso, de transferencia e intercambio del conocimiento, y de desempeño de funciones de gobierno de la universidad. Para el desarrollo de su capacidad docente, las Profesoras y Profesores Ayudantes Doctores deberán realizar, en el primer año de contrato, un curso de formación docente inicial cuyas características serán establecidas por las universidades, de acuerdo con sus unidades responsables de la formación e innovación docente del profesorado.

c) Las Profesoras y Profesores Ayudantes Doctores desarrollarán tareas docentes hasta un máximo de 180 horas lectivas por curso académico, de forma que la actividad docente resulte compatible con el desarrollo de tareas de investigación para atender a los requerimientos para su futura acreditación.

d) El contrato será de carácter temporal y conllevará una dedicación a tiempo completo.

e) La duración del contrato será de seis años. Transcurridos los tres primeros años del contrato, la universidad realizará una evaluación orientativa del desempeño de las Profesoras y los Profesores Ayudantes Doctores, que podrá encargarse a las agencias de calidad competentes. Esta evaluación tendrá como objetivo valorar el progreso y la calidad de la actividad docente e investigadora y, en su caso, de transferencia e intercambio del conocimiento del profesorado, que deberán conducirle a alcanzar los méritos requeridos para obtener la acreditación necesaria para concursar a una plaza de profesorado permanente una vez finalizado el contrato.

El cómputo del plazo límite de duración del contrato y de su evaluación se interrumpirá en las situaciones de incapacidad temporal y en los periodos de tiempo dedicados al disfrute de permisos, licencias, flexibilidades horarias y excedencias por gestación, embarazo, nacimiento, adopción, guarda con fines de adopción, acogimiento, lactancia, riesgo durante la gestación, embarazo o lactancia, violencia de género y otras formas de violencia contra la mujer, así como por razones de conciliación o cuidado de familiares o personas dependientes.

---

14 La acreditación vigente de Profesor/a Ayudante Doctor/a o de la figura equivalente en la normativa autonómica, se considerará como un mérito preferente, durante los cuatro años posteriores a la aprobación de esta ley orgánica, a efectos del acceso a la figura de Profesor/a Ayudante Doctor/a (Disposición transitoria tercera de la LOSU).

Cuando el contrato se concierte con una persona con discapacidad, podrá alcanzar una duración máxima de ocho años teniendo en cuenta su finalidad y el grado de las limitaciones en la actividad.

Asimismo, cuando dichas situaciones dieran lugar a la reducción de la jornada, el contrato se prorrogará por el tiempo equivalente a la jornada que se hubiera reducido.

C) Profesoras y Profesores Asociadas/os

El artículo 79 de la LOSU señala que la contratación de Profesoras y Profesores Asociados se ajustará a las siguientes reglas:

a) Las universidades podrán contratar bajo esta modalidad a especialistas y profesionales de reconocida competencia que acrediten ejercer su actividad principal fuera del ámbito académico universitario cuando existan necesidades docentes específicas relacionadas con su ámbito profesional.

b) La finalidad del contrato será desarrollar tareas docentes a través de las que aporten sus conocimientos y experiencia profesionales a la universidad, en aquellas materias en las que esta experiencia resulte relevante. Dichas tareas docentes no podrán incluir el desempeño de funciones estructurales de gestión y coordinación. El profesorado asociado podrá desarrollar tareas docentes hasta un máximo de 120 horas lectivas por curso académico.

c) El contrato será de carácter indefinido y conllevará una dedicación a tiempo parcial, sin que su convocatoria esté sujeta a la tasa de reposición de efectivos. La contratación de este profesorado no formará parte de la Oferta de Empleo Público ni de los instrumentos similares de gestión de las necesidades de personal a que se refiere el artículo 70 del texto refundido de la Ley del Estatuto Básico del Empleado Público.

d) Será causa objetiva de extinción del contrato la pérdida sobrevenida de cualquiera de los requisitos establecidos en el párrafo a). En el supuesto de cese de la actividad principal, la finalización del contrato se producirá una vez concluya el curso académico en el que el que se desarrolla la actividad docente.

e) La dedicación establecida en el párrafo b) no será de aplicación respecto del profesorado asociado cuya plaza y nombramiento traigan causa del artículo 105.2 de la Ley 14/1986, de 25 de abril. Las peculiaridades de duración de sus contratos se regularán por las autoridades competentes[15].

---

[15] El artículo 105 de la Ley 14/1986, de 25 de abril, General de Sanidad establece que: "El profesorado asociado se regirá por las normas propias de los Profesores/a Asociados/as de la universidad, a excepción de la dedicación horaria, con las peculiaridades que reglamentariamente se establezcan en cuanto al régimen temporal de sus contratos. Además de reunir los requisitos exigidos en las indicadas normas, cumplirán las exigencias en cuanto a su cualificación determinada reglamentariamente. Asimismo, en el caso de las personas que posean la titulación que habilite para el ejercicio de la profesión médica, acreditarán estar en posesión del título de Especialista en Ciencias de la Salud".S

D) Proceso de estabilización de plazas de Profesoras y Profesores Asociadas/os de las universidades públicas

La Disposición transitoria séptima de la LOSU establece que antes del 31 de diciembre de 2024 y conforme a lo establecido por la Ley 20/2021, de 28 de diciembre, las universidades públicas deberán articular procesos de estabilización de las plazas de Profesoras y Profesores Asociadas/os, de acuerdo con las condiciones profesionales y de dedicación docente previstas en el artículo 79.b) (apartado C anterior). El sistema de selección en estos procesos será el de concurso garantizando los principios de igualdad, mérito, capacidad, publicidad y concurrencia, con las particularidades del artículo 86.2 (apartado K siguiente). Estas plazas no computarán en la tasa de reposición de efectivos.

De la resolución de estos procesos no podrá resultar, en ningún caso, incremento de efectivos.

Los contratos de Profesoras y Profesores Asociadas/os vigentes a la entrada en vigor de la LOSU, podrán renovarse en las mismas condiciones y con la misma dedicación docente hasta que las plazas estén incluidas en un proceso de estabilización de los previstos en la Ley 20/2021, de 28 de diciembre, y en cualquier caso antes del 31 de diciembre de 2024.

En el plazo establecido en el párrafo anterior, y para el supuesto de plazas de Profesorado Asociado con una dedicación docente superior a la prevista en el citado artículo 79.b) (120 horas lectivas por curso académico), las universidades públicas podrán articular procesos de estabilización de estas plazas a través de actuaciones específicas que favorezcan el paso de Profesorado Asociado con título de Doctor/a a la figura de Profesorado Ayudante Doctor/a.

E) Profesoras y Profesores Sustitutas/os

Esta figura constituye una novedad respecto a la legislación anterior.

El artículo 80 de la LOSU establece que la contratación de profesorado para sustituir al personal docente e investigador con derecho a reserva de puesto de trabajo que suspenda temporalmente la prestación de sus servicios por aplicación del régimen de permisos, licencias o situaciones administrativas, incluidas las bajas médicas de larga duración, distintas a la de servicio activo o que impliquen una reducción de su actividad docente, se regirá por la normativa general aplicable a estos supuestos, con las siguientes peculiaridades:

a) La selección del profesorado sustituto se producirá mediante los procedimientos de concurso público aplicables, pudiendo las universidades establecer instrumentos específicos para su gestión y cobertura, incluidas las bolsas de empleo.

b) El contrato comprenderá la actividad docente lectiva y no lectiva prevista en el artículo 75 (régimen de dedicación), y no podrá superar la asignada a la profeso-

ra o profesor sustituido, ni podrá extenderse a actividades universitarias de otra naturaleza en la universidad de contratación, como las de investigación o el desempeño de funciones estructurales de gestión y coordinación, salvo que tengan directa relación con la actividad docente.

c) La duración del contrato, incluidas sus renovaciones o prórrogas, se corresponderá con la de la causa objetiva que lo justificó.

La contratación de profesorado para cubrir temporalmente un puesto de trabajo hasta que finalice el proceso de selección para su cobertura definitiva se realizará de acuerdo con los principios constitucionales de igualdad, mérito y capacidad y en los términos establecidos en la Ley 20/2021, de 28 de diciembre, de medidas urgentes para la reducción de la temporalidad en el empleo público.

F) Profesoras y Profesores Eméritas/os

A tenor de lo dispuesto en el artículo 81 de la LOSU el nombramiento de Profesoras y Profesores Eméritos se ajustará a las siguientes reglas:

a) Las universidades, de acuerdo con sus Estatutos, podrán nombrar a Profesoras y Profesores Eméritos entre el personal docente e investigador funcionario o laboral jubilado que haya prestado servicios destacados en el ámbito docente, de investigación o de transferencia e intercambio del conocimiento e innovación en la misma universidad.

b) La finalidad de este nombramiento será contribuir desde su experiencia a mejorar la docencia e impulsar la investigación y la transferencia e intercambio del conocimiento e innovación.

c) Los requisitos de desempeño y acceso a esta modalidad, así como las funciones que podrá desempeñar serán definidos por cada universidad.

G) Profesoras y Profesores Permanentes Laborales

Esta figura constituye una novedad respecto a la legislación anterior.

Tal y como señala el artículo 82 de la LOSU la contratación de Profesoras y Profesores Permanentes Laborales se ajustará a las siguientes reglas:

a) Las universidades podrán contratar bajo esta modalidad a las personas que ostenten el título de Doctora o Doctor y que cuenten con la acreditación correspondiente, emitida por parte de la ANECA o de las agencias de calidad de las Comunidades Autónomas, de acuerdo con sus competencias.

b) La finalidad del contrato será desarrollar tareas docentes, de investigación, de transferencia e intercambio del conocimiento y, en su caso, de desempeño de funciones de gobierno de la universidad.

c) El contrato será de carácter fijo e indefinido, con derechos y deberes de carácter académico y categorías comparables a los del personal docente e investigador funcionario, y conllevará una dedicación a tiempo completo, aunque podrá ser a tiempo parcial a petición del interesado o interesada con los requisitos, condiciones y efectos establecidos reglamentariamente. La dedicación será, en todo caso, compatible con la realización de trabajos científicos, tecnológicos, humanísticos o artísticos en los términos del artículo 60 de la LOSU.

H) Profesoras y Profesores Visitantes

Señala el artículo 83 de la LOSU que la contratación de Profesoras y Profesores Visitantes se ajustará a las siguientes reglas:

a) Las universidades podrán contratar bajo esta modalidad a docentes e investigadoras o investigadores de otras universidades y centros de investigación, tanto españoles como extranjeros, que puedan contribuir significativamente al desempeño de los centros universitarios.

b) La finalidad del contrato será desarrollar tareas docentes y/o investigadoras, así como, en su caso, de transferencia e intercambio del conocimiento e innovación, en la especialidad en la que la persona contratada haya destacado.

c) El contrato tendrá una duración máxima de dos años, improrrogable y no renovable, y conllevará una dedicación a tiempo parcial o completo, según lo acuerden las partes.

I) Profesoras y Profesores Distinguidas/os

El artículo 84 de la LOSU establece que la contratación de Profesoras y Profesores Distinguidos se ajustará a las siguientes reglas:

a) Las universidades, de acuerdo con sus Estatutos y los procedimientos de selección que establezcan, podrán contratar bajo esta modalidad a docentes e investigadoras o investigadores, tanto españoles como extranjeros, que estén desarrollando su carrera académica o investigadora en el extranjero, y cuya excelencia y contribución científica, tecnológica, humanística o artística, sean significativas y reconocidas internacionalmente, determinándose la duración y condiciones de acuerdo con lo dispuesto por la Ley 14/2011, de 1 de junio, para la modalidad de investigador distinguido.

b) La finalidad del contrato será desarrollar tareas docentes, investigadoras, de transferencia e intercambio del conocimiento, de innovación o de dirección de grupos, centros de investigación y programas científicos y tecnológicos singulares. Las Profesoras y Profesores Distinguidos podrán desarrollar tareas docentes por una extensión máxima de 180 horas lectivas por curso académico.

J) Acreditación[16]

El artículo 85 de la LOSU establece que el acceso del personal docente e investigador laboral a las plazas de Profesora y Profesor Permanente Laboral y, en su caso, la promoción dentro de dicha modalidad contractual exigirá la obtención previa de una acreditación, de acuerdo con la normativa de la Comunidad Autónoma.

Las Comunidades Autónomas deberán regular el procedimiento de acreditación. Tal acreditación se realizará por parte de las agencias de calidad autonómicas o, en su caso, de la ANECA.

Las agencias de calidad, en el marco de las competencias que estas tienen atribuidas por la normativa estatal y por las respectivas Comunidades Autónomas, trabajarán en criterios mínimos comunes en materia de acreditación de la figura de Profesorado Permanente Laboral. Asimismo, desde su independencia institucional y técnica, dichas agencias de calidad establecerán acuerdos entre ellas para el pleno reconocimiento de las acreditaciones, para evitar cargas administrativas.

La ANECA, en aplicación de dichos criterios mínimos comunes, reconocerá la evaluación positiva de los méritos realizada por las agencias de calidad autonómicas, a los efectos de la acreditación para el acceso a los cuerpos docentes universitarios.

En todo caso, respecto a la acreditación del Profesorado Permanente Laboral será de aplicación lo dispuesto para los cuerpos docentes universitarios por el artículo 69.1. Asimismo, el procedimiento de acreditación se ajustará a lo dispuesto en los párrafos a) a e) del artículo 69.2[17].

En estos procedimientos de acreditación el sentido del silencio administrativo será desestimatorio.

K) Concursos para el acceso a plazas de personal docente e investigador laboral

De conformidad con lo dispuesto en el artículo 86 de la LOSU la selección de personal docente e investigador laboral, excepto las modalidades de Profesoras/es Visitantes, Profesoras/es Distinguidos y Profesoras/es Eméritos, así como de las modalidades previstas en la Ley 14/2011, de 1 de junio, se hará mediante concurso público, al que se dará la necesaria publicidad y cuya convocatoria será comunicada con la suficiente antelación al registro público de concursos de personal docente e investigador del Ministerio de Universidades.

---

16 El procedimiento de acreditación para la figura de Profesor/a Contratado/a Doctor/a continuará siendo aplicable hasta que se haga efectivo lo dispuesto en el artículo 85, así como lo dispuesto en la disposición transitoria cuarta (Disposición transitoria tercera de la LOSU).

La ANECA y las agencias de calidad autonómicas dispondrán de un periodo de un año desde la entrada en vigor de esta ley orgánica para adaptar los criterios de la acreditación a Profesor/a Titular de Universidad y a la figura de Profesor/a Permanente Laboral, a la duración de la etapa inicial de la carrera académica que establece esta ley orgánica (Disposición transitoria cuarta de la LOSU).

17 Véase el apartado 11.1.2.b).

Los procedimientos de selección de este personal laboral se realizarán en todo caso a través de convocatorias públicas en las que se garanticen los principios de igualdad, mérito, capacidad, publicidad y concurrencia, así como la posibilidad de recurso ante la propia universidad. Asimismo, la composición de las comisiones de selección garantizará los principios de objetividad, imparcialidad, neutralidad, transparencia y cualificación.

Las convocatorias deberán ajustarse a lo establecido en el artículo 65 de la LOSU (Promoción de la equidad entre el personal docente e investigador) y el artículo 71.1 de la LOSU[18], quedando excluida de esta disposición la selección de Profesoras/es Asociadas/os, que se realizará mediante la evaluación de los méritos de las personas candidatas por una comisión compuesta por miembros de la universidad.

También quedará excluida de esta disposición la selección de personal docente e investigador proveniente de los programas de excelencia que las Comunidades Autónomas reconozcan como tales. En este caso, la comisión estará integrada mayoritariamente por miembros externos a la universidad elegidos a partir de una lista cualificada de profesorado y personal investigador, justificando debidamente su selección y garantizando, en todo caso, la publicidad de los criterios de selección de sus miembros y de los criterios de evaluación de las personas candidatas.

L) Retribuciones del personal docente e investigador laboral

El artículo 87 de la LOSU establece que el régimen retributivo del personal docente e investigador laboral en las universidades públicas se determinará conforme a la normativa a la que se hace referencia en el artículo 77.2 de la LOSU[19] y, en todo caso, en el marco de la legislación autonómica que le sea de aplicación y mediante negociación colectiva.

Las Comunidades Autónomas podrán establecer retribuciones adicionales ligadas a méritos individuales por el ejercicio de cada una de las siguientes funciones: actividad docente, actividad investigadora, actividad de transferencia e intercambio del conocimiento e innovación y actividad de gestión.

Los complementos retributivos a que se refiere este apartado se asignarán singular y personalmente, por el Consejo Social, a propuesta del Consejo de Gobierno, mediante un procedimiento transparente.

Sin perjuicio de lo anterior, el Gobierno podrá establecer programas de incentivos para el personal docente e investigador laboral para el ejercicio de las mismas funciones a que se hace referencia en el párrafo segundo.

---

[18] Véase el apartado 10.1.2.d).

[19] El que se establece en la LOSU y en sus normas de desarrollo y, supletoriamente, en el texto refundido de la Ley del Estatuto de los Trabajadores, aprobado por el Real Decreto Legislativo 2/2015, de 23 de octubre, y en sus normas de desarrollo, así como el derivado de los convenios colectivos aplicables y, en su caso, en el texto refundido de la Ley del Estatuto Básico del Empleado Público.

Los incentivos a que se hace referencia en este apartado se asignarán, singular y personalmente, mediante un procedimiento transparente.

Las universidades podrán establecer retribuciones adicionales ligadas a méritos individuales, mediante procedimientos negociados con la parte social y transparentes.

M) Régimen de Seguridad Social de Profesores y Profesoras Asociados/as, Eméritos/as, Visitantes y Distinguidos/as

La Disposición adicional décima segunda de la LOSU establece que en la aplicación del régimen de Seguridad Social a los Profesores y Profesoras Asociados/as, a los Profesores y Profesoras Visitantes y a los Profesores y Profesoras Distinguidos/as se procederá como sigue:

a) Quienes sean funcionarios públicos sujetos al régimen de clases pasivas del Estado continuarán con su respectivo régimen, sin que proceda su alta en el régimen general de la Seguridad Social, por su condición de profesor/a.

b) Quienes estén sujetos al Régimen general de la Seguridad Social o a algún Régimen especial distinto al señalado en el apartado a) serán alta en el Régimen general de la Seguridad Social.

c) Quienes no se hallen sujetos a ningún régimen de previsión obligatoria serán alta en el Régimen general de la Seguridad Social.

Los Profesores y Profesoras Eméritos/as no serán dados de alta en el Régimen general de la Seguridad Social.

N) Adaptación de determinadas figuras vigentes de personal docente e investigador laboral

La Disposición transitoria quinta de la LOSU establece que el personal docente e investigador con contrato de carácter temporal a la entrada en vigor de esta ley orgánica permanecerá en su misma situación hasta la extinción del contrato y continuará siéndole de aplicación las normas específicas que correspondan a cada una de las modalidades contractuales vigentes en el momento en que se concertó su contrato de trabajo. Respecto del profesorado visitante, la duración del contrato no podrá superar los dos años desde la entrada en vigor de esta ley orgánica.

A los profesores y profesoras que, a la entrada en vigor de esta ley orgánica, estén contratados como Ayudantes Doctores/as y que, al finalizar su contrato, no hayan obtenido la acreditación para la figura de Profesor o Profesora Permanente Laboral, se les prorrogará su contrato un año adicional.

Quienes a la entrada en vigor de la LOSU dispongan de una acreditación para Profesor/a Titular de Universidad o hubieran iniciado el trámite para su obtención o estén contratados como Profesor/a Ayudante Doctor/a, Profesores/as Colaboradores/as con carácter indefinido o Profesor/a Contratado/a Doctor/a, no tendrán que acreditar el requisito de estancias de movilidad en universidades y/o centros de investigación al que se refieren los artículos 69 y 85. Esta misma disposición será de aplicación a los Profesores/as Contratados/as Doctores/as interinos/as, así como a otros contratados temporales con acreditación para estas figuras.

Los profesores y profesoras que, a la entrada en vigor de esta ley orgánica, dispongan de un contrato de Profesor/a Contratado/a Doctor/a mantendrán los derechos y deberes recogidos en el contrato mencionado. Previa solicitud, los Profesores/as Contratados/as Doctores/as podrán integrarse en la modalidad de Profesores/as Permanentes Laborales, en las mismas plazas que ocupen, y computándose como fecha de ingreso la que tuvieran en la modalidad de origen. Asimismo, las universidades promoverán procesos de estabilización a la figura de Profesor/a Permanente Laboral para todas aquellas plazas de Profesor/a Contratado/a Doctor/a interino/a en los términos de la Ley 20/2021, de 28 de diciembre.

Las universidades públicas promoverán concursos a plazas de Profesores/as Titulares de Universidad para el acceso de los Profesores/as Contratado/as Doctor/as que hayan conseguido la correspondiente acreditación a Profesor/a Titular de Universidad. Esta misma disposición será aplicable a los Profesores/as Contratados/as Doctores/as interinos/as.

Quienes a la entrada en vigor de la LOSU estén contratados como Profesoras y Profesores Colaboradores con arreglo a la Ley Orgánica 6/2001, de 21 de diciembre, podrán continuar en el desempeño de sus funciones docentes e investigadoras de acuerdo con lo previsto en su contrato.

Asimismo, quienes estén contratados/as como Colaboradores/as con carácter indefinido, posean el título de Doctor/a o lo obtengan tras la entrada en vigor de esta ley orgánica y reciban la evaluación positiva a que se refiere el artículo 82.a), accederán directamente a la figura de Profesora o Profesor Permanente Laboral, en sus propias plazas.

Ñ) Mecanismos de adaptación para determinadas figuras de personal docente e investigador de las universidades públicas

La Disposición transitoria octava de la LOSU señala que en función de la implementación del plan de incremento del gasto público en educación para el periodo previsto en el artículo 155.2 de la Ley Orgánica 2/2006, de 3 de mayo, las universidades que tengan más de un 20 % de su plantilla docente, computada en efectivos, con contratos laborales de Profesores y Profesoras Sustitutos/as, de Profesores y Profesoras Visitantes, Profesores y Profesoras Distinguidos/as y de Profesores y Profesoras Asociados/as, excluyendo al profesorado asociado de Ciencias de la Salud, implantarán los siguientes mecanismos de adaptación:

a) Establecerán como mérito preferente, en los concursos de acceso a las plazas de Ayudante Doctor o figuras equivalentes de la normativa autonómica, haber desempeñado en la fecha de la publicación de la convocatoria actividades docentes en universidades públicas españolas durante al menos cinco cursos académicos de los últimos siete años a través de los contratos de profesorado asociado u otros contratos de duración igual o inferior a un año previstos en la Ley Orgánica 6/2001, de 21 de diciembre. Estas universidades determinarán el número de plazas sometidas a este régimen y las vincularán a los departamentos y centros que superen dicho porcentaje.

b) Utilizarán la modalidad de contrato predoctoral para docentes no doctores que hayan estado vinculados a la universidad al menos cinco cursos académicos de los últimos siete años a través de los contratos de profesorado asociado u otros contratos de duración igual o inferior a un año previstos en la Ley Orgánica 6/2001, de 21 de diciembre.

c) Establecerán un programa de promoción interna a Profesorado Permanente Laboral o figuras equivalentes de la normativa autonómica para quienes, estando contratados con carácter indefinido y cuenten con la acreditación, hayan desempeñado en la fecha de la publicación de la convocatoria actividades docentes en universidades públicas españolas durante al menos cinco cursos académicos de los últimos siete años a través de los contratos de profesorado asociado u otros contratos de duración igual o inferior a un año previstos en la Ley Orgánica 6/2001, de 21 de diciembre. Estas plazas de promoción no computarán a efectos de tasa de reposición.

2.1.4. El Profesorado de la Unión Europea

El artículo 88 de la LOSU señala que el profesorado de las universidades de los Estados miembros de la Unión Europea que haya alcanzado en aquellas una posición comparable a la de Catedrático/a de Universidad, Profesor/a Titular de Universidad o Profesor/a Permanente Laboral será considerado acreditado a los efectos previstos en esta ley orgánica, según el procedimiento y condiciones que se establezcan por orden de la persona titular del Ministerio de Universidades, previo informe del Consejo de Universidades. Con carácter general, estos reconocimientos de acreditación con otros Estados miembros estarán sujetos al principio de reconocimiento mutuo.

A los efectos de la concurrencia a los procedimientos de acreditación, a los concursos de acceso a los cuerpos docentes universitarios y a las convocatorias de contratos de profesorado que prevé esta ley orgánica, los nacionales de los Estados miembros de la Unión Europea gozarán de idéntico tratamiento, y con los mismos efectos, que los nacionales españoles. Igual criterio se seguirá respecto a los nacionales españoles que hayan cursado sus estudios en la Unión Europea.

Igualmente, lo dispuesto en el párrafo anterior se aplicará a los nacionales de aquellos Estados a los que, en virtud de tratados internacionales celebrados por la Unión Europea y ratificados por España, sea de aplicación la libre circulación de trabajadores y trabajadoras en los términos en que esta se encuentra definida en el Tratado de Funcionamiento de la Unión Europea.

Lo establecido en el primer párrafo de este apartado asimismo será aplicable a las personas extranjeras que se hallen regularmente en territorio español, así como a las personas nacionales de terceros países miembros de la familia de personas españolas o de nacionales de otros Estados miembros de la Unión Europea en los términos establecidos por la normativa específica en esta materia.

Las Administraciones públicas y las universidades fomentarán la movilidad del profesorado en el Espacio Europeo de Educación Superior a través de programas y convenios específicos y de los programas de la Unión Europea.

Igualmente, impulsarán la realización de programas dirigidos a la renovación metodológica de la educación universitaria para el cumplimiento de los objetivos de calidad del Espacio Europeo de Educación Superior.

2.2. El Personal docente e investigador de las Universidades privadas

A tenor del artículo 99 de la LOSU establece que el personal docente e investigador de las universidades privadas y de los centros privados adscritos a las universidades públicas y privadas se regirá por el texto refundido de la Ley del Estatuto de los Trabajadores y sus normas de desarrollo, así como por los convenios colectivos aplicables.

Dicho personal deberá estar en posesión de la titulación académica adecuada para la impartición de los diferentes títulos universitarios oficiales.

Con independencia de las condiciones generales que se establezcan de conformidad con el artículo 4.3 LOSU[20] y de la normativa que el Gobierno pueda establecer al respecto, en las universidades privadas y en los centros privados adscritos a universidades públicas y privadas deberá estar en posesión del título de Doctora o Doctor el mismo porcentaje que el exigido a las universidades públicas y, al menos, el 60 % del total de su profesorado doctor deberá haber obtenido la evaluación positiva de la ANECA o del órgano de evaluación externa que la ley de la Comunidad Autónoma determine. A estos efectos, el número total de profesorado se computará sobre el equivalente en dedicación a tiempo completo del profesorado que imparta el conjunto de enseñanzas correspondientes a la obtención de un título universitario oficial de Grado o Máster Universitario.

El personal docente e investigador, cuya actividad investigadora esté financiada mayoritariamente con fondos públicos, hará pública una versión digital con los contenidos finales que hayan sido aceptados para su publicación en revistas y otras publicaciones científicas, en el plazo previsto en el artículo 37 de la Ley 14/2011, de 1 de junio[21].

---

[20] Dicha norma dispone: "En todo caso, como requisito para su creación y reconocimiento, las universidades deberán contar con los planes que garanticen la igualdad de género en todas sus actividades, medidas para la corrección de la brecha salarial entre mujeres y hombres, condiciones de accesibilidad y ajustes razonables para las personas con discapacidad, y medidas de prevención y respuesta frente a la violencia, la discriminación o el acoso amparadas en la Ley 3/2022, de 24 de febrero, de convivencia universitaria".

[21] Dicha norma establece que: "El personal de investigación del sector público o cuya actividad investigadora esté financiada mayoritariamente con fondos públicos y que opte por diseminar sus resultados de investigación en publicaciones científicas, deberá depositar una copia de la versión final aceptada para publicación y los datos asociados a las mismas en repositorios institucionales o temáticos de acceso abierto, de forma simultánea a la fecha de publicación".

TEMA 13

Información y atención al público en la Administración Pública. Derecho a la información. Técnicas de comunicación y habilidades de atención al público

Índice

1. Información y atención al usuario
2. Técnicas de comunicación y habilidades de atención al público

1. Información y atención al usuario

1.1. Fundamentos constitucionales

En relación a la información y atención a los ciudadanos, encontramos en la Constitución Española los siguientes fundamentos:

- ***Artículo 9***.- Corresponde a los poderes públicos promover las condiciones para que la libertad y la igualdad del individuo y de los grupos en que se integra sean reales y efectivas; remover los obstáculos que impidan o dificulten su plenitud y facilitar la participación de todos los ciudadanos en la vida política, económica, cultural y social.
- ***Artículo 14***.- Los españoles son iguales ante la Ley, sin que pueda prevalecer discriminación alguna por razón de nacimiento, raza, sexo, religión, opinión o cualquier otra condición o circunstancia personal o social.
- ***Artículo 18***.- Se garantiza el derecho al honor, a la intimidad personal y familiar y a la propia imagen.

  Se garantiza el secreto de las comunicaciones y, en especial, de las postales, telegráficas y telefónicas, salvo resolución judicial.

  La ley limitará el uso de la informática para garantizar el honor y la intimidad personal y familiar de los ciudadanos y el pleno ejercicio de sus derechos.
- ***Artículo 20***.- 1. Se reconocen y protegen los derechos:

  A comunicar o recibir libremente información veraz por cualquier medio de difusión. La ley regulará el derecho a la cláusula de conciencia y al secreto profesional en el ejercicio de estas libertades.

  El ejercicio de estos derechos no puede restringirse mediante ningún tipo de censura previa.

  Estas libertades tienen su límite en el respeto a los derechos reconocidos en este Título, en los preceptos de las leyes que lo desarrollen y, especialmente, en el derecho al honor, a la intimidad, a la propia imagen y a la protección de la juventud y de la infancia.
- ***Artículo 23***.- Los ciudadanos tienen el derecho a participar en los asuntos públicos, directamente o por medio de representantes, libremente elegidos en elecciones periódicas por sufragio universal.
- ***Artículo 29***.- Todos los españoles tendrán el derecho de petición individual y colectiva, por escrito, en la forma y con los efectos que determine la ley.

  Los miembros de las Fuerzas o institutos armados o de los Cuerpos sometidos a disciplina militar podrán ejercer este derecho solo individualmente y con arreglo a lo dispuesto en su legislación específica.

- ***Artículo 51***.- Los poderes públicos promoverán la información y la educación de los consumidores y usuarios, fomentarán sus organizaciones y oirán a estas en las cuestiones que puedan afectar a aquellos, en los términos que la ley establezca.

- ***Artículo 53***.- Los derechos y libertades reconocidos en el Capítulo segundo del presente Título vinculan a todos los poderes públicos, solo por ley, que en todo caso deberá respetar su contenido esencial, podrá regularse el ejercicio de tales derechos y libertades, que se tutelarán de acuerdo con lo previsto en el artículo 161, 1,a).

  Cualquier ciudadano podrá recabar la tutela de las libertades y derechos reconocidos en el artículo 14 y la Sección primera del Capítulo segundo ante los Tribunales ordinarios por un procedimiento basado en los principios de preferencia y sumariedad y, en su caso, a través del recurso de amparo ante el Tribunal Constitucional. Este último recurso será aplicable a la objeción de conciencia reconocida en el artículo 30.

- ***Artículo 54***.- Una ley orgánica regulará la institución del Defensor del Pueblo, como alto comisionado de las Cortes Generales, designado por estas para la defensa de los derechos comprendidos en este Título, a cuyo efecto podrá supervisar la actividad de la Administración, dando cuenta a las Cortes Generales.

- ***Artículo 77***.- Las Cámaras pueden recibir peticiones individuales y colectivas, siempre por escrito, quedando prohibida la presentación directa por manifestaciones ciudadanas.

  Las Cámaras pueden remitir al Gobierno las peticiones que reciban. El Gobierno está obligado a explicarse sobre su contenido, siempre que las Cámaras lo exijan.

- ***Artículo 103***.- La Administración Pública sirve con objetividad los intereses generales y actúa de acuerdo con los principios de eficacia, jerarquía, descentralización, desconcentración y coordinación, con sometimiento pleno a la ley y al Derecho.

- ***Artículo 105***.- La Ley regulará el acceso de los ciudadanos a los archivos y registros administrativos, salvo en lo que afecte a la seguridad y defensa del Estado, la averiguación de los delitos y la intimidad de las personas.

- ***Artículo 109***.- Las Cámaras y sus Comisiones podrán recabar, a través de los Presidentes de aquellas, la información y ayuda que precisen del Gobierno y de sus Departamentos y de cualesquiera autoridades del Estado y de las Comunidades Autónomas.

- ***Artículo 129***.-1. La ley establecerá las formas de participación de los interesados en la Seguridad Social y en la actividad de los organismos públicos cuya función afecte directamente a la calidad de la vida o al bienestar general.

- ***Artículo 149***.- El Estado tiene competencia exclusiva sobre las siguientes materias:

  1.ª La regulación de las condiciones básicas que garanticen la igualdad de todos los españoles en el ejercicio de los derechos y en el cumplimiento de los deberes constitucionales.

18.ª Las bases del régimen jurídico de las Administraciones públicas y del régimen estatutario de sus funcionarios que, en todo caso, garantizarán a los administrados un tratamiento común ante ellas; el procedimiento administrativo común, sin perjuicio de las especialidades derivadas de la organización propia de las Comunidades Autónomas; legislación sobre expropiación forzosa; legislación básica sobre contratos y concesiones administrativas y el sistema de responsabilidad de todas las Administraciones públicas.

1.2. Principios que deben regir la atención al ciudadano

El artículo 3 de la **Ley 40/2015, de 1 de octubre, de Régimen Jurídico del Sector Público (LRJSP)**, señala que, las Administraciones Públicas sirven con objetividad los intereses generales y actúan de acuerdo con los principios de eficacia, jerarquía, descentralización, desconcentración y coordinación, con sometimiento pleno a la Constitución, a la Ley y al Derecho.

Deberán respetar en su actuación y relaciones los siguientes principios:

a) Servicio efectivo a los ciudadanos.

b) Simplicidad, claridad y proximidad a los ciudadanos.

c) Participación, objetividad y transparencia de la actuación administrativa.

d) Racionalización y agilidad de los procedimientos administrativos y de las actividades materiales de gestión.

e) Buena fe, confianza legítima y lealtad institucional.

f) Responsabilidad por la gestión pública.

g) Planificación y dirección por objetivos y control de la gestión y evaluación de los resultados de las políticas públicas.

h) Eficacia en el cumplimiento de los objetivos fijados.

i) Economía, suficiencia y adecuación estricta de los medios a los fines institucionales.

j) Eficiencia en la asignación y utilización de los recursos públicos.

k) Cooperación, colaboración y coordinación entre las Administraciones Públicas.

Bajo la dirección del Gobierno de la Nación, de los órganos de gobierno de las Comunidades Autónomas y de los correspondientes de las Entidades Locales, la actuación de la Administración Pública respectiva se desarrolla para alcanzar los objetivos que establecen las leyes y el resto del ordenamiento jurídico.

Las Administraciones Públicas que, en el ejercicio de sus respectivas competencias, establezcan medidas que limiten el ejercicio de derechos individuales o colectivos o exijan el cumplimiento de requisitos para el desarrollo de una actividad, deberán aplicar el **principio de proporcionalidad** y, sin que en ningún caso se produzcan diferencias de trato discriminatorias:

- Elegir la medida menos restrictiva.
- Motivar su necesidad para la protección del interés público.
- Justificar su adecuación para lograr los fines que se persiguen.

Asimismo, deberán evaluar periódicamente los efectos y resultados obtenidos.

Las Administraciones Públicas velarán por el cumplimiento de los requisitos previstos en la legislación que resulte aplicable, para lo cual podrán, en el ámbito de sus respectivas competencias y con los límites establecidos en la legislación de protección de datos de carácter personal, comprobar, verificar, investigar e inspeccionar los hechos, actos, elementos, actividades, estimaciones y demás circunstancias que fueran necesarias.

1.3. Derecho a la información

Los fundamentos constitucionales que acabamos de ver exigen de la Administración una actitud y un comportamiento hacia el ciudadano que convierten a éste en algo más que un simple receptor o afectado de la actividad de la Administración, llegando a vérsele ya como un cliente de los servicios públicos, al que la Administración, como Empresa que gestiona estos servicios, ha de complacer.

En este espíritu, la Ley 39/2015, de 1 de octubre, del Procedimiento Administrativo Común, dedica los artículos 13 y 53 a exponer los derechos de los ciudadanos, que en su mayoría, como podemos comprobar, tienen una gran relación con la acogida y la información al ciudadano-cliente.

Estos derechos, que han de marcar la relación de las Administraciones Públicas y sus empleados con los ciudadanos, son los siguientes:

a) A comunicarse con las Administraciones Públicas a través de un Punto de Acceso General electrónico de la Administración.

b) A ser asistidos en el uso de medios electrónicos en sus relaciones con las Administraciones Públicas.

c) A utilizar las lenguas oficiales en el territorio de su Comunidad Autónoma, de acuerdo con lo previsto en esta Ley y en el resto del ordenamiento jurídico.

d) Al acceso a la información pública, archivos y registros, de acuerdo con lo previsto en la Ley 19/2013, de 9 de diciembre, de transparencia, acceso a la información pública y buen gobierno y el resto del Ordenamiento Jurídico.

e) A ser tratados con respeto y deferencia por las autoridades y empleados públicos, que habrán de facilitarles el ejercicio de sus derechos y el cumplimiento de sus obligaciones.

f) A exigir las responsabilidades de las Administraciones Públicas y autoridades, cuando así corresponda legalmente.

g) A la obtención y utilización de los medios de identificación y firma electrónica contemplados en esta Ley.

h) A la protección de datos de carácter personal, y en particular a la seguridad y confidencialidad de los datos que figuren en los ficheros, sistemas y aplicaciones de las Administraciones Públicas.

i) A conocer, en cualquier momento, el estado de la tramitación de los procedimientos en los que tengan la condición de interesados; el sentido del silencio administrativo que corresponda, en caso de que la Administración no dicte ni notifique resolución expresa en plazo; el órgano competente para su instrucción, en su caso, y resolución; y los actos de trámite dictados. Asimismo, también tendrán derecho a acceder y a obtener copia de los documentos contenidos en los citados procedimientos.

   Quienes se relacionen con las Administraciones Públicas a través de medios electrónicos, tendrán derecho a consultar la información a la que se refiere el párrafo anterior, en el Punto de Acceso General electrónico de la Administración que funcionará como un portal de acceso. Se entenderá cumplida la obligación de la Administración de facilitar copias de los documentos contenidos en los procedimientos mediante la puesta a disposición de las mismas en el Punto de Acceso General electrónico de la Administración competente o en las sedes electrónicas que correspondan.

j) A identificar a las autoridades y al personal al servicio de las Administraciones Públicas bajo cuya responsabilidad se tramiten los procedimientos.

k) A no presentar documentos originales salvo que, de manera excepcional, la normativa reguladora aplicable establezca lo contrario. En caso de que, excepcionalmente, deban presentar un documento original, tendrán derecho a obtener una copia autenticada de éste.

l) A no presentar datos y documentos no exigidos por las normas aplicables al procedimiento de que se trate, que ya se encuentren en poder de las Administraciones Públicas o que hayan sido elaborados por éstas.

m) A formular alegaciones, utilizar los medios de defensa admitidos por el Ordenamiento Jurídico, y a aportar documentos en cualquier fase del procedimiento anterior al trámite de audiencia, que deberán ser tenidos en cuenta por el órgano competente al redactar la propuesta de resolución.

n) A obtener información y orientación acerca de los requisitos jurídicos o técnicos que las disposiciones vigentes impongan a los proyectos, actuaciones o solicitudes que se propongan realizar.

ñ) A actuar asistidos de asesor cuando lo consideren conveniente en defensa de sus intereses.

o) A cumplir las obligaciones de pago a través de los medios electrónicos previstos en el artículo 98.2.

p) Cualesquiera otros que les reconozcan la Constitución y las leyes.

1.4. Elementos de la comunicación

La comunicación tiene un papel fundamental en las relaciones entre las personas en su vida habitual. Adquiere especial relevancia en el trato entre el ciudadano y la Administración.

Cuando un ciudadano contacta con esta por cualquier motivo y con cualquier medio (en persona, por teléfono o por escrito), el hecho de que se encuentre con una persona desconocida para él le ocasiona cierta inseguridad (puede pensar que le atenderán de forma incorrecta, que no se explicará lo suficientemente claro, que no lo entenderán bien del todo...). Todo ello refuerza la necesidad por parte de la Administración de conseguir una comunicación lo más perfecta posible con el ciudadano. Para el logro de lo cual hay ciertas técnicas.

En toda comunicación intervienen los siguientes elementos básicos:

- **Emisor**: la persona que habla.
- **Receptor**: la persona que escucha.
- **Mensaje**: la información que se transmite.
- **Canal**: el medio por el que transmitimos la información: lenguaje oral (aire), lenguaje escrito (papel), lenguaje gestual (vista).
- **Código**: el lenguaje en el que emitimos el mensaje (técnico, sencillo...).
- **Contexto:** es la situación en la que se emite el mensaje.
- **Ruido**: ruido es todo elemento perturbador, ajeno al emisor y al receptor pero que es capaz de entorpecer el proceso de comunicación o incluso anularlo.

Un proceso tan sencillo como este puede complicarse cuanto queramos si añadimos nuevos elementos.

La comunicación ha de organizarse. Para ello, el emisor ha de haber recorrido previamente los siguientes pasos:

a) Planificar la comunicación.

b) Definir los objetivos de su mensaje.

c) Prever el comportamiento del receptor.

d) Eliminar los prejuicios personales.

e) Elaborar un mensaje claro y sencillo.

En cualquier acto de comunicación hemos de preguntarnos si nuestro receptor:

a) Ha recibido el mensaje.

b) Lo ha interpretado correctamente.

c) Lo acepta.

d) Actúa en consecuencia.

Para conseguir el sí a las preguntas anteriores, el mensaje emitido ha de tener las siguientes características:

a) Que sea útil y llamativo.
b) Inteligible para el receptor.
c) Con contenido conveniente y convincente para el receptor.
d) Que produzca el máximo efecto posible.

1.5. La imagen de la Administración

En todos los grupos sociales la desconfianza, la incertidumbre y el desconocimiento lleva la mayoría de las veces a la crítica de unos ciudadanos hacia otros. Con el sector de la Administración y de los funcionarios públicos sucede lo mismo: se percibe una desconfianza casi generalizada acerca de toda actividad laboral pública, pero ello sobreviene como consecuencia del desconocimiento de esa actividad, que, por otra parte, es muy sencilla; sin embargo, su funcionamiento resulta muy desconocido para la sociedad, incluso para aquellos ciudadanos que frecuentan, de una u otra forma, oficinas y despachos en los que tiene relaciones con los informadores públicos.

Toda empresa cuida sobremanera la imagen que el público pueda tener sobre ella. En la actualidad, cualquier institución (privada o pública) tiene que justificar su existencia a través de los servicios que presta y, además, ha de dar de sí misma una imagen lo suficientemente clara como para ganarse la simpatía y confianza del público. El apoyo de la opinión pública y la confianza de los segmentos sociales con que la Administración se relaciona y a quienes sirve, es una de las metas propuesta por todas las empresas. Influye mucho en esa opinión la imagen que exteriorice el servicio y la atención al ciudadano.

La empresa pública, la Administración, se exterioriza a través de sus representantes, entre los que se encuentran, con carácter de prioridad, los informadores públicos, cuyo buen hacer y profesionalidad dará a conocer una buena imagen de la Administración en la que trabajan, del servicio de atención al ciudadano y de su función social, en la búsqueda de que, tras la opinión favorable, los ciudadanos reciban no solo la respuesta idónea a sus necesidades de información y a la ayuda para la tramitación de trámites burocráticos, sino también un trato humano aceptable y adecuado a su calidad de ciudadano. De la calidad de esa información y de la calidad del mensaje que se envíe a los ciudadanos va a depender, repetimos, la imagen que la sociedad tenga del servicio y atención públicos al ciudadano.

El trabajo administrativo implica, la mayor parte de las veces, una relación humana de confianza. Pero la verdad es que la actividad de atención al ciudadano no goza siempre de la mejor imagen. Tal vez la raíz del problema esté en la falta de información del público al respecto o la no puesta en práctica de los rasgos característicos personales que todo informador público ha de tener presentes en la realización de su trabajo. En efecto, el perfil del informador público en su trabajo de atención al ciudadano está conformado por cualidades susceptibles de aprender y de mejorar con la realización del propio trabajo. Se trata, más que de unos dones naturales, de una técnica de trato con los clientes. Y esa técnica se puede aprender y mejorar con la práctica.

En este punto parece oportuno recordar que, a diferencia de los productos primarios y secundarios vendidos por empresas del sector privado, para los que el consumidor paga un precio a cambio de algo que lo puede apreciar a través de los sentidos y que puede usar y poseer de inmediato (el consumidor adquiere, antes, el objeto real y, luego, paga), un informador público «vende» productos del sector terciario, es decir, productos intangibles con una doble vertiente: a) de inmediatez: el sentimiento de seguridad en la información que necesita ante situaciones que como ciudadano vive; b) de promesa a corto plazo (el momento en el que se produzca el problema que necesita solucionar).

Paga sus impuestos a cambio de la promesa de un servicio. Porque a veces, la atención al ciudadano es, en principio, la promesa de un servicio que, como promesa, no se ve. Cuando una persona se acerca a un informador público lo hace porque siente necesidad de información y de solución a su problema personal. Cuando se soluciona este es cuando llega la hora de la verdad para ambas partes: el cliente porque puede comprobar que ha acertado en la decisión de asesorarse, el informador público porque ha demostrado su capacidad para resolver con profesionalidad situaciones propias de su que hacer laboral.

NOTA: en una encuesta publicada por «Forum Corporation» acerca de las causas por las que los clientes de las compañías aseguradoras abandonan estas cancelando las pólizas suscritas, se llega a la conclusión de que el 70% de los asegurados abandonan sus compañías porque han recibido poca atención individual y porque la poca atención recibida era de mala calidad: descortesía y escasa actitud de servicio.

NOTA: un cliente poco satisfecho con el servicio recibido puede resultar muy perjudicial para la institución pública, pues la imagen negativa que puede propagar en su círculo de relaciones ni la mejor campaña publicitaria conseguirá mejorarla.

De poco sirve tener empleados y funcionarios bien entrenados en el trato con el público, muy amables y respetuosos, pero que a la hora de la verdad (satisfacer al ciudadano) no sepan decirle, con los mejores resultados, a dónde o a quién debe dirigirse.

La atención al cliente y la calidad en el servicio son un reto en todos los aspectos de la vida social, pues de lo que se trata es de que, cuando los ciudadanos necesitemos un servicio o una información, nos sea facilitado por una persona amable en el trato y en las formas y, a ser posible, en el momento en que lo pedimos y como lo pedimos.

La atención al ciudadano cliente de la Administración no termina nunca, ni siquiera cuando un cliente deja de necesitar atención e información de los informadores públicos.

1.5.1. ¿Quién es el cliente de la Administración?

En cualquier empresa podemos encontrar dos tipos de clientes muy diferenciados. **El cliente interno,** que es el empleado público que recibe servicios de otro empleado de la propia Administración. En este sentido, todos somos clientes internos, puesto que constantemente estamos recibiendo servicios de nuestra Administración. **Cliente externo,** que es el «consumidor» de las informaciones y atenciones al ciudadano procedentes de los informadores públicos. Es el cliente más valioso, pues sin él no tiene sentido la actividad laboral de los funcionarios. Todos somos clientes externos desde el momento en que necesitamos asesoramiento o tengamos necesidad de cualquier servicio de la Administración.

Existe una variedad de clientes en continua interrelación. La imagen de la empresa pública depende de todos ellos. Por ello hay consideraciones que debemos tener presentes en relación con los clientes:

EL CIUDADANO CLIENTE
- Es la persona más importante para la empresa pública. - Hace un favor a los informadores públicos cuando acude a ellos. - Espera que se le resuelvan sus problemas de atención e información al ciudadano. - Puede influir sobre cuestiones vitales del servicio público. - No puede ser ni quedar defraudado porque quien le atiende se vaya por las ramas. - Hay que escucharle para identificar sus problemas. Para escuchar, preguntar. - Hay que atender con rapidez y reflexión sus reclamaciones. - Hay que motivarlo proporcionándole datos prácticos. - Toda la empresa pública es responsable de las relaciones con los ciudadanos clientes. - Deben sentir interés por parte del informador público para con sus problemas. - Han de percibir disposición permanente de ayuda y servicio.

1.5.2. El ciudadano es, ante todo, una persona

Y, como tal, tiene sus prejuicios acerca de los informadores públicos y de la Administración en general. La mayor parte de las veces, estos prejuicios están cargados de negatividades. El ciudadano se siente (muchas veces sin saber por qué) enfrentado al trabajo de los funcionarios públicos. Estos prejuicios hacen que muchas veces el ciudadano no entienda nuestras explicaciones, pese a la claridad de las mismas.

Por ello, en el proceso de atención al cliente no podemos dejar de lado unas consideraciones sobre el comportamiento de los ciudadanos como personas y en situación de ciudadanos clientes que, en actitud negativa, se acercan a nosotros en demanda de información. Estas consideraciones pueden sernos de utilidad a la hora de desplegar nuestra habilidad en el trato con algunos de los clientes más conflictivos.

1.5.2.1. Las actitudes del ciudadano hacia la Administración

Las personas somos diferentes unas de otras debido a las circunstancias y ambientes donde nos movemos, a la educación recibida, a la influencia familiar... Nuestras percepciones, actitudes y comportamientos varían unos de otros en función de nuestra personalidad, factor determinante que nos hace adaptarnos a situaciones y a personas con quienes tengamos que comunicarnos:

a) Las actitudes tienen como rasgo característico el hecho de que se pueden dar de modo inconsciente, sin que la persona advierta que está actuando de un modo concreto y no de otro movido precisamente por una predisposición que está por encima de nuestra intención. Se trata de un comportamiento o estado de ánimo (positivo o negativo) que tiene sus repercusiones externas.

b) Por otra parte, las actitudes de las personas suelen ser fruto de la experiencia: la repetición de situaciones y experiencias concretas en nuestras vidas hacen que reaccionemos y nos comportemos de una determinada manera y no de otra.

c) Además, la actitud puede ser objeto de aprendizaje: actuamos a veces de acuerdo con los hábitos del grupo social en el que nos movemos o al que pertenecemos, pudiendo llegar a actuar de una u otra manera sin haber tenido previamente la experiencia pertinente.

Las actitudes (sobre todo las negativas) vienen a convertirse en un obstáculo (unido a la creencia social generalizada de que poca ayuda y menos servicio se puede recibir de los funcionarios públicos) para el trabajo del informador público, el cual se verá en la necesidad de ser lo suficientemente fecundo en recursos como para superar ese inconveniente y salir exitoso en la realización de su trabajo.

1.5.2.2. Los tipos de personalidad de los ciudadanos

La personalidad está formada por un conjunto de rasgos que modelan nuestro comportamiento ante circunstancias concretas. Aunque cada uno de nosotros tiene su propia personalidad, lo cierto es que muchos compartimos características comunes y formamos los denominados **tipos de personalidad**. Son tipos distintos de personas con las que alguna que otra vez hemos tratado y hemos podido comprobar que reaccionan de modo distinto ante las mismas motivaciones.

Pero las actitudes son modificables, sobre todo si los ciudadanos reciben de los informadores públicos experiencias de tipo contrario a las predisposiciones negativas con las que aquellos se acercan a estos. Hemos anotado anteriormente que recuperar la buena imagen de una persona física o jurídica necesita tiempo. Nuevas experiencias positivas de buenos informadores públicos son imprescindibles para que se vaya quedando en el pasado la mala imagen de los trabajadores de la Administración. Si el ciudadano se acerca a los informadores públicos con una actitud positiva y sin el prejuicio del que estamos hablando, se sentirá personalmente satisfecho y eficazmente cumplida la necesidad de información y de servicio que le trajeron a la Administración.

TIPOLOGÍA DE CIUDADANOS		
CLIENTES	**CARACTERÍSTICAS**	**TRATO**
Habladores	Hablan mucho Se salen del tema Muy impulsivos Abiertos y comunicativos	Ser amable y abierto Encauzarles en el tema Brevedad, cortesía
Excitables	Avasallan, insultan Exigentes Muy susceptibles	Autocontrol Calmarle y escucharle Argumentos objetivos
Tímidos	Reservados Asustados e inseguros Prefieren escuchar	Prestarles confianza Prestarles ayuda Tratarles en reservado

.../...

.../...

Irrazonables	Negativistas Poco objetivos Creen tener la verdad absoluta	Calma Permanecer impasibles Conseguir cortos acuerdos Presentar argumentos Mantenerse firmes
Inquisitivos	Críticos Meticulosos Preguntar mucho Inseguros	Conocimientos técnicos Dar detalles Paciencia No contradecirse Confiarles
Presuntuosos	Orgullosos Engreídos Altivos Creen saberlo todo	Humildad No competir con él Amabilidad Adulación
Silenciosos	Hablan poco Van directamente al asunto Poco diplomáticos Desorientados, fríos	Llevar nosotros la iniciativa Ir al grano Brevedad y cortesía
Escépticos	Desconfiados Agudos y críticos Ponen todo en entredicho	Paciencia y perseverancia Sinceridad «Pasarse a su bando» Dar garantías
Entendidos	«Listillos» Creen saber mucho	Prudencia, escucharles No enfrentarse

1.5.2.3. ¿Cuándo empieza y termina la atención al ciudadano?

Todo contacto implica alguna manera de comunicación. El contacto con el público es un encuentro entre dos personas con diferentes intereses, sentimientos, expectativas y formas de comportamiento. La atención al cliente es una labor personal de relaciones humanas. Se trata de una actividad permanente, aunque para su estudio la descompongamos en fases o etapas: acercamiento y emisión de la información.

a) **Acercamiento**. Como el cliente desconoce cómo resolver su problema, hemos de acercarnos a él como cliente potencial con la máxima profesionalidad: conocimiento del problema, capacidad de resolución, honestidad, cortesía y buen trato. Es un momento crucial de la «venta de imagen» en el que el ciudadano ha de percibir que deposita su confianza en una persona con solvencia.

b) **Emisión de la información**. El ciudadano ya es cliente nuestro pero puede desconfiar de la eficacia de nuestro servicio. Es el momento en el que el informador público puede demostrar que, efectivamente, es merecedor de la confianza depositada por el cliente y anunciada por el informador público. La emisión de la información ha de ser lo más breve posible: cuando queremos algo lo queremos cuanto antes, dentro de un tiempo razonable. Tardar más de lo razonable es darle pie para que desconfíe de nuestra profesionalidad y de nuestra solvencia.

Previamente el informador público ha debido tener sumo cuidado en enterarse y comprender debidamente y sin error el problema del ciudadano, y ayudarle, si procede, a rellenar datos de los impresos de modo tal que, al ser estos informatizados, no se multiplique un posible error y con ello se provoque una mala imagen de la institución. Si el cliente no recibe un servicio como el que desea y espera, puede marcharse con actitud negativa y contribuir a crear una mala imagen de la actividad laboral de los informadores públicos y, por ende, de la Administración en general.

Cuando las personas atravesamos momentos desfavorables nuestro estado de ánimo se afecta de tal forma que llegamos a cambiar nuestra conducta habitual. La vivencia de un problema y la necesidad de información es uno de esos momentos desfavorables y cobra especial importancia la relación entre las personas. El ciudadano necesita «calor humano» y le viene bien que se le eviten tantos cuantos formularios sean posibles. Necesita de una persona que se haga cargo de su desfavorable situación. Le hace falta ser tratado como ciudadano, no como un número de identificación personal o fiscal o como un caso problemático más.

La atención personal en la información es el servicio final buscado por el cliente. Cualquier error o exceso de burocracia en el trato de situación problemática, puede hacer pensar al cliente que la Administración pública pondrá todos los reparos posibles a la hora de dar la solución pertinente.

1.5.2.4. Percepción y expectación del servicio por el ciudadano

No todos los clientes son iguales y no todos reciben los servicios de la misma forma. Para el ciudadano un buen servicio es el que tiene que ver con las expectativas que él tiene de ser atendido y no con nuestro modo de atenderlo. Percepción y expectación son dos conceptos diferentes:

- **Percepción** es el proceso mental consistente en seleccionar, organizar e interpretar información con la finalidad de darle un significado. La percepción es la visión de la realidad que una persona se hace. Esa visión varía en función de las circunstancias de esa persona-cliente. Desde la perspectiva de atención al ciudadano es más importante lo que se percibe que lo que se ve. De nada le sirve al ciudadano que le atiendan mal en unas bonitas, modernas y confortables oficinas.
- **Expectación** es lo que una persona cree que puede o debe ocurrir. La expectación está condicionada por referencias externas o por experiencias anteriores.

Una percepción puede ser cambiada por una expectación y viceversa. La calidad de atención al cliente no se mide por la impresión, sino por lo que se ajusta a las expectativas del cliente, es decir, por lo que se percibe frente a lo que se esperaba.

No siempre coincide lo que los clientes necesitan con lo que la Administración pública cree que necesitan los clientes. La percepción del servicio genera nuevas expectativas o confirma las actuales.

La percepción global del cliente es la valoración promedio que este hace de su Administración, comparada con otras. Esta percepción global queda formada a partir de las actuaciones de la Administración a la que pertenece, que son percibidas por el cliente. Lo que el ciudadano cliente percibe son:

a) **Elementos tangibles**: lo que se percibe de la entidad a través de las instalaciones, edificio, equipos, apariencia del personal que le atiende, documentos, impresos...

b) **Fiabilidad**: capacidad de la entidad para ejecutar el servicio en las condiciones de derecho anunciadas y prometidas.

1.5.3. Los comportamientos del ciudadano

1.5.3.1. Comportamiento pasivo

Se da cuando una persona no trata de influenciar a otra. Es propio de personas que no suelen tener alta autoestima, sienten temor de actuar de forma agresiva y generalmente no manifiestan su opinión sobre los hechos y las cosas. Los clientes de comportamiento pasivo dudan incluso en decir lo que ellos mismos desean. Es tarea del funcionario adivinarlo y nos vemos en la necesidad de animarlos a que expresen sus necesidades. Ciudadanos con estos «síntomas» necesitan que se les facilite su expresión, hacerles hablar a través de las preguntas (en principio preguntas abiertas), para ir concretando mediante preguntas cerradas y obtener la información deseada.

1.5.3.2. Comportamiento agresivo

Este tipo de comportamiento se caracteriza por ser emocional, tender a realizar juicios, a buscar defectos, a obligar, a exigir... Físicamente se refleja por el movimiento continuo de las manos y brazos, levantar la voz, mal humor generalizado... El agresivo se enfadará con el representante de la Administración, aun sabiendo que no es el culpable de sus problemas. Son casos en los que el funcionario no debe perder las buenas maneras y no dar respuestas que puedan ser interpretadas como una provocación. Estrategia a seguir en el trato con los comportamientos agresivos es frenar la parte irracional de su comportamiento y negociar, haciéndoles sentir que su problema nos preocupa, que deseamos ayudarle. Conviene aplicar la escucha activa.

1.5.3.3. Comportamiento pasivo-agresivo

Es una manera de comportarse de la gente cuando está hostil, pero no lo sacan a relucir. Nuestro primer contacto en el trato con estos clientes ha de intentar que estos expresen sus emociones. Cuando aparezca la parte agresiva, actuaremos como anteriormente hemos anotado.

1.5.3.4. Comportamiento asertivo

Este comportamiento se da en las personas que afirman claramente, se expresan con franqueza y de manera constructiva. Es el comportamiento ideal que todos deberíamos tener siempre.

1.5.3.5. La atención a la persona

Debemos conocer a los ciudadanos para darles un trato adecuado, pero también debemos atenderlos para intentar solucionar su problema. Primero será la persona y luego su problema. Está claro que pueden existir tantos problemas como ciudadanos. No podemos enumerar todas las situaciones diferentes que se pueden presentar en la realidad, pero no debemos olvidar que hay un común denominador en toda persona: el hecho de sentirnos importantes genera la expectativa de ser tratado como alguien importante.

En lo más profundo todos nos sentimos bien cuando recibimos buen trato. Si queremos satisfacer al ciudadano, hemos de tratarle como a una persona importante y transmitirle este sentimiento. El respeto y la atención a las personas no cuestan dinero y, sin embargo, agrada más que un regalo. Respeto y atención que serán recibidos si hay una respuesta afirmativa a lo que el ciudadano espera:

a) **En relación con los materiales:**

- Horarios fáciles y accesibles.
- Evitar burocracia y papeleo.
- Resolver temas por teléfono o por correo.
- Interior de las oficinas acogedor.

b) **En relación con la atención personal:**

- Cortesía.
- Educación.
- Empatía.
- Profesionalidad y resolutividad.

En general los ciudadanos clientes esperan de la Administración que nos preocupemos por sus problemas y los resolvamos con eficacia y solvencia.

1.6. Asistencia en el uso de medios electrónicos a los interesados

Las Administraciones Públicas deben garantizar que los interesados puedan relacionarse con la Administración a través de medios electrónicos, para lo que pondrán a su disposición los canales de acceso que sean necesarios así como los sistemas y aplicaciones que en cada caso se determinen.

Las Administraciones Públicas asistirán en el uso de medios electrónicos a los interesados no incluidos en la obligatoriedad de comunicación electrónica (ver apdo. 2.3.) que así lo soliciten, especialmente en lo referente a la identificación y firma electrónica, presentación de solicitudes a través del registro electrónico general y obtención de copias auténticas.

Asimismo, si alguno de estos interesados no dispone de los medios electrónicos necesarios, su identificación o firma electrónica en el procedimiento administrativo podrá ser

válidamente realizada por un funcionario público mediante el uso del sistema de firma electrónica del que esté dotado para ello. En este caso, será necesario que el interesado que carezca de los medios electrónicos necesarios se identifique ante el funcionario y preste su consentimiento expreso para esta actuación, de lo que deberá quedar constancia para los casos de discrepancia o litigio.

La Administración General del Estado, las Comunidades Autónomas y las Entidades Locales mantendrán actualizado un registro, u otro sistema equivalente, donde constarán los funcionarios habilitados para la identificación o firma a la que se refiere el párrafo anterior.

Estos registros o sistemas deberán ser plenamente interoperables y estar interconectados con los de las restantes Administraciones Públicas, a los efectos de comprobar la validez de las citadas habilitaciones.

En este registro o sistema equivalente, al menos, constarán los funcionarios que presten servicios en las oficinas de asistencia en materia de registros.

Las Administraciones Públicas deberán hacer pública y mantener actualizada una relación de las oficinas en las que se prestará asistencia para la presentación electrónica de documentos.

1.7. Formas de atención al público

1.7.1. Atención presencial

Atención presencial es la que se ofrece directamente a las personas que se presentan en la oficina física dispuesta al efecto para la obtención de cualquier tipo de trámite y/o gestión administrativa.

Aunque se están imponiendo otras formas de comunicación (teléfono, correo, fax, internet...), la atención presencial es el sistema que más gusta al ciudadano, pues este asocia con su problema a una persona mejor que un número de teléfono o un código postal.

Tienen especial importancia varios elementos que conviene mencionar: la comunicación no verbal (gestos, miradas, movimientos del cuerpo...), el aspecto externo de la persona que atiende al cliente (su higiene, su vestimenta, su peinado...), etc.

En la atención presencial cobran un papel fundamental los gestos y las posturas *(lenguaje kinésico)*, mirando a los ojos, con una sonrisa, con una frase de acogida y postura distendida. ¿En qué puedo ayudarle?, ¿dígame? Hay que mantener un contacto ocular, asintiendo con la cabeza y usando palabras que hagan ver al ciudadano que le estamos prestando atención: «sí», «ya veo», «claro».

En esta modalidad de atención hay que dar una imagen neutra, que no refleje dejadez o desorden de la persona, con el objeto de conseguir que el cliente tenga siempre una impresión agradable, una sensación de comodidad y de confianza.

Querámoslo o no, **el aspecto físico es una señal comunicativa en toda persona.** Y lo es también en el informador público. El aspecto físico está apoyado en unas apariencias fácilmente modificables, pero que si no se tienen en cuenta pueden estropear todo el esfuerzo en realizar el trabajo con calidad humana. Son aspectos que pueden ser aprendidos y, consiguientemente, modificados, si es el caso. De todos modos, es innegable que un buen aspecto físico potencia las relaciones afectivas y facilita el trato entre informador y ciudadano.

La forma de vestir que tengamos es uno de los primeros mensajes que emitimos al cliente, pues la primera impresión personal está basada en la apariencia: la apariencia exterior es la primera impresión que recibe el cliente de nosotros.

> ***NOTA***: la expresión general de la cara es importante en la impresión que le demos al ciudadano cliente. Los complementos en la higiene general de la cara (maquillaje, pendientes, color del cabello, etc., son elementos importantes para la imagen de una persona, pero precisamente los complementos de la cara han de ser lo más discretos posible por el solo motivo y con la única finalidad de no desviar la atención del interlocutor.

En la percepción del cliente también puede influir el color del mobiliario, que puede dar una imagen de pobreza o desorden hasta tal punto que no genere confianza. La limpieza de estos lugares ha de ser óptima; se hace imprescindible disponer de espacios adecuadamente acondicionados para la espera, cuidando detalles como: ceniceros limpios, sitio suficiente para sentarse, prensa actualizada... son detalles que dan sensación de orden, tranquilidad y limpieza. Nuestro lugar de trabajo ha de «hablar» bien de nosotros al cliente.

Para despedir al ciudadano lo más conveniente es comprobar la «satisfacción» de este con el servicio, preguntarle si se le puede ayudar en algo más. Es conveniente en esta fase mirar a los ojos, usar un tono de voz cálido y amistoso adoptando una postura corporal distendida, sonreír y quedar a su disposición.

1.7.2. Atención telefónica

En segundo lugar, por lo que se refiera a la **atención telefónica**, el principio de eficacia que inspira la prestación de los servicios públicos, recogido expresamente en el artículo 103 de la Constitución, cuenta con una plasmación concreta en el actuar de las Administraciones Públicas a través de la transparencia de estas y de la facilidad de acceso a la información administrativa, favoreciendo así un acercamiento de la Administración a los ciudadanos.

La Ley 39/2015, de 1 de octubre, del Procedimiento Administrativo Común de las Administraciones Públicas, prevé, en su artículo 53.f), norma básica que vincula a todas las Administraciones Públicas, el servicio público de información administrativa, al contemplar como derecho de los ciudadanos el «obtener información y orientación acerca de los requisitos jurídicos o técnicos que las disposiciones vigentes impongan a los proyectos, actuaciones o solicitudes que se propongan realizar».

En este marco se inscribe la implantación de un servicio telefónico que facilite a los ciudadanos un acceso ágil y completo a la información administrativa.

Junto a ello, la existencia de varios teléfonos de información en el ámbito de las Administraciones Públicas, con diversos sistemas de organización, funcionamiento y prestación del servicio, aconseja acometer un proceso de unificación y potenciación de la información telefónica a fin de ofrecer un servicio unitario.

Con la implantación de un teléfono único de información administrativa y atención al ciudadano, se ofrecerá una vía informativa rápida que potenciará la eficacia de la labor que hoy desarrollan las Oficinas y Puntos de Información y Atención al Ciudadano y, en general, la llevada a cabo por la totalidad de los órganos de la Administración.

La finalidad de este servicio será facilitar a los ciudadanos un acceso ágil y completo a la información administrativa general difundida por la Administración y, cuando proceda, a la información administrativa particular, favoreciendo con ello una atención coordinada e integrada de los distintos servicios públicos que presta.

El servicio telefónico realizará las siguientes funciones:

a) Ofrecer, mediante un único canal, información administrativa a través de la cual los ciudadanos puedan acceder al conocimiento de asuntos relacionados con sus derechos, obligaciones e intereses legítimos, individuales o colectivos, y sobre la utilización de los bienes y servicios públicos.

b) Ofrecer información administrativa de carácter general que sirva de orientación a los ciudadanos que hayan de relacionarse con la Administración, y verse sobre la identificación, fines, competencia, estructura, funcionamiento y localización de los distintos departamentos, centros directivos, órganos y unidades administrativas.

c) Informar, con carácter general, sobre los requisitos jurídicos o técnicos que las disposiciones impongan a los proyectos, actuaciones o solicitudes que los ciudadanos se propongan realizar, así como sobre los procedimientos administrativos, los servicios públicos y demás prestaciones que se lleven a cabo por la Administración.

d) Asistir a los ciudadanos en el ejercicio del derecho de petición reconocido en el artículo 29 de la Constitución.

e) Informar sobre cualesquiera otros datos que los ciudadanos tengan derecho a conocer en su relación con la Administración en su conjunto, o con alguno de sus ámbitos de actuación.

f) Ofrecer información administrativa de carácter particular, en la medida en que ello vaya siendo posible técnicamente, concerniente al estado o contenido de los procedimientos en tramitación o finalizados, y a la identificación de las autoridades y personal al servicio de la Administración bajo cuya responsabilidad se tramiten aquellos procedimientos.

g) Permitir el acceso telefónico directo a los órganos y unidades de la Administración, cuando así lo exija la índole de la consulta formulada por el ciudadano.

h) Ofrecer un servicio reactivo, poniéndose en contacto con los ciudadanos cuando no hubiera sido posible resolver una petición de información de forma inmediata.

i) La realización de determinados trámites administrativos, cuando los avances técnicos de la Administración lo permitan.

La prestación del servicio telefónico se realizará salvaguardando los principios de autenticidad, confidencialidad, integridad, disponibilidad y conservación de la información, así como la protección de los datos de carácter personal de los ciudadanos que accedan a este servicio.

En el caso de la atención telefónica, al igual que en el caso de la presencial, resultan decisivos los recursos materiales disponibles, pero sobre todo el capital humano con el que se cuenta, dado que este tipo de personal de contacto directo es la proyección de la imagen de la administración ante el ciudadano.

En la atención telefónica distinguiremos dos situaciones:

a) Recepción de una llamada.

b) Realización de una llamada.

En ambos casos, distinguiremos tres fases:

- Inicio.
- Desarrollo.
- Despedida.

A) En el caso de **recepción de una llamada,** se actuará así:

a) Inicio

  - Contestar a la mayor brevedad posible.
  - Bienvenida: Buenos días o buenas tardes, Servicio ... (Nombre del Servicio o Unidad).
  - Si no se identifica el ciudadano, solicitarle su nombre, siempre habiéndonos identificado nosotros antes.
  - Iniciar el tratamiento de "usted", salvo que el interlocutor exprese lo contrario.
  - Intente sonreír, en su tono de voz se reflejará.

b) Desarrollo

Dentro de la fase de desarrollo, podemos encontrarnos, generalmente, con dos tipos de *consultas*:

- Petición de información. Se le proporcionara esta si se dispone de ella o en su caso se remitirá al departamento o persona que corresponda, de dos formas, o proporcionándole el teléfono y extensión si se dispone de ella, o directamente transfiriendo la llamada a la extensión que corresponda.

- Realizar objeciones. Ante esto, se recomienda tener en cuenta las siguientes pautas para evitar situaciones conflictivas con el ciudadano:
    * Escuchar a su interlocutor con interés, déjelo hablar, no le interrumpa en el uso de la palabra.
    * Evite siempre la discusión, no imponga sus ideas, no discuta nunca, no afirme demasiado violentamente, considere las objeciones del ciudadano (interlocutor) como una pregunta que requiere una respuesta simplemente.
    * Trate las objeciones con respeto. Respete su opinión, evite herir su susceptibilidad.
    * Responda brevemente, con el fin de no dar importancia a la objeción.
    * Encadene después de la última palabra su respuesta. No se pare después de haber respondido. Encadene inmediatamente con su argumentación.

c) Despedida

Agradecimiento por la llamada y saludo.

B) En el caso de tener que **realizar una llamada**:

a) Inicio

- Bienvenida: Buenos días o Buenas Tardes, identificarse con el nombre, Departamento, Servicio o Unidad que realiza la llamada.
- Pedir que se identifique con quien se habla, y si no es el interlocutor que necesitamos, solicitar si pudiera hablar con la persona en cuestión, con frases, como «podría hablar con...».
- Tratamiento de "usted", e intentar sonreír.

b) Desarrollo

- Si de una u otra forma atiende el interlocutor que se requiere la llamada, se explicará el motivo de esta de forma clara, concisa, pausada y siempre dando las gracias de antemano, no olvidando que estamos hablando por teléfono.
- Si la información que se pretende transmitir, no es del todo agradable, (dado el trabajo que realicemos) intentar ser lo más suave posible, e invitar a que comparezcan en las oficinas, para que la atención sea personal. No olvidar que las conversaciones telefónicas son mucho más frías.
- Si el interlocutor, no se encuentra, dejar recado a la persona que nos atiende, para que se ponga en contacto telefónico con nosotros, o comparezca en las oficinas. No dar explicaciones si no se ha identificado como el interesado, salvo que la persona que atienda el teléfono solicite información, en cuyo caso se le dejará indicado el tema, no el motivo.

c) Despedida

- Agradecer el atendernos y saludo. Si hemos concretado el tema con el interesado, reiterar este... «Entonces, le espero mañana a las,... Muchas gracias y buenos días...».

- Agradecer el atendernos y saludo. Si no ha sido el interesado, reiterar que le dé el mensaje... «Entonces, Vd, le comenta el tema... Muchas gracias de antemano y buenos días/tardes».

1.7.3. Atención telemática

La Ley 39/2015, de 1 de octubre, del Procedimiento Administrativo Común de las Administraciones Públicas, establece el uso de medios electrónicos de forma voluntaria para las personas físicas en sus relaciones con las Administraciones Públicas.

Reglamentariamente, las Administraciones podrán establecer la obligación de relacionarse con ellas a través de medios electrónicos para determinados procedimientos y para ciertos colectivos de personas físicas que, por razón de su capacidad económica, técnica, dedicación profesional u otros motivos, quede acreditado que tienen acceso y disponibilidad de los medios electrónicos necesarios.

Las Sedes Electrónicas de los distintos ministerios, departamentos u organismos proporcionan el acceso a los servicios electrónicos y a los trámites electrónicos que cuentan con formularios normalizados específicos para la mayor parte de los trámites administrativos.

Además, a través del Registro Electrónico se podrán presentar documentos para su remisión telemática a otras Administraciones Públicas (Comunidades Autónomas, Entidades Locales, etc.) que estén integradas en el Sistema de Interconexión de Registros.

La atención telemática se concentra fundamentalmente en torno a las páginas web de las administraciones públicas.

Los Correos Electrónicos emitidos por las Administraciones Públicas han de reunir las siguientes características:

- Breve.
- Conciso.
- Claridad de exposición.
- Limpieza de lectura: Frases cortas, en párrafos separados y con espacios intercalados.
- Señalar confirmación de entrega, en los mensajes enviados.

2. Técnicas de comunicación y habilidades de atención al público

2.1. Reglas básicas en el trato con el ciudadano

A) Acogida

Es importante ofrecer una cálida acogida al ciudadano que llega a veces «perdido». La acogida la realizará la persona que esté más cerca de él, independientemente del estatus o catego-

ría. Se le preguntará qué desea y a quién quiere ver. Si no es para nosotros, le preguntaremos si puede esperar unos segundos mientras comunicamos a la persona en cuestión que tiene una visita. Esta deferencia le hará sentirse cómodo y facilitará la solución del problema que trae.

La acogida tiene cuatro partes: **recepción** (iremos al encuentro del cliente esbozando una sonrisa –deducirá de ello que nos agrada su visita; si venía con «ánimos hostiles», estos quedan frenados–), **saludo, presentación, ponernos a su disposición:** «Buenos días, soy Luisa Sánchez, ¿En qué puedo servirle?»

Para establecer un tono positivo con los clientes hemos de evitar decirles que no llevan razón, que están equivocados. No debemos hacerles sentir culpables. La misma idea puede ser transmitida de forma diferente. Por eso hemos de esforzarnos en ser positivos en nuestras respuestas.

Parafrasear es una forma de asegurar nuestra comprensión del mensaje diciéndole al cliente lo que pensamos o lo que hemos comprendido, tomando en consideración la totalidad de su mensaje tanto verbal como gestual:

- Evitando añadir información no incluida por el cliente.
- Asegurándonos que nuestro tono no incluye juicio, superioridad, sarcasmo o evaluación.
- Dando a entender al cliente que queremos saber si entendemos adecuadamente su mensaje.

B) Respuesta al ciudadano

Una vez que hemos escuchado al cliente, el segundo paso es responderle prestándole el servicio requerido: explicando, convenciendo o negociando.

Explicar. A menudo nos encontramos con la tarea de tener que explicar un asunto a un servicio. Cuando un cliente se acerca a la Administración espera, entre otras cosas, recibir información precisa sobre su problema o necesidad. Una explicación es una descripción de cómo, cuándo o por qué ocurre algo. En la explicación:

- Nos aseguraremos de dar la información correcta. Si no estamos seguros de alguna información lo comunicaremos y, si es posible, diremos también cuándo dispondremos de la información precisa.
- Evitaremos los tecnicismos, utilizando un lenguaje simple y coloquial, y educado. Si la explicación es compleja nos ayudaremos de la escritura o de gráficos. No siempre la explicación oral es la mejor.
- No utilizaremos explicaciones «de carrerilla». No conviene automatizar la respuesta hasta el punto de no acordarnos del cliente en el momento de responderle. No olvidemos que cada cliente es un individuo único con unas necesidades específicas.
- No asumiremos que el cliente sabe de temas de la Administración. Tendremos que estar preparados incluso para explicar los conceptos más básicos.

- Tampoco asumiremos que el cliente conoce el proceder la de Administración y sus trámites administrativos. Facilitaremos los detalles imprescindibles, pero sin aburrirles contándoles los procedimientos que solo nos interesan a nosotros.
- No trataremos al cliente como si fuera menos que nosotros. El cliente puede desconocer el proceso a seguir para solucionar su problema, lo cual no significa que sea poco espabilado. Necesita ayuda y confía en nosotros para que se la proporcionemos. Lo haremos de forma sencilla, gustosa, amistosa, objetiva y sin manifestar ningún tipo de superioridad.
- No explicaremos nuestros problemas al cliente, especialmente cuando pueden parecerles triviales.

Convencer. Es la acción verbal intencionada para influenciar la actitud o comportamiento del ciudadano cliente. Convencer no es coaccionar al cliente para que este realice algo que no desea. No tenemos que persuadir a nadie; hemos de suministrar ayuda o información. A la hora de convencer hemos de tener en cuenta que:

- Los ciudadanos quieren creer lo que les decimos.
- Al ciudadano le gusta tratar con alguien en quien confía.
- Es tarea nuestra ganarnos la confianza que quieran depositar en nosotros. La credibilidad y la confianza de los ciudadanos la podemos conseguir a través de nuestra competencia, nuestra intención y nuestro atractivo.

Persuasión, no negociación. La negociación es el proceso de alcanzar un mutuo acuerdo cuando existe una disparidad de intereses. Generalmente se asocia a convencer, pero va un paso más allá. Con la persuasión intentamos convencer a alguien para que acepte una cierta posición o conclusión, mientras que con la negociación buscamos una solución válida para ambas partes.

En una negociación formal hay cinco etapas:

1. Preparación.
2. Discusión.
3. Oferta/contra oferta.
4. Acuerdo/desacuerdo.
5. Si hay acuerdo, concretarlo.

2.2. Ayudas a la comunicación

La comunicación es bidireccional. Para conseguir la participación de nuestro interlocutor deberemos:

a) Adoptar una escucha activa.

b) Comprender al emisor y su mensaje asegurándonos que hemos entendido y se nos comprende.

2.2.1. Escucha activa

Es el conjunto de acciones verbales y no verbales destinadas a la consecución de una escucha óptima. No hemos de confundir escuchar con oír. La escucha implica que el informador público se sitúe en la atmósfera que rodea al ciudadano cliente.

Algunas normas para una escucha activa son:

- Establecer un clima agradable.
- Estar dispuestos a oír a la otra persona en sus propios términos.
- Estar preparado sobre el tema de que se trata.
- Ser comprensivo con las circunstancias del interlocutor.
- Evitar las distracciones.
- Escuchar y resumir las ideas básicas.
- Repetir en esencia lo que ha dicho el interlocutor.
- Comprender la estructura interna del discurso del interlocutor.
- Escuchar como si se fuera a redactar un informe.
- Preguntar.
- Tomar notas, si fuera necesario.

2.2.2. *Feedback* (retroalimentación)

Consiste en facilitar a nuestro interlocutor información sobre cómo hemos percibido o entendido lo que nos está comunicando. Mediante esta información le damos oportunidad de aclarar su mensaje confirmando, precisando o reorientando. La eficacia del *feedback* queda determinada por la confianza entre emisor y receptor. Pero, aunque no haya mutuo conocimiento ni confianza, el *feedback* hay que practicarlo, pues estamos demostrando mediante nuestras preguntas o gestos nuestro deseo de entender mejor el mensaje.

La retroalimentación la podemos emplear preguntando o confirmando:

Preguntas: «¿Qué quiere decir? ¿Me lo podría repetir? ¿Cuál es su opinión? ¿Qué le parece?»

Ratificaciones: «Lo que ha querido decir es...»; «Si he entendido bien...».

El *feedback* puede referirse no solo a la recepción del mensaje sino a expresar de forma verbal el impacto **emocional** del mismo: cómo nos afecta y qué sentimos.

Efectos positivos del *feedback*:

a) **Apoya y estimula** modos de comportamiento positivos, cuando estos son reconocidos («Si no le he entendido mal, Vd. está interesado en...»).

b) **Corrige** modos de comportamiento: «Nos hubiera ayudado más si hubiera traído esta carta nada más recibirla».

c) **Aclara las relaciones** entre personas y ayuda a comprender mejor al otro: «Sinceramente, señor, pensaba que tardaríamos más en resolver su problema pero, gracias a su ayuda, se nos ha hecho muy fácil. Haremos lo siguiente...».

CLAVES DEL FEEDBACK
A) Normas para el que lo aplica:
- Nos referiremos a situaciones concretas.
- Daremos la información de forma que ayude lo máximo posible.
- Lo haremos lo más rápido posible.
- Evitaremos valores e interpretaciones morales.
- Ofreceremos nuestra información, no la impondremos.
- Seremos abiertos y sinceros.
- Admitiremos siempre que también podemos equivocarnos.
B) Normas para el que lo recibe:
- No argumentar ni defender.
- Solo escuchar, pedir información y aclarar.
- La eficacia de la ayuda depende también de la sinceridad del receptor.

2.2.3. Reformulación (fenómeno eco)

Consiste en reformular o parafrasear lo que dice el cliente. Repetimos (de forma igual o diferente) las palabras o frases emitidas por el hablante. Sus efectos son similares a los del *feedback*, aunque se centran más específicamente en el mensaje mismo. Los efectos de la reformulación:

- Animamos a seguir hablando.
- Sabremos más y con más precisión sobre las necesidades de nuestro interlocutor.
- Demostraremos que hemos comprendido bien.
- Conoceremos sus motivaciones.
- Podremos reflexionar sobre lo que vamos a decir.

2.3. Fallos en la comunicación

A veces le surgen barreras a la comunicación debido a que hay falta de entendimiento entre las dos partes, que emplean distintos códigos. Si el emisor y el receptor son sujetos diferentes que viven en mundos diferentes el mensaje emitido no queda suficientemente bien descodificado.

AYUDAS PARA MEJORAR NUESTRA COMUNICACIÓN
a) Cuando hablemos: - Organizar nuestro pensamiento. - Expresarnos con precisión. - Emplear lenguaje sencillo y directo, sin términos técnicos y de difícil comprensión. - No encerrar demasiadas ideas en un enunciado: usar frases simples. - No hablar por hablar, sin seguridad y sin apreciar la comprensión del interlocutor. - No pasar por alto parte de las respuestas del interlocutor. - No emplear «muletillas» («por consiguiente», «y tal y tal» ...). - Hablar con naturalidad: con educación, seriedad y respeto. b) Cuando escuchemos: - Prestar la debida atención. - Que el interlocutor advierta que se pone voluntad e interés en entenderlo. - Utilizar el feedback (retroalimentación). - No pensar en nuestras respuestas mientras escuchamos. - No repetir más de lo que el interlocutor ha dicho (no interpretar). - No evaluar ni prejuzgar. Dejar terminar la expresión.

Causas de los fallos en la comunicación
a) **Psicológicas**: - Entendemos lo que queremos entender. - Nuestro estado emocional condiciona lo que queremos decir. - No sabemos escuchar. - Estamos a la defensiva. b) **Mecánicas**: - Utilizamos un lenguaje excesivamente técnico. - No vocalizamos adecuadamente. - Enviamos mensajes mal elaborados.

2.4. La calidad en la atención al usuario

2.4.1. Calidad del servicio de atención

Se puede definir el servicio como "El conjunto de prestaciones que el usuario espera, además del producto o del servicio básico".

La evaluación de la calidad de los servicios ofertados por la Administración a los ciudadanos se ha convertido hoy en un elemento esencial para lograr una nueva Administración que sepa responder a los retos derivados de la transformación de la sociedad y a las demandas de las personas, situándoles en el centro de sus decisiones.

Para mejorar la Administración es preciso conocer cómo se prestan los servicios, cuáles son las buenas prácticas de gestión y cuáles son los aspectos de esta que es necesario modificar con el fin de obtener unos buenos resultados.

La autoevaluación de la Administración Pública tiene la virtualidad de contribuir a la consecución de ese objetivo. Otorga a los empleados públicos el conjunto de herramientas que les permitirá examinar el funcionamiento de las unidades administrativas, y así poder desarrollar planes de mejora que se sustenten en un conocimiento riguroso de la realidad, y en el que participen y se involucren los propios empleados públicos responsables de la prestación de cada servicio.

Actualmente, se utiliza el Modelo Europeo de Gestión de Calidad como referencia para la autoevaluación de las unidades administrativas (Modelo EFQM de Excelencia).

La mayor calidad de los servicios prestados por la Administración servirá para mejorar las condiciones de vida de los ciudadanos y para apoyar el progreso económico y social.

2.4.2. Aspectos a tener en cuenta en la calidad de la atención

En la **prestación de un servicio** influye mucho el papel que se represente y para que un usuario pueda sacar el máximo provecho de los servicios que se le ofrece, debe saber cómo utilizarlos. No es inusual que el usuario se sienta desilusionado porque no fue capaz de sacarle todo el provecho que deseaba.[1]

La **tecnología** debe estar diseñada de tal forma que facilite la prestación de los servicios, ya que de nada servirá que, por ejemplo, el recepcionista de un hotel atienda de manera perfecta si después el sistema de reservas de habitaciones ha perdido datos o se bloquea frecuentemente. La reducción de los tiempos de espera es una de las mejoras en las que se fijan mucho los usuarios, e igualmente es importante tener en cuenta que los servicios de apoyo deben estar en consonancia con las preferencias de los usuarios.

En lo que a la **opinión del usuario** se refiere, esta es sumamente importante, aunque es cierto que existen muchas diferencias entre una empresa de servicios como es la Administración y una empresa industrial en lo que al comportamiento de los usuarios se refiere. En las empresas industriales suele ser frecuente que el usuario se queje si no está conforme con su producto. En las empresas de servicios, en cambio, solo decide no volver a utilizar el servicio ofrecido, razón por la que las empresas de servicios deben, de alguna forma, forzar al usuario a que le proporcione su opinión sobre el servicio que se le ha prestado. Y aunque no siempre es posible, sin embargo sí se pueden poner en

1 Recuérdese que, desde el punto de vista del marketing, la opinión del usuario es una forma más de publicidad, y además el usuario no es siempre consciente de ella.

marcha mecanismos de incentivación (sorteos, regalos promocionales, etc.), a los que normalmente los usuarios están más acostumbrados y suelen mostrarse más receptivos a dichas iniciativas.

El **personal de primera línea** desempeña un papel fundamental en la percepción de la calidad del servicio por parte de los usuarios, hasta tal punto que, para el usuario de una Administración Pública, el empleado y personal de primera línea representa a la misma Administración. De ahí la necesidad de que el personal reciba una formación adecuada a sus funciones, y si en el caso de las empresas industriales esa formación es importante, en las empresas de servicios la formación es la única forma de mejorar. Esta formación es necesario implantarla desde el primer día e incluso antes de empezar a trabajar, y no debe terminar en ningún momento[2].

2.4.3. La calidad en la atención al usuario

En términos generales, los usuarios suelen evaluar la **calidad del servicio** que reciben sobre la base de cinco factores distintos:

- **Los elementos tangibles**: es decir, la apariencia de las instalaciones, la decoración, la presentación del personal que atiende y hasta los equipos que se utilizan en determinadas compañías.
- **Promesas cumplidas**: que significa entregar correcta y oportunamente el servicio.
- **Actitud de servicio**: normalmente los usuarios perciben la falta de actitud de servicio por parte de los empleados como una falta de disposición de quienes le atienden para escuchar y resolver sus problemas o emergencias de la forma más conveniente. Este es el factor que más critican los usuarios y el segundo más importante en su evaluación del servicio.
- **Competencia del personal**: el usuario califica el grado de competencia del empleado para atenderlo correctamente atendiendo a si el personal es cortés y, sobre todo, si es capaz de inspirar confianza con sus conocimientos como para que el usuario sienta confianza para pedirle orientación.
- **Empatía**: aunque se suele definir la empatía como *ponerse en el lugar del usuario*, sin embargo los usuarios la perciben sobre la base de tres aspectos diferentes que son:
  * *Facilidad de contacto*, de tal suerte que el usuario perciba si es fácil llegar hasta la Administración Pública.
  * *Comunicación*, en el sentido de que los usuarios siempre buscan un mayor grado de comunicación por parte de la Administración Pública, además de en un idioma que puedan entender claramente.

---

2 Tampoco se debe olvidar en ningún momento el proceso cambiante de las formas y las estrategias en el tiempo, por lo que se hace necesaria una formación continua de reciclaje para los empleados, y en este caso, más aún para los empleados de primera línea.

* *Gestos y necesidades*, en cuanto que el usuario desea ser tratado como si fuera único, brindándole los servicios que necesita y en las condiciones más adecuadas para él, además de ofrecérsele algo más si lo necesita y que superen sus expectativas.

Estos cinco factores, considerados en su conjunto, conforman la evaluación total que un usuario hace en materia de calidad del servicio de Atención al Usuario.

2.4.4. La preparación en la atención al usuario

La **preparación** es imprescindible para que el usuario pueda percibir la calidad en la atención que se le presta, y siempre se trata de una preparación previa consistente, en primer lugar, en conocer bien el trabajo que se va a desarrollar, los servicios y productos que se van a ofrecer, y en segundo lugar y no menos importante, debe dominar los distintos criterios y habilidades de atención al usuario que se recomiendan. En este sentido, podemos establecer en líneas generales lo que se debe y lo que no se debe hacer.

Lo que se debe hacer	Lo que no se debe hacer
Transmitir al usuario la sensación de que se posee un adecuado, preciso y completo conocimiento del problema que plantea el usuario y de su situación, así como que está en manos de los mejores profesionales.	Recurrir a la improvisación y comunicar al usuario una sensación de duda o incertidumbre, o desatender el problema que plantea el usuario imputando la responsabilidad a terceros o al funcionamiento de la Administración.

Si, efectivamente, no se dice claramente al usuario lo que ocurre, si no se conocen adecuadamente los pasos a seguir para aportar la solución al problema planteado o sobre lo que se puede esperar de un determinado producto o servicio, el usuario experimentará la sensación de inseguridad y percibirá que está siendo mal atendido. Por tanto, es imprescindible estar preparado para poder atender y resolver cualquier duda, consulta, reclamación, petición de compra, solicitud de información, venta activa o demostración que pueda plantear el usuario. Y en el caso de que se tenga alguna duda sobre lo que pueda plantear el usuario, antes de improvisar o llegar a desorientarlo, se debe recurrir a un especialista o a alguno de los mandos para que pueda solucionar correctamente el problema.[3] De la misma forma, tampoco es conveniente dar informaciones parciales o confusas al usuario, sino que dentro de lo posible, hay que profundizar en el problema hasta conseguir la solución más satisfactoria para el usuario o, al menos, hasta poder reconducirla hacia alternativas más eficaces.

Para que todo esto pueda llevarse a cabo de forma eficaz, se necesita del aprendizaje de ciertas habilidades y actitudes de atención significativas y que debe conocer cualquier profesional de la empresa y mucho más quien desempeñe su tarea laboral en el Servicio de Atención al Usuario. Todo ello lleva, en general, a un saber comunicar e informar y a saber vender y tratar las reclamaciones.

---

3 En muchos casos cuando un usuario llama para hacer una consulta o pedir algún tipo de información, antes que improvisar es mejor devolver la llamada una vez que la información o la solución esté clara.

2.4.4.1. Disposición previa

Cotidianamente, tanto durante como después de atender a los usuarios, es necesario mantener una *adecuada disposición para prestar atención*, entendiéndose esta como el interés que se debe tener a la hora de escuchar, informar, complacer a los usuarios.

2.4.4.2. Amabilidad activa

En el Servicio de Atención al Usuario es esencial la **cortesía** que, por otro lado, es siempre obligada en cualquier relación social. Pero no es suficiente, sin embargo, ya que a la cortesía hay que añadir la atención, la animosidad, la simpatía, etc., pero sin caer en la pesadez y el chiste fácil. Una sonrisa cuesta poco y los usuarios la agradecen, y en las conversaciones telefónicas se puede apreciar cuando el interlocutor sonríe por el tono y la inflexión de la voz, que cambian. Es necesario, por tanto, *sonreír en el momento justo.*

2.4.4.3. Ayudar y servir al usuario

Cualquier profesional de la Atención al Usuario suele atender a numerosas personas al cabo del día como algo habitual e incluso rutinario. Pero no por ello se pueden relajar las actitudes debidas, sino que cada usuario individual necesita de una gestión individualizada de tal forma que perciba que en ese momento es lo único importante para la empresa. Es necesario el esfuerzo para *ayudar y colaborar con el usuario siempre que sea posible, y la mejor forma* es, sin lugar a dudas, la atención personalizada, tratar a cada usuario como si fuera el único, implicándose personalmente. El usuario tiene que percibir que nos es grato atenderle bien y que nos preocupa solucionar sus problemas o consultas, de ahí la necesidad de prestarle interés al escucharle planteando su problema con nuestras propias palabras para demostrarle que lo hemos entendido, poniéndonos en su lugar (*empatía*) con comprensión para, finalmente y si está en nuestra mano, resolverle el problema o reconducirlo a donde proceda para una solución satisfactoria.

2.4.4.4. Favorecer la comodidad del usuario

Recurriendo a la técnica de recodar nuestras propias experiencias como usuarios, los profesionales de la Atención al Usuario, deben saber que al usuario no le gusta esperar demasiado cuando realiza una gestión, consulta o compra, ni tampoco realizar desplazamientos o llamadas innecesarias. El *usuario siempre agradece una atención rápida y eficaz que le proporcione comodidad*, y muchas de las gestiones que provocan los usuarios se pueden resolver con una llamada telefónica sin necesidad de tener que desplazarse y es en ese momento, cuando debe percibir que estamos a su servicio y que puede llamar a cualquier hora y desde cualquier lugar, sabiendo que va a contactar con expertos y especialistas que, sin duda, resolverán las cuestiones más complejas.

2.4.4.5. Ofrecer verdaderas alternativas

Cuando la petición del usuario no se acomoda a las normas establecidas en el protocolo de atención, con el funcionamiento de la aplicación informática que se use o con las mismas directrices de funcionamiento, jamás debe decírsele *"no"* o *"es imposible"*, sino que se debe ser flexible para poder ofrecer alternativas. Es necesario, por tanto, que el profesional de la Atención al Usuario conozca en profundidad los servicios de la Administración Pública para que puedan ofrecer la solución más adecuada a cada problema suscitado. Y cuando aun así, no hay alternativa posible, entonces es cuando se debe derivar la consulta al responsable o jefe de sección afectada. Y si incluso así se agotan las posibilidades y es inevitable dar una negativa al usuario, lo haremos teniendo el máximo tacto para que no se moleste y cuidando el mostrar paciencia y amabilidad, expresando claramente la negativa pero evitando a toda costa expresiones breves y secas, y dando las necesarias explicaciones que permitan que el usuario acepte la negativa y entienda que se han hecho todos los esfuerzos posibles para solucionar el problema.

2.4.4.6. Mostrar equilibrio y respeto

Mostrar emociones extremas de mal humor, sequedad, brusquedad o exceso de simpatía o chiste fácil no es nada recomendable, ya que debemos mantener una relación con el usuario estrictamente profesional, con cortesía, amabilidad y respeto. *El tratamiento que lleva a tutear por un exceso de confianza es absolutamente nefasto.* En términos generales hay que evitar siempre entrar en discusión con el usuario (aunque el mismo usuario la quiera provocar y por muy polémico y grosero que este sea), y *tampoco mostrar desagrado o aspereza.* La **cortesía profesional** se convierte así en una defensa que nos protege de las situaciones desagradables provocadas por los usuarios.

2.4.4.7. Ser justos en la atención

Todos los usuarios son iguales sin excepción en lo que a la atención se refiere, porque la mayoría de ellos no esperan una atención especial sino simplemente recibir el mismo trato que cualquier otro. Si se establecen diferencias en el trato por las razones que sean, el usuario comprueba que está siendo tratado peor que otros y esto es totalmente negativo. Es lógico que si esto sucede el usuario que no ha sido tratado adecuadamente lleve a comentar con otras personas, ya sean familiares, conocidos, amigos, etc., el trato recibido en la Administración creando una cadena de información que se extiende rápidamente dando la imagen de una atención negativa por parte de la Administración respecto a los usuarios.

2.4.4.8. Evitar las falsas expectativas

Formalidad y fiabilidad son dos conceptos claves en la Atención al Usuario, ya que cualquier promesa hecha al usuario se convierte en contraproducente si *a posteriori* no se puede cumplir dicha promesa. Si el usuario no recibe lo que se le ha prometido pensará, y con razón, que ha recibido una mala atención e incluso que se le ha engañado.

2.4.4.9. Eficacia y credibilidad

Eficacia en la gestión es imprescindible en una atención de calidad. Para que se ofrezca amabilidad a los usuarios y se acompañe de una eficacia real en la solución idónea a sus problemas y necesidades, hay que preguntar directamente al usuario si ha quedado satisfecho ya que si el grado de satisfacción es alto eso demuestra calidad y eficacia en la atención al usuario. Y en cuanto a la **credibilidad**, el usuario siempre identifica a la persona que le atiende. En la actitud y en la forma de atención al usuario es donde se encuentra el secreto de si la imagen y credibilidad de la Administración Pública es buena o mala y, por tanto, se deben evitar ante los usuarios los comentarios negativos y reforzar los elementos positivos. *Jamás se debe comentar a los usuarios los problemas internos de la Administración.*

2.4.5. El interés profesional en la atención al usuario-consumidor

A la preparación técnica de los profesionales dedicados a la Atención al usuario-consumidor, se le añade otro elemento igualmente importante: conseguir que el profesional tenga verdadero interés profesional, es decir, el *"querer"*, ya que no basta solo con saber cómo atender adecuadamente a los usuarios y resolver los problemas, solicitudes o cuestiones que plantean, sino que también es necesario *"querer hacerlo bien"*. Interés que se entiende como el esfuerzo y dedicación suficientes y necesarios que el profesional demuestra para escuchar las cuestiones que le plantean los usuarios, para ayudarles, informarles y atenderles en todo aquello que soliciten dentro de las posibilidades, para dedicarle el tiempo necesario y para resolver con amabilidad y eficacia las consultas, peticiones y solicitudes que los usuarios le presenten.

Se deduce claramente que *tener interés significa basar la relación con el usuario en comportamientos activos de atención, cargados de iniciativa propia y esfuerzo eficaz para conseguir dar al usuario-consumidor el mayor grado de satisfacción posible.* Si el profesional de la Atención al usuario-consumidor tiene la suficiente preparación técnica profesional *("saber")* y demuestra el suficiente interés profesional *("querer")* para conseguir darle toda la satisfacción posible, entonces es relativamente fácil poder conseguir los siguientes **objetivos** de calidad en la atención al usuario:

- Ningún usuario debe quedar desatendido.
- Informarse sobre el grado de satisfacción del usuario.
- Escuchar y conocer a fondo las sugerencias del usuario.
- Solucionar en todo momento, y dentro de las posibilidades, sus quejas y necesidades.
- Detectar las incidencias de los sistemas de telecomunicación con los usuarios.
- Ofrecer a los usuarios verdaderas soluciones y alternativas.
- Ofrecer a los usuarios un horario de atención cómodo, flexible y ajustado a sus necesidades.
- Solucionar las necesidades de los usuarios de la forma más cómoda para él con el mínimo de llamadas telefónicas y evitándole desplazamientos innecesarios que solo provocarían frustraciones y promesas incumplidas.

Si estos objetivos se cumplen, serán los usuarios los que percibirán una atención representativa de la institución y verdaderamente próxima a sus necesidades, accesible, eficaz, con interés y comprometida con la satisfacción de estos. Todo ello se traduce en una sola cosa: los usuarios confiarán en la Administración.

2.4.6. La calidad percibida

En este apartado cambiaremos el enfoque y nos ubicaremos en el lado del usuario-consumidor, de tal forma que así se pueda tener una interpretación adecuada de su punto de vista a fin de poder conseguir el mayor grado de satisfacción posible para ellos. Se trata de conocer cómo percibe el Servicio de Atención.

2.4.6.1. El punto de vista del usuario-consumidor

Para saber cómo hay que atender a los usuarios o a los usuarios para que se sientan satisfechos, tener cierta empatía de cómo nos puede percibir el usuario, tendremos en consideración cuatro aspectos esenciales:

- La calidad que percibe el usuario.
- La sensación de control del servicio recibido por parte del usuario.
- Adecuación del tiempo de atención.
- Identificación y aprovechamiento de los momentos verdaderos.

A) La calidad que percibe el usuario-consumidor

La **calidad de un servicio** de Atención al usuario-consumidor tiene dos dimensiones: una **objetiva**, en referencia al servicio que se ofrece y al hecho de que se ofrece de acuerdo con determinadas normas y procedimientos en función de las necesidades del usuario y orientado a satisfacer sus expectativas. La otra dimensión es la **subjetiva**, en donde si el usuario percibe que el servicio que se le presta satisface realmente sus necesidades, entonces está percibiendo y recibiendo calidad.

Así, *la percepción del usuario-consumidor es la que determina la calidad de un producto o servicio*, es decir, lo que realmente es importante es la valoración personal que el usuario hace, si está contento. Si es así, entonces se puede afirmar que se ha prestado un servicio de calidad.

B) El control del servicio

Está demostrado que para conseguir una relación satisfactoria con los usuarios es necesario que estos se vean y se sientan implicados y que controlan la situación. Es decir, que conocen y dominan sin esfuerzo el servicio que reciben.

El *usuario-consumidor se siente satisfecho cuando comprueba que el servicio que recibe cumple con las expectativas deseadas*. Como consecuencia de ello, *nunca se debe prometer lo que no se va a cumplir.*

Es necesario siempre *informar de manera completa, ordenada y transparente* al usuario para evitarle ambigüedades y falsas interpretaciones y que suelen ser el origen de frustraciones posteriores.

C) El tiempo de atención

La mayor parte de los usuarios sienten que su tiempo es un bien escaso y muy apreciado, de tal forma que no suelen dedicarle a una gestión más tiempo del que se considere estrictamente necesario. Por esa razón, *el usuario agradece el que no se le haga esperar y se le atienda con agilidad y rapidez.* Una atención adecuada exige *dedicar al usuario el tiempo necesario para escucharlo y solucionar sus peticiones,* aunque siempre evitando la charla innecesaria, y por otro lado, rapidez y brevedad no significan necesariamente una mala atención, sino que a cada gestión hay que dedicarle el tiempo necesario para conseguir complacer al usuario en su petición.

En todo caso, y de forma genérica, siempre *hay que procurar que el usuario perciba que nos complace atenderle y solucionar sus peticiones,* sin prisas aunque tampoco sin hacerle perder el tiempo, escuchando pacientemente y dando cualquier tipo de explicación necesaria o que el usuario requiera.

D) Los momentos de la verdad

Decir *"un momento de la verdad"* significa que cada vez que se entra en contacto con un usuario o usuario estamos ante uno de esos momentos, es decir, ante la oportunidad de ofrecer servicio y satisfacción al usuario. De ahí la necesidad de aprovechar bien estos *"momentos"* ya que suelen ser irrepetibles.

Cada vez que un usuario entra en contacto con la Administración espera que se le resuelvan satisfactoriamente sus necesidades y problemas, y en ese momento lo difícil del trato no es hacer las cosas muy bien, sino que lo difícil y delicado es lo que los usuarios perciban claramente, y para ello es importante tener una buena preparación y aplicar el interés más adecuado en cada momento, para que el usuario note la calidad.

A continuación se mencionan las diez cualidades más importantes que han citado los usuarios respecto a la atención[4]:

1. Que devuelvan la llamada cuando prometieron.
2. Recibir una explicación de cómo ocurrió el problema.
3. Que me informen a qué número puedo llamar.
4. Que me avisen inmediatamente cuando se resuelva el problema.
5. Que me permitan hablar con alguien que tenga autoridad.
6. Que me digan cuánto tardará en resolverse el problema.
7. Que me den alternativas útiles si no se puede resolver.
8. Que me traten como si fuera una persona, no como si fuera un número de cuenta.

---

[4] *Fuente*: Leonard L. Berry & A. *Marketing de servicios "La calidad como meta"*. Parasuraman, 1993.

9. Que me digan cómo se pueden prevenir futuros problemas.
10. Que me informen qué se está haciendo si el problema no se puede resolver inmediatamente.

2.4.6.2. ¿La satisfacción es relativa?

Como se mencionó anteriormente, en la satisfacción intervienen dos elementos: los logros y las aspiraciones. No hay que olvidar que las experiencias previas, la información que se le proporciona a los usuarios, sus expectativas y la organización sanitaria tienen que ver en el grado de satisfacción de las personas. Si cada uno de esos parámetros difiere de persona a persona, dadas sus circunstancias particulares, el grado de satisfacción para cada una, recibiendo el mismo servicio, será percibido de distinta manera.

Con el concepto de calidad total, que se refiere a la satisfacción de las necesidades de los usuarios, se dirime la diferencia entre satisfacción de este y la satisfacción de las necesidades del usuario. Este concepto encierra la totalidad de la atención. Por lo tanto, la calidad total debe garantizar la satisfacción de todas las necesidades de todos los usuarios.

2.5. Insatisfacción de los ciudadanos: identificación de causas y formas de abordar las reclamaciones

Toda empresa desea proporcionar un servicio tal que todos los clientes queden satisfechos del mismo. Pero esto es una utopía. Siempre hay ciudadanos insatisfechos. El reto de toda empresa está en ofrecer al cliente un servicio sin problemas. Pero es la empresa y, en nuestro caso, el personal de administración y servicios que representan ante los ciudadanos a la Administración pública los que tienen que tratar con ellos, de forma que, cuando las cosas vayan mal, somos nosotros lo que tenemos que reconducir la situación para recobrar la buena imagen de la función pública, haciendo todo lo posible para satisfacerles.

Una de las mayores gratificaciones que podemos obtener de nuestro trabajo de atender a los ciudadanos es la sensación de haber ayudado positivamente a satisfacer sus necesidades o resolver su problema, obteniendo una solución satisfactoria tanto para el cliente como para la Administración.

ALGUNAS CAUSAS DE INSATISFACCIÓN DE LOS CLIENTES
– La atención ha sido descuidada o incorrecta.
– El servicio ha sido lento.
– La persona que prestó el servicio lo ha llevado a cabo con indiferencia.
– La persona que prestó el servicio no sabía de qué estaba hablando.
– Se le ha dado información contradictoria por más de un empleado.
– El empleado público le ha dicho al ciudadano que no tenía razón al estar insatisfecho.
– El ciudadano ha sido transferido por teléfono a otro empleado sin previo aviso.
– Al ciudadano no le gusta la apariencia del empleado público.

Podemos reconducir las anteriores situaciones para recomponer la imagen de la entidad y lograr de nuevo la satisfacción de los ciudadanos:

- Prestándoles atención y asistencia inmediata.
- Tomándoles en serio y tratándoles con respeto.
- Aplicando las técnicas de escucha activa, feedback, asertividad...
- Comunicándoles nuestro compromiso de hacer todo lo posible para que la situación se arregle.
- Dándoles la seguridad de que la persona responsable del error no lo volverá a repetir y será entrenada para hacerlo bien.
- Compensándoles de alguna forma por las molestias ocasionadas.
- Asegurándonos de que el error no volverá a repetirse.

2.5.1. Cómo tratar al ciudadano enfadado: La escucha física

Una persona en situaciones tensas o desagradables puede llegar a cambiar su estado de ánimo, incluso llegar a perder los nervios. Ante una situación así conviene realizar el «doble juego», que consiste en no dejarnos afectar en nuestro trabajo por el estado de nerviosismo del cliente y a la vez conseguir que este perciba por nuestra actitud que estamos a su servicio, pendientes de él y de su problema. Esto se puede conseguir aplicando la técnica de la **escucha física**:

- Miremos al ciudadano directamente: hacer esto implica que prestamos toda nuestra atención a la conversación con el cliente. No permitimos que nada nos distraiga.
- Acerquémonos a él, pero sin invadir su espacio íntimo. Esto refuerza la impresión de que le prestamos toda nuestra atención.
- Abramos nuestra postura: no crucemos los brazos o las piernas. Esto puede hacer pensar instintivamente al cliente que ocultamos algo.
- Mirémosle a los ojos (entre tres y siete segundos cada vez). No conviene que le miremos fijamente a los ojos durante más tiempo porque puede intimidarle.
- Centrémonos en la escucha: no mantengamos una postura rígida; hagamos saber al cliente que le estamos prestando atención mediante la sonrisa, con movimientos de cabeza, utilizando respuestas simples («sí», «claro», «eso es», «ya»... Esto ayuda a que el cliente sepa que le estamos escuchando y continuará hablando).
- Relajémonos durante la escucha: evitemos cualquier muestra de tensión; adoptemos, si procede, una postura informal. Sonriamos cuando sea apropiado ya que así ayudaremos al cliente a sentirse relajado y se abrirá más a nosotros, dejando de lado otros problemas que no nos incumben, pero que pueden dificultar la solución.

La escucha física es una técnica que nos va a permitir, mediante un lenguaje no verbal, tranquilizar y relajar el ánimo de nuestro cliente. Pero no olvidemos que:

Primero la persona, después el problema.
Primero los sentimientos, después los hechos.

2.5.2. Cómo tratar las reclamaciones

En la base de toda reclamación hay una frustración: el cliente siente el hecho por el que reclama como una injusticia, como una humillación o como un sentimiento de falta. Esta frustración va a tomar la forma de una protesta que se exteriorizará en una agresividad más o menos fuerte, según el temperamento del interlocutor.

Cualquiera que sea el origen de una reclamación, el objetivo a alcanzar por nuestra parte es la satisfacción del cliente. Satisfacción que nacerá tanto por la forma en que hemos recibido y tratado la reclamación como por la solución inmediata que aportemos.

A veces no se puede responder afirmativamente a las reclamaciones de los clientes, pero siempre se les debe recibir correctamente. Al final recordará la forma en que le hemos atendido y agradecerá los esfuerzos realizados para satisfacerle.

No olvidemos que la agresividad que trae el cliente se va a focalizar sobre la primera persona de la entidad con la que trate (telefonista, secretaria, conserje...). Las reglas a seguir en esta situación son:

- **Disminuir la tensión:**

  a) Recoger siempre con calma y consideración la reclamación. Poner al cliente en condiciones psicológicas, físicas y materiales, favorables al diálogo.

  b) Permanecer calmado. No sentirse personalmente afectado, pero no evitar la responsabilidad. Objetivar y despersonalizar los hechos.

  c) Dejar hablar y escuchar. Hace falta que el reclamante vacíe su cólera. A menudo una reclamación se atenúa dejándole que se exprese; puede debilitarse por sí misma al ser expresada en voz alta. La escucha nos irá proporcionando los elementos de la respuesta. Quien se siente escuchado está su vez en mejores condiciones de escuchar.

  d) No entrar en discusión. Respondiendo violentamente no haremos más que excitar la imaginación del cliente y entraremos en proceso de conflicto. Pero no demos la impresión de no estar afectados o de que no nos concierne.

- **Escuchar objetivamente la situación:**

  a) Ponernos del lado del cliente. Hacerle saber que comprendemos sus dificultades y preocupaciones. Tomar notas, cuando sea necesario: esta actitud calma al cliente, que siente que le escuchamos. También le invita a ser más prudente en sus afirmaciones.

  b) Establecer hechos. Hay que hacer hablar a nuestro interlocutor. Transformaremos la reclamación en pregunta, en reformulación y conseguiremos hacer la historia de la reclamación: causas, responsabilidades... Así llevaremos al cliente a elementos concretos y precisos (hechos, no opiniones).

- **Proponer una solución:**

  En este punto habrá que hacer un diagnóstico de responsabilidad, con mucha prudencia si el cliente está equivocado, y con las excusas apropiadas si tiene razón. Hay que:

  * Estudiar objetivamente la solución.
  * Proponer solución.

Al cliente, en general, no le gusta la responsabilidad anónima. Será preciso indicarle dónde y cómo nos hemos equivocado y qué área es la responsable, pero sin escurrir el bulto. En cualquier caso, reconocer el error, pero proponiendo una solución que sea satisfactoria, si la hubiere. No prometamos lo que no estamos seguros de poder cumplir.

El tratamiento constructivo de una reclamación es una fuente de progreso para nuestra entidad y de satisfacción para nosotros mismos.

EL CLIENTE CON SU RECLAMACIÓN...
- Nos suministra información. - Nos hace tomar conciencia de ciertas dificultades y debilidades de funcionamiento. - Si queda satisfecho de la manera en que ha sido tratado, recordará siempre favorablemente nuestra actitud y nuestro comportamiento. - Si está descontento y no reclama corremos el peligro de que la mala fama vuele; por eso es positivo que reclame, para ofrecernos la oportunidad de mejorar nuestro servicio y de mantener a nuestros clientes satisfechos.

Nunca hay que negarse a recibir cualquier tipo de reclamación. Recordemos que cuando un ciudadano reclama no está enfadado con nosotros, sino con el problema que padece, por lo que no tomaremos la reclamación como algo personal.

TEMA 14

Nociones básicas sobre máquinas reproductoras. Medios audiovisuales. Funcionamiento y mantenimiento básico de medios audiovisuales

Índice

1. Nociones básicas sobre máquinas reproductoras. Tamaños de papel usados en máquinas. Problemas más usuales
2. Medios audiovisuales
3. Funcionamiento de medios audiovisuales: conectores, sistemas de proyección, megafonía y mesas tecnológicas
4. Mantenimiento básico de medios audiovisuales

1. Nociones básicas sobre máquinas reproductoras. Tamaños de papel usados en máquinas. Problemas más usuales

Definimos reprografía como el conjunto de técnicas y meios empleados para la reproducción de documentos e imágenes.

La evolución tecnológica experimentada desde la primera revolución industrial hasta nuestros días posibilita hoy la existencia de múltiples métodos de impresión y reproducción, ya sea por **medios electrónicos**, como la fotocopia o el fax, o por **medios digitales**, gracias a los cuales es posible el envío de pedidos mediante correo electrónico, la impresión de documentos online o el uso de formatos universales como el PDF.

El más conocido y utilizado en la Administración es la fotocopia.

Nota: hay quien entiende por medios reprográficos aquellos que usan procedimientos electrostáticos o electrofotográficos que posibilitan la copia múltiple, de papel a papel, directamente legible, del documento escrito. Quedarían, pues, excluidos los sistemas fotográficos que precisan "el intermedio negativo para la producción de la copia que pueda leerse a simple vista".

Las máquinas reproductoras, copiadoras o de reprografía son aquellas que se utilizan para la copia de documentos y materiales bibliográficos. Las máquinas copiadoras más utilizadas en una dependencia administrativa, y que pueden requerir su utilización por parte del Personal de oficios son:

- Fotocopiadoras.
- Multicopistas.
- Escáneres.
- Impresoras.
- Fax.

1.1. Las fotocopiadoras

La fotocopiadora es una máquina por todos conocida que proporciona, casi instantáneamente, copias de cualquier documento.

Existen tres tipos principales:

1. Las **Xerográficas**, que utilizan papel normal. La palabra proviene de los términos *'xero-'*, que significa 'seco', y *'grafía-'*, que significa 'escritura'. Por eso podemos definir xerografía como escritura en seco.

   En las fotocopiadoras xerográficas el documento original es barrido por un intenso rayo de luz que proyecta la imagen sobre un tambor giratorio. Este tambor tiene una superficie altamente sensible a la luz que recibe, o lo que es lo mismo "fotosensible", y que se carga electrostáticamente en correspondencia con la imagen que recibe.

Sobre el tambor se distribuye uniformemente un polvo con tinta llamado tóner y que se adhiere a las zonas que fueron electrizadas al incidir la luz que viene reflejada del documento, plasmando así el escrito o dibujo original en el papel.

La imagen así pigmentada es transferida del tambor al papel dispuesto en la fotocopiadora, el cual finalmente se calienta para fijar de modo definitivo el pigmento sobre la copia.

2. Las **Electrostáticas**, que requieren un cierto papel especial.

   Este tipo de máquina consigue su propósito al proyectar directamente la imagen a reproducir sobre el papel especial cuya superficie queda sensibilizada con cargas eléctricas.

   El papel se somete luego a un baño de tóner y las partículas se fijan en las zonas electrizadas de este, dando lugar a la copia definitiva.

   Un paso importante en el copiado de documentos se dio en 1973 cuando la empresa japonesa Canon ideó y comercializó las primeras fotocopiadoras para copias en color, todo un avance, aunque su uso en la Administración es prácticamente nulo.

   Las fotocopiadoras son las máquinas que, junto a los ordenadores y las grapadoras, más se utilizan en las dependencias administrativas. Con ellas se copian toda clase de documentos, teniendo la posibilidad de que las copias que realicemos queden ordenadas, grapadas, e incluso perforadas, dependiendo de la máquina que estemos utilizando.

3. Actualmente, se está implantando un nuevo procedimiento de obtención de copias basado en la tecnología digital de escaneado, que consigue mayor calidad de la imagen y mayor número de copias. De esta forma, ya no se habla de fotocopias, sino de **máquinas multifunción** que combinan la tecnología de los escáneres con la xerografía, y que se pueden conectar a un ordenador para que hagan a la vez de impresoras.

En unidades administrativas con personal técnico del ámbito sobre todo de obras públicas (arquitectos, ingenieros e incluso delineantes), es muy frecuente la existencia de fotocopiadoras especiales, que en lugar de realizar copias de documentos en tamaños DIN–A3, DIN–A4 o inferiores, son capaces de realizar copias de planos de varios metros de tamaño.

Tanto las fotocopiadoras normales de documentos como las de planos, pueden trabajar tanto a tamaño 1:1, como reducir y ampliar las copias que se desean, entre márgenes que suelen oscilar en cuanto a la reducción al 50 % y en cuanto a la ampliación al 200 %, dependiendo en todo caso de la máquina que se utilice.

1.1.1. Clases de fotocopiadoras

No todas las fotocopiadoras son iguales, por lo que a continuación describiremos algunos tipos de fotocopiadoras, si bien la diferencia entre ellas fundamentalmente está en la rapidez, las prestaciones o el tamaño, pues el cometido final de copiar documentos es el mismo en todas ellas.

A) Fotocopiadoras personales o portátiles

Las fotocopiadoras portátiles son el tipo más pequeño de máquina para copia. Por regla general solo pueden hacer copias a tamaño del original, es decir, sin aumentarlas ni reducirlas. Incluso algunas no van provistas de casete de alimentación por lo que hay que colocarle el papel uno a uno, y un gran número de ellas llevan incorporado un módulo, donde se encuentra el tambor, la lámpara y el tóner en una sola pieza, el cual, una vez consumido, se cambia por uno nuevo en su totalidad. Estas máquinas suelen hacer menos de 10 copias por minuto y por ello están dirigidas a un consumo muy pequeño, personal, como su nombre indica.

B) Fotocopiadoras de oficina

Es la fotocopiadora más común en los edificios de la Administración Pública, y todas ellas tienen unos elementos y unas teclas para las distintas funciones muy comunes, aunque las funciones propiamente dichas pueden diferir mucho de unas a otras. Suelen estar provistas de sistemas de ampliación o reducción del original, fijos o con zoom y suelen usar papel de formato DIN-A5, DIN-A4 y DIN-A3.

Estas fotocopiadoras efectúan entre 12 y 40 copias por minuto.

C) Fotocopiadoras profesionales (de alta producción)

Estas máquinas son la gama más alta de fotocopiadoras por capacidad de producción, posibilidades de automatización de sus funciones y tamaño.

Son máquinas como las fotocopiadoras de oficina, solo que suelen tener muchas funciones automatizadas. Tienen además funciones añadidas como:

- Copia automática a dos caras de los originales (*duplexing*).
- Alzado.
- Grapado de juegos.
- Perforación de taladros para encuadernación.
- Separación de imágenes de copia en los libros.
- Diagnósticos automáticos de calidad y puesta a punto.
- Alta capacidad de producción que puede superar las 130 copias por minuto, aun en el caso de que las copias sean a dos caras.

1.1.2. Partes de una fotocopiadora

Comenzaremos con carácter previo por conocer las partes que puede tener una fotocopiadora, haciendo una primera distinción entre:

a) **Elementos básicos**. Llamaríamos partes básicas de una fotocopiadora a todos aquellos componentes que aparecen en todas las fotocopiadoras, independientemente del tipo que sea.

Así tendríamos como partes básicas las siguientes:

- Panel de control.
- Teclas numéricas.
- Tecla reiniciar.
- Cristal de copia o vidrio de contacto.
- Bandeja de papel.
- Tóner.
- Interruptor de alimentación.
- Corona de carga de papel o cargador de transferencia de papel.
- Lámpara de exposición.
- Fusor.
- Tambor.
- Bandeja de recepción.

b) **Elementos complementarios**. En contraposición con los elementos básicos, los complementarios son aquellas partes de la fotocopiadora que no están en todas, sino que depende del modelo que de dispongamos para que la tengan o no.

Serían los siguientes:

- Clasificador.
- Clasificador-grapador.
- Tarjeta de control.
- Depósito extra de papel.
- Alimentador recirculante de documentos.

A) Panel de control

El panel de las fotocopiadoras puede ser de varios tipos:

- Mediante botones que son pulsados para seleccionar las distintas funciones.
- Mediante un monitor situado sobre la fotocopiadora donde aparecen las distintas funciones seleccionadas.
- Mediante una pantalla táctil.

En todos los casos, la forma de hacerla operar y las distintas teclas tienen una simbología idéntica, lo que facilita la rápida adaptación de una máquina a otra en caso de cambios.

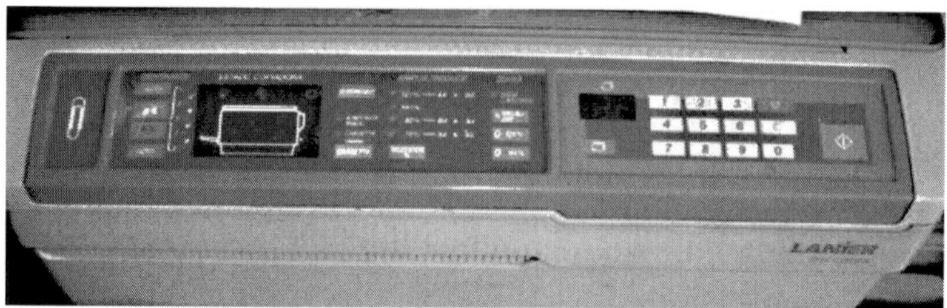

B) Teclas numéricas

Se utilizan para seleccionar el número de ejemplares que deseamos fotocopiar, así como para introducir el número de control en el caso de que la máquina cuente con clave de acceso.

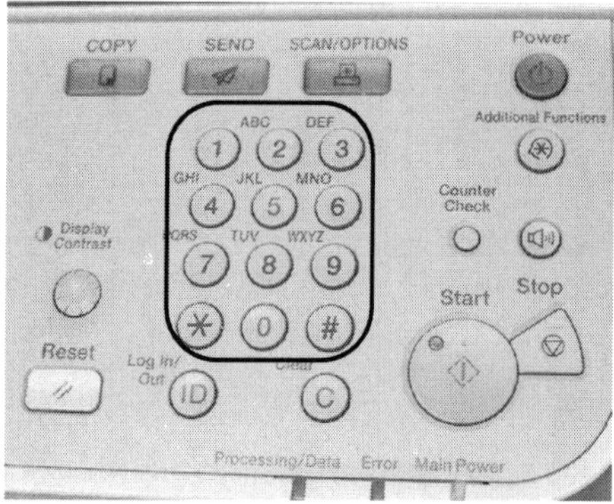

Teclas numéricas

C) Tecla reiniciar

Se utiliza para dejar la máquina con las funciones configuradas por defecto, es decir, elimina la configuración que se haya realizado para las copias anteriores. Por ejemplo, si teníamos seleccionada la copia a dos caras, esta tecla devolverá a la máquina a su función predeterminada, es decir, a copia a una cara.

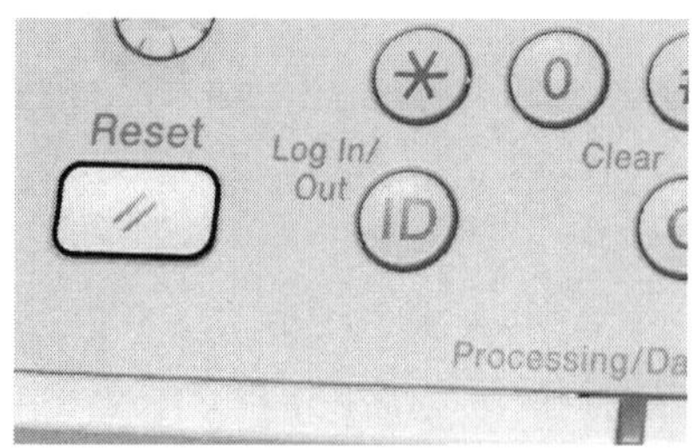

Tecla reiniciar

D) Alimentador recirculante de documentos o alimentador automático de originales

Sirve para automatizar y agilizar el proceso de copias. En lugar de poner uno a uno cada documento (original) a fotocopiar sobre el cristal de copia, en el alimentador automático de originales introducimos un número de originales que puede oscilar de unas máquinas a otras. Estos originales deberán estar sin grapar ni doblar. El alimentador mediante un sistema mecánico captará las hojas una por una y las irá fotocopiando, dejándolas después en el mismo orden en que las cogió. El alimentador automático de originales puede incluso voltear la hoja de manera que puedan hacerse copias a dos caras.

E) Clasificador/Clasificador-grapador

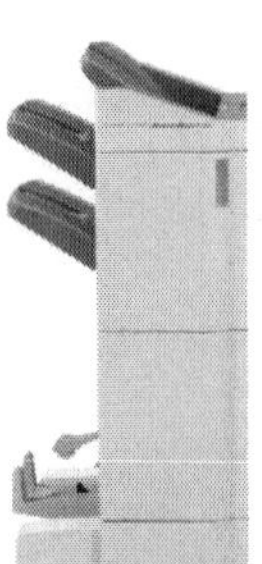

Situado normalmente a la izquierda de la máquina. Clasifica o agrupa automáticamente las copias en varias bandejas a razón normalmente de 50 copias en cada una, pero que dependerá de la máquina en cuestión.

El clasificador-grapador también sirve para clasificar o agrupar automáticamente las copias en varias bandejas. La diferencia con el clasificador normal es que este grapa cada juego.

Hay clasificadores que además realizan taladros en las hojas para facilitar el posterior proceso de encuadernación.

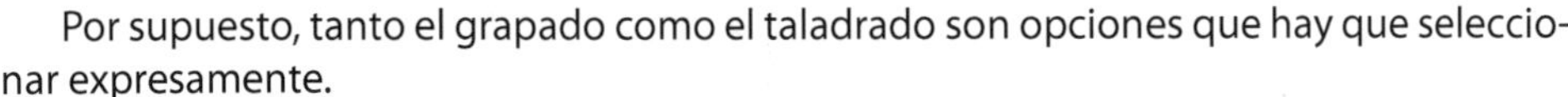

Por supuesto, tanto el grapado como el taladrado son opciones que hay que seleccionar expresamente.

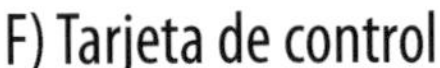

F) Tarjeta de control

Sirve para controlar el número de copias realizadas por cada usuario con tarjeta.

En fotocopiadoras de uso público, mediante la venta de tarjetas, permiten al usuario realizar un determinado número de copias. Su eso está extendiéndose en bibliotecas públicas.

G) Depósito extra de papel

Situado normalmente a la derecha de la máquina, sirve para aumentar la "autonomía" de la máquina al admitir hasta 3.500 hojas de papel de copia.

H) Otras partes de una fotocopiadora

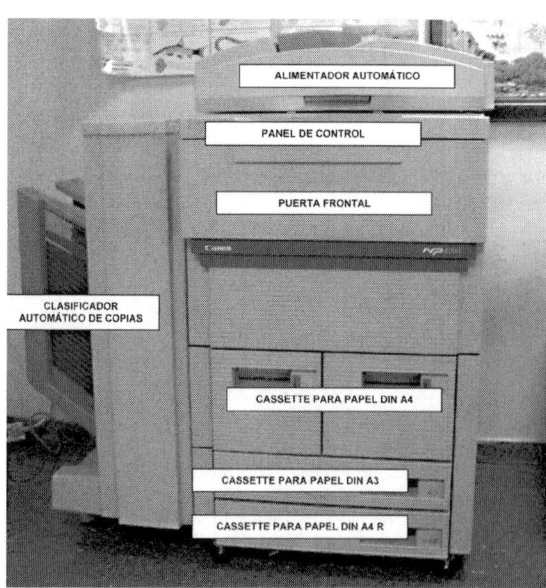

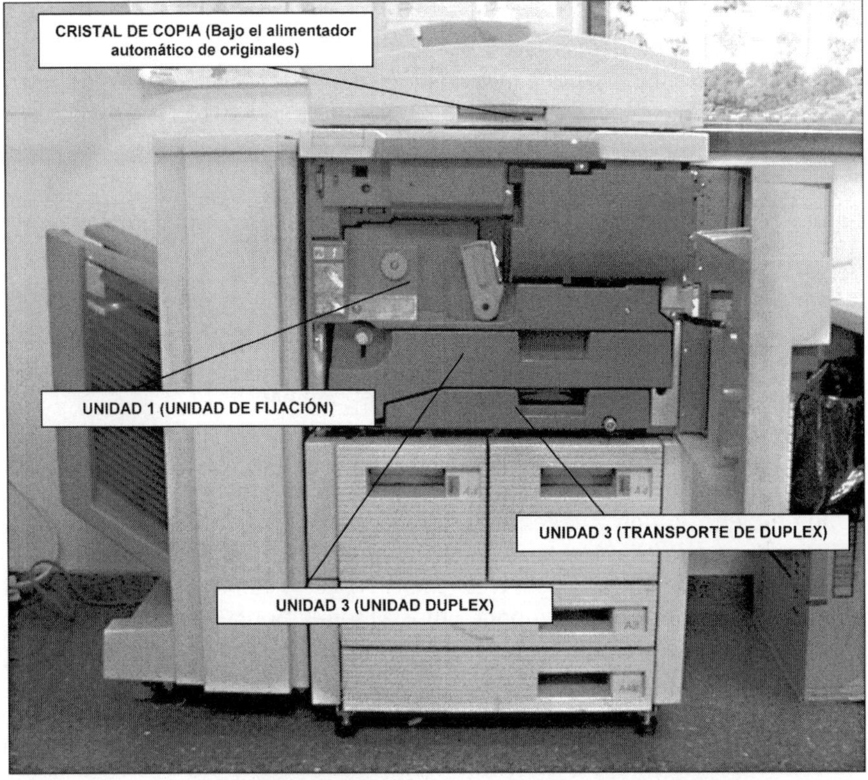

l) El tóner

El tóner es un pigmento utilizado en la impresión láser, así como en otros dispositivos que emplean tecnología electroestática, como fotocopiadoras, faxes de papel normal e impresoras de inyección de tinta.

Se presenta en forma de polvo extraordinariamente fino. Para producir la imagen, el tóner se deposita en el papel y es posteriormente fundido con este mediante calor.

El tóner se transfiere al papel mediante fuerzas electrostáticas y no por presión.

Las fotocopiadoras modernas cuando detectan que no hay tóner o que no es suficiente para una calidad mínima, bloquean la máquina y no pueden realizar copias hasta que se reponga tóner en el depósito, evitando con ello desperfectos en la propia máquina. Otras en cambio continúan haciendo copias aunque la calidad de las mismas va siendo inferior cuanta menor cantidad de tóner hay en la máquina.

Aunque hace tiempo existía tóner líquido, en la actualidad está completamente en desuso.

En la actualidad se comercializa tóner reciclado para las máquinas de uso más frecuente, suponiendo el uso de estos cartuchos reciclados además de una ventaja económica para el que las adquiere, un beneficio para el medio ambiente, ofreciendo unas prestaciones prácticamente idénticas a las del tóner original.

El tóner en polvo puede ser de dos clases:

- **Tóner monocomponente.** Este tipo de tóner se compone principalmente de óxido de hierro (o polvo de ferrita) y resina, y cada partícula está encapsulada en resina termoplástica. Se utiliza principalmente para imágenes en negro, aunque también se ha empleado para crear colores oscuros como el sepia para aplicaciones especiales en equipos monocromos. El tóner monocomponente se deposita sobre el papel en estado de polvo, y a continuación recibe calor y presión para fundirlo con el papel.
- **Tóner bicomponente.** Este tipo de tóner es una mezcla de un portador de polvo de hierro (o ferrita) y un polvo de tóner de resina termoplástica sólida pigmentada. Esta mezcla de dos componentes se denomina *starter*, y cada componente debe encontrarse en una proporción precisa para que pueda consumirse durante el proceso de impresión. En los procesos siguientes, sobre el papel solo queda depositado el polvo de tóner pigmentado, mientras que el componente portador permanece en el equipo para ser utilizado otra vez tras recargarse con nuevo tóner. Este tipo de tóner se utiliza para toda la gama de colores en distintos equipos.

El tóner usado se debe tirar en su recipiente, como residuos plásticos, siguiendo las normas locales. Al igual que otros tipos de polvo orgánico, la dispersión accidental de tóner podría provocar explosiones del polvo en caso de ignición. Por esta razón, se debe evitar que haya fuentes de ignición, como la electricidad estática, cerca de una nube de polvo de tóner.

Hay que tener especial cuidado al poner tóner en el equipo o tirar el usado. Si se producen derrames de tóner, este se debe eliminar con un paño húmedo o empleando un aspirador adecuado (existe un aspirador para partículas eléctricamente conductoras de 5 micras, que disipa las cargas estáticas o impide su formación), y se debe tener cuidado para no inhalar el polvo.

Una pequeña cantidad de tóner inhalado no supone ningún problema, pero si alguna persona inhala una gran cantidad, deberá ser trasladada a un lugar con aire limpio y seguir las indicaciones de un médico. Si cae tóner sobre la piel, se deberá eliminar con agua y jabón. Si salpica en los ojos, se deberán lavar repetidamente con abundante agua limpia. En caso de irritación persistente, se deberá consultar a un médico.

1.1.3. Funcionamiento

1.1.3.1. Proceso interno del fotocopiado

Dependerá de la fotocopiadora en cuestión para conocer el funcionamiento concreto, y por tanto, lo que pretendemos es dar unas nociones básicas que sirven prácticamente para la totalidad de las fotocopiadoras existentes en la actualidad en el mercado y concretamente, las fotocopiadoras más utilizadas en los centros administrativos.

La idea fundamental de la xerografía consiste en cargar eléctricamente una lámina de modo que reproduzca la imagen original. En un lenguaje un poco más técnico: conseguir que la densidad de carga eléctrica en la superficie de la lámina sea proporcional a la luminosidad de la imagen original, es decir, que haya una gran densidad de carga en las zonas oscuras de la imagen y poca densidad en las zonas más claras.

Imagínese una lámina de ámbar sobre la que un buen pintor frota un pincel de lana, tratando de copiar el original. El resultado sería parecido a nuestra lámina cargada. En una máquina fotocopiadora, esta carga selectiva se consigue mediante un material aislante que se vuelve buen conductor eléctrico cuando incide sobre él la luz. Cuanta más luz incide, mejor conduce. Estos materiales se denominan fotoconductores.

Si cargamos con carga positiva una lámina fotoconductora y hacemos incidir sobre ella la luz que proviene de la imagen original, la lámina conducirá bien las zonas blancas y no conducirá en las oscuras. Un conductor cargado se descarga inmediatamente (por eso no podemos cargar por frotamiento un metal), ya que sus cargas se pueden mover libremente y tienden a neutralizarse. De este modo, la lámina solo conservará su carga positiva en las partes oscuras de la imagen y será neutra en las zonas blancas.

Una vez tenemos este "negativo" en forma de densidad de carga positiva, la máquina fotocopiadora deposita sobre la lámina el tóner. El tóner está formado por partículas diminutas que tienen carga eléctrica negativa. Por la Ley de Coulomb, el tóner se depositará con mayor densidad en las partes más cargadas que como hemos visto en el párrafo anterior son las partes oscuras del original. ¡Ya tenemos entonces el positivo de la imagen original! Ahora basta pegar a la lámina una hoja de papel que se ha cargado previamente con carga positiva para facilitar la transferencia del tóner.

Finalmente, la hoja se calienta un poco para que el tóner se funda y quede bien pegado al papel, produciendo una fotocopia duradera.

Todo ocurre en cuestión de segundos y, en el lugar de láminas, las máquinas actuales utilizan tambores. Sin embargo, el proceso sigue siendo esencialmente el mismo.

Veamos cómo es el mecanismo que utilizan las máquinas fotocopiadoras o xerográficas.

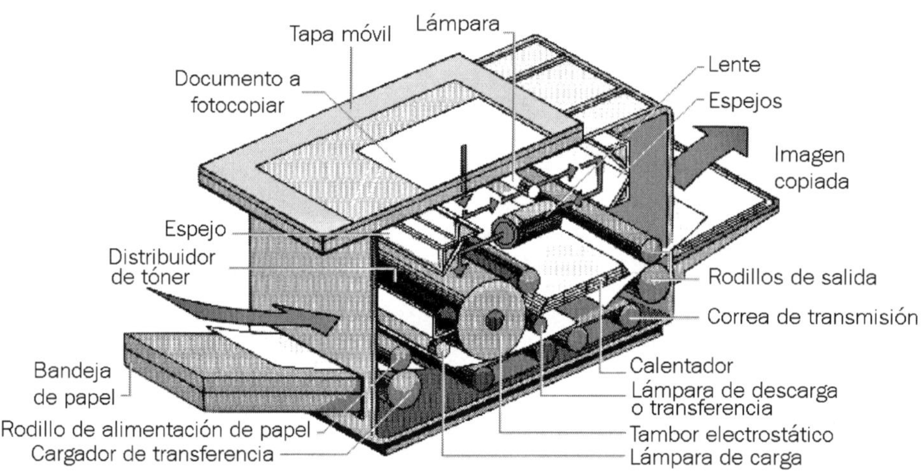

Las fotocopiadoras habituales en las oficinas utilizan cargas eléctricas para transferir la imagen de un documento original a una hoja de papel. El documento a copiar se coloca boca abajo sobre la platina y se ilumina mediante una lámpara. Su imagen se proyecta sobre un rodillo metálico con carga negativa (el tambor electrostático) con ayuda de varios espejos. En los puntos de incidencia sobre el tambor desaparece la carga, de forma que las áreas oscuras permanecen cargadas. A continuación, se extienden sobre el tambor las partículas cargadas positivamente del polvo de entintado. Las partículas solo se adhieren a las zonas con carga eléctrica. La primera y la segunda lámpara de borrado eliminan la carga del tambor entre las diferentes pasadas de copia. La imagen sobre el tambor se transfiere entonces a la hoja de papel que ha recibido una carga negativa por cuenta del cargador de transferencia. El calefactor sirve para fijar el polvo al papel, lo cual explica que el papel salga caliente de la fotocopiadora.

1.1.3.2. Proceso de realización de copias

Comenzaremos este apartado indicando que las copias pueden realizarse de varias maneras, pero fundamentalmente utilizando el **alimentador recirculante de documentos**, o bien utilizando directamente el **cristal de copia**. Pero además, hay que tener en cuenta el lugar que habremos de seleccionar para que la máquina coja el papel de un lugar o de otro distinto de la máquina, dando opción a utilizar distintos tipos de papel en una misma máquina.

A) Pasos previos al comienzo de la realización de copias

Para iniciar el trabajo de copiar los originales debe tener en cuenta:

a) Conectar la máquina a la red eléctrica y pulsar el botón de encendido.

b) Calentamiento de la máquina. Las fotocopiadoras al encenderse usan un tiempo en autodiagnosticarse y prepararse para la labor de copiar. Este tiempo variará dependiendo de la máquina en cuestión oscilando desde los 40 segundos hasta los 3 o 4 minutos, aunque con la característica común de que durante ese espacio no pueden realizarse copias; por ello debe esperar hasta que la máquina termine su autodiagnóstico para comenzar a fotocopiar.

c) Comprobar opciones en el panel de control. Nos indicará si la máquina está en condiciones de comenzar a fotocopiar. Además hay que observar si el usuario anterior había realizado opciones de copia distintas a las que vamos a realizar nosotros deshabilitando las mismas.

d) Comprobar bandeja de papel. Sin papel no pueden realizarse fotocopias. Además, debemos comprobar que la bandeja de papel seleccionada corresponde con el tamaño en el que queremos fotocopiar.

e) Colocación del original en la pantalla superior. El papel puede colocarse directamente sobre el cristal de copia o bien sobre el alimentador automático de originales. Obviamente, si queremos fotocopiar un original encuadernado, deberemos fotocopiarlo sobre el cristal de copia.

f) Selección de las opciones de copia. Mediante el teclado del panel de control, introduciremos todas las opciones que deseemos, como pueden ser el número de copias que deseamos realizar; tamaño del papel en que deseamos fotocopiar, opciones de ampliación o reducción, y a continuación.

g) Pulsar el botón de copia. Una vez seleccionadas todas las opciones precisas, pulsaremos el botón de copia.

h) Retirada de originales del cristal de copia. Antes de retirar del cristal de copia el original deberemos esperar a que se apague la luz de la lámpara.

i) Retirada de copias de la bandeja de salida. Finalmente retiraremos las copias de la bandeja de salida o bien del clasificar automático.

B) Fotocopiado paso a paso

Veamos paso por paso, de manera simultánea la manera de realizar las copias utilizando para ello el Cristal de Copia y utilizando el Alimentador automático de documentos:

1. Levantar la tapa de la máquina (que suele llevar el Alimentador automático de documentos).

   Pero si utilizamos el alimentador automático de documentos, lo primero que debemos hacer es ajustar las guías deslizantes al tamaño de los originales.

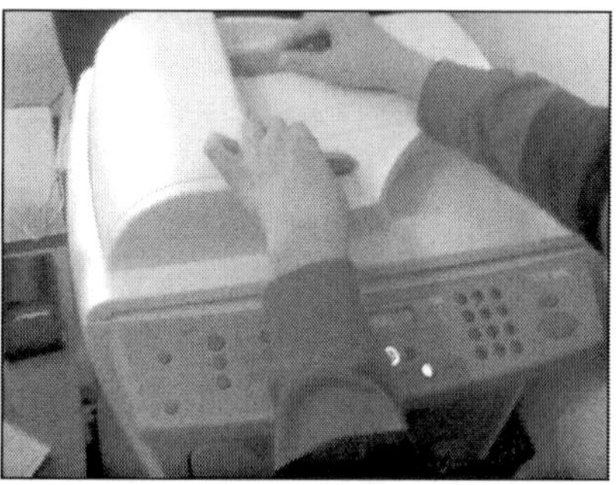

2. Colocar el original en el Cristal de copia. La cara del original que se desea copiar debe quedar hacia abajo. Hay que alinear la esquina del original con alguna marca situada en la esquina superior izquierda del Cristal de copia.

Con el Alimentador automático de documentos, lo que habrá que hacer será ordenar los originales y ponerlos con el anverso hacia arriba en la bandeja de originales, es decir, con la parte que se desea copiar hacia arriba (al contrario que en el Cristal de copia, ya que la máquina le dará la vuelta en el proceso automático). Puede desplegar la bandeja auxiliar para copiar originales de tamaño A4R o A3.

3. Baje con cuidado la tapa de la máquina (que suele llevar el Alimentador automático de documentos), evitando cogerse la mano y sin presionar con fuerza cuando se utilice el cristal de copia para copiar libros gruesos, ya que podría dañarse e incluso romperse el cristal.

   Normalmente la detección automática del tamaño del original se produce al bajar la tapa, por lo que antes de comenzar a hacer copias, deberá bajarla.

4. Programe las opciones de copia. Pulse las teclas numéricas (1–0) para introducir el número de copias.

   Pulse las teclas (oscuro y claro) para ajustar la exposición de la copia.

   Pulse la tecla (selección de papel) para seleccionar manualmente el tamaño de papel de copia.

   En caso de que desee seleccionar una escala de copia prefijada en la máquina, pulse las teclas reducción y ampliación.

5. Pulse la tecla de inicio. Hay que tener en cuenta que después de comenzar el proceso de copia, no es posible cambiar el número de copias, el tamaño de papel, la escala de copia u otras opciones de copia.

   Cuando se utilizan los modos de copia 1 ⇒ 2 caras o 2 en 1/doble cara, que requieren el cambio del original, una vez realizada la primera copia, aparece el mensaje en la pantalla táctil para que coloque el segundo original y pulse la tecla de inicio.

6. Si desea detener la máquina antes de terminar de copiar, pulse la tecla indicada en la siguiente ilustración.

   Es posible que salgan algunas hojas después de pulsar dicha tecla. Si estaba haciendo copias a dos caras, deberá sacar todo el papel que hubiera en la unidad dúplex.

C) Ajuste de la exposición de copias

Para ajustar la exposición de copia puede utilizar los dos métodos siguientes:

- Control manual de la exposición. Permite ajustar manualmente la exposición de copia al nivel deseado utilizando las teclas de exposición (claro–oscuro).
- Control automático de exposición. La copiadora ajustará automáticamente la exposición de copia al nivel más apropiado para el original.

D) Selección del tamaño de papel de copias

La selección de tamaño del papel puede realizarse mediante los dos métodos siguientes:

- Selección automática de papel. La copiadora selecciona automáticamente el tamaño del papel apropiado, basándose en el tamaño del original y en la escala de copia seleccionada.

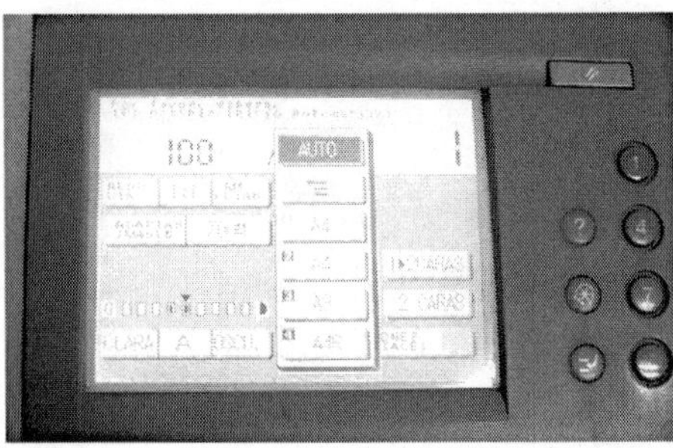

- Selección manual de papel. Utilizando la tecla SELECCIÓN DE PAPEL puede seleccionar el tamaño del papel que desee.

Los tamaños que normalmente se pueden utilizar con Selección automática de papel son los siguientes (aunque depende en parte de la máquina): A3, A4, A4R y A5.

E) Empleo de la bandeja manual de papel

En la Bandeja de Alimentación o Bandeja de alimentación manual es posible poner un número de hojas de copia (aproximadamente 50 hojas) para que sean automáticamente alimentadas hacia la copiadora. Esta bandeja se utiliza cuando se desea copiar en papel especial, como por ejemplo transparencias o etiquetas, o cuando el tamaño del papel en el que desea copiar no corresponde a ninguno de los casetes de papel (por ejemplo por ser más grande).

El proceso para el copiado utilizando esta bandeja se refleja en las reproducciones siguientes:

1. Colocación de los originales.

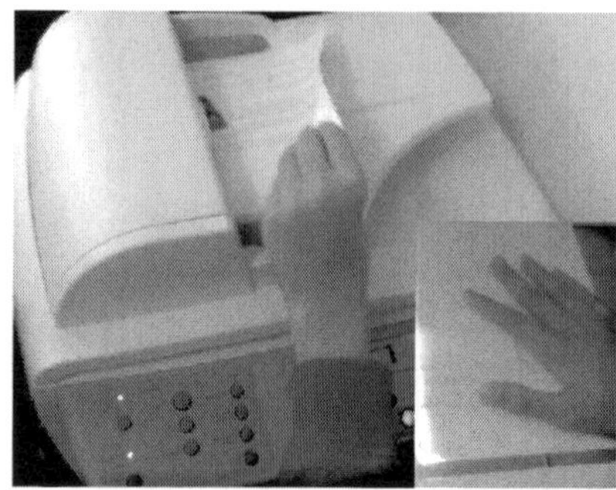

2. Programación de las opciones de copia.

3. Abrir la bandeja de alimentación manual y ajustar las guías deslizantes.

4. Puede optar por sacar la bandeja auxiliar cuando utilice papel de tamaño A4R o A3.

5. Alinee el número necesario de hojas de papel de copia con las guías deslizantes. La superficie en la que quiera copiar debe estar hacia arriba. Introduzca el papel de copia en la copiadora hasta el fondo.

   Después de introducir el papel de copia en la bandeja de alimentación manual, se seleccionará la tecla de inicio, tal como se indica en la ilustración de más abajo.

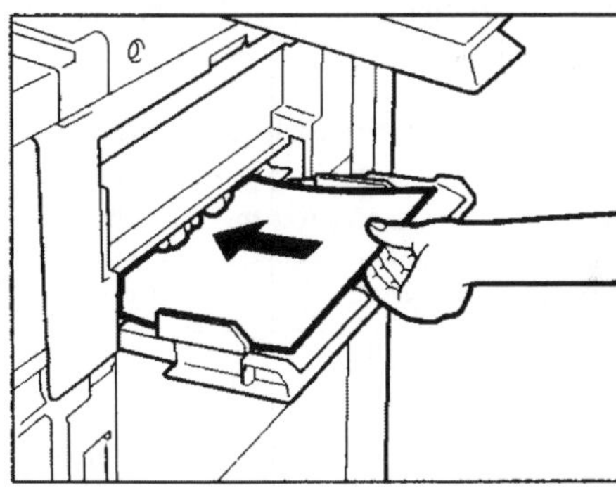

6. Pulse la tecla de inicio.

7. Si pusimos el original en el cristal de copia, una vez copiado el primer original, aparecerá en la pantalla el mensaje de que coloquemos el segundo original y pulsemos de nuevo la tecla de inicio.

1.1.3.3. Ilustraciones de las teclas de función comunes a la mayoría de las fotocopiadoras modernas

	**Tecla de inicio.**
	**Tecla guía.** Se pulsa para ver en pantalla explicaciones de las funciones.
	**Tecla de funciones adicionales.** Sirve para cambiar las opciones de usuario y las opciones de copia estándar o realizar otras operaciones.
	**Tecla de interrupción.** Se pulsa para interrumpir una tirada de copias en caso de que necesite hacer copias urgentes.
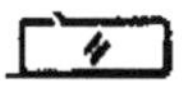	**Tecla para reiniciar.** Se pulsa para hacer que la copiadora regrese al modo estándar de copia, olvidándose de las opciones que hubiéramos seleccionado anteriormente.
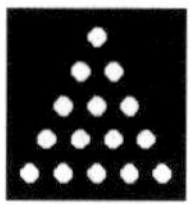	**Fotocopiadora sin tóner.** Se trata de un aviso para que repongamos tóner a la máquina. No implica que no pueda hacer fotocopias, sino que debe rellenarse pues está próximo a acabar.
	**Papel atascado.** Indica que hay papel atascado en algún componente de la fotocopiadora. Hasta que no desaparezca el atasco no podremos continuar haciendo copias.
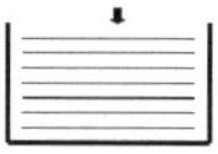	**No hay papel.** En este caso deberemos reponer la bandeja de papel correspondiente, o bien seleccionar otra bandeja en la que sí que haya papel.
	**Mando de contraste de la pantalla.** Se gira para ajustar el contraste de la pantalla táctil.
	**Tecla de ahorro de energía.** Si no va a utilizar la copiadora durante un rato, se pulsa para activar el modo de ahorro de energía.
	**Tecla detener.** Se pulsa para detener la copiadora antes de que termine de copiar.
	**Tecla borrar.** Se pulsa para poner a uno el número de copias, o para borrar un valor incorrecto introducido al establecer un modo de copia.

	**Teclado numérico.** Se pulsan para introducir el número de copia y otros valores numéricos.	
 1▸2 CARAS	**1 ➔ 2 Caras.** Esta función permite hacer copias a doble cara a partir de originales de una sola cara.	
 2▸2 CARAS	**2 ➔ 2 Caras.** Esta función vuelve automáticamente los originales de doble cara colocados en el alimentador automático de originales (RDF) para realizar copias a doble cara.	
 2▸1 CARA	**2 ➔ 1 Cara.** Esta función vuelve automáticamente los originales de doble cara colocados en el alimentador automático de originales (RDF) para realizar copias a una sola cara.	
 LIBR▸2CARAS	**Libro ➔ 2 Caras.** Esta función permite realizar copias a doble cara de las páginas a la vista de un original encuadernado, como una revista o un libro. Durante la copia, no es necesario volver a poner el original.	
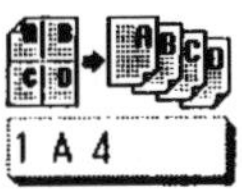 1 A 4	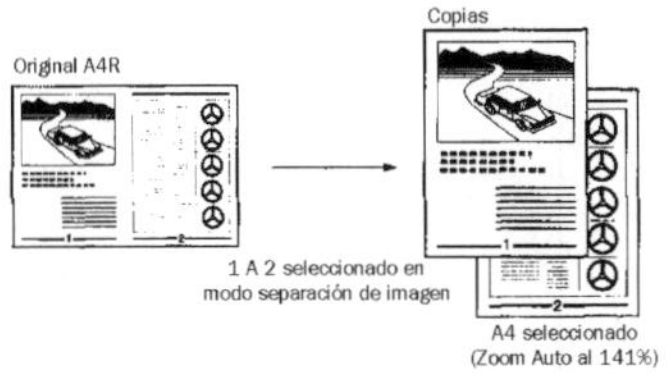 Original A4R Copias 1 A 2 seleccionado en modo separación de imagen A4 seleccionado (Zoom Auto al 141%)	**Separación de imagen 1 a 2.** Divide un original de una cara en dos secciones iguales e imprime las secciones ampliadas en dos copias de una sola cara.
 1 A 2/ DOBLE CARA	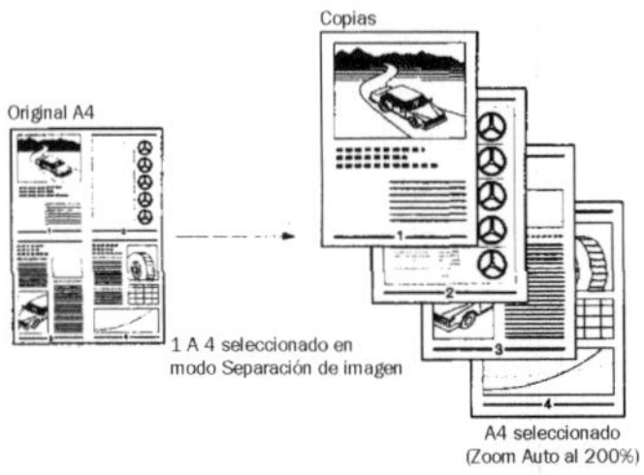 Original A4 Copias 1 A 4 seleccionado en modo Separación de imagen A4 seleccionado (Zoom Auto al 200%)	**Separación de imagen 1 a 4.** Divide un original de una cara en cuatro secciones iguales e imprime las secciones ampliadas en cuatro copias de una sola cara.
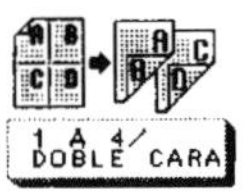 1 A 4/ DOBLE CARA	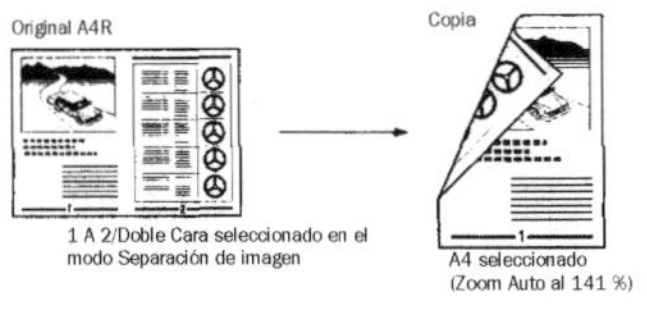 Original A4R Copia 1 A 2/Doble Cara seleccionado en el modo Separación de imagen A4 seleccionado (Zoom Auto al 141 %)	**Separación de imagen 1 a 2/ Doble Cara.** Divide un original de una cara en dos secciones iguales e imprime las secciones ampliadas en una copia a doble cara.
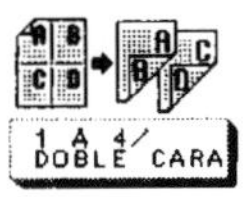 1 A 4/ DOBLE CARA	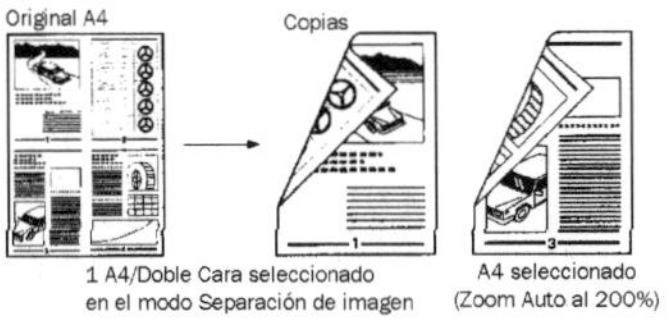 Original A4 Copias 1 A4/Doble Cara seleccionado en el modo Separación de imagen A4 seleccionado (Zoom Auto al 200%)	**Separación de imagen 1 a 4/Doble Cara.** Divide un original de una cara en cuatro secciones iguales e imprime las secciones ampliadas en dos copias de doble cara.

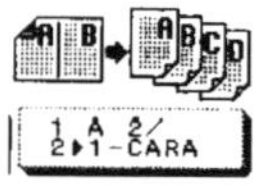 1 A 2/ 2▸1-CARA	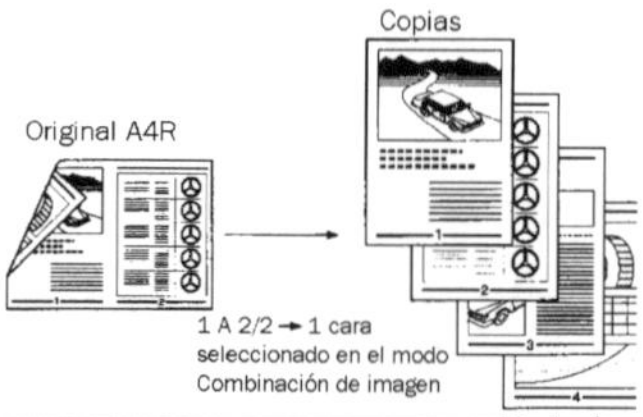 Copias Original A4R 1 A 2/2 → 1 cara seleccionado en el modo Combinación de imagen	**Separación de imagen 1 a 2/2 → 1 Cara.** Divide un original de una cara en cuatro secciones iguales e imprime las secciones ampliadas en cuatro copias de una sola cara.
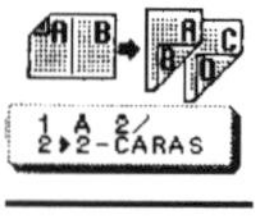 1 A 2/ 2▸2-CARAS	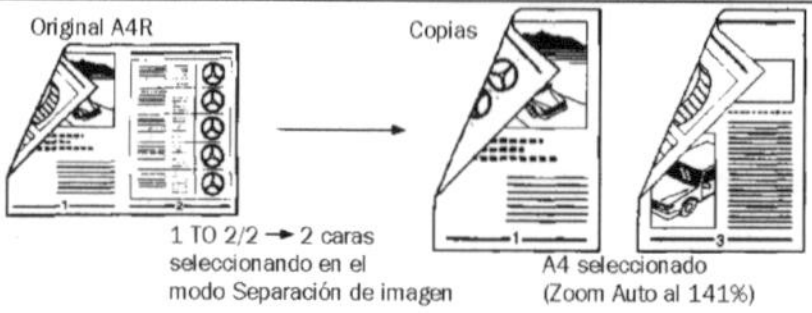 Original A4R Copias 1 TO 2/2 → 2 caras seleccionando en el modo Separación de imagen A4 seleccionado (Zoom Auto al 141%)	**Separación de imagen 1 a 2/2 → 2 Caras.** Divide un original de doble cara en cuatro secciones iguales e imprime las secciones ampliadas en dos copias de doble cara.
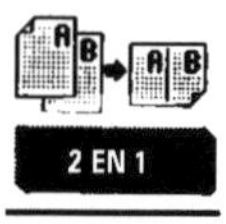 2 EN 1	Originales A4 2 EN 1 seleccionado en el modo Combinación de imagen A3 seleccionado (escala del 100%) A4 seleccionado (Zoom Auto al 70%) A5 seleccionado (Zoom Auto al 50%)	**Combinación de imagen 2 en 1.** Reduce dos originales para que entren en una cara de una sola hoja de copia.
 4 EN 1	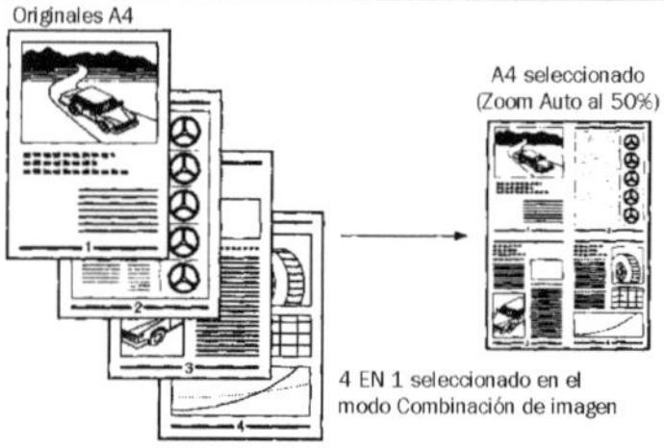 Originales A4 A4 seleccionado (Zoom Auto al 50%) 4 EN 1 seleccionado en el modo Combinación de imagen	**Combinación de imagen 4 en 1.** Reduce cuatro originales para que entren en una cara de una sola hoja de copia.
 2 EN 1/ DOS CARAS	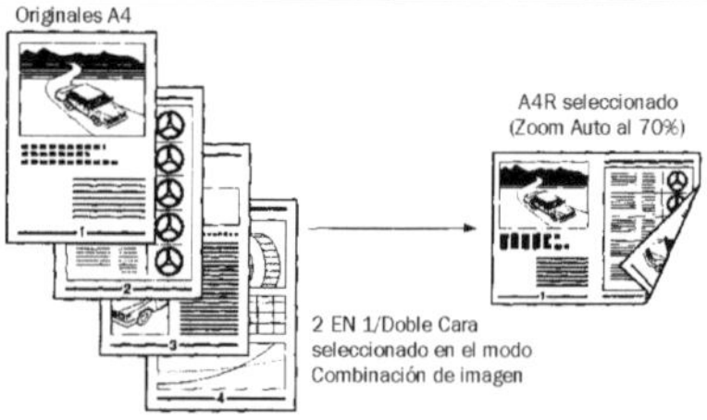 Originales A4 A4R seleccionado (Zoom Auto al 70%) 2 EN 1/Doble Cara seleccionado en el modo Combinación de imagen	**Combinación de imagen 2 en 1/ Doble Cara.** Reduce cuatro originales para que entren en ambas caras de una sola hoja de copia.
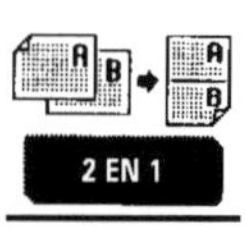 2 EN 1	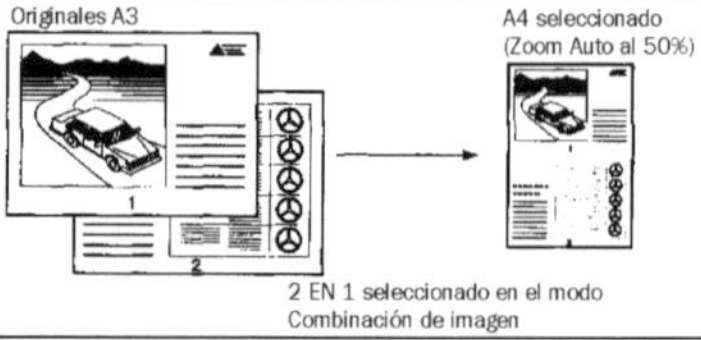 Originales A3 A4 seleccionado (Zoom Auto al 50%) 2 EN 1 seleccionado en el modo Combinación de imagen	**Otra opción de Combinación de imagen 2 en 1.** Reduce dos originales para que entren en una cara de una sola hoja de copia.

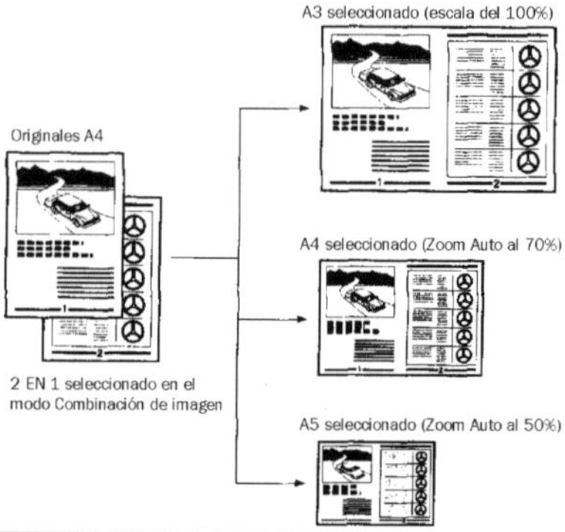

1.1.4. Limpieza periódica de la fotocopiadora

Dependerá de la máquina que estemos utilizando para seguir unos consejos u otros, pero los que se exponen a continuación son consejos generales que deberán seguirse en todas las máquinas.

Conviene limpiar la parte exterior de la máquina, al menos una vez a la semana o bien, cuando las copias salgan sucias. La parte interior será limpiada por el personal técnico de la máquina.

1. Para limpiar la fotocopiadora, en primer lugar hay que apagar el interruptor principal y desenchufar la clavija de alimentación. Si no procedemos de tal manera podría producirse un incendio o una descarga eléctrica.
2. Conviene limpiar la fotocopiadora con un paño bien escurrido humedecido previamente con un limpiador neutro. No es conveniente utilizar alcohol, aguarrás, disolvente de pintura u otras sustancias inflamables. Si alguna sustancia inflamable entra en contacto con zonas de alta tensión del interior de la fotocopiadora, se puede producir un incendio o una descarga eléctrica.
3. El cristal de copia se limpiará con un paño humedecido con agua o detergente neutro, y a continuación se pasará sobre el mismo un paño seco.
4. Para limpiar la parte inferior de la tapa o de la bandeja de alimentación automática se desplazará la banda de alimentación con la mano mientras se limpia con un paño humedecido con agua o detergente neutro, y a continuación con un paño seco, hasta que toda la banda de alimentación quede limpia.

1.1.5. Inconvenientes del uso de fotocopiadoras

Las fotocopiadoras generan ozono, un gas muy tóxico, y dispersan el polvo negro del tóner por el ambiente, de forma que contaminan el puesto de trabajo. En la actualidad hay máquinas de fotocopiar ecológicas que hacen más saludable la oficina.

El actual sistema de trabajo en las oficinas hace que se generen muchas copias de un mismo documento. Gracias a las nuevas tecnologías, se ha sustituido el tradicional papel carbón por la fotocopia realizada con las llamadas máquinas de reprografía (fotocopiadoras). Las máquinas de escribir han sido, en buena parte, desplazadas por los ordenadores y las impresoras de inyección de tinta o láser. Este nuevo equipamiento ofimático contiene diversos elementos que pueden ser peligrosos para el medio ambiente.

Así, por ejemplo, los tambores contienen selenio y arsénico, minerales altamente tóxicos; en los tóneres, restos de polvo de humo, y los cartuchos son de plástico. En un tóner hay aproximadamente unos 125 componentes diferentes, de los cuales un 95 % son reciclables. Actualmente ya ha aparecido en el mercado una nueva generación de fotoconductores orgánicos elaborados con sustancias extraídas de la clorofila. No obstante, la mayor parte de las máquinas que hay hoy día en funcionamiento son con fotoconductores de selenio, triselenio y arsénico.

En estos momentos existen diversas empresas que se dedican al reciclaje de los tóneres. Con su reciclaje, se evita tirar un elemento que periódicamente hay que cambiar.

Conviene indicar que se debería eliminar una costumbre muy extendida que consiste en soplar sobre el tóner para retirar el polvo que se acumula en alguna de las superficies internas de la máquina.

Las fotocopiadoras son igualmente máquinas de consumir papel. Por ello, es importante hacer las fotocopias por las dos caras y con las impresoras láser también se puede aprovechar el papel que solamente ha sido impreso por una cara para hacer primeras copias o borradores.

Las fotocopiadoras son, a su vez, máquinas que consumen gran cantidad de energía eléctrica. Para aquellas personas o empresas que quieran cambiar de máquina de fotocopiar, cabe decir que existen ya en el mercado fotocopiadoras de bajo consumo energético.

1.2. Problemas más habituales en el manejo de fotocopiadoras

Señal de advertencia	Significado	Solución
Se enciende el indicador de suministro de papel.	La fotocopiadora no tiene papel o la bandeja que lo contiene no ha sido insertada correctamente.	Reponer papel y/o colocar de nuevo la bandeja de papel.
Se enciende el indicador de reposición de tóner.	Queda poco tóner.	Sustituir el cartucho de tóner de la máquina.
Se enciende el indicador de atasco de papel.	Papel atascado en el interior de la máquina o en la selección de suministro de papel.	Dejando encendido el interruptor, sacar el papel atascado suavemente para no dañar el tambor o algún otro elemento de la máquina. Una vez extraído el papel que se había atascado se procederá a realizar una nueva copia pulsando la tecla de copiado. En el caso de obstrucción en la selección de suministro de papel, sacar la bandeja portapapeles retirando el que se ha atascado. A continuación se vuelve a colocar la bandeja en su lugar y se procede a continuar el copiado.

No sale ninguna copia.	Cubierta frontal abierta. Falta de papel. Atasco de papel. Falta de tóner.	Comprobar que la cubierta frontal no esté abierta; observar que no esté encendido el indicador de «añadir papel»; observar que no esté encendido el indicador de «atasco de papel»; observar que no esté encendido el indicador de «reposición de tóner». Si observadas estas operaciones aún no saliera copia alguna habría que proceder a avisar al servicio técnico de la máquina.
Las copias salen claras.	Falta de tóner. Tecla de regulación de claridad de la copia, en posición de mayor claridad de la necesaria.	Cambiar cartucho de tóner. Regular la claridad de la copia con la tecla correspondiente. Si el problema persiste después de efectuadas estas operaciones, habría que llamar al servicio técnico.
Las copias no salen en su sitio.	El original no está colocado correctamente en el cristal de exposición.	Colocar correctamente el original en el cristal de exposición.

1.3. Prevención de riesgos laborales

Los requisitos del entorno para el correcto funcionamiento de la copiadora, son los siguientes:

- Temperatura: de 10 ºC a 30ºC.
- Humedad: del 10 % al 80 %.

A fin de asegurar un óptimo funcionamiento de la copiadora debemos seguir las siguientes precauciones:

- No poner nunca objetos pesados encima de la copiadora.
- No abrir las puertas de la copiadora ni desconectarla mientras está realizando su trabajo.
- No acercar objetos magnetizados ni utilizar combustibles cerca de la copiadora.
- Comprobar que el enchufe de la copiadora está visible y no lo oculte esta.
- Desenchufar la copiadora de la toma de corriente si no se va a utilizar durante un largo periodo de tiempo.
- Proporcionar una buena ventilación cuando se estén realizando muchas copias seguidas.

En relación al cambio de consumibles de la fotocopiadora, el Personal de oficios que tenga encomendadas tareas vinculadas con las fotocopiadoras normalmente solo se ocupará de cambiar los cartuchos de tóner y de mantener la carga de papel.

Los fotorreceptores, el fusor, los rodillos de presión y otros componentes padecen un desgaste periódico y deben sustituirse, pero debe ser el proveedor quien lo haga por medio de personal técnico con conocimientos especiales.

1.4. Tamaños de papel usados en máquinas

El papel es una estructura obtenida sobre la base de fibras vegetales de celulosa, las cuales se entrecruzan formando una hoja resistente y flexible. Estas fibras provienen del árbol y, según su longitud, se habla de fibras largas –de aproximadamente 3 milímetros (generalmente obtenidas de pino insigne u otras coníferas)– o de fibras cortas –de 1 a 2 milímetros (obtenidas principalmente del eucalipto)–.

Según el proceso de elaboración de la pulpa de celulosa, esta se clasifica en mecánica o química, cada una de las cuales da origen a diferentes tipos de papel en cuanto a rigidez y blancura.

Dependiendo del uso final que se le dará al papel, en su fabricación se utiliza una mezcla de los diferentes tipos de fibras, las que aportarán sus características específicas al producto final.

Las propiedades del papel se pueden agrupar en:

- Propiedades mecánicas (o de resistencia).
- Propiedades visuales (o de presentación).

A) Una de las principales propiedades mecánicas es la rigidez. Esta depende de las fibras que forman el papel, ya que un papel producido con mayor contenido de fibra larga será más rígido que aquel fabricado con mayor cantidad de fibra corta. También el tipo de pulpa de celulosa usado afecta a la rigidez que tendrá el papel.

   En este caso, la pulpa mecánica aporta más rigidez que la pulpa química.

Otras propiedades mecánicas son la resistencia al rasgado, la resistencia superficial y la resistencia a la absorción de agua.

B) Respecto a las propiedades visuales, se distinguen principalmente la blancura, brillo, tersura y opacidad del papel.

C) Por último, otras propiedades importantes son:

- El gramaje, que indica el peso en gramos por metro cuadrado de papel.
- La estabilidad dimensional, que es la capacidad del papel de mantener sus dimensiones originales al variar las condiciones ambientales o al verse sometido a esfuerzos.
- La humedad, que es el contenido de agua como porcentaje del peso total del papel.

Cuando hablamos de formatos del papel nos estamos refiriendo al tamaño de la hoja, tomando como medidas la longitud y la anchura en centímetros o milímetros.

1.4.1. Formato ISO/DIN

Los formatos utilizados en la actualidad en la mayoría de los países son los establecidos por la Organización Internacional para la Estandarización (*International Organization for Standardization*, ISO), concretamente por la norma ISO-216, la cual se basa en una anterior norma de 1922 aprobada por el Instituto Alemán de Normalización (*Deutsches Institut für Normung*, en alemán), la DIN 476.

La versión oficial vigente en España de la Norma Internacional y de la Norma Europea de la ISO 216 es la UNE-EN-ISO 216:2008.

Estos tamaños estandarizados, llámense DIN o más recientemente ISO, están divididos en "series", cada una de las cuales está pensada para un uso concreto que determina sus proporciones.

Para actividades propias de oficina existen en la actualidad varias series ISO utilizadas en actividades propias de oficina:

- **Series A y B**: son el núcleo del sistema ISO.

  La serie A de los formatos de papel estandarizados está pensada para uso general como papel de escritorio (fotocopias, escritura, dibujo, etc.). Es la serie básica de tamaños finales de papel (es decir, los tamaños que el usuario final recibe).

  La serie B se introdujo para dar solución a algunos requisitos que los tamaños de papel de la serie A no satisfacían.

- **Serie C y otros.** Son formatos de sobres ideados para usar con papeles de las series A y B, y con otros sobres. La serie C fue establecida principalmente para formatos de sobres, siendo cada sobre en formato de la serie C adecuado para introducir dentro del mismo el formato del mismo número de la serie A.

Tamaños de la serie A

- La longitud dividida por el ancho es de 1,4142.
- El tamaño A0 tiene una superficie de 1 metro cuadrado.
- Cada tamaño posterior A(n) se define como A(n-1) reducido a la mitad en paralelo por sus lados más cortos.
- La longitud estándar y el ancho de cada tamaño se redondea al milímetro más cercano.

Estas características se sintetizan en una propiedad muy valiosa: Cada formato equivale a la mitad del tamaño superior o al doble del tamaño inferior.

Así, por ejemplo, si doblamos por la mitad más larga un A4, obtenemos un A5.

Nombre	Tamaño	Superficie	Comentario
4A0	2.378 × 1.682 mm.	4 m^2	
2A0	1.682 × 1.189 mm.	2 m^2	
A0	1.189 × 841 mm.	1 m^2	Se suele usar para dibujos técnicos, planos o pósteres.
A1	841 × 594 mm.	0,5 m^2	Se suele usar para dibujos de todo tipo (incluidos técnicos), planos, pósteres, diagramas o similares.
A2	594 × 420 mm.	0,25 m^2	Se suele usar para dibujos, pósteres, diagramas o similares.
A3	420 × 297 mm.	0,12 m^2	Se usa para dibujos, pequeños pósteres, diagramas, tablas explicativas, organigramas.
A4	297 × 210 mm.	0,06 m^2	Similar al folio tradicional (algo más corto) ha llegado a sustituirlo como el tamaño papel de uso más corriente en la vida diaria.
A5	210 × 148 mm.	0,03 m^2	Es el tamaño similar a la cuartilla tradicional. También se usa para libros.
A6	148 × 105 mm.	0,015 m^2	Se usa para tarjetas postales o libros de bolsillo.
A7	105 × 74 mm.	0,007 m^2	
A8	74 × 52 mm.	0,003 m^2	Similar a una tarjeta de visita o de crédito pero algo más corto.
A9	52 × 37 mm.	0,0019 m^2	
A10	37 × 26 mm.	0,0009 m^2	

Tamaños de la serie B

El tamaño B(n) se define como la media geométrica del tamaño de A(n) y el tamaño de A(n-1).

Así, por ejemplo, el tamaño B4, será la media geométrica del tamaño de A4 y el tamaño de A3.

La media geométrica de dos números es la raíz cuadrada del producto de esos dos números. *Por ejemplo, la media geométrica de 6 y 4 es la raíz (6x4) o la raíz cuadrada de 24.*

Calculadas de este modo, se obtienen las siguientes medidas estándar para la serie B:

Tamano	Ancho x Alto (mm)
B0	1000 x 1414 mm
B1	707 x 1000 mm
B2	500 x 707 mm
B3	353 x 500 mm
B4	250 x 353 mm
B5	176 x 250 mm
B6	125 x 176 mm
B7	88 x 125 mm
B8	62 x 88 mm
B9	44 x 62 mm
B10	31 x 44 mm

Tamaños de la serie C

Los tamaños de la serie C se introdujeron para definir y estandarizar el tamaño de los sobres conveniente para los tamaños de papel de las series A y B.

El tamaño de un sobre C(n) se define como la media geométrica de los tamaños de papel A(n) y B(n).

Este tamaño también tiene algunas propiedades interesantes:

Un sobre C4 podrá contener una hoja de papel A4 sin desdoblar, un sobre C5 contendrá una hoja de papel A4 doblada por la mitad una vez, en paralelo a sus lados más cortos, y un sobre C6 contener el mismo pedazo de papel doblado en cuatro.

Las medidas de los sobres de la serie C son:

Tamaño	Ancho x Alto (mm)
C0	917 x 1297 mm
C1	648 x 917 mm
C2	458 x 648 mm
C3	324 x 458 mm
C4	229 x 324 mm
C5	162 x 229 mm
C6	114 x 162 mm
C7	81 x 114 mm
C8	57 x 81 mm
C9	40 x 57 mm
C10	28 x 40 mm

1.4.2. Otros Formatos

Además de los tamaños normalizados tratados anteriormente, aún se pueden encontrar en las imprentas y tiendas especializadas tamaños de papel que se han venido usando tradicionalmente, que en el caso de España serían:

Nombre	Medidas (en cm.)
Gran Cícero	77x110 y 77x55
Cícero	70x100 y 70x50
Doble Marca Mayor	64x88 y 65x90
Marca Mayor	64x44 y 65x45
Doble Coquille	56x88
Coquille	56x44
Cartulina	50x65
Águila Mayor	74x105
Águila Menor	60x94
Jesús	37,5x55
Raisin	33,5x49 y 50x65
Oficio	22,5x33
Agenda	14x32

Doblando el Marca Mayor o el Coquille (según el caso) sucesivamente se obtienen los siguientes tamaños o formatos que tienen la siguiente nomenclatura:

Folio	22x32 (mitad del Marca Mayor)
Cuarto folio (cuartilla)	16x22
Octavo español	11x16
Holandés comercial	22x28 (mitad del Coquille)
Medio holandés	14x22

A título de curiosidad, añadiremos que además de los expuestos existen otros muchos formatos que son de uso más o menos habitual como el formato Carta, Tabloide, Sobre Americano y otros. Téngase en cuenta, además, que en los Estados Unidos, Canadá y algunos países de Latinoamérica, no se han llegado a adoptar las normas internacionales sobre las medidas del papel, manteniéndose los formatos basados en el sistema de medidas anglosajón. Japón, por otro lado, también tiene sus propios formatos.

Formatos americanos de papel	
Letter	216 x 279
Legal	216 x 356
Ledger	432 x 279
Tabloid	279 x 432
ANSI A (letter)	216 x 279
ANSI B (ledger)	432 x 279
ANSI B (tabloid)	279 x 432
ANSI C	432 x 559
ANSI D	559 x 864
ANSI E	864 x 1118
ANSI F	711,2 x 1016
Statement Half Letter	140 x 216
Quarto	203 x 254
Foolscap (folio)	210 x 330
Super-B	330 x 483
Post	394 x 489
Crown	381 x 508
Demy	445 x 572
Medium	457 x 584
Broadsheet	457 x 610
Royal	508 x 635
Elephant	584 x 711
Double Demy	572 x 889
Quad Demy	889 x 1143

Formatos japoneses de papel	
JB0	1030 x 1456
JB1	728 x 1030
JB2	515 x 728
JB3	364 x 515
JB4	257 x 364
JB5	182 x 257
JB6	128 x 182
JB7	91 x 128
JB8	64 x 91
JB9	45 x 64
JB10	32 x 45
JB11	22 x 32
JB12	16 x 22
Shiroku ban 4	264 x 379
Shiroku ban 5	189 x 262
Shiroku ban 7	127 x 188
Kiku 4	227 x 306
Kiku 5	151 x 227

Formatos de papel en pulgadas	
Emperor	1219 x 1829
Antiquarian	787 x 1346
Grand Eagle	730 x 1067
Double Elephant	678 x 1016
Atlas	660 x 864
Colombier	597 x 876
Imperial	559 x 762
Double Large Post	533 x 838
Princess	546 x 711
Cartridge	533 x 660
Sheet Half Post	495 x 597
Double Post	483 x 762
Super Royal	483 x 686
Medium	470 x 584
Copy Draught	406 x 508
Pinched Post	375 x 470
Foolscap	343 x 432
Small Foolscap	337 x 419
Brief	343 x 406
Pott	318 x 381

1.4.3. Las resmas

La resma es una unidad de medida tradicional para contar hojas de papel.

El Diccionario de la RAE (Real Academia Española) define resma como veinte manos de papel. La palabra resma proviene del árabe hispano *rízma,* y este del árabe clásico *rizmah*, que significa, paquete.

Antiguamente, las hojas se contabilizaban a mano. Las hojas que se cortaban de una bobina solían separarse en **cuadernillos** de cinco hojas. Cada cinco cuadernillos, a su vez, se creaba una **mano**. Puede decirse, por lo tanto, que una mano de papel constaba de **veinticinco hojas** (cinco por cada uno de los cinco cuadernillos).

Al agrupar veinte manos, finalmente, se formaba una **resma**. Si cada mano tenía veinticinco hojas, una resma de veinte manos de papel contaba con 500 hojas.

El término no ha sido homogéneo a lo largo de la historia, y por tanto también han existido manos de 24 hojas de papel que daban origen a resmas de 480 hojas de papel.

1.4.4. Gramaje

El peso de papel en países que usan tamaños de papel estandarizado ISO es definido en términos de gramaje (*grammage*). El estándar ISO define gramaje como los gramos por metro cuadrado (g/m^2) de papel.

Ya que la superficie de una hoja de papel de A0 es de 1 metro cuadrado, el peso de esa hoja determinará el gramaje de ese papel.

Así, si hablamos de un papel cuyo gramaje es 80 gramos, nos estamos refiriendo a que una hoja de ese papel con un formato A0, pesa 80 gramos.

1.4.5. Almacenaje

El papel es un material sensible a diversos factores ambientales que pueden deteriorarlo, por ejemplo la luz actúa sobre la lignina de los papeles fabricados con pasta de madera y los oscurece, la humedad es un catalizador químico que provoca reacciones indeseadas, etc.

Para garantizar una vida más larga del papel conviene almacenarlo en un lugar que mantenga las siguientes condiciones ambientales:

- Temperatura: 18- 21 º C
- Humedad relativa: 45-60 %
- Lux: < 100 (preferentemente), implica que no haya demasiada luz donde sea utilizado una vez que se le retira el envoltorio protector. No debe exponerse directamente al sol.
- Ausencia de contaminación ambiental. No debe exponerse al polvo.

El paquete de papel no deberá abrirse hasta que se vaya a usar, hasta entonces se conservará con su envoltorio en un lugar adecuado.

Hay que tener presente que una buena gestión del uso del papel desde la oficina hasta llegar a su fase de archivo definitivo permitirá una mejor conservación del patrimonio documental de la Administración pública.

2. Medios audiovisuales

Las actividades de reunión y de comunicación en el organismo requieren de una serie de trabajos de apoyo y mantenimiento por parte del Personal Auxiliar que son fundamentales para la correcta realización de las mismas. El objetivo fundamental de estos trabajos es asegurar la provisión y disponibilidad de los medios materiales y físicos necesarios en las reuniones, ruedas de prensa, conferencias, etc. que se lleven a cabo en las salas dotadas a tal efecto.

El procedimiento de preparación y mantenimiento de las salas de reuniones es el siguiente, que se realizará siguiendo las pautas del personal responsable del evento:

1.º Comprobar en la solicitud de reserva de sala, el número de asistentes previstos y los materiales solicitados, y sugerir los cambios necesarios en la reserva si la capacidad de la sala no es suficiente, o no dispone de los medios solicitados.

2.º Comprobar el mobiliario. Número suficiente de sillas y mesas y buen estado de las mismas.

3.º Colocar y ordenar las sillas, mesas y material necesario, según el tipo de reunión y número de asistentes.

4.º Colocar los elementos de ornato necesarios: flores, carteles, etc.

5.º Colocar la cartelería informativa correspondiente en los pasillos de acceso para la localización de la sala.

6.º Comprobar antes de la reunión el estado de la sala. Limpieza, iluminación, temperatura.

7.º Colocar y comprobar los rótulos anunciadores de cada ponente en el orden correcto.

8.º Comprobar que el material adicional está preparado: Papel del papelógrafo, rotuladores que pintan, folios, bolígrafos, tizas...

9.º Puesta en marcha y verificación del correcto funcionamiento de los aparatos proyectores y de sonido, y del resto de aparatos requeridos para la reunión incluida la señal de wifi.

10.º Colocar a cada ponente agua y vaso.

Si en estas comprobaciones faltase algún elemento o estos no funcionaran correctamente habría que avisar al personal responsable del mantenimiento del edificio y al almacén para la reposición de los elementos que falten.

Durante la reunión se debe estar disponible por si es necesario dotar de diferentes materiales, para modificar la temperatura de la sala o para cualquier otra incidencia que pudiera surgir.

2.1. Las pizarras

Su visión es un sinónimo de aula o local docente, su presencia es indiscutible en todas las aulas y la larga tradición de su uso la convierten en un recurso indispensable. Es fácil de usar y muy pocos docentes pueden prescindir de ella. Su baja iconicidad y la enorme superficie que pone a disposición del ponente la transforman en un medio de apoyo en todos aquellos contenidos relacionados con el cálculo numérico y la presentación secuencial o paso a paso de cualquier tipo de información.

Preparación de las pizarras

El criterio principal de su preparación debe basarse en el procedimiento del borrado y la escritura. Es decir, el orador debe comenzar a escribir sobre una superficie limpia, sin restos de la explicación anterior y con la precaución de borrar todo aquello que no forme parte, en ese momento, de la materia a exponer.

El borrado de la pizarra antes de empezar la sesión es una precaución que se debe emplear para que no se confundan los contenidos que se están desarrollando con los que estaban en la pizarra. Como cortesía o como medida privacidad es conveniente borrar la pizarra una vez terminada cualquier exposición.

Para el borrado se deben utilizar borradores adecuados al tipo de pizarra que se tenga en la sala de comunicaciones y debe estar visible para que el orador pueda usarlo durante su discurso. Ya que la utilidad del borrado de la pizarra es introducir una pausa en el discurso. Mientras se borra, los oyentes pueden terminar de tomar sus notas y ordenar su información. Tanto para ellos como para el que escribe supone un descanso que no se puede despreciar.

Es conveniente borrar bien, sin dejar restos que puedan parecer símbolos o caracteres posteriormente. Por ello, no se debe borrar con la mano o con un papel. El borrador se debe emplear de arriba hacia abajo, sin hacer círculos y procurando que los restos (polvo de la tiza, restos de tinta...) caigan al suelo.

En cuanto a la escritura en la pizarra, se debe poseer de los suficientes materiales (tizas, rotuladores...) y en las suficientes condiciones para que el orador pueda desempeñar su discurso sin que suceda una pausa debido a su ausencia. Además, dichos materiales deben estar visibles para el orador y de este modo minimice su búsqueda durante el discurso.

Tipos de pizarras

Existen varios tipos de pizarra que se adaptan a diferentes necesidades. En unos casos, relacionados con las materias que se van a explicar; así, los contenidos de carácter matemático van a necesitar pizarras de gran tamaño, y, en otros, con las características de la sala, su aspecto, el mobiliario y los aparatos o enseres que allí se encuentran. Cuanto más grande es esta más posibilidades tiene como medio de expresión.

Los tipos de pizarra más aconsejables para su empleo en aulas que van a tener un uso exhaustivo son las tradicionales de tiza, ya sean negras o verdes. Son las más baratas y fáciles de mantener, se ven mejor y, sobre todo, son las que menos cansan la vista de los oyentes. Este detalle es importante cuando está previsto que el oyente pase muchas horas delante de ella y es muy digno de tener en cuenta cuando el aula no tiene buenas condiciones de iluminación y, sobre todo, a última hora del día, donde los oyentes arrastran el cansancio de la jornada.

Su inconveniente principal es que la tiza puede ser una fuente de polvo, que puede dañar equipos y aparatos, manchar las ropas y, en algunos casos, provocar alergias en los dedos del usuario. No obstante, cada vez se emplea más un tipo de tiza que no produce polvo y que, en consecuencia, es más limpia.

Luego, lo aconsejable será preparar las tizas redondas, que no producen polvos, y portatizas, para evitar los casos de alergia y se evite el contacto del yeso con la piel.

Existen diferentes tipos de pizarra de tiza:

1. De acero vitrificado y con mantenimiento nulo. Son las más aconsejables en las aulas donde van a tener un empleo continuo e intensivo. Su gran dureza permite

escribir con facilidad trazos firmes y legibles y borrarlos sin que queden manchas ni restos de tiza.

Deben prepararse con un fregado que se aconseja que se haga al principio de la jornada y con el tiempo suficiente para que se sequen. Como también permiten la adhesión de elementos magnéticos que complementen algunas explicaciones a base símbolos y expresiones conceptuales, se deben tener preparados dichos elementos, en caso de que se requiriera su uso por parte del orador.

2. De madera, acondicionadas con una pintura especial. Es un tipo de pizarra barata y portátil que tiene su utilidad en lugares donde no es posible colocar una pizarra sobre la pared o tiene un empleo restringido. Este tipo de pizarra se deteriora con facilidad, lo que se pone de manifiesto en que cuesta trabajo borrarla, quedan siempre restos de escritura y la marca que deja la tiza comienza a ser imperceptible.
3. De cemento, construidas directamente sobre la pared y preparadas para escribir con tiza. Estas pizarras son las características de aulas antiguas. Cuando se deterioran es necesario pintarlas con una pintura adecuada. Si la pared no tiene un tratamiento bien hecho son muy duras para escribir sobre ellas, presentan muchas irregularidades y son muy difíciles de borrar.
4. De lienzo o de plástico. Son enrollables y están acondicionadas para escribir con tiza. Son pizarras de quita y pon y para emplearlas solo ocasionalmente.
5. La pizarra blanca es más moderna que las tradicionales y presenta un aspecto más cuidado. Son de polivinilo rígido, blancas, y sobre ellas se escribe con un rotulador especial. Sin embargo, desde el punto de vista de la eficacia como recurso de apoyo a la comunicación, presentan algunas deficiencias. En primer lugar, una sesión larga sobre ella es agotadora para el oyente, su brillo cansa la vista, el trazo del rotulador siempre es más fino y la letra más pequeña por lo que se lee peor. Por otro lado, estas pizarras no suelen ser muy grandes pues están pensadas fundamentalmente para aulas pequeñas o salas de reuniones donde su empleo no es continuado.

La pizarra se tendrá preparada y borrada para su uso, con el borrador adecuado y eficaz para que pueda ser usado por los oradores, y los rotuladores de distintos colores, que pinten adecuadamente, de punta lo más gruesa posible para su correcta visualización. Además, estos rotuladores no solo se deben borrar con facilidad sino que deben escribir con la suficiente intensidad como para que el trazo sea legible.

En contra de lo que se puede encontrar en algunos escritos, no se debe proyectar nunca con el retroproyector sobre ella, aunque sea para escribir, acotar o completar algún detalle relacionado con la proyección. La proyección sobre una superficie brillante crea reflejos que se transmiten a la audiencia creando una imagen muy clara, sin contraste y que cansa inmediatamente a la audiencia.

Un inconveniente importante de este tipo de pizarras es que con el tiempo se estropean, pierden el brillo y no se pueden borrar bien. Hay que cambiarlas cada cierto tiempo. Por otro lado, los rotuladores manchan las manos y cualquier superficie que se ponga en contacto con ellos. Su mancha es más perdurable que la de la tiza.

Habrá que tener preparado papel para que el orador pueda limpiarse en caso de mancharse con dichos rotuladores.

También existen pizarras de plástico con tratamiento ferromagnético, blancas, donde además de escribir con un rotulador o marcador, se pueden adherir elementos gráficos mediante imanes o cartulinas magnetizadas.

Las tecnologías de la información han irrumpido en el mundo de la pizarra, como veremos más adelante y han aportado nuevas posibilidades de expresión a las mismas.

En cuanto a la colocación de pizarras portátiles, se tienen que colocar a la altura de los ojos de los oyentes y, sobre todo, que la puedan ver sin que se lo impidan la mesa del orador o las cabezas de sus compañeros. Pero si está demasiado alta, la zona superior no queda accesible a un orador de altura media. Para elevar la pizarra es conveniente colocar un estrado debajo que permita acceder a toda su superficie sin problemas.

2.2. El magnetógrafo y el franelógrafo

Se denomina también pizarra de conceptos. Es una especie de póster montable y desmontable sobre la marcha. Es útil para la explicación de conceptos sencillos y de carácter orgánico, jerárquico... Se ha empleado en la escuela tradicional a modo de un mecano para componer las distintas partes de elementos u organismos. En la universidad tiene un uso muy limitado, salvo en aquellas situaciones, generalmente de laboratorio, donde es necesario presentar sistemática y organizadamente algún sistema o mecanismo.

Aunque en origen es una superficie magnética o de franela, se puede sustituir por un corcho donde se van pegando los elementos que integran el razonamiento, concepto... que han sido previamente recortados. Al ser un medio basado en imágenes y símbolos, solo se pueden utilizar las ilustraciones necesarias y adecuadas al tema. En definitiva, los puntos clave.

Estas ilustraciones deben ser claras en cuanto a la expresión de las ideas y con más imágenes o ilustraciones que textos escritos. Deben estar coloreadas, bien rotuladas y cuidadosamente realizadas.

Luego, para su preparación es necesario tener todas las ilustraciones de los elementos que la componen a mano para que el orador las utilice durante su discurso sin interrumpirlo.

2.3. El papelógrafo

En algunos de los manuales consultados sobre los medios didácticos recibe el nombre de multiplán o rotafolio. Se trata, en definitiva, de un cuaderno de 90 x 70 cm que sirve de apoyo para la comunicación oral. Dadas sus dimensiones, su empleo es aconsejable únicamente en pequeños grupos y para usos muy concretos, ocasionales (una fecha, un nombre, una bibliografía, una fórmula...) y siempre en manos de alguien que tenga una letra agradable y legible. Como medio de comunicación aparece cercano y solidario pues supera las barreras que impone la pizarra en cuanto a las relaciones interpersonales y la distancia. La pizarra es un medio de comunicación vertical (orador-oyente) que no resulta aceptable en una comunicación entre iguales y, además, para usarla, en muchas ocasiones hay que separarse del grupo y encaramarse a un estrado.

El papelógrafo rompe estas relaciones y favorece la igualdad entre todos los que acuden a la charla, tanto los que hablan como los que escuchan. No es un medio para estar continuamente sobre él. Pues cada hoja que se utiliza no es recuperable y permite, con dificultad, relacionar partes de un mismo razonamiento. No soporta un desarrollo matemático largo o complicado. Sin embargo, es un medio muy interesante para intercambiar opiniones y debatir ideas. Cada una de estas se presenta en hojas aparte en el papelógrafo y, una vez terminada la exposición, se arranca y se pega sobre la pared. En el momento del debate todas las ideas permanecen a la vista del grupo y este estará más documentado y mejor dirigido. A medida que se van discutiendo o descartando cada una de las opiniones se descuelgan de la pared y se centran en las que quedan. De esta manera cada una de las hojas del papelógrafo funciona como un improvisado póster que permite tener acceso permanente a cada uno de los temas que se han tratado.

También puede sustituir a la pizarra en presentaciones de tipo divulgativo, donde no sea necesario su empleo continuo y con pequeños grupos. En estos casos, presenta algunas ventajas tales como la posibilidad de traer el material confeccionado y ordenado, secuenciando así la presentación y colaborando decisivamente en la preparación. Asimismo, puede servir de material de repaso, como síntesis, conclusión de la sesión, refuerzo o como aclaración de alguna duda pendiente o pregunta al final de la sesión.

Si se tiene previsto utilizar alguna hoja más de una vez a lo largo de la sesión, es aconsejable marcar estas con algún recurso (post-it, clip, doblez...) para poder encontrarlo rápidamente y que no sea necesario buscarlo hoja por hoja.

Para secuenciar bien la presentación es aconsejable dejar páginas en blanco entre cada uno de los bloques que forman la exposición, empezando por la primera.

Existen cuadernos de papelógrafo con diversos tipos de rayados que pueden ayudar a que la letra del ponente sea más legible y la escritura esté mejor organizada.

Un imperativo de eficacia de la comunicación oral es la necesidad de mirar continuamente a la audiencia. Si se emplea el papelógrafo, cuando se base en algo que está escrito en él y para dirigir la atención de la audiencia se debe permanecer cerca de él y hacer las

indicaciones y acotaciones que se crean necesarias directamente sobre el papel, nunca señalando a distancia. Al terminar, se pondrá una hoja en blanco y se separará el orador.

Este medio se hace cercano y solidario con una audiencia que está tomando apuntes cuando se va escribiendo mientras se expone. Pero el material no es recuperable en otro formato y solo se puede emplear la mano alzada para su elaboración.

Preparación de los papelógrafos

En su preparación es muy importante realizar las siguientes operaciones:

1. Situar el papelógrafo cerca de la posición donde se encuentre el orador, a ser posible en un estrado para que los oyentes puedan verlo mejor.
2. Si la reunión no está basada en reuniones anteriores, dejar el papelógrafo limpio de hojas escritas de reuniones pasadas, a no ser que se indique que van a ser usados los escritos anteriores en la reunión actual.
3. Tener un conjunto de rotuladores con niveles suficientes de tinta para escribir en papel, de varios colores y de grosor aceptable para que pueda visualizarse por todos los oyentes.

2.4. Rotuladores

Como se ha indicado en los apartados anteriores de una manera implícita, es necesario preparar los rotuladores necesarios para los distintos tipos de formatos, ya sea pizarras blancas o papel, en la cantidad y colores suficientes, visibles y cerca de la posición de los oradores y de los dispositivos que se usen, y con un grosor medio-grande para que puedan ser visualizados los escritos por todos los oyentes sin problemas.

2.5. Equipo de sonido

Un equipo de sonido de alta fidelidad debe estar compuesto, al menos, de un plato giradiscos, un reproductor de CD, un ecualizador, un amplificador, un reproductor de cintas de audio y dos pantallas acústicas como mínimo.

Manejo básico y puesta en funcionamiento de equipos de sonidos

Amplificadores

Los transductores electroacústicos utilizados en sonido proporcionan un nivel de salida generalmente bajo, del orden de unos pocos milivoltios. Estos niveles resultan insuficientes para excitar un altavoz, resultando imprescindible aumentar dicho valor mediante amplificadores, como se muestra en la figura. Los amplificadores constan de dos partes o etapas: el preamplificador y el amplificador de potencia.

Amplificador

Estos aparatos deben conservarse en lugares estratégicos donde sea muy difícil producirse un golpe o caída del mismo. También deben protegerse cuando no se utilicen para un correcto mantenimiento y conservación, ya que cualquier golpe producido por algún objeto o el polvo del ambiente podría ocasionar averías no deseadas.

Altavoces y pantallas acústicas

Altavoces

El elemento encargado de transmitir el sonido recibe el nombre de pantalla acústica.

Está formado por un conjunto del recinto acústico y altavoz o altavoces contenidos en él y que constituyen el elemento final de toda etapa amplificadora de alta fidelidad. La pantalla acústica es la parte más importante de toda cadena de alta fidelidad, por lo que debe prestársele la máxima atención si se desean obtener resultados satisfactorios.

Poseen tres partes principales: el altavoz, los divisores de frecuencia y la caja acústica.

El altavoz es un transductor electroacústico y su misión es transformar la energía eléctrica en energía acústica. Hoy en día la técnica de la alta fidelidad, con su banda pasante más amplia, ha exigido un estudio profundo de todos los elementos constituyentes del equipo y se ha prestado una especial atención a las cajas acústicas y altavoces, ya que de poco serviría un sofisticado equipo estereofónico de alta fidelidad si las señales eléctricas proporcionadas por el mismo no pudiesen ser transformadas en ondas sonoras que abarquen toda la gama audible.

Antes de realizar el mantenimiento de la unidad, hay que asegurarse de que esté apagada y de que el cable eléctrico esté desenchufado. Se debe quitar cualquier suciedad del altavoz limpiándose ligeramente con un trapo suave. Si está particularmente sucia, debe utilizarse un trapo apenas húmedo para limpiarla, luego, se debe usar un trapo seco. No se debe utilizar gasolina ni diluyentes en estas unidades porque podrían dañar la cubierta.

Si existiesen problemas durante el funcionamiento de la unidad (puede dejar de funcionar adecuadamente si sufre una interrupción externa significativa como choque, electricidad estática, fluctuación de voltaje causada por un rayo, etc. o si se la hace funcionar incorrectamente), debe girarse el encendido del aparato para cambiarlo a la posición de "Apagado". Luego, se vuelve a encender y se verifica que se haya retomado el funcionamiento normal. Si el problema continúa, hay que ponerse en contacto con el servicio técnico del fabricante.

Ecualizadores y mezcladores

Con el ecualizador, se puede modificar la linealidad de una cadena de sonido, adecuándolo a las necesidades del usuario, aunque se corre el riesgo de que los resultados no sean muy correctos, pues no se puede alejar de la curva de ecualización ideal. Con el mezclador, se puede mezclar dos o más señales procedentes de distintas fuentes, por ejemplo, para superponer el diálogo captado por un micrófono a una música registrada en una cinta magnética.

Cuando se conecta el transformador de corriente a la unidad no se deberá forzar el conector para introducirlo o sacarlo de la misma. Los filtros del micrófono controlarán aquellos acoples que salen de vez en cuando a la hora de la actuación del grupo o la locución, de modo que se puedan desplazar hacia otras frecuencias molestas en cualquier momento. En el caso de que los acoples no se controlen, debe ponerse en contacto con el servicio técnico del fabricante.

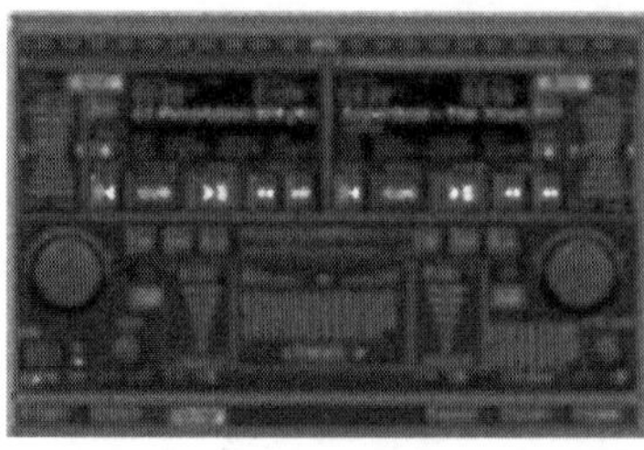

Ecualizador

Mezclador

Auriculares

Los auriculares son elementos transductores que, al igual que los altavoces, transforman la energía eléctrica en energía acústica.

La principal diferencia entre un auricular y un altavoz estriba en que mientras en este último la energía acústica proporcionada es elevada y, como consecuencia, puede oírse a una cierta distancia, en los auriculares la energía acústica por ellos proporcionada es muy pequeña y han de ponerse, en consecuencia, en contacto directo con el pabellón auditivo.

Deben protegerse en cajas o bolsas cuando no se utilicen para su correcto mantenimiento. También se debe poseer un juego de almohadillas de repuesto para los futuros deterioros de las mismas y unas condiciones de temperatura no extremas.

Sistema reproductor de un Compact Disc

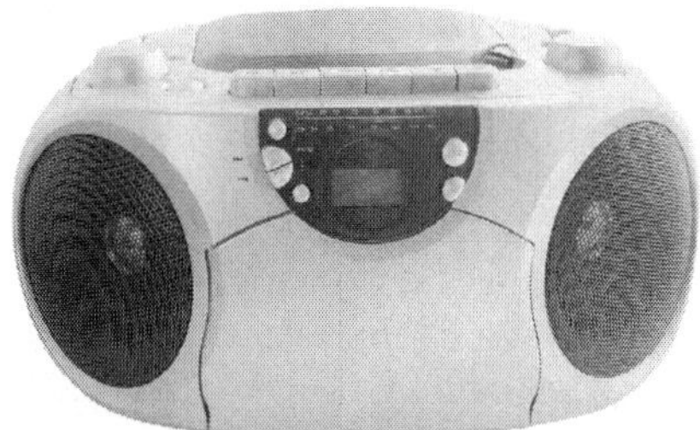

La parte más importante del CD es la unidad fonocaptora, que está constituida por un láser, una serie de lentes y unos fotodiodos. El sistema de lentes es necesario para un correcto y exacto enfoque de la luz del láser en la superficie del disco, mientras que los fotodiodos tienen por misión convertir la luz reflejada por el disco en señales eléctricas.

No se debe utilizar este aparato cerca del agua y se debe limpiar con un trapo seco. En ningún momento se debe bloquear las ranuras de ventilación y nunca se debe instalar cerca de fuentes de calor como radiadores, calentadores, hornos u otros aparatos (incluso amplificadores) que produzcan calor.

No se debe eliminar el sistema de seguridad que supone el enchufe polarizado o con toma de tierra. Si el enchufe que traiga el aparato no encaja en la entrada de toma de corriente, debe adaptarse dicho enchufe a la toma. También hay que evitar que el cable de corriente quede de forma que pueda ser pisado o quedar retorcido o aplastado, especialmente en los enchufes o en el punto en el que sale del aparato.

Si se utiliza un soporte, trípode o bastidor, hay que tener mucho cuidado al mover la combinación de aparato/bastidor para evitar que vuelque y puedan producirse daños no deseados.

Es muy recomendable desconectar el aparato de la corriente eléctrica durante las tormentas eléctricas o cuando no se vaya a usar durante un periodo de tiempo largo.

No se debe permitir que se derrame o salpique ningún líquido ni se coloquen objetos que contengan líquidos encima del aparato. También, es recomendable que no se instale en un espacio reducido como encastrado en una estantería o similar.

3. Funcionamiento de medios audiovisuales: conectores, sistemas de proyección, megafonía y mesas tecnológicas

3.1. Conectores

Los conectores pueden ser macho o hembra. Por los conectores macho suele salir la señal (output) que queremos transmitir. Por los conectores hembra suele entrar la señal (input). El mismo cable empieza y acaba como macho y hembra.

En función de la tecnología utilizada tecnología se perciben dos tipos de conexiones entre dispositivos móviles y proyectores en las aulas:

A) **Conexión mediante cable**. En un principio se apostó por este tipo de transferencia de datos. Es un sistema fiable, ya que la pérdida de datos es inexistente. Pero esta forma de proyectar elimina el carácter móvil del dispositivo y no soluciona la premisa de buscar una mayor libertad de movimiento para el profesor. Utilizando este sistema se puede hacer una división según la calidad de la emisión de contenidos:

   - ***Video Graphics Array (VGA) o RGB***. Conexión y calidad gráfica tradicional de vídeo entre un ordenador y un proyector. Su principal éxito ha sido la estandarización del mercado en la conexión de video en equipación informática. Es una señal de gran calidad. El conector tiene 15 pines en tres filas de 5 cada una.

   Según la fuente móvil de proyección, en la actualidad encontramos diferentes sistemas:

   * Dispositivos IOS. Para este tipo de dispositivos existen en el mercado conectores que transforman la salida de imagen en una salida VGA estándar.

* Dispositivos Android. Para este tipo de dispositivos también se pueden adquirir gran cantidad de adaptadores que transforman su salida a una conexión VGA, pero su estandarización no está conseguida, ya que se distribuyen en función de su fabricante.
* Otros Dispositivos. En este caso cada desarrollador y fabricante ha creado sus conectores.

La alternativa más moderna al conector analógico VGA (RGB) es el conector digital DVI, que también se trata en este apartado.

- ***Puerto serie***. Transmite únicamente datos. Es similar al VGA pero solo tiene 9 pines. Es una interfaz de comunicaciones de datos digitales, frecuentemente utilizado por computadoras y periféricos, donde la información es transmitida bit a bit, enviando un solo bit a la vez; en contraste con el **puerto** paralelo que envía varios bits simultáneamente. Se usa en las pizarras táctiles.

- ***High-Definition Multimedia Interface (HDMI)***. Este tipo de calidad y conexión se está apoderando del mercado por la ventajosa calidad de imagen que ofrece. Permite transmitir audio y vídeo digital sin comprimir a través de un único cable. Esta conexión ofrece un ancho de banda de hasta 5 gigabytes por segundo, por eso se utiliza para enviar señales de alta definición, 1920x1080 píxeles (1080i, 1080p) o 1280x720 píxeles (720p), desde un sintonizador de televisión o un lector de DVD a una televisión compatible con alta definición. El conector estándar de HDMI tiene 19 pines. Cada fabricante y desarrollador ha creado sus conectores, estandarizando la entrada en el conector HDMI.

- ***SCART o Euroconector***. Transporta señales audio y de vídeo compuesto. El conector tiene forma rectangular, con 21 pines. Se usa habitualmente para conectar un televisor con un DVD, un vídeo, un decodificador de TV, etc. El nombre de euroconector procede de su adaptación a normas europeas de homologación. Adapta la señal de salida/entrada de euroconector de los aparatos a otros tipos de señal o conectores (adapta la señal de euroconector a RCA -ya sea vídeo o audio- y a S-Video).

- ***S-Vídeo***. Transporta una señal de vídeo (imagen) de muy buena calidad, separando el brillo (luminosidad) del color. Al transportar luminancia y crominancia por separado también se le llama Y/C. Tiene forma circular y cuatro pines: dos para el color y dos para el brillo. Empezó a utilizarlo el formato S-VHS, por lo que se le llama erróneamente de SuperVídeo. En realidad es un conector de vídeo separado.

- ***Radio Corporation of America (RCA)***. Es probablemente el más extendido dentro del mercado de consumo, y dispone de aplicaciones en audio y video, tanto en 50 como en 75 ohmios. Se suele utilizar para transportar audio y para video. Se le puede poner un adaptador para convertirlo en BNC.

  Cuando tenemos un cable con 3 conectores RCA, normalmente el amarillo es para vídeo, el rojo para el canal R (*right*, derecha) y el blanco o el negro para el canal L (*left*, izquierda). La señal de vídeo se conoce como de vídeo compuesto (imagen y el brillo al mismo tiempo). Siempre son cables "machos" y aparatos con conectores "hembras".

- **XLR o CANNON**:

Es el más utilizado para audio profesional, se utiliza sobre todo para módulos de sonido de estudio, micrófonos, y aparatos de alta gama para uso doméstico, también se utiliza para equipos de iluminación de gran tamaño.

Consiste en un conector de 3 pines que transmite una señal de audio ba-lanceada; así un pin conduce la señal, otro la señal invertida y otro hace de masa, las dos señales se suman en el receptor y dan como resultado una señal con más ganancia y sin ruidos, esto permite aumentar la ganancia y cubrir distancias más largas de cable sin pérdida de volumen y sin interferencias. Es posible usar cables con este tipo de conector en distancias hasta de 350 metros.

Transmite audio estéreo y codificado en Dolby Digital y DTS.

- ***Digital Visual Interface (DVI)*** Es un conector de Vídeo diseñado para obtener la máxima calidad de visualización posible, en pantallas digitales, tales como los monitores de cristal líquido de pantalla plana y los proyectores digitales. Fue desarrollada por el consorcio industrial DDWG *("Digital Display Working Group"*, Grupo de Trabajo para la Pantalla Digital). Por extensión del lenguaje, al conector de dicha interfaz se le llama conector tipo DVI. El conector DVI normalmente posee pines para transmitir las señales digitales nativas de DVI. En los sistemas de doble enlace, se proporcionan pines adicionales para la segunda señal. También puede tener pines para transmitir las señales analógicas del estándar VGA. Esta característica se incluyó para dar un carácter universal a DVI: los conectores que la implementan admiten monitores de ambos tipos (analógico o digital). En función de las señales que admiten los conectores DVI se clasifican en:

  * DVI-D (solo digital).
  * DVI-A (solo analógica).
  * DVI-I (digital y analógica).

  A veces se denomina DVI-DL a los conectores que admiten dos enlaces.

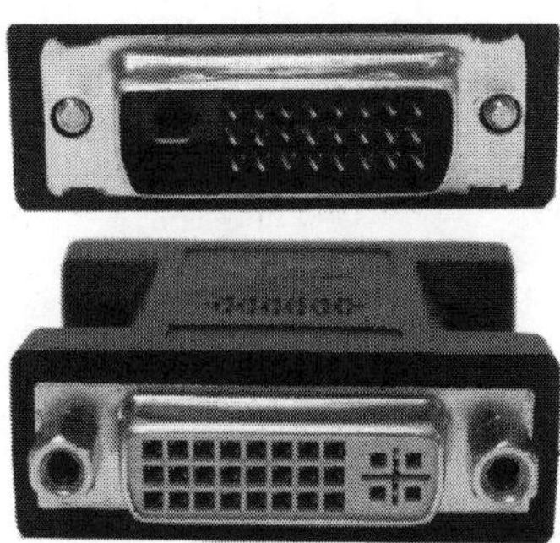

- ***Conector aerial o R.F.*** Es el típico conector de antena que se emplea como portador de la información recogida por la antena y que va al televisor, y también de la tensión continua requerida por los amplificadores de antena. Existen en versión de conector de antena hembra y macho.

- **Universal Serial Bus- Bus Serie Universal (USB)**. Es un tipo de conexión estándar para conectar periféricos *plug and play* (enchufar y listo), generalmente a un PC, mejorando las lentas conexiones existentes serie y paralelo. En su especificación 1.1 tenía dos velocidades de transferencia: 1.5 Mbit/s para teclados, ratón, joysticks, etc., y velocidad completa a 12 Mbit/s. La mayor ventaja del estándar USB 2.0 es añadir un modo de alta velocidad de 480 Mbit/s.

- ***Firewire o i-link***. Permite transferir imagen y audio a un flujo de velocidad importante. Se usa para conectar dispositivos como cámaras de vídeo y ordenadores para el flujo de datos. Es también un tipo de conexión *plug and play* (conectar y listo). Tiene dos tamaños (400 y 800). También se llama I-link (Sony) ó IEEE-1394 (Estándar con el que se desarrolló y creó). Existe el conector de 4 pines, que no lleva corriente eléctrica y el de 6 pines, que sí la transporta. En FireWire 800 hay 9 pines. En proyecto están FireWire 1600 y 3200.

- **Conector JACK o Phone.** Conector de 6,5 mm. de grosor y 31 mm. de largo que sirve para la transmisión de señal de audio. Muy empleado para conectar auriculares o altavoces a un ordenador. Pueden ser mono (con 1 anillo) o estéreo (con 2 anillos).

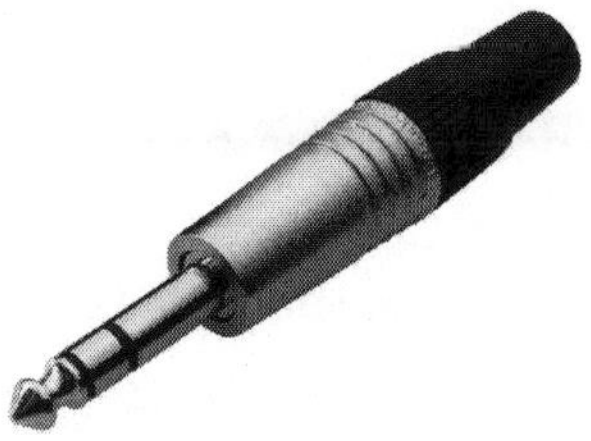

- **Cables UTP (Unshielded twisted pair) o cable de par trenzado sin blindaje.** Son un medio de conexión usado en telecomunicaciones en el que dos conductores eléctricos aislados son entrelazados para anular las interferencias de fuentes externas y diafonía de los cables adyacentes. Estos cables no tienen ningún recubrimiento para evitar que el ruido electromagnético afecte la in-formación que viaja por los pares trenzados.

  Debido a que por un hilo del par trenzado viaja la señal y por el otro su opuesta, es posible la recuperación de la señal original si la señal es perturbada por igual.

  Para identificar los pares de un cable UTP en telecomunicaciones, se esta-bleció un código de colores de 25 pares. Consiste en un primer grupo de colores con el orden de blanco, rojo, negro, amarillo y violeta. El segundo grupo lo forman los colores azul, naranja, verde, marrón y gris.

  El subconjunto que más se utiliza para la identificación de pares es blan-co-naranja, naranja/ blanco-verde, verde/ blanco-azul, azul/ blanco-marrón y marrón.

  Para la conexión de los cables a los dispositivos, se emplea generalmente el conector RJ45. El conector RJ45 es un conector estándar de red, que permite la interconexión de dispositivos de red entre sí mediante un cable UTP de 4 pares (8 cables). Existen dos formas de unir estos conectores a los cables:

  * De forma manual mediante el crimpado con una tenaza.
  * Mediante un proceso industrial de vacío que fija los contactos y el conector al cable.

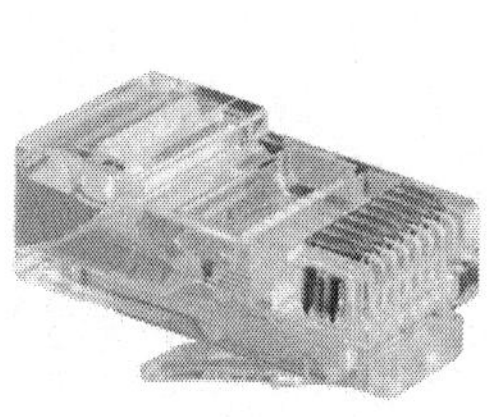

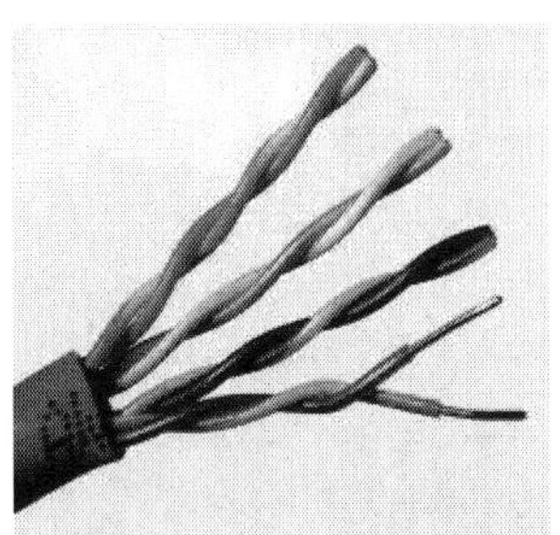

B) Conexión inalámbrica. Entre las principales soluciones para la transmisión inalámbrica de información entre dispositivos móviles y proyectores merecen citarse:

- *Digital Living Network Alliance (DLNA)*. Fue creada por un conjunto de fabricantes con la dirección de Sony. Este tipo de tecnología trata de crear redes internas utilizando los dispositivos de conexión inalámbrica de los dispositivos para compartir archivos y poder reproducirlos en cualquier dispositivo compatible.
- *AirPlay*. Por su parte, Apple desarrolló paralelamente a la tecnología DLNA, AirPlay, en sus inicios AirTunes, para ofrecer una solución inalámbrica a sus clientes.

  En la actualidad esta tecnología es la más avanzada, ya que permite clonar la pantalla del dispositivo haciendo una función de espejo.
- *Otras soluciones*. El resto de fabricantes y desarrolladores han tratado de buscar soluciones en este sentido, por ejemplo, la empresa Epson ofrece la tecnología iProjection que conecta un dispositivo móvil con un proyector de forma inalámbrica para la reproducción de todo tipo de contenidos.

3.2. Sistemas de proyección

3.2.1. Proyector de transparencias

A) Descripción y uso

Dispositivo, como se muestra en la figura, que proyecta una imagen mediante una lámpara y un espejo. El medio es transparente (hoja de acetato) y lo que se proyecta es la mancha que no es transparente (escritura). Es un aparato relativamente barato y muy fácil de utilizar que aparece en la década de los cuarenta y constituye el único aparato audiovisual diseñado específicamente para la educación.

Al ser un aparato relativamente pesado (aunque también hay proyectores portátiles mucho más manejables) conviene que esté situado permanentemente en las salas de gran grupo, ya que su traslado resulta incómodo. Su emplazamiento habitual será la mesa del profesor y tendrá el cabezal proyector dirigido hacia la parte de la pizarra sobre la que se haya extendido la pantalla.

Para gestionar su funcionamiento dispone generalmente de los siguientes controles:

- El interruptor de encendido del aparato, que activa el ventilador.
- El interruptor de la bombilla halógena, que proporciona la fuente de luz. En algunos aparatos existe una segunda bombilla que también puede activarse para aumentar la potencia lumínica del proyector.

- El ajuste de la inclinación del espejo para ajustar la imagen en la pantalla o pared.
- El enfoque, que suele realizarse mediante una rueda que acerca o aleja el sistema óptico de proyección a la transparencia.
- El sistema de cambio de transparencias. Un rodillo con el que se puede mover el rollo de papel de acetato continuo o la plataforma sobre la que se debe ir cambiando la transparencia.

B) Mantenimiento, precauciones y conservación

Antes de manipular el proyector de transparencias en el aula, se deben tener en cuenta algunas precauciones:

- Comprobar que la tensión de la red coincida con la seleccionada en el aparato.
- Procurar tener siempre a mano una lámpara de repuesto ya que es el componente que con mayor facilidad se deteriora. Casi todos los aparatos tienen en su interior un lugar donde colocarla.
- Cambiar la lámpara cuando esta esté fría y no tocar nunca las bombillas con las manos. Para ello se debe utilizar la funda protectora que traen en la caja o en su defecto un paño seco. Si se tocan con las manos se pueden deteriorar y además existe el peligro de quemarse los dedos si no están lo suficientemente frías. La lámpara y el fusible serán de la medida indicada por el fabricante.
- El ventilador ha de ser el primero en encenderse y el último en apagarse. Hay que comprobar que funciona correctamente. Nunca se debe utilizar el retroproyector si no funciona el ventilador, ya que se fundirá la lámpara por el exceso de calor.
- No se debe mover el aparato con la lámpara caliente.
- Se debe montar el aparato con cuidado y colocarlo sobre una superficie plana y segura.
- Se deben mantener las lentes limpias.
- Se debe intentar en la medida de lo posible no rayar las lentes.

3.2.2. Proyector de opacos

Dispositivo que proyecta una imagen mediante una lámpara y un espejo como se muestra en la figura. En este caso el cuerpo que se quiere proyectar es totalmente opaco, como puede ser una fotografía, un billete, etc. No necesita un medio propio.

Los documentos, fotografías, dibujos y textos en general, impresos sobre un papel (periódicos, revistas, libros, postales...) también pueden proyectarse directamente sobre una pantalla mediante el proyector de cuerpos opacos. El tamaño máximo de los impresos a proyectar suele ser de unos 25 x 25 cm.

Es un aparato bastante caro, pesado y voluminoso, que debido a su baja luminosidad (ya que proyecta una imagen previamente reflejada) exige un notable oscurecimiento de la sala, y que por todo ello se utiliza poco. Conviene que esté situado permanentemente en la sala de gran grupo ya que es un aparato pesado de difícil transporte.

Para gestionar su funcionamiento, el orador dispone generalmente de los siguientes controles: el interruptor de encendido del aparato, el interruptor de la bombilla halógena, el ajuste de la inclinación de los pies del aparato para ajustar la imagen en la pantalla o pared, el enfoque y el sistema de cambio de documento, que se realiza sobre una plataforma al efecto.

Las precauciones de uso, mantenimiento y conservación del proyector de opacos son similares al proyector de transparencias.

3.2.3. Proyector de diapositivas

A) Descripción y uso

Las diapositivas están elaboradas fotográfica o manualmente sobre hojas transparentes de papel vegetal o de acetato y se proyectan las imágenes mediante el proyector de diapositivas a través de una lámpara y una lente. La lente puede ser de diferentes formas, tipo gran angular, un objetivo... dependiendo de la distancia a que se quiera proyectar. El objetivo necesita un medio determinado específico para cada diapositiva. Las diapositivas, normalmente de 35 mm, se colocan en un carrusel que va girando o en un carro rectangular que se desplaza transversalmente.

El proyector de dispositivas tiene una serie de mandos para controlar, desde un automático para que pasen las dispositivas con período determinado de tiempo, tecla para avanzar (pulsar rápido) y para retroceder mantener pulsado mayor tiempo, sistema autofocus, etc.

Es un aparato relativamente barato y muy fácil de utilizar que puede encontrarse en todos los centros de tipo docente. Resulta más manejable que los proyectores de transparencias y de cuerpos opacos, ya que su peso y su volumen son más reducidos. Su emplazamiento habitual, para obtener imágenes grandes, estará a varios metros de distancia de la pantalla de proyección.

Para gestionar su funcionamiento dispone generalmente de los siguientes controles: el interruptor de encendido del aparato, el interruptor de la bombilla halógena, el ajuste de la inclinación de los pies del aparato para ajustar la imagen en la pantalla o pared, el enfoque y el sistema de cambio de diapositivas.

Proyector de diapositivas

B) Mantenimiento, precauciones y conservación

La proyección de diapositivas se hace sobre superficies blancas, mates, y altamente reflectantes. Por tanto, es muy importante que sean lo más uniformes posible y que no presenten arrugas ni pliegues. Además, se debe evitar a toda costa la proyección directa sobre muros, a no ser que estén especialmente acondicionados para ello.

Antes de poner en marcha el proyector, se debe conectar el cable de alimentación. Se debe tener cuidado, pues el conector no permite más que una posición de conexionado. Después, se debe conectar el mando a distancia del mismo. También, solo es posible hacer la conexión en una posición, pero es importante asegurarse de no forzar el conector al introducirlo.

Previamente, debe asegurarse de que el proyector está apagado cuando se conecte el cable a la red. Para la colocación de las diapositivas en la bandeja, se retira la tapa del carrusel, insertando una diapositiva con mucho cuidado en cada ranura. El carrusel se coloca sobre el proyector con precaución y se hace coincidir el "cero" con la marca en forma de flecha. No hay que forzar esta posición porque una ranura en el carrusel impide colocarlo en una posición equivocada. Se nota que el carrusel se acopla en su posición correcta cuando permanece firme y sin holguras.

Una vez terminada la proyección, se debe apagar el proyector y es importante asegurarse de enfriar adecuadamente la lámpara, para lo cual se ejecuta la secuencia siguiente de precauciones:

- En primer lugar, se apaga el interruptor de la lámpara. En este momento, cesará la proyección, pero el ventilador continuará en funcionamiento.
- Se mantiene esta situación durante unos minutos. Después se puede apagar el proyector colocando el interruptor en la posición "cero".

Los proyectores de diapositivas son equipos robustos que requieren escaso mantenimiento. Periódicamente, dependiendo de la frecuencia de uso, se deben enviar a un servicio técnico para su limpieza interior.

Con cierta frecuencia será necesario sustituir la lámpara y para ello se debe localizar en un lateral, abrir el compartimiento en el que se encuentra, soltar el resorte de fijación y extraer la lámpara fundida. Al colocar la nueva lámpara, hay que asegurarse de no tocarla directamente con la mano. Se puede usar un guante de plástico o simplemente un trozo de papel.

3.2.4. Videoproyectores

A) Descripción y uso

Su uso didáctico o comunicativo se centra en usarlo como instrumento para enseñar todo lo que se asimila mejor a través de la imagen; como, por ejemplo: explotando el mensaje pedagógico de un buen número de películas. El cine adquiere, por tanto, una gran importancia si se pretende inculcar valores, capacidad de reflexión y de crítica, capacidad creativa, etc.

Los proyectores para fines educativos tendrán que ser fáciles de utilizar, resistentes y con suficiente luminosidad para superar una gran variedad de condiciones de luz en las aulas. Lo más probable es que también tengan que ser de sobremesa en lugar de estacionarios para que puedan utilizarse en aulas diferentes o salas de conferencias.

Las características claves de cualquier proyector portátil son: resistencia, que sea fácil de transportar y que facilite la conexión con el ordenador portátil. Además, si lo que se va a proyectar son datos desde fuentes informáticas, lo mejor son los proyectores para ordenador portátil con un ratio de aspecto de 4:3.

El tamaño y la luz ambiente son fundamentales para la proyección. En principio, se proyecte lo que se proyecte o sea cual sea la tecnología que se esté usando, hay unas reglas básicas que se tiene que cumplir antes de la proyección de algún documento o imagen. En primer lugar, si la luz de la habitación no se puede controlar con persianas o reguladores de luz, se necesitará un proyector con la mayor luminosidad posible para conseguir una buena imagen. Luego, se tiene que analizar la distancia entre la pantalla y el proyector. También se ha de tener en cuenta la distancia entre la audiencia y la pantalla (visualización para el "home cinema"). Y por último, se ha de analizar el ancho que debería tener la imagen.

Videoproyector

B) Mantenimiento, precauciones y conservación

Antes de manipular el videoproyector, se debe comprobar que la tensión de la red que coincida con la seleccionada en el aparato, procurar tener siempre a mano una lámpara de repuesto e introducirla en su interior, en un lugar donde colocarla.

Se debe cambiar la lámpara cuando esté fría y no tocar nunca las bombillas con las manos. Para ello se debe utilizar la funda protectora que traen en la caja o en su defecto un paño seco. Si se tocan con las manos se pueden deteriorar y además existe el peligro de quemarse los dedos si no está lo suficientemente fría. La lámpara y el fusible serán de la medida indicada por el fabricante.

El ventilador ha de ser el primero en encenderse y el último en apagarse. Hay que comprobar que funciona correctamente. Nunca se debe utilizar el videoproyector si no funciona el ventilador, ya que se fundirá la lámpara por el exceso de calor.

Se debe montar el aparato con cuidado y colocarlo sobre una superficie plana y segura. Además, nunca se debe mover el aparato con la lámpara caliente.

Se debe mantener las lentes limpias e intentar en la medida de lo posible no rayarlas.

Los videoproyectores son equipos que no requieren excesivo mantenimiento. Periódicamente, dependiendo de la frecuencia de uso, se deben enviar a un servicio técnico para su limpieza interior.

C) Tecnologías de proyección

- **3LCD (*Liquid Crystal Display*).** Consta de una fuente de luz blanca que se descompone en los tres colores primarios. Cada uno de los 3 chips LCD recibe la señal eléctrica de cada uno de los colores y crea una imagen. Las tres imágenes creadas se combinan mediante un prisma para formar una imagen en color que, al pasar a través de una lente, será proyectada sobre cualquier superficie. Este tipo de proyectores son transmisivos, es decir, realizan la proyección sin el uso de espejos. Ofrecen muy buena calidad en imágenes estáticas pero no tienen un buen contraste dinámico.

  Los proyectores con pantalla de cristales líquidos son más económicos pero se quedan cortos en comparación con los excelentes resultados de los proyectores DLP, especialmente en lo que se refiere al contraste y los detalles de sombreado. Sin embargo, los píxeles muertos y los efectos de sombreado alrededor de píxeles individuales y zonas de color uniforme son bastante comunes en este tipo de pantallas.

Pantalla LCD

- **DLP (*Digital Light Processing*).** Es una tecnología de marca registrada por la empresa *Texas Instrument* que utiliza microespejos para proyectar una imagen con una fantástica calidad y a un precio muy asequible. Este aparato tiene lámparas con una vida más duradera, hace menos ruido y tiene menos fallos de píxeles que una LCD.

  Dentro de esta tecnología podemos encontrar 2 métodos distintos de proyección: con un solo chip y usando 3 chips.

  * El sistema de un chip cuenta con una fuente de luz blanca que pasa a través de una rueda de colores que serán emitidos sobre la superficie del chip DLP, y este chip genera la imagen que será proyectada sobre la superficie.

* En el sistema con tres chips la luz blanca es descompuesta por un prisma en los tres colores primarios: rojo, azul y verde. Con este sistema se elimina el filtro de color del sistema anterior. Cada color será tratado por cada uno de los tres chips que componen el sistema, que terminarán formando la imagen que será proyectada.

Pantalla DLP

Estos proyectores funcionan a través del uso de un dispositivo digital de microespejos (DMD), que es esencialmente un chip semiconductor hecho de miles de diminutos espejos microscópicos. Cada espejo es igual a un píxel, así que cuantos más espejos formen el chip mayor resolución de la imagen resultante.

Los proyectores que incorporan esta tecnología son famosos por su alta precisión de color y buen detalle con las sombras, lo que los hace adecuados para la proyección de vídeos debido a su amplio contraste dinámico.

- **LCoS (*Liquid Crystal on Silicon*)**. Hay una forma alternativa de crear imágenes de alta resolución gracias a los dispositivos de cristales líquidos sobre silicona (LCoS). Estos dispositivos utilizan solo un sustrato de vidrio y una superficie de silicona para el fondo de la pantalla. Esta tecnología suele ser la más cara y todavía no se ha extendido su uso igual que en los otros dos casos.

Pantalla LCoS

- **LED**. Los proyectores basados en Diodos de Emisión de Luz (LED) ofrecen una serie de ventajas sobre los tradicionales basados en sistemas de lámpara:
  - * Tienen una vida mucho más larga.
  - * Proporcionan un mayor número de colores, y además los colores están más saturados en pantalla, es decir, el sistema LED se ve más brillante.
  - * Los proyectores basados en LED pueden ser más pequeños y más ligeros que los basados en lámpara, ya que requieren menos piezas.

LED

En la actualidad se desarrollan nuevas tecnologías que tratan de superar las existentes, como los proyectores D-ILA (*Direct-drive Image Light Amplifier*), o la tecnología 3D.

D) Brillo

Se mide en una unidad llamada lumen. Al elegir un proyector se necesitará que tenga suficientes lumen para adaptarse a las condiciones de luz de la habitación. En una habitación oscura, 500 lumen podrían ser suficientes, en una con luz normal, 1.000 lumen serían mejor y en una habitación con mucha luz, lo mejor serían unos 2.000 lumen. Los proyectores con más lumen consumen más electricidad y pueden ser más caros.

E) Resolución

Es el grado de nitidez de una imagen proyectada en una pantalla. El número de elementos de la imagen (píxeles) es lo que conforma la resolución. La resolución de una pantalla de ordenador puede ser de 640 x 480 (lo que significa que hay 480 líneas en la pantalla, cada una compuesta de 640 píxeles). Esta resolución se conoce como VGA ("*Video Graphics Array*"). Los proyectores que ofrecen resoluciones más altas son los SVGA (800 x 600), XGA (1024 x 768) y Súper XGA (1280 x 1024), estos últimos son más caros. Lo fundamental es que, cuanto más alta sea la resolución, más información puede proyectarse en la pantalla al mismo tiempo.

F) Lentes

Los modelos más baratos y ligeros pueden tener lentes de plástico y no de cristal, pero funcionan bien. Se deben buscar lentes digitales y de zoom óptico, ya que se pueden conseguir imágenes mejores aunque resulten más caras.

G) Resolución nativa

Todos los proyectores tienen una resolución nativa, normalmente indicada en la lista de características, pero la mayoría de ellos suele soportar otras resoluciones. Lo hacen escalando la resolución original. Es probable que haya diferencias de escala en los diferentes reproductores.

H) Ratios de aspecto

Los ratios de aspecto determinan la configuración óptima de cualquier conjunto home cinema con proyector, así que se debe tener en cuenta para un visionado adecuado. Si se usa el proyector como home cinema se debe utilizar por el 16:9 para acercarse más a la experiencia original del cine. El ratio 4:3 puede ser mejor para la presentación de datos de un ordenador (la mayoría de la emisiones de televisión están en este ratio). Los DVD o las emisiones de la televisión digital están en 14:9 o 16:9 para aprovechar las posibilidades de la pantalla panorámica.

I) Distancias de proyección

La medida mínima es la distancia a la pantalla más corta desde donde el proyector puede enfocar. La medida máxima es la distancia más alejada desde donde el proyector puede enfocar. Se tiene que adaptar al tamaño de la habitación en la que se quiere utilizar el proyector, el ancho de imagen que se quiere conseguir y las capacidades del proyector que se elija.

J) Ratio de proyección

Se necesita saber el ratio de proyección para averiguar la mejor posición para el proyector y la pantalla en la zona de visionado, ya que la mayoría de los proyectores tienen lentes de zoom, el ratio será un rango. Con este ratio y conociendo el ancho de la imagen que se quiere proyectar, se puede calcular la posición óptima del propio proyector.

K) Distancias de visionado

Las distancias de visionado variarán según el tipo de proyector (LCD, DLP, LCoS) y la resolución del mismo. Cuanto más alta sea la resolución, más cerca se puede ver la imagen.

L) Contraste

Cuanto más alto sea la ratio de contraste, mejor será la imagen que el proyector es capaz de producir. Si el proyector se usa para datos, en lugar de vídeo, se puede usar un contraste de 400:1, pero para imágenes de vídeo se necesita, al menos, un contraste de 100:1.

M) Señales de vídeo estándar

En el video compuesto, las señales de luma y de color son codificadas en una sola señal. Cuando los componentes de color se mantienen como señales separadas, se habla de video componente analógico, que requiere las señales anteriores, separadas. Como el vídeo por componente no sufre el proceso de codificación, la calidad del color es notablemente mejor que en el vídeo compuesto.

N) Pantallas

Todos los proyectores deben tener algún soporte sobre el que proyectar la imagen. Las pantallas tienen diversos tamaños y formas. Las más caras son las pantallas eléctricas montadas en la pared o el techo con tensores de marco para asegurar una superficie plana. Otras opciones más baratas son las pantallas manuales fijadas a la pared o las portátiles con trípode.

Pantalla de proyección manual ***Pantalla de proyección manual***

O) Ruido

Todos los proyectores producen calor y tienen ventiladores para enfriarlos. Sin embargo, los ventiladores pueden ser ruidosos e interferir en el visionado. Para ello, se debe consultar el nivel de decibelios en las especificaciones. Como referencia, una conversación normal suele alcanzar unos 60 decibelios (dB).

P) Duración de la lámpara

La fuente de luz de un proyector puede durar entre 750 y 2.000 horas, dependiendo del uso. Se suelen cambiar las lámparas de los proyectores LCD más a menudo que las de otros proyectores. Hay bombillas de repuesto disponibles para todos los modelos y suelen consumirse lentamente, trabajen o no.

Q) Soporte

Los conjuntos home cinema se suelen situar en la pared trasera o en el techo. Generalmente son lugares donde la luz ambiente puede controlarse y alterarse para conseguir buena imagen. Según las distintas aplicaciones de los proyectores, puede interesar la variante portátil.

R) Proyectores de techo

Todos los proyectores pueden invertir las imágenes hacia arriba. Si se va a instalar un equipo en el techo, debe asegurarse que tiene esta característica, ya que para facilitar el manejo, el aparato tendrá que instalarse del revés.

S) Plataforma de vídeo de la Universidad de Huelva

Video.uhu.es es la plataforma de vídeo on-line de la Universidad de Huelva que permite crear, procesar, almacenar y transmitir los vídeos que previamente han sido administrados por la propia plataforma.

Video.uhu.es proporciona tanto a profesores como alumnos un lugar de participación para la creación y difusión de archivos multimedia (audio y vídeo).

Video.uhu.es está integrada con la plataforma *e-Learning* de la Universidad de Huelva, Moodle.

3.2.5. El diaporama

Es una técnica audiovisual que consiste en la proyección de una serie de diapositivas en sincronización con el sonido. La proyección de un diaporama necesita oscurecer totalmente el aula, asimismo, requiere un magnetófono con grabador de impulsos para sincronizar el paso de las diapositivas. Puede ser muy eficaz cuando se trata de aunar informaciones visuales y sonoras. Su uso es recomendable puesto que se trata de un medio fácil de manejar, siendo el equipo necesario un proyector y un casete.

3.2.6. La pizarra digital

La Pizarra Digital Interactiva (PDI), es la más reciente prueba de la evolución de la *pizarra* tradicional utilizada por el profesor a diario en la sala de clases. Es una tecnología diseñada para proporcionar al docente herramientas que faciliten y estimulen un entorno activo, interactivo, colaborativo y multimedia en sus clases.

La *pizarra*, bajo la apariencia de una *pizarra* blanca convencional, conserva también la capacidad de escribir sobre ella utilizando un rotulador o plumón tradicional y ofrece además, la capacidad de "interactuar" sobre una imagen proyectada a través de un proyector multimedia. Dicha interactividad es posible gracias a la capacidad de la superficie interactiva de detectar las acciones que se realicen sobre ella mediante el tacto (con sus dedos, en el caso de las *pizarras* táctiles) o con el lápiz electrónico (provisto con la *pizarra*, en el caso de las *pizarras* electromagnéticas), comunicando el resultado de estas acciones a un computador conectado a la superficie. En consecuencia, la *pizarra* es una pantalla de amplias dimensiones donde el profesor podrá mostrar interaccionando con sus estudiantes, contenidos educativos, presentaciones, actividades, videos o sitios de Internet, entre otros, incluidos en el computador, siendo además, un mecanismo para enriquecer dichos contenidos por la intervención directa del docente (subrayados, uso de funciones del software asociado) sin que este deba desplazarse de su lugar tradicional.

Actualmente existen en el mercado diversos **tipos de pizarras digitales**, de las que destacamos:

- *Electromagnética*: se utiliza un dispositivo especial como un puntero, combinado con una malla eléctrica contenida en la pantalla de proyección. Existen sensores magnéticos por toda la pantalla que reaccionan y envían un mensaje al computador cuando son activados por el contacto con el bolígrafo magnético. Esta detección del campo electromagnético emitido por el puntero permite la localización del punto señalado.
- *Infrarroja*: el marcador emite una señal infrarroja pura al entrar en contacto con la superficie. Un receptor ubicado a cierta distancia, traduce la ubicación del punto (o los puntos) infrarrojos a coordenadas cartesianas, las que son usadas para ubicar el ratón (o las señales TUIO en el caso de multitouch). Esta tecnología no requiere pegar sensores especiales, ni soportes o superficies sensibles, ni tampoco limita el área de proyección, pudiendo ser incluso de varios metros cuadrados.
- *Ultrasónica-Infrarroja*: cuando el marcador entra en contacto con la superficie de la *pizarra*, este envía simultáneamente una señal ultrasónica y otra de tipo infrarrojo para el sincronismo. Dos receptores que se colocan en dos lados de la superficie de proyección reciben las señales y calculan la posición del puntero, para proyectar en ese punto lo que envía el puntero. Esta tecnología permite que las *pizarras* sean de cualquier material (siempre y cuando sea blanca y lisa, para una correcta proyección).
- *Resistiva o táctil*: el panel de la *pizarra* está formado por dos capas separadas, la exterior es deformable al tacto. La presión aplicada facilita el contacto entre las láminas exteriores e interiores, provocando una variación de la resistencia eléctrica, y permite localizar el punto señalado. Este tipo de tecnología permite realizar todas las actividades sobre la *pizarra* solo tocando su superficie con las manos o con cualquier "lápiz" de tinta digital que se tenga a disposición. Debido a esta característica, es ideal para ser utilizada con estudiantes de primer y segundo ciclo básico, así como también es una herramienta atractiva para los alumnos de enseñanza media.

Resulta conveniente diferenciar Pizarra Digital (PD) y Pizarra Digital Interactiva (PDI).

Se entiende por ***Pizarra Digital*** un sistema tecnológico, generalmente integrado por un ordenador y un videoproyector, que permite proyectar contenidos digitales en un formato idóneo para visualización en grupo. Se puede interactuar sobre las imágenes proyectadas utilizando los periféricos del ordenador: ratón, teclado, tableta gráfica...

La ***Pizarra Digital Interactiva*** por su parte, es un sistema tecnológico, generalmente integrado por un ordenador, un videoproyector y un dispositivo de control de puntero, que permite proyectar *"en una superficie interactiva"* contenidos digitales en un formato idóneo para visualización en grupo. Se puede interactuar directamente sobre la superficie de proyección.

Para que funcione adecuadamente una pizarra digital se requiere de un ordenador y un videoproyector (o cañón) para procesar toda la documentación que se gestionará en la pizarra.

Los modelos actuales de pizarra digital más frecuentes constan de una pantalla interactiva, un ordenador y un proyector.

Es conveniente utilizar un proyector con una luminosidad mínima de 2000 ansi lúmenes y una resolución mínima recomendada XGA (1024 x 768). La incorporación de proyectores denominados de "tiro corto" permite situar el proyector a muy corta distancia de la pizarra mejorando la luminosidad y disminuyendo notablemente los inconvenientes del efecto sombra que se puede producir con el brazo y la mano del que escribe en la pizarra al situarlos entre el proyector y la pantalla. En este caso, la sombra se desplaza a la parte inferior de la pantalla. Controlan (al menos parcialmente), además, el desagradable efecto brillo que el objetivo produce sobre la pizarra y reducen las posibles molestias al dirigirse a los estudiantes y quedar deslumbrado con el potente brillo del proyector.

Existen modelos portátiles de pizarras para pequeños grupos de alumnos desde 47 pulgadas. Los de mayor tamaño son hasta 90 pulgadas. El formato de 80 pulgadas es el más generalizado y lo consideramos adecuado para un aula tipo de 25 alumnos.

Tengamos en cuenta que es necesario que los usuarios de la pizarra accedan con facilidad a toda la superficie interactiva y el aumento de tamaño facilita la visibilidad pero perjudica el acceso para interactuar con los objetos sobre la pizarra.

La mayoría de las pizarras que hoy utilizamos son de "pared" sustituyendo a las antiguas pizarras verdes, negras o blancas (velleda o acrílica). Pueden fijarse a la pared del aula y también es frecuente encontrarlas encima de un soporte con ruedas que permiten desplazar fácilmente la pizarra ya que no es demasiado pesada, a otro sitio del aula o a otras aulas. Estos soportes tienen el inconveniente de que se deben llevar también el proyector y el ordenador con la dificultad que suponen los cables y la instalación de todos los componentes cada vez que transportemos la pizarra. Cuando iniciamos la instalación siempre hay que realizar los ajustes necesarios para su buen funcionamiento. Algunos modelos de pizarras incorporan un brazo con un proyector de tiro corto en el soporte, facilitando la interconexión de equipos y la portabilidad.

Existen modelos con proyector externo y retroproyectadas. Las retroproyectadas son, de momento, mucho más caras ya que incorporan el proyector en la misma pantalla. Los proyectores de tiro corto han permitido adaptar unos soportes al mismo tablero de la pizarra lo que facilita su traslado con ruedas. *(La pizarra digital. Domingo J. Gallego y otros).*

3.2.7. La videoconferencia

La videoconferencia es *"el conjunto de hardware y software que permite la conexión simultánea en tiempo real por medio de imagen y sonido que hacen relacionarse e intercambiar información de forma interactiva a personas que se encuentran geográficamente distantes, como si estuvieran en un mismo lugar de reunión"* (Cabero).

La Videoconferencia presenta las siguientes **características**:

- Es un medio de comunicación audiovisual y multimedia.
- Es un medio de comunicación sincrónica, por tanto, favorece la interacción en tiempo real.
- Permite una comunicación bidireccional: ambos participan como emisor y receptor.
- Facilita la comunicación independientemente del espacio en el cual nos encontremos.
- Pueden incorporarse en él diferentes tipos de recursos: vídeos, pantallas interactivas, Internet, lector de documentos...
- Y es posible su grabación para el visionado de lo ocurrido en otro momento.

La posibilidad que ofrece esta tecnología para reunirse a distancia, de forma ágil y evitando desplazamientos va a permitir tomar decisiones rápidas ante situaciones imprevistas, mejorar la productividad, distribuir información corporativa de una forma rápida y eficaz (decisiones, nuevos productos) y potenciar la comunicación interna entre las diferentes divisiones y unidades de la organización (a través, por ejemplo, de sistemas de mensajería instantánea orientados al trabajo que permiten superar las limitaciones espaciales).

La Videoconferencia puede ser de gran utilidad para la organización de reuniones orientadas a la toma de decisiones estratégicas (para la organización), al seguimiento y la gestión de proyectos de trabajo (especialmente cuando se implican grupos de profesionales situados en sedes diferentes) o a la supervisión de productos o proyectos por expertos que pueden asesorar a distancia en su desarrollo ofreciendo *feedback* a los profesionales implicados en el proceso.

De Benito y Salinas establecen tres **tipos** básicos de videoconferencias:

a) *De escritorio* (permite la transmisión de la señal a través de un ordenador personal). Tecnológicamente es la más elemental ya que solo se requiere que el ordenador tenga una webcam (exterior o incorporada) y disponer de un programa que permita la conexión entre ordenadores de la dirección IP.

b) *De reuniones* (son los mismos que se utilizan para las sesiones de aulas). Por lo general la conexión se realiza por RDSI (Red de Servicios Integrados – Redes digitales que permiten la transmisión simultánea de audio, vídeos y datos), aunque últimamente, debido a la amplitud del ancho de banda de la red y su menor costo de realización, se utiliza con mayor frecuencia la conexión por IP. Se necesitan unos equipos adicionales denominados CODEC (Comprensión y Decomprensión) que facilitan la coordinación de la señal que emiten los equipos de la sala con el ancho de banda que se dispone. Aunque hay diferentes tipos de normas de comprensión la más usual es la H.320 impulsada por la ITU (Unión Internacional de Telecomunicaciones), en la actualidad se encuentra ampliada con las normas H.323 y H.324.

c) *De aula* (a diferencia de la de reuniones su equipamiento suele ser mayor, con equipos adicionales para la transmisión de información a través de otra serie de medios: vídeos, lector de documentos...). La aparición de una serie de dispositivos hace que la sesión pueda ser dirigida, tanto por el profesor como por un técnico.

La videoconferencia clásica consiste en un sistema de equipos de transmisión específicos que codifican/decodifican la señal y para proyectarla pueden conectarse a un equipo de proyección: televisor, videoproyector, pantalla LCD o pantalla interactiva. El sistema está formado por un pequeño equipo de cámara, un equipo de sonido y un mando para manejar ambos. Son equipos móviles que nos permiten realizar sesiones entre varias salas, o varios puntos y visualizando a una o varias personas. Podemos realizar distintas conexiones entre los equipos de videoconferencia: cuando se conectan dos equipos se denomina "punto a punto", es decir, una sala con otra, o equipos multipunto conectan varias salas en simultáneo. El canal habitual empleado son las líneas digitales como RDSI o ATM y también se emplean satélites pero esto aumenta considerablemente el coste. Ambas tienen una alta calidad de imagen y sonido. Por tanto, este sistema clásico requiere inversión en equipos, infraestructuras de calidad y conexión entre sistemas específicos, todo ello con un alto coste.

El salto cualitativo en las tecnologías actuales (la interconexión y la potenciación de las tecnologías entre ellas) se plasma en la videoconferencia con ordenadores individuales, conexiones por IP y software que facilita el trabajo entre varios ordenadores como compartir aplicaciones, visualizar un escritorio de un ordenador entre varios para seguir la actuación, etc. Además la convergencia de dispositivos potencia que cada vez se apliquen los hallazgos de forma exponencial. Dentro de las nuevas aplicaciones de las redes IP, una de las más demandadas es la voz y vídeo sobre protocolo IP. Aunque en un primer momento esta aplicación constituyó una amenaza para las llamadas internacionales, en algunos países se está consolidando como una alternativa a todos los servicios de voz. Se ha introducido y extendido por facilitar el contacto entre las personas en todo momento y en todo tipo de situaciones, con unas habilidades para su manejo similares a las de la tecnología móvil actual. Sus principales rasgos de instantaneidad, globalidad y accesibilidad universal definen a las TIC del siglo XXI. Esta tecnología abarata el coste y es la alternativa para aumentar la presencia de la videoconferencia en el mundo empresarial.

Otra de las tecnologías que mejora la videoconferencia es el *Access Grid* que emplea software libre, internet y ordenadores generando un espacio amplio que combina la proyección en múltiples pantallas y una interacción de alta calidad de imagen y sonido. Sin embargo, dada la gran inversión en equipos y la especialización del personal necesario para conocer cómo conectar la tecnología, así como la definición de una sala estable, no es rentable para las empresas.

Las principales herramientas de videoconferencia son:

1. Skype

Skype es un software propietario gratuito para realizar llamadas sobre Internet (VoIP). Fue fundada en 2003 por Niklas Zennström y Janus Friis, creadores de Kazaa, en septiembre de 2005. Es capaz de establecer comunicaciones por voz con buena calidad mediante el uso de VoIP, gracias a la tecnología P2P. Para poder realizar videoconferencias a través de Skype necesitaríamos un ordenador, una conexión de banda ancha y descargarnos el programa.

2. Ichat

Ichat es un programa de Macintosh que se incluye en las últimas versiones del sistema operativo MAC OS X desarrollado por Apple Computers Inc. Permite realizar videoconferencias directamente desde el escritorio con hasta tres participantes o audioconferencias con hasta nueve participantes.

Este programa tiene muy buena interconexión con otros programas que ofrece Apple, por ejemplo permite utilizar fotografías de Photo Booth o pases de presentaciones de Keynote. Ichat ofrece la posibilidad, además, de conectarse con ITalk, el producto de Google para la mensajería instantánea.

3. Oovoo

Oovoo se define como la nueva evolución en la comunicación en línea. Es un programa gratuito sencillo de instalar que permite la comunicación sincrónica con varias personas al mismo tiempo (hasta seis usuarios).

Esta herramienta dispone de varias opciones: permite enviar archivos y dejar mensajes, escoger un tono de llamada, observar tu historial de llamadas...; como el caso de Skype, es gratuito tanto el programa como la posibilidad de realizar la videoconferencia.

4. VSee

VSee es un sistema de videoconferencia que se basa en P2P. Es un fichero autoejecutable que se ha de descargar y nos debemos registrar en el sistema, una vez hecho esto, el acceso es sencillo. Es gratuito y permite la comunicación con varias personas hasta un máximo de diez.

Vsee es operativo para Windows. Se hace mucho énfasis en las posibilidades de colaboración de las que dispone esta herramienta, ya que permite compartir aplicaciones con otros usuarios.

5. FlashMeeting

FlashMeeting es un proyecto de investigación europeo destinado a comprender la naturaleza de los acontecimientos en línea y ayudar a los usuarios a conocer y trabajar

con mayor eficacia. El proyecto de FlashMeeting incluye una aplicación basada en Adobe Flash y Flash Media Server. Es una aplicación de videoconferencia que funciona a través de un navegador Web estándar, que permite a un grupo de personas realizar videoconferencias.

Normalmente para realizar la videoconferencia ha de hacerse a través de la reserva previa de un usuario registrado y una URL, que contiene una contraseña única para la reunión. Para poder utilizar Flashmeeting se necesita que una persona tenga la posibilidad de acceder a este proyecto. La reserva se envía a la gente que desea participar, y basta con que haga clic en el enlace para entrar en la reunión a la hora debida.

Durante la reunión una persona habla. Otras personas pueden contribuir al mismo tiempo utilizando el chat de texto, la pizarra, o emoticones, y solicitando intervenir, por lo que quedan a la espera de su turno para hablar. De esta manera la reunión es ordenada. Es posible acceder a la grabación de la reunión.

6. Adobe Connect

Adobe Connect es un programa de pago de la empresa Adobe, derivado del programa que se conocía como Macromedia Breeze, un sistema para hacer videoconferencias en la Web. Para conectarse al Adobe Connect como usuario no es necesario instalarse ningún programa, es posible acceder desde un vínculo Web.

Existe la posibilidad de comprar el Adobe Connect en su versión profesional, creada para empresas. Entre sus funciones principales existe la posibilidad de crear contenidos a través de Adobe Presenter y capturar grabaciones; permite además realizar un seguimiento del propio avance de uno en el curso y crear información.

7. Netmeeting

Netmeeting (de Microsoft), es una herramienta de videoconferencia VoIP y de multipunto, incluida en muchas versiones de Windows. Es posterior al desarrollo de los clientes de mensajería instantánea. Desde el lanzamiento de Windows XP, Microsoft la abandonó a favor de Windows Messenger, aunque todavía se seguía preinstalando en los ordenadores. En Windows Vista no se ha incluido NetMeeting, sino que se ha sustituido por una herramienta llamada Windows Meeting Space.

8. Palbee

Servicio de videoconferencia gratuita que permite la conversación simultánea con hasta nueve personas durante una hora. Permite grabar la sesión y compartir una pizarra digital. También se puede grabar una presentación propia para compartirla posteriormente a través del reproductor Palbee player.

9. Tokbox

Desarrollada por algunos de los patrocinadores de YouTube, esta herramienta funciona mediante registro en una Web, sin necesidad de instalar ningún software.

Cuando nos registramos, normalmente con nuestro nombre, cualquier persona a la que le ofrezcamos nuestra dirección, tiene la posibilidad de dejarnos un mensaje audiovisual. Al mismo tiempo, cuando estamos conectados podemos saber cuáles de nuestros contactos están en línea y establecer la videoconferencia.

Permite además enlazar con un perfil de Myspace, Facebook, weblogs, etc., por tanto, una de las grandes posibilidades de esta herramienta es que da la posibilidad de realizar nuestra videoconferencia desde nuestro sitio o blog.

10. Connecta 2000

Connecta 2000 es un cliente de comunicación para Windows que permite chat, videoconferencia, VoIP, transferencia de archivos... Fue creado en 1999. Al abrir el programa este contacta con una IP conocida (servidor) y obtiene una lista de unas cuantas IP de otros clientes que ya están conectados. A partir de ahí abre conexiones directas con estos clientes y obtiene el resto de IP de los demás clientes y se conecta de forma directa con todos.

11. Ekiga

Ekiga es una aplicación de software libre para realizar videoconferencias en sistemas operativos Unix y Windows. Para su funcionamiento ha de disponerse de una cuenta SIP. Ekiga es el primer programa de software libre que utiliza protocolos H.323 y SIP.

La Universidad de Huelva cuenta con un **servicio de videoconferencias** con 3 salas físicas ubicadas en el Pabellón Juan Agustín de Mora Negro y Garrocho (Campus del Carmen) dotadas tecnológicamente para acoger eventos multimedia como videoconferencias, ponencias, reuniones, clases o exámenes, con una capacidad máxima de entre 8 y 25 personas según la sala.

Además, dispone también de la posibilidad de realizar la videoconferencia sin necesidad de trasladarse a través de la herramienta Adobe Connect antes citada.

3.3. Sistemas de megafonía: su utilización

Se denomina sistema de megafonía a un conjunto de elementos tecnológicos que se acoplan y utilizan para aumentar el volumen del sonido en lugares de gran concurrencia de personas para facilitarles información de interés, emitir música ambiental o activar la emergencia de evacuación en casos de peligro inminente.

La instalación de sistemas de megafonía se utiliza principalmente en los planes de emergencia, vehículos de las fuerzas de seguridad, megafonía en vehículos con utilidades comerciales, estadios y pabellones deportivos, centros comerciales, centros escolares y culturales, teatros y salas de concierto, salas de conferencias, empresas, hospitales, concentraciones masivas de personas en actos públicos celebrados al aire libre, megafonía para uso personal portátil...

3.3.1. Elementos de sistemas de megafonía general

En los sistemas de megafonía actuales se utilizan componentes de alta tecnología que acompañan a un moderno diseño. Los elementos principales determinan los conceptos de calidad, robustez y fiabilidad de los productos de audio. La variedad de los productos de megafonía permite la sonorización desde grandes complejos industriales, la comunicación en actos públicos o instalar sencillamente la megafonía en un pequeño comercio o un equipo portátil de megafonía personal.

La fabricación de productos y sistemas electrónicos de megafonía e intercomunicación industrial están en un proceso continuo de investigación, desarrollo y diseño. Por tanto, están apareciendo nuevos componentes que mejoran la eficacia de los sistemas de megafonía. Los elementos comunes de un sistema de megafonía son los siguientes:

- Micrófonos de varios modelos.
- Equipo reproductor de música ambiental.
- Amplificadores de varias potencias y modelos.
- Mezcladores-preamplificadores.
- Equipos auxiliares.
- Megáfonos portátiles.
- Conexiones, conectores y cables para megafonía.
- Altavoces para interiores.
- Trompetas para exteriores.
- Equipos personales autónomos.

3.3.2. Sistemas de megafonía para servicios de emergencia

La legislación sobre seguridad de los diferentes países establece planes de alarma y evacuación de emergencia por sistemas de voz que están regulados por la normativa UNE:EN 60849:2002 y se instalan en lugares como hospitales, estaciones de ferrocarril, aeropuertos, centros comerciales, colegios, aparcamientos, hoteles, recintos feriales, estadios, líneas de metro, residencias, universidades, edificios de oficinas, pabellones deportivos, túneles...

Estos sistemas tienen que tener una forma de alimentación de corriente eléctrica autónoma e independiente, mediante pilas o baterías, de la red general para que permita su funcionamiento en caso de corte de suministro eléctrico. También deben tener mensajes pregrabados con diferentes códigos y que sean activados remotamente (ejemplos de mensajes: plantas con fuego detectado, mensaje de evacuación en caso de emergencia, mensaje de pre-evacuación en caso de alerta...).

3.3.3. Utilización de los sistemas de megafonía

Las condiciones ambientales y de entorno varían mucho de una instalación a otra (pasillo de hotel, playa, iglesia, gran superficie, verbena, comercio...), por tanto, es muy difícil dar normas generales de instalación y uso de sistemas de megafonía. No obstante, se tratarán algunas orientaciones para los casos más frecuentes.

A) Normas generales y criterios de diseño

Mediante un sistema de megafonía se pretende producir una señal sonora para que sea escuchada en una zona amplia. El oído humano responde a un conjunto de frecuencias entre 20 Hz y 20000 Hz (20 kHz). La mayor parte de las instalaciones de megafonía se utilizan solo para difusión de la palabra o para música con calidad media.

Es suficiente trabajar en una banda de frecuencia entre 100 Hz y 10 kHz para asegurar una calidad aceptable del mensaje reproducido.

B) Criterios de nivel e inteligibilidad

Un sistema de megafonía debe conseguir una distribución de sonido constante en el área de audiencia. Los altavoces deben ser colocados regularmente sobre el área a sonorizar para evitar zonas con alto nivel de salida, que provocarían molestias al oyente en las proximidades de los altavoces. Cuando el sistema se aplique a la reproducción de la palabra debe asegurarse la inteligibilidad para una buena comprensión del mensaje. Para ello, se evita el ruido de fondo, reverberación y reflexiones del sonido que puedan provocar ecos molestos.

C) Conexión de altavoces

La conexión de los altavoces en baja impedancia (4 ohmios (Ω), 6 Ω, 8 Ω o 16 Ω) se usa cuando la distancia entre amplificador y altavoces es corta (menos de 30 metros). La instalación en baja impedancia permite la conexión directa entre altavoces y amplificador.

Para efectuar una correcta instalación de conexión de altavoces de baja impedancia hay que conseguir que la impedancia resultante del total de altavoces conectados coincida con la impedancia de salida del amplificador, para que la transferencia de potencia sea máxima. La potencia de los altavoces conectados a la salida debe ser igual a la potencia entregada por el amplificador.

En caso de utilizar altavoces de bocina se recomienda usar el doble de potencia que la potencia entregada por el amplificador, ya que tienen una estrecha respuesta en frecuencia y un alto rendimiento. Con este margen de seguridad se evitan posibles daños en los altavoces por frecuencias amplificadas fuera del rango de respuesta del altavoz.

Para distancias superiores a 30 metros, la conexión de los altavoces al amplificador se realizará mediante línea de alta impedancia (línea de 100 voltios (V), 70 V y 50 V). Esta

técnica permite grandes tiradas con cables de menor sección. La salida de bajo voltaje de un amplificador de audio es convertida a una señal de alto voltaje. Para ello, en el altavoz hay un transformador de línea que convierte la señal al voltaje original. Es decir, se requiere el uso de un transformador de línea para cada altavoz o el uso de altavoces con transformador incorporado.

Para efectuar una correcta instalación de conexión de altavoces en alta impedancia, se conectan los altavoces en paralelo a los dos hilos de la salida del amplificador. La potencia de salida del amplificador debe ser igual a la suma de la potencia de los transformadores de los altavoces.

En caso de utilizar altavoces de bocina se recomienda seleccionar la potencia inferior a la máxima (o mitad de potencia máxima) en el selector-conmutador de entradas del transformador. La suma de las potencias seleccionadas en los transformadores de los altavoces de bocina debe ser igual a la potencia entregada por el amplificador. Con esta configuración se protegen a los altavoces de bocina de posibles daños producidos por frecuencias amplificadas fuera del ancho de banda de trabajo.

Resumiendo, la impedancia de los altavoces conectados en serie es la suma de las impedancias instaladas y la impedancia de los altavoces conectados en paralelo es la resultante de la división de la impedancia nominal del altavoz por el número de altavoces (cuando todos los altavoces tienen la misma impedancia).

D) Equipos de audio

Equipamiento audio

Un sistema de audio se compone de una fuente de señal, un preamplificador/mezclador, etapa de potencia y altavoces. La fuente de señal genera una señal eléctrica de audio, un preamplificador/mezclador adapta la señal eléctrica de audio de salida de las fuentes a los niveles de entrada de la etapa de potencia. También mezcla las señales de varias fuentes y ofrece a la salida una única señal. La etapa de potencia amplifica la señal y alimenta a los altavoces, que reproducen el sonido.

Micrófonos

El micrófono es uno de los componentes más importantes del equipo que puede mejorar o disminuir la eficacia de una instalación. En rasgos generales existen dos familias de micrófonos: dinámicos y de condensador. Los micrófonos de condensador son más sensibles y necesitan una batería o tensión para alimentar el preamplificador de la cápsula de condensador. Si en algún caso especial la instalación presenta problemas de ruido eléctrico o frecuencias no deseadas de emisoras de radio, radioaficionados... se hace necesario el uso de instalaciones con línea balanceada. Estas instalaciones utilizan líneas de tres hilos para micrófonos, evitando así la captación a través de ellas de las señales indeseadas.

Además de los micrófonos típicos de mano o sobremesa, con o sin flexo, existen tipos especiales de micrófonos como el "boundary" o "de ratón", utilizado en altares, mesas de conferencias... y los cada día más utilizados micrófonos inalámbricos de mano y de solapa. Cuando existan problemas de realimentación o niveles altos de ruido ambiental se recomienda el uso de micrófonos direccionales (cardioides o unidireccionales).

Amplificadores

Los amplificadores incorporan una etapa de potencia y un mezclador/preamplificador, proporcionando todas las prestaciones en un solo equipo. Los amplificadores y etapas de potencia convencionales tienen salidas de baja impedancia y de alta impedancia.

También se puede optar por un equipo compuesto por un mezclador/preamplificador y por una etapa de potencia. Por último, mediante un sistema de zonas se pueden controlar diferentes zonas, compuestas por un grupo de altavoces.

Altavoces

Existe una gran gama de altavoces para todo tipo de aplicaciones y condiciones de funcionamiento. Hay que diferenciar entre altavoces de alta y baja impedancia por las características eléctricas de su entrada, aunque no se diferencian en sus características acústicas.

Las grandes familias de altavoces son dos: altavoces de radiación directa y altavoces de bocina. Los de radiación directa se colocan en cajas conformando diferentes configuraciones como:

- **Columnas de Sonorización**. Al colocar los altavoces en una columna aumenta la directividad vertical. Dirigiendo las columnas hacia los oyentes se reduce la dispersión del sonido, concentrándolo en la zona de audiencia. Se suele aplicar en zonas de interior y se obtiene palabra con gran calidad.
- **Proyectores de Sonido**. Se usan en instalaciones de interior, en techo, pared, pasillo...
- **Pantallas acústicas y bafles**. Se usan en instalaciones de interior, se obtiene palabra y música con gran calidad.
- **Altavoces de Jardín**. Tienen imitación a rocas para aplicaciones en exterior y son resistentes a la intemperie.

- **Esferas Colgantes**. Tienen cobertura omnidireccional horizontal. Sirven para sonorizar grandes superficies, polideportivos, naves industriales...
- **Altavoces de Techo**. Se usan para empotrar en falsos techos.

Los altavoces de bocina están compuestos de un motor de compresión y una bocina que puede tener diferentes formas, exponencial con boca redonda o rectangular, fabricada en aluminio o plástico. Estos altavoces son más eficaces que los de radiación directa. Tienen más directividad, lo que permite concentrar el sonido en la zona de audiencia. Poseen una respuesta en frecuencia menor. Son apropiados para uso en exterior y en ambientes industriales y agresivos, para palabra y música de poca calidad.

E) Instalaciones. Recintos abiertos y cerrados

Recintos abiertos

La norma general es el uso de altavoces de bocina, especialmente si el objetivo de la instalación es el de hacer llegar la palabra a una extensa zona. Hay que tener en cuenta, a la hora de situar los altavoces, que el altavoz de bocina es muy direccional.

La distribución regular de altavoces debe proporcionar un nivel de sonido constante en toda la zona de audiencia. Se deben evitar reflexiones que provoquen que el mensaje hablado sea ininteligible.

Si la instalación requiere mayor calidad musical, será necesario añadir algún proyector, caja acústica o incluso realizar toda la instalación con este tipo de altavoces. El proyector y la caja acústica son mucho menos direccionales y por lo tanto se pierde gran parte de la potencia al no concentrarla en la zona de audiencia. Si se usan altavoces de radiación directa, hay que instalar bastante potencia para obtener el mismo alcance que los anteriores.

La conexión de los altavoces al amplificador en baja impedancia se usa principalmente cuando la distancia entre amplificador y altavoces es corta (menos de 30 metros). Cuando la distancia entre el amplificador de potencia y los altavoces es grande, lo que supone tiradas de cables de gran longitud, será necesario realizar las instalaciones con línea de alta impedancia para evitar pérdidas de potencia en los cables.

Recintos cerrados

Las diferencias de unos locales a otros hacen que las instalaciones varíen enormemente. La altura de techo, volumen, materiales, recubrimientos, nivel de ruido... obligan a considerar unas u otras soluciones. Habrá que tener en cuenta:

- La distancia entre amplificador y altavoces para realizar la instalación en baja impedancia o en alta impedancia.
- La configuración de la sala. Es decir, el nivel de sonido en el recinto y calidad deseada para seleccionar el tipo de altavoz a usar: esfera colgante, columna sonora, proyector, caja acústica...

- Reverberación del local y ruido ambiental. Para instalar más o menos altavoces y situación de los mismos. En locales muy reverberantes y ruidosos habrá que distribuir más altavoces, de manera que todos los oyentes estén situados dentro de la radiación directa de al menos un altavoz.

- Necesidades en cuanto a palabra, música, micros... para seleccionar los modelos más adecuados de amplificadores, micrófonos...

Para evitar la realimentación y la generación de acoples no se deben situar nunca los micrófonos dentro del haz de radiación directa de los altavoces. La distribución regular de altavoces debe proporcionar un nivel de sonido constante en toda la zona de audiencia. Se deben evitar reflexiones que provoquen que el mensaje hablado sea ininteligible. Todo los oyentes deben estar dentro del haz directo de sonido de al menos un altavoz.

Si existe un orador se debe colocar uno o varios altavoces cerca de su posición para identificar en el mismo lugar al orador y la fuente sonora. El altavoz de techo es una solución generalmente válida para cualquier recinto, siempre que la altura de techo no sea excesiva (máximo 4 metros). Para calcular el número de altavoces se puede considerar como norma general que la distancia entre altavoces debe ser el doble de la altura que hay entre un plano imaginario situado en el oído de los oyentes y el techo. La colocación en el techo podrá ser en zigzag o en una malla rectangular. La potencia de los altavoces se selecciona en función del nivel de volumen deseado.

En locales de grandes dimensiones, y sobre todo si los techos son altos, como ocurre en la mayoría de las iglesias, se recomienda el uso de columnas sonoras en las paredes o en las columnas. En este tipo de recintos que habitualmente están recubiertos de materiales muy poco absorbentes y, por lo tanto, presentan problemas de reverberación, hay que tratar de evitar la misma ya que, de lo contrario, la palabra puede llegar a ser ininteligible por acumulación de señales acústicas reflejadas.

Para evitar la resonancia, las columnas deben instalarse bajas (el centro de la columna a unos 2 metros del suelo como máximo) y dirigidas hacia la zona de audiencia para evitar la dispersión del sonido hacia arriba. Con el fin de evitar tener que dar mucho volumen, es necesario aumentar el número de columnas de forma que todos los oyentes tengan una o dos columnas cerca para que estén situados dentro del la radiación directa de los altavoces y puedan oír a muy bajo volumen, con lo que la reverberación será mucho menor.

Existen ciertos tipos de altavoces especiales para recintos particularmente grandes, donde no hay columnas centrales, y resonantes (pabellones, polideportivos, naves, etc.) de tipo esfera sonora colgante. Las zonas que queden pobres o deficientemente sonorizadas, siempre pueden complementarse con proyectores o pequeñas columnas.

La potencia del amplificador dependerá del nivel de sonido deseado en el recinto. Viene determinado por el nivel de ruido de fondo. Así como del tipo de altavoces que se utilicen.

F) Uso de los sistemas de megafonía

Si el sistema de megafonía tiene sirena, debido a la gran potencia de salida, se recomienda evitar el uso de la sirena en locales cerrados con personal situado directamente delante del altavoz. De forma general, la puesta en marcha del equipo se realiza accionando la palanca o botón del conmutador de mando. Tiene una posición correspondiente al paro del equipo (OFF) y otra posición que corresponde a funcionamiento en modo manual o megafonía. Algunos tienen otra posición que corresponde a funcionamiento en sirena.

En modo manual/megafonía, normalmente no se producirá ningún sonido. Accionando el pulsador se producirá una subida y bajada de tono, de sonido parecido al de la sirena mecánica. En esta posición, se pone en megafonía al pulsar la tecla o botón de micrófono.

El volumen en modo megafonía se puede ajustar mediante el potenciómetro situado en el panel de control. Trabajando como megáfono es apto para transmitir instrucciones, mensajes normales y discursos.

Algunos sistemas tienen modo sirena donde las bajadas y subidas de tono se repiten automáticamente. Al instalar el altavoz debe procurarse evitar la incidencia directa de chorros de agua en el mismo.

En caso de avería, es aconsejable enviar el equipo al fabricante, ya que el circuito posee varios componentes únicamente disponibles en fábrica. Por otra parte, se posee un registro de causas que motivan averías, el cual hace posibles nuevas modificaciones para futuras producciones.

3.4. Equipo de traducción simultánea

Traducción o interpretación simultánea es aquella que se realiza en tiempo real, de manera paralela al discurso; es decir, la reformulación que se lleva a cabo mientras el orador está hablando, que supone la superposición del discurso original y la interpretación.

Esta técnica se realiza en cabinas cerradas, equipadas con micrófonos, auriculares y grabadoras. Normalmente, y en condiciones ideales, las cabinas estarán dispuestas para acomodar a dos intérpretes por idioma, que se irán turnando en su trabajo, ya que cada uno de ellos no debería trabajar durante más de media hora o cuarenta minutos de manera continuada.

Además, es necesario que los intérpretes puedan ver con claridad la sala desde la cabina, así como todos los posibles apoyos visuales de los que haga uso el orador.

Los equipos de traducción simultánea constan de:

- Receptores individuales de audio inalámbricos con selector de canal para elegir el idioma en el que se desea escuchar, con sus correspondientes auriculares.
- Pupitres de locución de la traducción individuales para cada intérprete.

- Micrófonos de sobremesa para cada asistente.
- Emisores infrarrojos multicanal con los que dotar a toda la sala de una buena recepción.
- Cabinas aisladas donde se sitúa cada intérprete y emite en el idioma respectivo.
- Cámara y monitor de video para que cada intérprete vea la sala.
- Micrófonos inalámbricos para las intervenciones de los y las asistentes.

Para verificar el buen funcionamiento del equipo debemos:

- Comprobar los receptores individuales y los auriculares; si los receptores son de batería recargable comprobar que tienen carga suficiente y si son de pilas cambiarlas regularmente.
- Comprobar que los micrófonos de sobremesa funcionan correctamente.
- Cambiar las pilas de los micrófonos inalámbricos regularmente.
- Comprobar que los pupitres de traducción reciben y emiten el sonido adecuadamente.
- Comprobar que la cámara emite al monitor una buena imagen de la sala.

3.5. Mesas tecnológicas

El equipamiento de una mesa tecnológica cuenta con ordenador y monitor de sobremesa, amplificación de audio, microfonía fija e inalámbrica, videoproyección y puntero laser.

Todos los elementos funcionan a un solo clic de interruptor y cuenta con la posibilidad de conectar en su frontal un ordenador portátil, entradas directas de fuentes externas USB (pendriver, discos duros...), conexión para video compuesto y audio (DVD, VHS, cámaras de video...).

Recientemente la Universidad de Huelva ha incorporado 88 nuevas mesas tecnológicas para el profesorado en las aulas de docencia.

4. Mantenimiento básico de medios audiovisuales

4.1. Mantenimiento, precauciones y conservación de proyectores de transparencias y de proyectores de opacos

Antes de manipular el proyector de transparencias en el aula, se deben tener en cuenta algunas precauciones:

- Comprobar que la tensión de la red coincida con la seleccionada en el aparato.
- Procurar tener siempre a mano una lámpara de repuesto ya que es el componente que con mayor facilidad se deteriora. Casi todos los aparatos tienen en su interior un lugar donde colocarla.
- Cambiar la lámpara cuando esta esté fría y no tocar nunca las bombillas con las manos. Para ello se debe utilizar la funda protectora que traen en la caja o en su defecto un paño seco. Si se tocan con las manos se pueden deteriorar y además existe el peligro de quemarse los dedos si no están lo suficientemente frías. La lámpara y el fusible serán de la medida indicada por el fabricante.
- El ventilador ha de ser el primero en encenderse y el último en apagarse. Hay que comprobar que funciona correctamente. Nunca se debe utilizar el retroproyector si no funciona el ventilador, ya que se fundirá la lámpara por el exceso de calor.
- No se debe mover el aparato con la lámpara caliente.
- Se debe montar el aparato con cuidado y colocarlo sobre una superficie plana y segura.
- Se deben mantener las lentes limpias.
- Se debe intentar en la medida de lo posible no rayar las lentes.

Las precauciones de uso, mantenimiento y conservación del proyector de opacos es similar al proyector de transparencias.

4.2. Mantenimiento, precauciones y conservación de proyectores de diapositivas

La proyección de diapositivas se hace sobre superficies blancas, mates, y altamente reflectantes. Por tanto, es muy importante que sean lo más uniformes posible y que no presenten arrugas ni pliegues. Además, se debe evitar a toda costa la proyección directa sobre muros, a no ser que estén especialmente acondicionados para ello.

Antes de poner en marcha el proyector, se debe conectar el cable de alimentación. Se debe tener cuidado, pues el conector no permite más que una posición de conexionado.

Después, se debe conectar el mando a distancia del mismo. También, solo es posible hacer la conexión en una posición, pero es importante asegurarse de no forzar el conector al introducirlo.

Previamente, debe asegurarse de que el proyector está apagado cuando se conecte el cable a la red. Para la colocación de las diapositivas en la bandeja, se retira la tapa del carrusel, insertando una diapositiva con mucho cuidado en cada ranura. El carrusel se coloca sobre el proyector con precaución y se hace coincidir el "cero" con la marca en forma de flecha. No hay que forzar esta posición porque una ranura en el carrusel impide colocarlo en una posición equivocada. Se nota que el carrusel se acopla en su posición correcta cuando permanece firme y sin holguras.

Una vez terminada la proyección, se debe apagar el proyector y es importante asegurarse de enfriar adecuadamente la lámpara, para lo cual se ejecuta la secuencia siguiente de precauciones:

- En primer lugar, se apaga el interruptor de la lámpara. En este momento, cesará la proyección, pero el ventilador continuará en funcionamiento.
- Se mantiene esta situación durante unos minutos. Después se puede apagar el proyector colocando el interruptor en la posición "cero".

Los proyectores de diapositivas son equipos robustos que requieren escaso mantenimiento. Periódicamente, dependiendo de la frecuencia de uso, se deben enviar a un servicio técnico para su limpieza interior.

Con cierta frecuencia será necesario sustituir la lámpara y para ello se debe localizar en un lateral, abrir el compartimiento en el que se encuentra, soltar el resorte de fijación y extraer la lámpara fundida. Al colocar la nueva lámpara, hay que asegurarse de no tocarla directamente con la mano. Se puede usar un guante de plástico o simplemente un trozo de papel.

4.3. Mantenimiento, precauciones y conservación de videoproyectores

Antes de manipular el videoproyector, se debe comprobar que la tensión de la red que coincida con la seleccionada en el aparato, procurar tener siempre a mano una lámpara de repuesto e introducirla en su interior, en un lugar donde colocarla.

Se debe cambiar la lámpara cuando esté fría y no tocar nunca las bombillas con las manos. Para ello se debe utilizar la funda protectora que traen en la caja o en su defecto un paño seco. Si se tocan con las manos se pueden deteriorar y además existe el peligro de quemarse los dedos si no está lo suficientemente fría. La lámpara y el fusible serán de la medida indicada por el fabricante.

El ventilador ha de ser el primero en encenderse y el último en apagarse. Hay que comprobar que funciona correctamente. Nunca se debe utilizar el videoproyector si no funciona el ventilador, ya que se fundirá la lámpara por el exceso de calor.

Se debe montar el aparato con cuidado y colocarlo sobre una superficie plana y segura. Además, nunca se debe mover el aparato con la lámpara caliente.

Se debe mantener las lentes limpias e intentar en la medida de lo posible no rayarlas.

Los videoproyectores son equipos que no requieren excesivo mantenimiento. Periódicamente, dependiendo de la frecuencia de uso, se deben enviar a un servicio técnico para su limpieza interior.

TEMA 15

Nociones básicas de protocolo universitario: Tipos de actos, las precedencias, los tratamientos

Índice

1. Introducción
2. Tratamientos usuales a las autoridades
3. Colocación de banderas
4. Protocolo universitario

1. Introducción

Todas las normas de protocolo parten de un supuesto básico: el de que existen diferencias entre personas. Estas diferencias no se basan en aspectos intrínsecos de la persona como tal, sino en aspectos relacionados con la responsabilidad o representatividad del cargo, honores adquiridos por méritos o reconocimientos profesionales, académicos o laborales prestados a la comunidad.

Debemos distinguir entre el uso social o norma estadística, que es lo que *la gente hace*, y la norma social, que se refiere a lo que *la gente debe hacer*. Aquí vamos a hablar de las normas sociales, en cuanto que sirven para establecer diferencias o jerarquías, y en cuanto nos proporcionan reglas de comportamiento (protocolo).

El **Diccionario de la RAE** define protocolo como una "regla ceremonial diplomática o palatina establecida por decreto o por costumbre".

Básicamente, en este bloque haremos referencia al régimen de precedencias y tratamientos en el ámbito de la Administración pública. Entendiendo por precedencia la prioridad o antelación en el orden a determinar por la situación posicional o el lugar por categoría, cargo o rango, que le está reservado a una personalidad o autoridad concurrente a un acto.

Camilo López nos dice que "el concepto de protocolo hace referencia siempre al arte de la forma en la celebración de actos públicos, esto es, a la disposición y ordenación de todos los medios necesarios para que un acto se desarrolle según lo previsto y del modo más correcto posible".

Por lo que se refiere a las **disciplinas auxiliares** que guardan mayor relación con esta, **López-Nieto y Mallo** realiza la siguiente clasificación:

1.º El protocolo se sirve, en primer lugar, del *Derecho constitucional*, pues este le facilita las estructuras básicas del Estado y de las entidades territoriales inferiores, para conocer las instituciones de uno y otras.

2.º En segundo lugar debe mencionarse el *Derecho administrativo* en una de sus vertientes, esto es, en cuanto regula la estructura de la Administración y proporciona los datos necesarios para establecer las distinciones en el sector público como complemento del Derecho constitucional.

3.º El Derecho privado, especialmente el *mercantil y el laboral*, reguladores de la empresa y de su personal, facilitan nociones imprescindibles para el establecimiento de las distinciones sociales en el sector privado.

4.º La *Nobiliaria* o estudio de la nobleza y genealogía de las familias, importante disciplina auxiliar para el estudio de una de las parcelas de más tradición en las distinciones sociales.

5.º La *Vexilología*, que estudia las banderas, pendones y estandartes; la *Heráldica* o ciencia del blasón, en cuanto explica y describe los escudos de armas de personas, linajes o ciudades, y la *Indumentaria*, que tanta relevancia tiene en lo que concierne a uniformes, sirven para determinar la simbología que suele ser aneja a ciertas distinciones.

1.1. Normas de precedencia

Podemos distinguir dos tipos de protocolo:

- Protocolo privado. Formado por el protocolo social o los usos sociales. En este tipo de protocolo se incluiría el protocolo empresarial.
- Protocolo público. Formado por el protocolo oficial e institucional junto con el protocolo diplomático o internacional.

Actos oficiales

Los actos oficiales son todos aquellos que se organizan por la Corona, Gobierno o la Administración del Estado, Comunidades Autónomas o Corporaciones Locales.

El ordenamiento general de precedencias de los cargos y entes públicos en los actos oficiales se regula por el **Real Decreto 2099/1983, de 4 de agosto**. (Aunque existen otras normas de carácter militar, como el Reglamento de Actos y Honores Militares).

Los actos oficiales, según el **artículo 3** del citado Real Decreto 2099/1983, se clasifican en:

a) **Actos de carácter general**, los que se organicen con ocasión de conmemoraciones o acontecimientos nacionales, de las autonomías, provinciales o locales.

   La precedencia en los actos oficiales de carácter general organizados por la Corona, el Gobierno o la Administración del Estado, se ajustará a las prescripciones del citado Real Decreto.

   En los actos oficiales de carácter general organizados por las Comunidades Autónomas o por la Administración Local, la precedencia se determinará prelativamente, de acuerdo con lo dispuesto en el Real Decreto 2099/1983, por su normativa propia y, en su caso, por la tradición o costumbre inveterada del lugar.

   En ningún supuesto podrá alterarse el orden establecido para las Instituciones, Autoridades y Corporaciones del Estado señaladas en el citado Real Decreto.

   No obstante, se respetará la tradición inveterada del lugar cuando, en relación con determinados actos oficiales, hubiere asignación o reserva en favor de determinados entes o personalidades.

b) **Actos de carácter especial**, que son los organizados por determinadas instituciones, organismos o autoridades, con ocasión de conmemoraciones o acontecimientos propios del ámbito especifico de sus respectivos servicios, funciones y actividades.

   La precedencia en los actos oficiales de carácter especial, se determinará por quien los organice, de acuerdo con su normativa específica, sus costumbres y tradiciones y, en su caso, con los criterios establecidos en el presente Ordenamiento.

1.2. Rangos de ordenación

Según el **artículo 8** del Real Decreto 2099/1983, el régimen general de precedencias se distribuye en tres rangos de ordenación: el individual o personal, el departamental y el colegiado:

a) El individual regula el orden singular de autoridades, titulares de cargos públicos o personalidades.

b) El departamental regula la ordenación de los Ministerios.

c) El colegiado regula la prelación entre las Instituciones y Corporaciones cuando asistan a los actos oficiales con dicha presencia institucional o corporativa, teniendo así carácter colectivo y sin extenderse a sus respectivos miembros en particular.

1.3. Normas generales

A continuación se exponen algunas normas de carácter general en relación con la precedencia de cargos y entes públicos, recogidas en el Real Decreto 2099/1983:

a) Los actos serán presididos por la autoridad que los organice. En caso de que dicha autoridad no ostentase la presidencia, ocupará lugar inmediato a la misma.

b) La distribución de los puestos de las demás autoridades se hará según las precedencias que regula el presente Ordenamiento, alternándose a derecha e izquierda del lugar ocupado por la presidencia.

c) Si concurrieran varias personas del mismo rango y orden de precedencia, prevalecerá siempre la de la propia residencia.

d) La persona que represente en su cargo a una autoridad superior a la de su propio rango no gozará de la precedencia reconocida a la autoridad que representa y ocupará el lugar que le corresponda por su propio rango, salvo que ostente expresamente la representación de Su Majestad el Rey o del Presidente del Gobierno.

e) Los Presidentes de Consejos de Gobierno de las Comunidades Autónomas se ordenarán de acuerdo con la antigüedad de la publicación oficial del correspondiente Estatuto de Autonomía.

En el caso de coincidencia de la antigüedad de la publicación oficial de dos o más Estatutos de Autonomía, los Presidentes de dichos Consejos de Gobierno se ordenarán de acuerdo a la antigüedad de la fecha oficial de su nombramiento.

1.4. Precedencias del Estado

De acuerdo con el Real Decreto 2099/1983, las precedencias principales del Estado respetan el siguiente orden:

1. La Corona y la Familia Real.
2. Presidente del Gobierno.

Poder Legislativo

3. Presidente del Congreso de los Diputados.
4. Presidente del Senado.

Poder Judicial

5. Presidente del Tribunal Constitucional.
6. Presidente del Consejo General del Poder Judicial.

Poder Ejecutivo

7. Vicepresidente(s) del Gobierno, según su orden.
8. Ministros del Gobierno, según su orden.

1.5. Criterios de precedencia

En muchos casos la norma reguladora del régimen general de precedencias no resuelve muchas de las situaciones que se pueden dar en actos oficiales, por lo que hay que echar mano de otros criterios para adaptarse a las distintas situaciones posibles:

a) **Criterio de antigüedad**: cuando coinciden personalidades del mismo rango, tendrá precedencia sobre el otro el de mayor antigüedad. Si se trata de personalidades del mismo rango representantes de instituciones también del mismo rango (como pueden ser las Comunidades Autónomas), tendrá precedencia sobre el otro el de la institución más antigua.

b) **Criterio de representatividad**: tendrá preferencia el representante de una institución pública al representante de una institución privada del mismo rango.

c) **Criterio alfabético**: este criterio se utiliza en muchas ocasiones para evitar confrontaciones por el tema de las precedencias, sobre todo en actos de tipo internacional. El orden alfabético se hará según las denominaciones en el idioma del país donde se celebre el acto.

d) **Criterio de alternado**: este criterio es muy utilizado en la firma de acuerdos bilaterales, donde se firman dos ejemplares. Si en un ejemplar la autoridad firma a la derecha, en el otro ejemplar su firma irá a la izquierda.

e) **Criterio de asimilación**: en cuestiones protocolares, la mujer de un cargo oficial o institucional asimila la jerarquía o rango de su marido; no así, en cuestiones administrativas. A la inversa no ocurre el mismo tipo de asimilación del marido hacia la jerarquía o cargo de su mujer; no obstante, por razón de cortesía hay actos en que sí se mantiene a la inversa el criterio de asimilación.

f) **Criterio de jurisdiccionalidad**: la mayor precedencia la ostenta el representante del territorio en que se ubica el acto.

g) **Criterio de responsabilidad**: en algunos eventos, siguiendo este criterio, la mayor precedencia corresponde al responsable de la institución organizadora del acto.

h) **Criterio del sentido común**: este criterio es el último que queda cuando no se ha podido aplicar ninguno de los anteriores. Corresponde a los encargados de la organización y el protocolo hacer uso de este criterio.

2. Tratamientos usuales a las autoridades

Por Orden APU/516/2005, de 3 de marzo, se dispuso la publicación del Acuerdo del Consejo de Ministros de 18 de febrero de 2005, por el que se aprobaba el Código de Buen Gobierno de los miembros del Gobierno y de los altos cargos de la Administración General del Estado.

Entre los principios éticos que señalaba, el Acuerdo incluyó que el tratamiento oficial de carácter protocolario de los miembros del Gobierno y de los altos cargos debería ser el de **señor/señora**, seguido de la denominación del cargo, empleo o rango correspondiente. En misiones oficiales en el extranjero les correspondería el tratamiento que establezca la normativa del país u organización internacional correspondiente.

Este Acuerdo ha sido expresamente derogado por la Ley 3/2015, de 30 de marzo, reguladora del ejercicio del alto cargo de la Administración General del Estado, de modo que se vuelve al anterior sistema de *Excelentísimos e Ilustrísimos* que condensamos a continuación.

- **Familia Real**: su Majestad el Rey (S.M.), Su Majestad la Reina (S.M.), Sus Majestades los Reyes (SS.MM.), Su Alteza Real la Princesa de Asturias (S.A.R.), Su Alteza Real la Infanta Doña Sofía (S.A.R.) *(El orden de precedencia de los Reyes Don Juan Carlos y Doña Sofía en el Ordenamiento General de Precedencias del Estado será el inmediatamente posterior a los descendientes del Rey Don Felipe VI, según establece la disposición transitoria 4 del Real Decreto 1368/1987, en la redacción dada por el Real Decreto 470/2014, de 13 de junio).*
- **Familia del Rey**: S.A.R. la Infanta D.ª Elena, S.A.R. la Infanta D.ª Cristina, S.A.R. la Infanta Dª Margarita.
- **Hijos e hijas de Infantes e Infantas de España**: Excmo. Señor, Excma. Señora.

A) Tratamiento de Excelentísimo Señor (Excmo. Sr.)

- **Poder Ejecutivo**: Presidente del Gobierno, Vicepresidente del Gobierno, Ministros, Delegados del Gobierno en las Comunidades Autónomas, Secretarios de Estado, Subsecretarios de Asuntos Exteriores.
- **Poder Legislativo**: Presidente del Congreso, Presidente del Senado, Vicepresidentes de las Mesas del Congreso y del Senado, Senadores, Diputados.
- **Tribunal Constitucional**: Presidente, Vicepresidentes, Vocales.

- **Poder Judicial**: Presidente, Vicepresidentes y Vocales del Consejo General del Poder Judicial, Presidente del Tribunal Supremo, Presidentes de Sala del Tribunal Supremo, Presidente de la Audiencia Nacional, Presidentes del Tribunal Superior de Justicia de las Comunidades Autónomas, Fiscal y Magistrados del Tribunal Supremo, Fiscal General del Estado.
- **Consejo de Estado**: Presidente y Consejeros de Estado.
- **Tribunal de Cuentas**: Presidente y Ministros del Tribunal de Cuentas.
- **Carrera Diplomática**: Introductor de Embajadores, Embajadores de España, Ministros Plenipotenciarios de Primera y Segunda Clase.
- **Comunidades Autónomas**: (Sin perjuicio de los tratamientos históricos que les pudieran corresponder) Presidentes de los Consejos de Gobierno, Presidentes de las Comunidades Autónomas, a excepción de las de Cataluña, Baleares y Valencia, que tienen el de "Molt Honorable Sr.", Presidentes de las Asambleas Parlamentarias (excepto Cataluña que usa el de "Molt Honorable Sr."), Vicepresidentes y Miembros de las Asambleas Legislativas.
- **Administración Local**: Alcaldes de municipios de gran población, Presidente de la Diputación Provincial de Barcelona.

  Nota: Según el artículo 19 del RDL 781/1986, de 18 de abril, por el que se aprueba el texto refundido de las disposiciones legales vigentes en materia de Régimen Local:

  Los Alcaldes de Madrid y Barcelona tendrán tratamiento de Excelencia; los de las demás capitales de provincia, tratamiento de Ilustrísima; y los de los Municipios restantes, tratamiento de Señoría. Se respetan, no obstante, los tratamientos que respondan a tradiciones reconocidas por disposiciones legales.

  Posteriormente, por la Ley 57/2003, de 16 de diciembre, de medidas para la modernización del gobierno local, se añadió a la Ley 7/1985, reguladora de las Bases del Régimen Local, un nuevo título referido al régimen de organización de los municipios de gran población, que se aplica:

  a) A los municipios cuya población supere los 250.000 habitantes.

  b) A los municipios capitales de provincia cuya población sea superior a los 175.000 habitantes.

  c) A los municipios que sean capitales de provincia, capitales autonómicas o sedes de las instituciones autonómicas.

  d) Asimismo, a los municipios cuya población supere los 75.000 habitantes, que presenten circunstancias económicas, sociales, históricas o culturales especiales.

  En los supuestos previstos en los párrafos c) y d), se exigirá que así lo decidan las Asambleas Legislativas correspondientes a iniciativa de los respectivos ayuntamientos.

  Conforme al nuevo artículo 124 añadido por la citada Ley 57/2003, ***los Alcaldes de los municipios de gran población, tendrán el tratamiento de Excelencia****.*

En definitiva, los Alcaldes que pueden recibir el tratamiento de Excelencia, son los de Madrid, Barcelona y los municipios de gran población.

Para el resto de municipios, se seguirá teniendo en cuenta el artículo 19 del RDL 781/1986.

- **Otras autoridades y personalidades**: Jefe de la Casa de S.M. el Rey, Secretario General de la Casa de S.M. el Rey, Jefe del Cuarto Militar de la Casa de S.M. el Rey, Presidente del Consejo de Seguridad Nuclear, Presidente del Instituto de España, Presidentes y Académicos de las Reales Academias del Estado, ex Presidentes y ex Ministros del Gobierno, Consejeros del Consejo de Seguridad Nuclear, Caballeros y Damas del Collar, Grandes Cruces de las ordenes españolas civiles y militares, Grandes de España (todos los duques y demás títulos con Grandeza de España).
- **Universidades**: Rectores (se escribe: Excmo. Sr. D...., Rector Magnífico de la Universidad de...) y Vicerrectores.

B) Tratamiento de Ilustrísimo Señor (Ilmo. Sr.)

- **Autoridades**: Subsecretarios, Directores Generales, Secretarios Generales Técnicos, Jefe de Protocolo del Estado (salvo que por su rango le corresponda el de Excmo. Sr.), Consejeros de Gobierno de las Comunidades Autónomas, a excepción de las de Galicia y País Vasco que usan el de Excmo. Sr., y Cataluña, Valencia y Baleares que usan el de Honorable Sr., Interventor General de la Administración del Estado, Alcaldes de municipios no considerados de gran población, Secretarios de las Corporaciones Municipales, Presidentes de las Diputaciones Provinciales, Mancomunidades y Cabildos Insulares, Diputados Provinciales, Ministros Plenipotenciarios de tercera clase, Consejeros de Embajada, Secretario de Embajada, Cónsules (Honorable Sr.), Decanos y Vicedecanos de las Facultades universitarias, Delegados Insulares del Gobierno, Delegados de Hacienda regionales y provinciales de los Ministerios, Presidentes de las Audiencias Provinciales y sus Magistrados, Fiscales de los Tribunales Superiores de Justicia de las Comunidades Autónomas, Diputados de los Parlamentos Autonómicos, Secretarios Generales y Jefes de gabinete técnico de las Delegaciones de Gobierno, Comisarios de Policía.
- **Personalidades**: Caballeros y Damas con la Encomienda con Placa de las Órdenes españolas civiles y militares, títulos nobiliarios de marqués, conde, vizconde y barón que no posean una Grandeza de España.

3. Colocación de banderas

En España, según indican los artículos 6 y 7 de la Ley 39/1981, de 28 de octubre, se regula el uso de la enseña nacional de la siguiente manera:

- Cuando se utilice la bandera de España ocupará siempre lugar destacado, visible y de honor; si junto a ella se utilizan otras banderas, la de España ocupará lugar preeminente y de máximo honor y las restantes no podrán tener mayor tamaño.

- Cuando la bandera de España deba ondear junto a la de otros Estados o Naciones, lo hará de acuerdo con las normas y usos internacionales que rigen en esta materia en las relaciones entre Estados, así como las disposiciones y reglamentos internos de las organizaciones intergubernamentales.

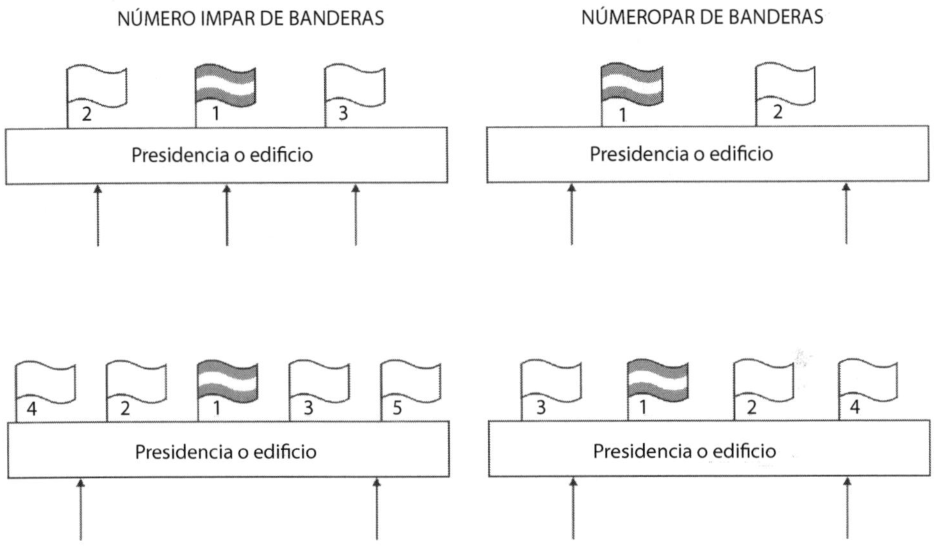

Orden: 1. Española. 2. Unión Europea (o país visitante). 3. Comunidad Autónoma. 4. Ciudad. 5. Institución.
Las flechas indican la posición del espectador-observador

De lo expuesto anteriormente acerca del uso de la bandera de España cuando va acompañada de otras, se deduce claramente cuál es la regulación de las banderas que ahora nos ocupa. De tales preceptos también parece claro que la bandera de las Comunidades irá inmediatamente después de la española. Según estas reglas, cuando el número de banderas sea impar, a la derecha de la nacional (izquierda del observador); cuando el número de banderas sea par, a su izquierda (derecha del observador).

No hay una regla que indique qué puesto de preeminencia corresponde a la bandera de Europa. Muchas Comunidades Autónomas han establecido que la bandera de la Comunidad Autónoma sea la inmediatamente preferente tras la bandera española, relegando a la bandera europea al tercer o cuarto lugar incluso. Por lo que, en los gráficos expuestos anteriormente del orden de banderas, el número 2 correspondería a la bandera de la Comunidad Autónoma.

También contiene la ley la debida protección penal a las enseñas regionales, cuando dispone que los ultrajes y ofensas a las mismas se castigarán conforme a lo expuesto en las leyes, lo que, a nuestro juicio, ha de entenderse como una remisión a los preceptos generales antes mencionados.

Además de las banderas descritas, las provincias y los municipios cuentan también con banderas propias que tienen, igualmente, la consideración de banderas oficiales.

4. Protocolo universitario

El **protocolo universitario** es el conjunto de normas, usos y costumbres aplicables a las celebraciones de determinados actos académicos, así como a los tratamientos y honores dispensados a aquellos que participan en ellos. Además, muestra aspectos relativos a la simbología de la propia universidad en la que estos actos tienen lugar. Es producto de la historia de la universidad así como de la normativa que la regula. Abarca aspectos tales como las tomas de posesión, graduaciones, festividades, vestimenta, tratamientos, honores y distinciones, entre otros.

4.1. Tipos de actos

Según el ***Manual de Protocolo Universitario*** editado por la *Asociación para el Estudio y la Investigación del Protocolo*, los actos propios de la Universidad se clasifican en:

- Actos **Solemnes**:
    * Apertura del Curso Académico.
    * Investidura de Doctores *Honoris Causa.*
    * Fiesta de la Universidad/Patronos Universitarios.
    * Los que así queden catalogados según los Estatutos de cada Universidad.
- Actos **Administrativos**:
    * Toma de posesión.
    * Firmas de Convenios.
- Actos **Académicos**:
    * Graduación de alumnos.
    * Premios Institucionales.
    * Homenajes a miembros de la Comunidad Universitaria.
- **Otros** actos:
    * Inauguraciones.
    * Jornadas/Congresos/Simposios/Foros.
    * Presentación de libros.
    * Primeras piedras.

4.2. Precedencias en la Universidad

Conforme al citado *Manual de Protocolo Universitario*, los actos serán presididos por la autoridad que los organice. En caso de que dicha autoridad no ostentase la presidencia, ocupará lugar inmediato a la misma.

La precedencia en los actos académicos, en cuanto a las autoridades académicas, se determinará por quien los organice, de acuerdo con su normativa específica, sus costumbres y tradiciones. En los actos propios de una Institución Universitaria regirá la precedencia siguiente:

1. Rector Magnífico.
2. Presidente del Consejo Social.
3. Vicerrectores y Secretario General.
4. Defensor Universitario.
5. Exrectores.
6. Doctores *Honoris Causa*.
7. Decanos y Directores de Centros.
8. Directores de Escuelas Adscritas.
9. Directores de Departamento.
10. Miembros del Consejo de Gobierno.
11. Miembros del Claustro.
12. Catedráticos.
13. Doctores.
14. Profesores no doctores.

Cargos no académicos a tener en cuenta: el Presidente del Consejo Social ocuparía, en función de la naturaleza del Acto el puesto número 2, es decir, entre el Rector y su Equipo de Dirección o incluso el puesto número 3, después del Equipo de Dirección.

El Gerente ocuparía un lugar preferente pero no estaría incluido entre los cargos académicos, también habría que reservar un lugar preferente a aquellas personalidades que hayan sido galardonadas con algún Honor o Distinción de la Institución y si así viene establecido en el Reglamento de Honores y Distinciones, si lo hubiere.

En todos los actos organizados por la institución universitaria se establecerá la posición de la presidencia, que ocupará un espacio diferente al resto de invitados. Esta posición de preferencia se mantendrá en todo momento, ya sea una presidencia estática dentro de un salón, paraninfo, aula magna, o en movimiento a lo largo de un recorrido.

En los Actos Académicos serán presididos por el Rector o miembro de su Equipo de Dirección (Vicerrectores o Secretario General) en quien delegue.

El Rector cederá la presidencia a personalidades de gran relevancia como el Rey, Presidente del Gobierno. Si asistiera el Presidente de la Comunidad Autónoma el Rector podrá cederle la presidencia o realizar una copresidencia par dejando la derecha al Presidente de la Comunidad Autónoma. Si así fuere el Rector conducirá el Acto y hablaría en penúltimo lugar, dejando al Presidente de la Comunidad Autónoma el privilegio de cerrar. También puede abrir uno y cerrar el otro.

Se podrán establecer presidencias laterales con el fin de que en los Actos Académicos las mesas presidenciales estén compuestas por miembros togados (doctores) y que las Autoridades de gran relevancia que acudan a los mismos ocupen un lugar de privilegio.

Para establecer las precedencias entre las autoridades civiles y militares la Institución Universitaria se regirá por el Real Decreto de Precedencias del Estado y, por los Decretos o Normas existentes en la Comunidad Autónoma donde se encuentre la Institución.

Habrá que tener en cuenta la naturaleza del Acto ya que en función de la naturaleza del mismo se propondrá una presidencia en concreto.

4.3. Tratamientos de autoridades universitarias

A pesar de lo señalado anteriormente en cuanto al tratamiento de las autoridades, la Ley Orgánica 4/2007 de Universidades, de 12 de abril, por la que se modifica la Ley Orgánica 6/2001, aprobada por el Pleno del Congreso de los Diputados el 29 de marzo de 2007, y en concreto la disposición adicional decimotercera modificó los tratamientos de las autoridades universitarias, quedando estos de la siguiente manera:

"Las autoridades universitarias recibirán el tratamiento de señor o señora, seguido de la denominación del cargo". P.e.: Sra. Vicerrectora.

"Y los rectores de las universidades recibirán, además, el tratamiento académico de Rector Magnífico o Rectora Magnífica". P.e.: Sr. Rector Magnífico de la Universidad de Almería.

La nueva Ley Orgánica 2/2023, de 22 de marzo, del Sistema Universitario, deroga la LO 6/2001 y la LO 4/2007 (excepto sus disposiciones finales segunda y cuarta), pero no establece una nueva regulación respecto a los tratamientos, entendiéndose, por tanto, que quedan como acabamos de exponer.

TEMA 16

Gestión de la correspondencia. Paquetería y certificados. Franqueo. Clasificación y reparto de la correspondencia

Índice

1. Gestión de la correspondencia
2. Paquetería y certificados
3. Franqueo
4. Clasificación y reparto de la correspondencia

1. Gestión de la correspondencia

1.1. Gestión de la correspondencia

Entendemos por **correspondencia** la comunicación por escrito entre dos o más personas.

Un **envío de correspondencia** es, pues, la comunicación materializada en forma escrita sobre un soporte físico de cualquier naturaleza, que se transportará y entregará en la dirección indicada por el remitente sobre el propio envío o sobre su envoltorio.

Un **envío postal** es todo objeto destinado a ser expedido a la dirección indicada por el remitente sobre el objeto mismo o sobre su envoltorio, una vez presentado en la forma definitiva en la cual debe ser recogido, transportado y entregado.

No se consideran envíos de correspondencia, aunque sí envíos postales, los siguientes:

- Libros.
- Catálogos.
- Diarios y publicaciones periódicas.

No se consideran envíos postales ni se podrán admitir como tales los envíos que contengan objetos cuyo tráfico o circulación esté prohibido o sea delito. El Reglamento por el que se regula la prestación de los servicios postales (aprobado por Real Decreto 1829/1999, de 3 de diciembre) enumera los objetos que no pueden incluirse en ninguna clase de envíos postales:

1. Los productos sometidos a régimen de reserva y no provistos de autorización especial para circular por la red postal.
2. El opio y sus derivados, la cocaína y demás estupefacientes y sustancias psicotrópicas, salvo si se envían con fines medicinales y acompañados de autorización oficial.
3. Los envíos cuya envoltura o cubierta contenga textos o dibujos que vulneren cualquiera de los derechos fundamentales de la persona.
4. Los envíos de armas, conforme a lo establecido en el Real Decreto 137/1993, de 29 de enero, por el que se aprueba el Reglamento de Armas.
5. Las materias explosivas, inflamables y otras peligrosas, salvo las biológicas perecederas, intercambiadas entre laboratorios oficialmente reconocidos, y las radiactivas depositadas por expedidores debidamente autorizados.
6. Los animales vivos, sin estar provistos de una autorización especial o ser intercambiados entre instituciones oficialmente reconocidas.

7. Los objetos cuyo tráfico sea constitutivo de delito.
8. Los objetos cuya naturaleza o embalaje puedan constituir un peligro para los empleados de los operadores postales que los manipulan o causar deterioro a otros envíos.
9. Los objetos cuya admisión o circulación esté prohibida en el país al que van destinados.
10. Los objetos cuya circulación esté prohibida en España, con arreglo a la normativa en vigor.
11. Los que se determine en convenios internacionales en los que España sea parte signataria.

Se considera **usuario** de los servicios postales, la persona física o jurídica que se beneficie de su prestación como remitente o como destinatario, cualquiera que sea la naturaleza, pública o privada, del operador que los preste.

Se entiende por **remitente** la persona física, jurídica o entidad sin personalidad de quien procede el envío postal.

Los envíos postales, en tanto no lleguen a poder del destinatario, serán propiedad del remitente, quien podrá, mediante el pago de las tarifas o precios correspondientes, recuperarlos o modificar su dirección, siempre que las operaciones necesarias para localizarlos no perturben la marcha regular de la prestación del servicio postal.

Se entiende por **dirección postal**, la identificación de los remitentes o de los destinatarios por su nombre y apellidos, si son personas naturales, o por su denominación o razón social si se trata de personas jurídicas o entidades sin personalidad, así como las señas de un domicilio:

a) Tipo y denominación de la vía pública: nombre que identifique la calle, plaza, avenida, camino o carretera u otros.
b) Número de la finca; el que haya sido asignado por el Ayuntamiento de la localidad dentro de los existentes en la vía pública.
c) Datos de la vivienda o local: los que identifican al inmueble de forma singularizada en la inscripción existente en el Registro de la Propiedad.
d) Número de casillero domiciliario postal a continuación de las letras "CD".
e) Localidad: nombre de la población.
f) Código postal: el asignado a cada dirección postal.

Se entiende por **servicios postales** cualesquiera servicios consistentes en la recogida, la admisión, la clasificación, el transporte, la distribución y la entrega de envíos postales.

Se entiende por envío postal el envío con destinatario, preparado en la forma definitiva en la que deba ser transportado por el operador del servicio postal universal.

1.2. Los envíos postales

El Reglamento por el que se regula la prestación de los servicios postales indica en su artículo 13 que, en todo caso, son envíos postales:

- Las cartas.
- Las tarjetas postales.
- Los paquetes postales.
- Los envíos de publicidad directa.
- Los libros.
- Los catálogos.
- Las publicaciones periódicas.

A) Carta

Se considera carta todo envío cerrado cuyo contenido no se indique ni pueda conocerse, así como toda comunicación materializada en forma escrita sobre soporte físico de cualquier naturaleza, que tenga carácter actual y personal.

En todo caso, tendrán la consideración de carta los envíos de recibos, facturas, documentos de negocios, estados financieros y cualesquiera otros mensajes que no sean idénticos.

Las cartas pueden circular:

- Ordinarias.
- Certificadas.
- Con aviso de recibo.
- Contra reembolso.
- Urgentes.
- Con valor declarado.

B) Tarjeta postal

Se considera tarjeta postal toda pieza rectangular de cartulina consistente o material similar, lleve o no el título de tarjeta postal, que circule al descubierto y que contenga un mensaje de carácter actual y personal.

La indicación del término de *tarjeta postal* en los envíos individuales implica automáticamente esta clasificación postal, aunque el objeto correspondiente carezca de texto actual y personal.

C) Paquetes postales

Se consideran paquetes postales los envíos que contengan cualquier objeto, producto o materia, con o sin valor comercial, cuya circulación por la red postal no esté prohibida y todo envío que, conteniendo publicidad directa, libros, catálogos, publicaciones periódicas, cumpla los restantes requisitos establecidos en el Reglamento para su admisión bajo esta modalidad. Cuando estos envíos contengan objetos de carácter actual y personal, deberá manifestarse expresamente, en su cubierta, dicha circunstancia.

No podrán constituir paquetes postales los lotes o agrupaciones de las cartas o cualquier otra clase de correspondencia actual y personal.

D) Publicidad directa

Se considera publicidad directa el envío que, destinado a la promoción y venta de bienes y servicios, reúna además los siguientes requisitos:

a) Que esté formado por cualquier comunicación que consista únicamente en anuncios, estudios de mercado o publicidad.

b) Que contenga un mensaje similar, aunque el nombre, la dirección y cualesquiera números concretos de identificación que se asignen a sus destinatarios, sean distintos en cada caso.

c) Que se remita a más de quinientos destinatarios.

d) Que se dirija a las señas indicadas por el remitente en el objeto mismo o en su envoltura.

e) Que su distribución se efectúe en sobre abierto, para facilitar la inspección postal.

f) Que en su cubierta figure la expresión *P.D.* a efectos de facilitar la identificación de estos envíos.

Las comunicaciones que combinen la publicidad directa con otro objeto en el mismo envoltorio, tendrán la consideración postal que, por su naturaleza, pudiera corresponder a dicho objeto, con independencia del tratamiento que reciban a efectos de tarificación.

E) Libros

Se consideran libros las publicaciones, cualquiera que sea su soporte, encuadernadas o en fascículos, remitidas por empresas editoras, distribuidoras, establecimientos de venta y centros de enseñanza por correspondencia autorizados, siempre que no contengan otra publicidad que la que eventualmente figure en la cubierta.

El material fonográfico y videográfico tendrá el mismo tratamiento que los libros.

F) Catálogos

Se considera catálogo el envío que, destinado a la promoción y venta de bienes y servicios, reúna además los siguientes requisitos:

a) Que esté formado por cualquier comunicación que contenga direcciones, puntos de venta u oferta de productos.

b) Que contenga un mensaje similar, aunque el nombre, la dirección y el número de identificación que se asigne a sus destinatarios sean distintos en cada caso.

c) Que se remita a más de quinientos destinatarios.

d) Que se dirija a las señas indicadas por el remitente en el objeto mismo o en su envoltura.

e) Que su distribución se efectúe en sobre abierto, para facilitar la inspección postal.

f) Que en su cubierta figure la leyenda *catálogos*, a efectos de facilitar la identificación de estos envíos.

Las comunicaciones que combinen el catálogo con otro objeto en el mismo envoltorio, tendrán la consideración postal que, por su naturaleza, pudiera corresponder a dicho objeto con independencia del tratamiento que reciban a efectos de tarificación.

G) Publicaciones periódicas

Se consideran publicaciones periódicas los objetos que se editan periódicamente, con el mismo título repetido en cada ejemplar y cuyo texto o contenido sea de índole o naturaleza diversa, distinguiéndose por la variedad de enunciados, trabajos, informaciones o noticias.

1.3. Servicios postales

A) De acuerdo con las garantías que se otorgan al envío

Los servicios postales se clasifican en:

a) **Servicios de envíos generales**

Son servicios de envíos generales aquellos para los que el operador postal correspondiente no otorga más garantías al envío que las ofrecidas con carácter general que, en todo caso, deberán ser, como mínimo, las contempladas en el Reglamento para todos los envíos postales. Tales envíos son confiados al operador, sin que medie recibo justificativo individualizado de cada uno de dichos envíos que permita identificar la dirección postal del remitente y del destinatario o, en su caso, documento comprensivo de varios envíos numerados en el que consten los citados datos.

b) **Servicios de envíos certificados**

Son servicios de envíos certificados los que, previo pago de una cantidad predeterminada a tanto alzado, establecen una garantía fija contra los riesgos de pérdida, sustracción o deterioro, y que facilitan al remitente, en su caso a petición de este, una prueba del depósito del envío postal o de su entrega al destinatario.

c) **Servicios de envíos con valor declarado**

Son servicios de envíos con valor declarado los que permiten asegurar estos por el valor declarado por el remitente, en caso de pérdida, sustracción o deterioro.

B) Por las prestaciones básicas o complementarias que conllevan

Los servicios pueden ser:

a) **Ordinarios**. Los servicios son ordinarios cuando los envíos son confiados al operador postal de que se trate para la realización de un servicio postal acogiéndose a condiciones y calidades regulares preestablecidas por el operador postal.

b) **Rápidos**. Los servicios son rápidos cuando el servicio, además de su mayor rapidez y seguridad en la recogida, distribución y entrega de los envíos, se caracteriza por todas o algunas de las siguientes prestaciones suplementarias:

- garantía de entrega en una fecha determinada;
- recogida en el punto de origen;
- entrega en mano al destinatario;
- posibilidad inmediata de cambiar de destino o destinatario;
- confirmación al remitente de la recepción de su envío;
- supervisión, seguimiento y localización de los envíos;
- trato personalizado a los clientes y prestación de un servicio bajo demanda, cómo y cuando se solicite por el usuario.

Los servicios de recogida, admisión, clasificación, entrega, tratamiento, curso, transporte y distribución de los envíos interurbanos y transfronterizos, certificados o no, de las cartas y de las tarjetas postales, siempre que su peso sea igual o inferior a 350 gramos, no podrán considerarse dentro de esta categoría cuando el precio efectivamente cobrado por ellos no sea, al menos, cinco veces superior al montante de la tarifa pública correspondiente para los envíos ordinarios de objetos de la primera escala de peso de la categoría normalizada más rápida.

c) **Especiales**. Los servicios son especiales si se trata de servicios que contemplan prestaciones de naturaleza específica, distintas de las recogidas en el epígrafe *b) Rápidos*, como puedan ser los servicios de contra reembolso donde la entrega al destinatario se efectúa previo abono del importe reembolsable, o los sujetos a derechos complementarios por acogerse a facilidades especiales ofrecidas por el operador postal para ser utilizadas discrecionalmente por los usuarios.

1.4. Clasificación de la correspondencia

Podemos clasificar la correspondencia que se entrega en las Conserjerías de la Universidad en función de quien la entregue:

- Miembros de la Comunidad Universitaria.
- Empresa Correos.
- Otras Empresas Externas de Distribución de correspondencia y/o paquetes.
- Empleados de otras Administraciones, Empresas o particulares.

La correspondencia recepcionada se clasificará en sus diferentes bandejas o casilleros, según sea:

- Correspondencia interna.
- Correspondencia externa.

A) Correspondencia interna

a) Destinada al propio edificio: se clasificará y distribuirá en los diferentes casilleros y bandejas, según el protocolo de actuación de cada edificio.

b) Destinadas a otros edificios del mismo Campus.

c) Destinadas a otros Campus de la Universidad.

B) Correspondencia externa distribuida a través de Correos

Se podrá clasificar:

a) Según la modalidad de envío, para ello habrá que tener claro la modalidad que ha elegido el remitente:

  - Correspondencia ordinaria, nacional o internacional.
  - Correspondencia Certificada (con Acuse de Recibo o no), nacional o internacional.
  - Correspondencia urgente, nacional o internacional.
  - Correspondencia urgente certificada, nacional o internacional.
  - Paquetes Postales Nacionales.
  - Paquetes Azules Nacionales.
  - Libros Nacionales.
  - Libros Internacionales.
  - Paquetes Internacionales, Económico o Prioritario.

b) Según el destino:
   - Nacionales:
     * Locales.
     * Capitales de Provincias y ciudades de más de 50.000 habitantes:
       - Península y Baleares (P y B).
       - Canarias (CA).
       - Ceuta (C).
       - Melilla (M).
     * Pueblos y ciudades de menos de 50.000 habitantes:
       - Península y Baleares (P y B).
       - Canarias (CA).
       - Andorra (A).
   - Internacionales:
     * Ámbitos Especiales: (Alemania, Austria, Bélgica, Brasil, Dinamarca, Estados Unidos, Finlandia, Francia, Gran Bretaña, Holanda, Italia, Japón, Portugal, Suecia, Suiza, Noruega).
     * Zona 1. Europa. Países no incluidos en Ámbitos Especiales:
       - Miembros de la Unión Europea (UE).
       - Resto de países europeos (R).
     * Zona 2. El resto de países del mundo que no estén incluidos en Ámbitos Especiales.

c) Según el peso, en gramos, del envío:
   - Hasta 20 en sobre normalizado (11,5 x 22,5).
   - Hasta 20 sin normalizar (con formato distinto al anterior).
   - Entre 20 y 50.
   - Entre 51 y 100.
   - Entre 101 y 200.
   - Entre 201 y 350.
   - Entre 351 y 500.
   - Entre 501 y 1000.
   - Entre 1001 y 1500.
   - Entre 1501 y 2000.

C) Correspondencia externa distribuida por el resto de empresas externas de distribución de correspondencia

Estos envíos se gestionarán a través de la empresa correspondiente, dándole los datos de la Unidad o Servicio a la que tienen que hacer el cargo.

2. Paquetería y certificados

2.1. Los certificados

Como ya hemos dicho anteriormente, son servicios de envíos certificados los que, previo pago de una cantidad predeterminada a tanto alzado establecen una garantía fija contra los riesgos de pérdida, sustracción o deterioro y, facilitan al remitente, en su caso a petición de este, una prueba del depósito del envío postal o de su entrega al destinatario. Se garantiza la recepción mediante la **firma del destinatario o una persona autorizada**.

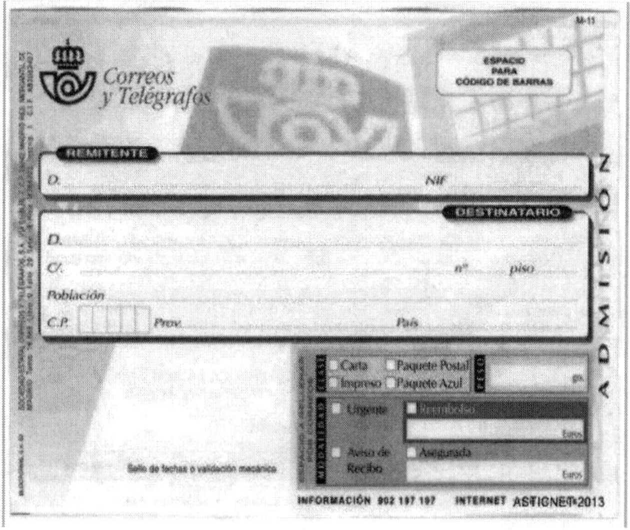

Correos y Telégrafos

ESPACIO PARA CÓDIGO DE BARRAS

REMITENTE

D. NIF

DESTINATARIO

D.

C/. nº piso

Población

C.P. Prov. País

Carta / Paquete Postal

Impreso / Paquete Azul

Urgente / Reembolso

Euros

Aviso de Recibo / Asegurada

Euros

Sello de fechas o validación mecánica

INFORMACIÓN 902 197 197 INTERNET

ADMISIÓN

Impreso de certificado

Operativa logística:

- Nacional: consignar la palabra "CERTIFICADO" (o la etiqueta al uso) en el ángulo superior izquierdo del anverso del envío.
- Internacional: consignar en el ángulo superior izquierdo del anverso del envío, las palabras "RECOMMANDÉ / CERTIFICADO" y "PRIORITARIO / PRIORITY" (en letras blancas sobre fondo azul), o etiquetas al uso.

2.2. Paquetería

Actualmente, Correos presta los siguientes servicios de paquetería:

- **No urgente**
  * Nacional:
    - Paquete azul.
    - Paquete postal nacional/Paquete postlibris.
    - Paq 72.
  * Internacional:
    - Paquete internacional económico.
    - Paquete internacional prioritario.
- **Urgente**
  * Nacional:
    - Paq 48.
    - Paq 10.
    - Paq 14.
    - Paq 24.
    - Paq Today.
  * Internacional:
    - Postal Exprés Internacional (EMS)/Paq 48 internacional.

3. Franqueo

El franqueo es una de las formas de pago de los servicios postales al operador al que se ha encomendado la prestación del servicio postal universal, consistente en el abono de la tarifa o el precio que corresponde aplicar a un envío postal para su circulación por la red postal pública.

3.1. Sistemas de pago

Son sistemas de franqueo:

- Sellos de correos.
- Sobres, tarjetas y cartas-sobre con sellos o signos distintivos previamente estampados.

Son medios de pago alternativos a los sistemas de franqueo:

- Las impresiones de máquinas de franquear.
- Las estampillas de franqueo expedidas por distribuidoras automáticas instaladas por el operador al que se ha encomendado la prestación del servicio postal universal.
- El franqueo de pago diferido.
- El franqueo en destino.
- El prepago.

Para los servicios no incluidos en el ámbito reservado será admisible, asimismo, cualquier otro medio de pago admitido en derecho.

3.2. Sistemas de franqueo

3.2.1. Sellos de correos

El sello de correos tiene poder liberatorio del importe del franqueo en la cuantía que en el mismo se consigna. Esto no es más que un comprobante de pago previo de los envíos efectuados por correo en forma de etiqueta.

El franqueo, mediante sellos, requerirá su incorporación a la cubierta del envío de que se trate, adhiriéndose siempre que sea posible, en una única fila horizontal, en el ángulo superior derecho de la misma en que figura la dirección.

En el lado de la dirección de los envíos solo podrán adherirse sellos de correos o etiquetas de servicio, pero nunca viñetas o etiquetas benéficas, publicitarias o de cualquier otra clase, salvo autorización concedida por el operador al que se ha encomendado la prestación del servicio postal universal.

En las viñetas o etiquetas benéficas, publicitarias y similares no podrán figurar las palabras *«España»* o *«Correos»*, ni indicación alguna relativa al valor o de otra clase que pueda inducir a confusión con cualquier elemento de franqueo.

3.2.2. Sellos u otros signos distintivos previamente estampados

Servirán como franqueo, siempre que estén oficialmente emitidos, los sellos o signos distintivos que estén incorporados a la cubierta del envío postal, siendo la venta de la cubierta (sobres, tarjetas y cartas-sobre) y la realización del franqueo efectuadas simultáneamente.

3.3. Sistemas de pago alternativos

3.3.1. Impresiones de máquinas de franquear

El franqueo de los envíos postales puede efectuarse, en sustitución de los sellos o simultáneamente con ellos, por medio de impresiones o estampaciones realizadas con máquinas de franquear de modelos autorizados por el operador al que se ha encomendado la prestación del servicio postal universal.

Los troqueles, tarjetas vale, precintos de garantía u otros medios de control de uso de la máquina serán confeccionados por el suministrador que determine el operador al que se ha encomendado la prestación del servicio postal universal.

Cuando se trate de objetos cuyas dimensiones no permitan la estampación o impresión directa, esta podrá obtenerse en una etiqueta o faja en la que figuren impresos el nombre y la dirección del remitente y del destinatario, y que habrá de adherirse en toda su extensión a los envíos respectivos.

Este procedimiento no podrá, en ningún caso, aplicarse a la correspondencia asegurada.

El operador al que se ha encomendado la prestación del servicio postal universal podrá **autorizar** a entidades públicas o privadas y a personas físicas la utilización de máquinas de franquear cuando lo aconsejen razones técnicas, operativas o comerciales que beneficien la prestación de servicios postales por aquel.

Las entidades o las personas físicas que deseen ser autorizadas para la utilización de máquinas de franquear deberán solicitar, por escrito, al órgano que se determine por el operador al que se ha encomendado la prestación del servicio postal universal, el uso de las mismas.

El operador al que se ha encomendado la prestación del servicio postal universal deberá contestar dicha solicitud en el plazo de dos meses contados desde la recepción de la misma, entendiéndose denegada en ausencia de contestación.

3.3.2. Estampillas de franqueo

Las estampillas de franqueo reflejarán el valor de la tarifa o precio exigido por la prestación del servicio de que se trate, adhiriéndose a la cubierta de los envíos en los términos que establezca el operador al que se ha encomendado la prestación del servicio postal universal.

3.3.3. Franqueo de pago diferido

Previo contrato con el remitente, los envíos circularán con una identificación de este medio de pago, procediéndose al pago del servicio correspondiente en el momento, lugar y condiciones que establezca el operador al que se ha encomendado la prestación del servicio postal universal.

En función de sus peculiaridades, este sistema podrá admitir distintas modalidades de pago, tales como el franqueo pagado, concertado y otras que se determinen por dicho operador.

El **Franqueo Pagado** está pensado para usuarios que efectúen depósitos masivos de cartas e impresos con periodicidad; es el sistema utilizado para los envíos de correspondencia remitidos desde cualquier Unidad de la Universidad de Huelva.

El depósito de los envíos se hará en Centros de Admisión Masiva, acompañado de su correspondiente albarán de entrega.

La identificación de estos envíos se realiza con la impresión mecánica de un rectángulo en la esquina superior derecha del sobre.

3.3.4. Franqueo en destino

En los casos y con los requisitos y condiciones que determine el operador al que se ha encomendado la prestación del servicio postal universal, el pago por la prestación del servicio correspondiente podrá efectuarse no en origen, sino en destino.

3.3.5. Prepago

El sistema de prepago permite que los sobres o embalajes que contengan los envíos postales incorporen el precio o tarifa de la prestación postal.

3.4. Otros medios de pago

Para los servicios no incluidos en el ámbito reservado al operador al que se ha encomendado el servicio postal universal, podrá establecerse cualquier otro medio de pago admitido en derecho.

3.5. Irregularidades en materia de franqueo

Los envíos postales destinados a circular por el territorio nacional que ingresen en la red pública postal sin franqueo o con franqueo insuficiente deberán abonar en concepto de insuficiencia de franqueo, como mínimo, el doble de dicha insuficiencia, que será satisfecha por el remitente o por el destinatario, según proceda.

A los envíos postales no franqueados o con franqueo insuficiente que vayan destinados o que procedan del extranjero les será de aplicación la normativa internacional.

Estas previsiones serán de aplicación a los envíos cuyo pago se haya realizado, tanto a través de los sistemas de franqueo como mediante los medios de pago alternativos de impresiones de máquinas de franquear de estampillas de franqueo y de prepago, cuyo valor resulte insuficiente.

3.6. Precios

Los precios de los servicios postales prestados bajo régimen de obligaciones de servicio público deberán ser asequibles, transparentes y no discriminatorios y fijarse teniendo en cuenta los costes reales del servicio, de modo que ofrezcan incentivos para la prestación eficiente del mismo.

El operador designado deberá comunicar a la Comisión Nacional del Sector Postal tanto el establecimiento de nuevos precios como la modificación de los precios ya vigentes de los servicios prestados con obligaciones de servicio público con, al menos, tres meses de antelación a la fecha prevista para su aplicación.

Estarán exentos del pago del precio los siguientes servicios prestados por el operador designado para la prestación del servicio postal universal:

a) Los envíos de cecogramas.

b) Los envíos a los que la Unión Postal Universal confiera tal derecho, con el alcance establecido en los instrumentos internacionales que hayan sido ratificados por España.

Para los servicios sometidos a obligaciones de servicio público dentro del servicio postal universal, la Comisión Delegada del Gobierno para Asuntos Económicos, a propuesta del Ministerio de Fomento y previo informe de la Comisión Nacional del Sector Postal, podrá establecer precios máximos y mínimos.

Igualmente, para el citado ámbito, podrá determinarse la aplicación de precios uniformes en todo el territorio nacional.

Cuando el operador designado para la prestación del servicio postal universal aplique **descuentos** a los remitentes de envíos masivos de correo, en la prestación de los servicios para los que ha sido designado, deberá respetar los principios de transparencia y no discriminación, tanto en lo que se refiere a los precios como a las condiciones asociadas. El operador designado ofrecerá los mismos descuentos o precios especiales, junto con las condiciones asociadas, a los demás usuarios, tales como particulares y pequeñas y medianas empresas o fundaciones y entidades asociativas declaradas de utilidad pública, siempre que efectúen envíos en condiciones similares.

4. Clasificación y reparto de la correspondencia

La correspondencia recibida en un organismo público llegará fundamentalmente por dos medios: por correo o por mensajería.

También hay que tener en cuenta la correspondencia dirigida al organismo público que se ha de recoger en una oficina de correos, generalmente en un apartado de correos.

Alguna correspondencia vendrá acompañada de un albarán o un aviso de recibo, que son documentos que sirven para dejar constancia de que se ha entregado el envío al destinatario. Este albarán o acuse de recibo deberán ser firmados a la entrega por persona autorizada por el organismo público para la recepción de correspondencia.

Básicamente, el personal receptor de los envíos deberá realizar tres funciones:

- Registro.
- Clasificación.
- Distribución.

El **registro** consiste en consignar en un documento las entradas de escritos y comunicaciones dirigidas a un órgano administrativo, a la vez que se estampa un sello en cada producto postal recibido escribiendo el número de orden de la entrada y la fecha.

Algunos productos no precisan ser registrados, como la documentación complementaria que acompaña a un escrito o comunicación que es objeto de registro, los documentos publicitarios, comerciales o informativos, o la correspondencia cerrada que sólo puede ser abierta por la persona a la que va dirigida.

La **clasificación** de la correspondencia consiste en agrupar los productos postales recibidos en:

- Correspondencia urgente.
- Correspondencia ordinaria.
- Correspondencia certificada.

También habrá que clasificar la correspondencia que va a nombre de una persona o un servicio concreto del organismo. Ese correo se clasifica en los casilleros correspondientes para ser repartido (distribución).

Habrá de entregarse de manera inmediata a la persona o departamento que corresponda la correspondencia clasificada como urgente.

Alguna correspondencia dirigida al organismo, no especifica la persona o departamento, suele ser publicidad, catálogos, facturas, etc. Este correo se aparta para ser abierto y revisado por el estamento administrativo correspondiente.

Si la correspondencia no se encuentra identificada correctamente porque los datos del destinatario son insuficientes o erróneos, se apartará para aclarar su posible identificación.

La **distribución** de la correspondencia dentro del Organismo puede hacerse de dos maneras:

- Entrega a mano.
- Entrega en casilleros.

Cada Organismo, en función de sus dimensiones y del personal con que cuenta, determinará cómo se procederá a la distribución de la correspondencia dentro de sus dependencias.

4.1. Funciones genéricas en cuanto a distribución de documentos, objetos y correspondencia

Podríamos enumerar una serie de funciones que se derivan de aquellas tareas que se realizan diariamente de forma cotidiana y que podríamos resumir:

- Reparto de la correspondencia a las horas establecidas y en cualquier momento de la jornada laboral en la que sea requerida su presencia para cualquier clase de envío tanto en el interior como exterior del organismo.

- Clasificación de la correspondencia según las normas establecidas por el Organismo y Correos.
- Recogida de la correspondencia, tanto interna como externa para su posterior entrega y distribución.
- Transporte de documentación urgente a cualquier unidad del organismo u organismos oficiales.
- Entrega en mano de comunicaciones excepcionales de Organismos en domicilios de trabajadores del mismo.
- Transporte y traslado de diverso material necesitado por las Direcciones o Secretarías del Centro.
- Gestiones de carácter extraordinario en los distintos Órganos de Correos.
- Aportación de documentación directamente a la propia oficina de registro, para que esta pueda ser gestionada sin demora por los administrativos del servicio.
- Prestar especial atención en el momento de la clasificación del correo a la llegada de Correo Certificado que por su especial característica debe ser registrado por los administrativos y repartido con la mayor celeridad.
- Traslado de material de oficina para su posterior reparto.
- Traslado de prensa diaria que se lleva al Director General.
- Traslado de portafirmas al Director y demás encargados de las unidades administrativas.
- Reparto de notas internas.
- Traslado de hojas de pedido a almacenes generales.

4.2. Recados y mensajes

En relación con los recados y mensajes:

- Recibir, conservar y distribuir los documentos, objetos y correspondencia que a tales efectos les sean encomendados.
- Realizar, dentro de la dependencia, los traslados de material, mobiliario y enseres que fueren necesarios.
- Realizar los encargos relacionados con el servicio que se les encomiende, dentro o fuera del edificio.
- Manejar máquinas reproductoras, multicopistas, fotocopiadoras, encuadernadoras y otras análogas, cuando sean autorizados para ello por el Jefe del Centro, oficina o dependencia.

Es así que el Personal Auxiliar de Servicios efectúa tareas de apoyo administrativo a la comunicación interna y/o externa de los distintos departamentos, mediante la utilización de los equipos existentes y la aplicación de las técnicas apropiadas, con objeto de contribuir al correcto flujo de informaciones orales y/o escritas.

Para la consecución de ese objetivo se atribuyen al Personal Auxiliar de Servicios las siguientes funciones:

- Utilizar con destreza y precisión los medios de teletransmisión –fax, télex, correo electrónico–, en el envío documental y/o de información que se requiera.
- Utilizar los medios de reprografía existentes –fotocopias u otros– y obtener las copias solicitadas en el número, plazo y formato establecidos.
- Distribuir la documentación existente –fotocopias u otros–.
- Confeccionar carteles informativos y colocarlos en los lugares indicados de acuerdo a las instrucciones recibidas.
- Emitir comunicaciones internas y/o llamadas por megafonía.

Por último, hay que señalar que el orden en que haya que efectuar los recados o transmitir los mensajes, va a depender esencialmente de:

- La urgencia de la labor encomendada.
- El rango del órgano emisor de la comunicación.

TEMA 17

Control de accesos. Revisión de instalaciones. Manejo y manipulación de cargas. Pantallas de visualización de datos

Índice

1. Control de accesos
2. Revisión de instalaciones
3. Manejo y manipulación de cargas
4. Pantallas de visualización de datos

1. Control de accesos

1.1. Introducción

Las labores de acogida y asistencia a los usuarios pueden llevar aparejada la función de control de su entrada y salida.

El ejercicio de esta función supone una filtración de los contactos a mantener, orientando y registrando los mismos y sus posteriores salidas, con objeto de controlar y regular adecuadamente el acceso a los locales de las personas externas al Centro.

El personal de control adscrito a un edificio público de uso administrativo, por lo general realizará las siguientes funciones:

- Velar por la seguridad del edificio en el que presten sus servicios de vigilancia.
- Ejecutar el procedimiento establecido para llevar a cabo el control de acceso.
- Ejecutar el procedimiento establecido para llevar a cabo la apertura y el cierre del edificio utilizando los sistemas de seguridad existentes.
- Gestionar los sistemas correspondientes a las medidas de seguridad de carácter electrónico existentes en el edificio. Conocerán las alarmas y cualquier otra medida de seguridad implantada en el edificio.
- Atender y transmitir al responsable de seguridad del edificio cualquier incidente relacionado con las funciones asignadas y las que le sean transmitidas por sus superiores.

Se llama **control de accesos** a la medida preventiva de seguridad consistente en la supervisión y regulación del tránsito de personas, vehículos y objetos a través de una o varias zonas, áreas o dependencias de un determinado lugar, instalaciones o edificio público o privado definidas como áreas seguras para la prevención y protección de riesgos.

El principal objetivo del control de accesos es minimizar o descartar riesgos de seguridad derivados de entradas y salidas no autorizadas. El control de accesos impide el paso de personas y vehículos que carezcan de autorización y permite detectar la presencia de paquetes y objetos sospechosos o sustraídos.

El control de accesos puede estar gestionado por una o varias personas que, a su vez, pueden ayudarse de sistemas electrónicos que faciliten el control y el registro administrativo de las visitas y de la paquetería, de modo que permita identificar a las personas y sus movimientos por las distintas dependencias del edificio.

También el control de accesos está relacionado con el control de entrada y salida de los trabajadores del centro. A este respecto hay que citar el artículo 35.5 del Estatuto de los Trabajadores que establece que, *a efectos del cómputo de horas extraordinarias, la jornada de cada trabajador se registrará día a día y se totalizará en el periodo fijado para el abono de las retribuciones, entregando copia del resumen al trabajador en el recibo correspondiente.*

A este respecto, hay que señalar que la Diputación Permanente del Congreso convalidó el 4 de abril de 2019 el Real Decreto-ley 8/2019, de 8 de marzo, de medidas urgentes de protección social y de lucha contra la precariedad laboral en la jornada de trabajo. Este Real Decreto-ley, en su artículo 10 establece la obligatoriedad del registro de la jornada de trabajo, a los efectos de garantizar el cumplimiento de los límites en materia de jornada, de crear un marco de seguridad jurídica tanto para las personas trabajadoras como para las empresas y de posibilitar el control por parte de la Inspección de Trabajo y Seguridad Social.

Dicho artículo modifica el artículo 34 del texto refundido de la Ley del Estatuto de los Trabajadores, aprobado por el Real Decreto Legislativo 2/2015, de 23 de octubre, añadiendo un nuevo apartado 9, con la siguiente redacción:

9. La empresa garantizará el registro diario de jornada, que deberá incluir el horario concreto de inicio y finalización de la jornada de trabajo de cada persona trabajadora, sin perjuicio de la flexibilidad horaria que se establece en este artículo.

Mediante negociación colectiva o acuerdo de empresa o, en su defecto, decisión del empresario previa consulta con los representantes legales de los trabajadores en la empresa, se organizará y documentará este registro de jornada.

La empresa conservará los registros a que se refiere este precepto durante cuatro años y permanecerán a disposición de las personas trabajadoras, de sus representantes legales y de la Inspección de Trabajo y Seguridad Social.

Se entiende por **sistema de control de accesos** el conjunto de subsistemas encargados de controlar la entrada de personas, vehículos, correspondencia y paquetería por puntos de acceso determinados y siempre obedeciendo a criterios preestablecidos mediante procedimiento.

Básicamente los controles de acceso se clasifican en dos tipos:

- *Sistemas de Control de Acceso Autónomos.*
- *Sistemas de Control de Acceso en Red.*

Los **Sistemas de Control de Acceso Autónomos** son sistemas que permiten controlar una o más puertas, sin estar conectados a un PC o un sistema central, por lo tanto, no guardan registro de eventos. Aunque esta es la principal limitante, algunos controles de acceso autónomos tampoco pueden limitar el acceso por horarios o por grupos de puertas, esto depende de la robustez de la marca. Es decir, los más sencillos solo usan el método de identificación (ya sea clave, proximidad o biometría) como una "llave" electrónica.

Los **Sistemas de Control de Acceso en Red** son sistemas que se integran a traves de un PC local o remoto, donde se hace uso de un software de control que permite llevar un registro de todas las operaciones realizadas sobre el sistema con fecha, horario, autorización, etc. Van desde aplicaciones sencillas hasta sistemas muy complejos y sofisticados según se requiera.

Los distintos sistemas de control de accesos vienen clasificados en la norma española UNE-108-230-86. Dicha norma clasifica los sistemas de control de acceso en dos grupos:

- Sistemas de control de accesos de personas.
- Sistemas de control de accesos de objetos.

A estos sistemas de control podríamos añadir un tercero dirigido al control de acceso de vehículos que entren a la zona de aparcamiento.

1.2. Control de personas visitantes y usuarios

Con el control de personas visitantes y usuarios se pretende:

- Permitir la entrada y salida a las personas autorizadas.
- Denegar la entrada o la salida al resto de personas, incluidos los objetos que portan.
- Obtener información de cuantas personas acceden, lo intentan o están presentes en el edificio (identidad, hora de entrada y salida, destino, etc.).

Para ello, el personal actuará del siguiente modo:

1.º Requerir la identificación de la persona que intenta acceder, mediante la exhibición del DNI.

2.º Anotar en el libro oficial de registro o aplicación informática habilitada para tal fin:

- Numeración del DNI.
- Datos personales (nombre y apellidos).
- Dependencia a la que se dirige.

3.º Identificación, procedencia y destino de los objetos que se pretendan introducir o sacar de las instalaciones. Se consignará en el libro de registro o aplicación informática los datos que permitan identificar claramente:

- Transportista.
- Mercancía.
- Destinatario.

En el caso que el control de accesos disponga de aparato de detección por rayos X, supervisado por personal homologado de seguridad, se someterá al paquete a la inspección correspondiente para asegurarse la inexistencia de objetos o armas.

4.º En algunos casos, se entregará a la persona visitante una acreditación identificativa que deberá portar en lugar visible durante su instancia en las instalaciones. Esta acreditación deberá ser devuelta a la finalización de su visita, a la salida del edificio.

> Nota: *Es importante tener en cuenta que este personal no está autorizado por ley a efectuar controles de identidad, por lo que en ningún caso podrán solicitar y retener la documentación personal de los visitantes. Se limitará por tanto a tomar nota de los datos facilitados por la persona interesada, indicando el objeto y destino de su visita, dotándole, cuando así se determine en las instrucciones de seguridad propias del edificio, de una credencial que le permita el acceso y circulación por el interior del inmueble, y que deberá devolver al finalizar la visita.*

En función de la exigencia o no de algún tipo de credencial para acceder al interior de un edificio, distinguiremos dos **formas de control de accesos**:

- Recepción de personas visitantes y usuarios (sin acreditación).
- Regulación del tránsito (con acreditación).

1.2.1. Recepción de personas visitantes y usuarios

Subsistema formado por el equipamiento informático que va a permitir llevar a cabo las tareas de recepción de las personas visitantes y usuarias que solicitan la entrada a los edificios, catalogados con RM-2 (riesgo medio) y RB-1 (riesgo bajo), registrando los datos personales de cada uno, mediante la gestión del programa adecuado.

1.2.2. Regulación del tránsito

Conjunto de elementos electrónicos y electromecánicos indicados para permitir el acceso al edificio y a las zonas restringidas que se determinen, solo a las personas empleadas públicas, visitantes y usuarias que dispongan de la correspondiente tarjeta identificativa que le acredite para ello, emitida siguiendo el procedimiento que se establezca para controlar el acceso. Se implantarán en edificios catalogados como RE-5 (riesgo especial), RA-4 y RA-3 (riesgo alto).

1.2.2.1. Sistemas de credenciales

La acreditación es un elemento de imagen, de información, de control y, sobre todo, de contacto, que permite la identificación del personal autorizado a moverse por un espacio determinado y diferenciarlo del resto no autorizado, mediante la colocación de un elemento visible (tarjeta o similar) con los datos personales y fotografía de quien lo porta, para evitar cualquier confusión.

En el caso de las visitas, la acreditación puede ser un soporte con la imagen corporativa y contener todos los datos necesarios para una rápida identificación, debe ser un sistema sencillo y muy visual para distinguir si se permite o no el acceso al recinto.

En función del tipo de tarjeta identificativa o credencial utilizado para la identificación de personas, los sistemas de control de accesos se dividen en:

- Sistemas de credencial material.
- Sistemas de credencial de conocimiento.
- Sistemas de credencial personal.

A) Sistemas de credencial material

Los sistemas más utilizados de credencial material son de cuatro tipos:

a) Llaves. Podemos encontrarnos con cinco tipos de llaves:

- Llave mecánica.
- Llave eléctrica.

- Llave electrónica.
- Llave magnética.
- Llave mixta.

b) Tarjetas. Las tarjetas de control e identificación son personales e intransferibles y deben incluir como mínimo:

- Nombre y apellidos.
- Número del DNI.
- Fotografía.
- Departamento u organismo.

Hay nueve tipos de tarjeta para accesos a las instalaciones de control:

- Tarjeta con código circuito eléctrico.
- Tarjeta con banda magnética.
- Tarjeta mecánica.
- Tarjeta holográfica.
- Tarjeta de código magnético.
- Tarjeta de código capacitativo.
- Tarjeta de código óptico.
- Tarjeta de código electrónico.
- Tarjeta mixta.

Para leer estas tarjetas se utilizan los **lectores digitales**, que son aquellos que funcionan con tarjetas de identificación que van asociadas a una persona. Las tarjetas de identificación pueden ser magnéticas o de proximidad. Las tarjetas RFID no requieren de contacto para ser leídas, de ahí que su nombre es "tarjetas de proximidad". Las tarjetas magnéticas sí se deben introducir en un lector para ser registradas.

c) Emisores. Hay tres tipos de emisores:

- Emisor de radiofrecuencia.
- Emisor de infrarrojos.
- Emisor de ultrasonido.

d) Adhesivos

B) Sistemas de credencial de conocimientos

Existen tres tipos de sistemas de credencial de conocimiento:

- Teclado digital.
- Cerradura de combinación.
- Escritura.

C) Sistemas de credencial personal

En función de la parte del cuerpo a reconocer estos sistemas pueden ser de:

- Huella digital.
- Voz.
- Geometría de la mano.
- Rasgos faciales.
- Iris de ojos.

Los lectores biométricos son los aparatos utilizados para reconocer estos rasgos.

1.2.2.2. Sistemas electrónicos de identificación automática

Los sistemas electrónicos de identificación automática de personas en los puntos de control de acceso (tornos/barreras/fichadores...) son una herramienta muy eficaz para controlar los movimientos de personal en un edificio o recinto mediante la combinación de sistemas electromecánicos y software informático para el control de barreras, molinetes y puertas, guardando toda la información de los movimientos efectuados en cada uno de los lugares a controlar.

Se aplican fundamentalmente con dos propósitos:

1. Identificar automáticamente a las personas mediante medios electrónicos portados como pueden ser tarjetas o llaves especiales, y/o equipos biométricos: de identificación personal de rasgos físicos intransferibles (huella dactilar, iris, voz...).
2. Complementar las funciones de los elementos de cerramiento (puertas y cerraduras) mediante automatismos, sensores de movimiento, accionamientos, etc.

Son elementos (llaves especiales, tarjetas) que contienen los datos de interés de la persona autorizada que deberá presentar ante los dispositivos de reconocimiento automático (lectores) para realizar la identificación mediante sistemas programados y automatizados sin hacer necesaria la asistencia de recursos humanos en el control de accesos.

A) Tornos

Elementos dispuestos en los puntos de acceso que se utilicen como entrada al edificio para las personas empleadas públicas, usuarias y visitantes, de forma que canalicen la entrada por los lugares indicados y restrinjan el paso, para que sea utilizado solo por personal autorizado.

a) Características técnicas:

- Serán del tipo portillos motorizados, pasillos automatizados, etc., y se utilizarán en función de las posibilidades de cada edificio.

b) Recomendaciones para su instalación:

- El control se formará mediante una batería de tornos y si fuera necesario con los elementos físicos adecuados para canalizar todo el flujo de personas hacia aquellos.
- Se instalará un número de tornos acorde con el volumen de ocupación, número de visitas y las características constructivas de la zona donde se instale.
- En todo caso existirán, como mínimo, dos tornos en la zona donde se establezca el punto de acceso principal y uno en los secundarios.
- Los tornos incorporarán los elementos necesarios que permitan, mediante la tarjeta correspondiente, tanto a la entrada como a la salida, discriminar el paso entre personas empleadas públicas y visitas.

Cuando por cualquier motivo no sea posible la instalación de tornos, el control deberá efectuarse con personal de vigilancia, en número suficiente, para que el control se realice con las máximas garantías utilizando el equipamiento necesario para identificar y acreditar a las personas visitantes y usuarias.

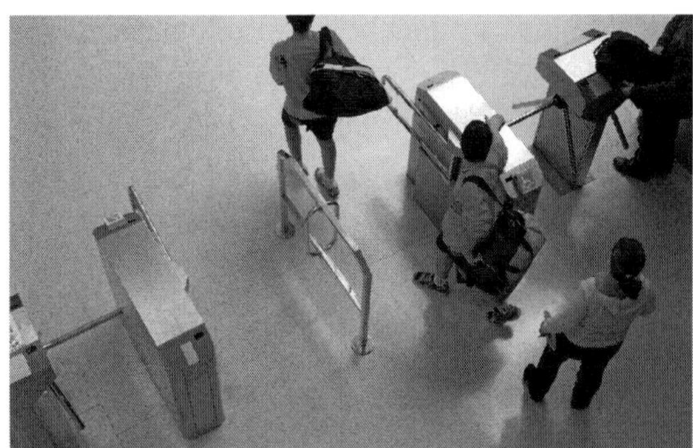

B) Lectores de tarjetas

Dispositivo encargado de controlar el acceso a las zonas de uso restringido que se determine, en los edificios catalogados como RE-5 (riesgo especial) y RA-4 (riesgo alto). Permitirá el control de todas las puertas que se utilicen como acceso al área restringida. El dispositivo podrá funcionar de forma autónoma o formando parte de un sistema que regule de manera centralizada el acceso al edificio y a las zonas restringidas.

1.3. Control de accesos de objetos

Los encargados del control de entrada y salida podrán comprobar, cuando así se les encomiende, el contenido de los bultos o paquetes sospechosos que el personal o los usuarios del Servicio entren o saquen de los locales.

Deben declararse a la entrada los objetos que a la salida pudieran dar lugar a dudas sobre la licitud de su tenencia. Todo el personal ha de colaborar con estos vigilantes facilitándoles estas comprobaciones, de acuerdo con el art. 18 del Estatuto de los Trabajadores.

No se deberá permitir la salida sin autorización de ningún objeto o material de servicio que no hubiese sido declarado a la entrada.

Cuando por obras u otra causa, alguna dependencia precise dar salida a un considerable volumen de objetos o material, deberá participarlo al personal de control de entrada y salida para su debido control.

Si la persona afectada por estas comprobaciones se negase a facilitarlas, se le identificará y retendrá dando cuenta al responsable de Seguridad en la Unidad respectiva, quien se personará inmediatamente en el lugar de los hechos resolviendo lo procedente.

Si se tratase de un individuo al servicio del propio organismo, el mismo podrá solicitar la presencia de su Jefe inmediato para que informe o esté presente en las comprobaciones necesarias y en tanto se produce la presencia de dicho Jefe y del de Seguridad, el interesado podrá ausentarse dejando en depósito los objetos o paquetes sospechosos, de los que se le dará recibo.

Los **sistemas de control de accesos** de objetos son muy variados; a continuación relacionamos los más frecuentes, indicando los tipos de objetos que controlan:

A) Detector analizador de vapores (portátil o por paso)

Sirven para detectar:

- Materiales explosivos en personas.
- Materiales explosivos en paquetes.
- Artefactos explosivos.
- Drogas.

B) Detector de explosivos por radiación (portátil o por paso)

Sirven para detectar:

- Materiales explosivos en paquetes.
- Artefactos explosivos.

C) Detector de metales portátil

Sirve para detectar:

- Armas.
- Metales específicos.
- Herramientas.

D) Detector de metales por paso

Subsistema encargado de la detección de los objetos metálicos que porten las personas, mediante la instalación de equipos capaces de emitir una señal acústico-luminosa cuando estas atraviesan el umbral del equipo detector. Está indicado para edificios catalogados como: RE-5, RA-4, RA-3 y RM-2.

El **arco detector de metales** es el equipo compuesto por un pórtico detector, de dimensiones que permita el paso de una persona, y la unidad electrónica de control, para el tratamiento de la señal, integrada en el propio pórtico. Se instalará en los puestos de control o vigilancia que se implanten para controlar el acceso de personas visitantes y usuarias que se encuentren protegidos de la intemperie y libre de interferencias eléctricas.

Sirve para detectar:

- Artefactos explosivos.
- Armas.
- Materiales nucleares.
- Metales específicos.
- Herramientas.

E) Monitor nuclear

Sirve para detectar:

- Materiales nucleares.

F) Equipos de inspección por rayos X (portátiles)

Sirven para detectar:

- Artefactos explosivos.

G) Equipos de inspección por rayos X (fijos)

Este dispositivo de inspección por sistema de escáner es capaz de proporcionar imágenes del interior de cuerpos opacos mediante la utilización de rayos X. Estos equipos permiten la exploración de paquetes, bultos y objetos memorizando digitalmente la imagen radioscópica producida, de manera que pueda analizarse aun cuando el objeto ya no se encuentre en su interior.

El dispositivo deberá ubicarse en el puesto de control de acceso principal al edificio y estará formado por:

- El equipo.
- El software en cuestión.
- Teclado.
- Monitor.
- Cuadro de mando.
- Rampas de entrada/salida.

Estos equipos sirven para detectar:

- Artefactos explosivos.
- Armas.
- Metales específicos.
- Herramientas.

H) Perros

Se entrenan para detectar:

- Materiales explosivos en personas.
- Materiales explosivos en paquetes.
- Artefactos explosivos.
- Drogas.

I) Otros animales

También se entrenan para detectar:

- Materiales.
- Materiales explosivos en paquetes.
- Artefactos explosivos.
- Drogas.

J) Detector de objetos marcados

Sirve para detectar:

- Mercancías marcadas.

K) Detector de cartas explosivas

Sirve para detectar.

- Artefactos explosivos.

1.4. Sistema de control de acceso de vehículos

El control de acceso de vehículos puede utilizarse en zonas de aparcamiento exclusivas del organismo y, generalmente, con capacidad para al menos diez vehículos.

Los elementos que se instalen en cada uno de los puntos de acceso vendrán determinados por la disposición de las zonas (interior/exterior) de aparcamiento y por el tipo de control que de ellas se haga.

A dichos efectos podemos formar los siguientes grupos:

A) Aparcamiento exterior o interior con control directo por personal de vigilancia:

- Barrera automática.
- Cuadro de maniobras.
- Sistema contador de vehículos.

B) Aparcamiento exterior mediante control remoto:

- Puerta de apertura remota.
- Avisador acústico (interior/exterior) para apertura desde puesto de control.
- Videocámaras (exterior/interior) para identificación del vehículo desde el centro de control.
- Monitor en puesto de control.
- Cuadro de maniobras del sistema de apertura y cierre.

C) Aparcamiento interior mediante control remoto:

Aparcamiento interior es la zona del inmueble que se destine al estacionamiento de vehículos y que se encuentre bajo cubierta y totalmente cerrada.

- Doble puerta de apertura remota que funcione a modo de esclusa.
- Avisador acústico (exterior/interior) para apertura desde puesto de control remoto.

- Videocámaras (exterior/interior) para identificación del vehículo desde el centro de control.
- Monitor en puesto de control.
- Cuadro de maniobras del sistema de apertura y cierre de la esclusa.

1.5. Tareas asociadas al control de accesos

En muchos edificios públicos, la función del control de accesos puede conllevar las tareas siguientes:

- **Control de seguridad del perímetro exterior de acceso al edificio.** Para ello, el personal deberá hacer la correspondiente ronda de seguridad exterior de los accesos al edificio para verificar:
  * Que no existen desperfectos en la fachada u obstáculos que impidan o dificulten los accesos al edificio.
  * Que no existen personas, vehículos u objetos que requieran tratamiento específico de seguridad.
- **Control de seguridad interior del edificio**. Para ello deberá:
  * Realizar la ronda interior de seguridad según las normas y protocolos establecidos por la Dirección del Centro.
  * Realizar el control de las áreas sensibles.
  * Identificar a toda persona que permanezca en el edificio sin autorización fuera del horario laboral normalizado y de atención al público; debiéndolo:
    - Anotar en el libro oficial de incidencias.
    - Comunicar en tiempo y forma a la persona titular de la administración general del edificio.
  * Controlar los accesos y movimientos por el edificio del personal de contratas y servicios externos que realicen su trabajo fuera del horario laboral normalizado.
- **Supervisión de la puerta de acceso del personal**. En el caso de que el edificio disponga de una puerta de entrada y salida diferente para el personal, o de un horario diferente, el personal de servicios cuidará de que la entrada y salida se realicen según las normas y protocolos establecidos por la Dirección del Centro.
- **Control de acceso a plantas interiores**. En ocasiones, se demanda el control de accesos a ciertas áreas de trabajo, despachos y otras dependencias de los departamentos y servicios. Para ello, el personal de servicios, conforme a las normas y protocolos establecidos, facilitará la acreditación a los visitantes, anotando en el correspondiente libro de registro o aplicación informática los datos exigidos. El visitante llevará la tarjeta acreditativa para la zona determinada en un lugar visible durante su estancia en el recinto.

- **Supervisión de la puerta de servicio**. Algunos edificios cuentan con puertas de acceso para el personal de mantenimiento; en este caso, el personal en funciones de control de acceso atenderá la entrada y salida asegurándose de un uso correcto por parte de las personas autorizadas.
- **Supervisión de las puertas de emergencia**. El uso de estas puertas está limitado a las necesidades de evacuación en situación de emergencia, o razones de seguridad determinadas por la dirección del centro. El personal deberá comprobar periódicamente que los elementos de apertura y cierre funcionan correctamente.

1.6. El registro de novedades e incidencias

La Dirección del Centro deberá habilitar al personal un libro de registro para novedades e incidencias relevantes que acontezcan durante el servicio.

Ciertas incidencias requieren de la Dirección un seguimiento, tratamiento o actuación específica. Otras, menos graves, conviene que sean registradas para un posterior análisis, evaluación y corrección de errores (incidencias con respecto a las alarmas, incidentes con personas, averías o labores de mantenimiento, objetos perdidos, etc.).

1.7. Descripción de personas

Todas las personas que acceden al interior del edificio pasan por los controles del ordenanza o conserje en funciones de control de accesos. Por ello, es importante que este personal tenga buena capacidad de observación y descripción de personas, espacios y sucesos. El ordenanza o conserje que efectúa las tareas de control de acceso es la única persona del edificio o recinto por el que pasan todos los usuarios y trabajadores que acceden al interior, por eso es interesante que tenga unas buenas dotes de observador y sepa describir con precisión personas y situaciones, apreciando los detalles que las distinguen.

A continuación vamos a ver los rasgos más importantes a tratar en una descripción de personas:

A) **Características generales**:

- Sexo.
- Raza o tez.
- Altura (estimada).
- Edad (estimada).
- Figura o forma (postura o actitud).
- General (alto, normal, bajo).

- Específica (muy gordo, gordo, redondo, medio o delgado).
- Peso (estimado).

B) **Características especiales**:

a) De la cabeza:
   - Grande, normal o pequeña.
   - Larga o corta.
   - Ancha o estrecha.
   - Redonda, recta por detrás...

b) De la cara:
   - Forma (redonda, cuadrada, ovalada, ancha, larga).

c) De las cejas:
   - Color.
   - Rectas o arqueadas.
   - Unidas.
   - Textura (fina, normal o gruesa).
   - Pelos (cortos, normales o largos).

d) De los ojos:
   - Hundidos, normales o saltones.
   - Separación (ancha, normal o estrecha).
   - Bizquera.
   - Párpados (naturales, caídos).
   - Pestañas (color, tamaño, forma).

e) De la nariz:
   - Longitud (larga, normal o corta).
   - Anchura.

f) De los labios:
   - Finos, normales o gruesos.

g) Del bigote o la barba:
   - Color (ver si hay diferencia con el cabello).
   - Estilo.
   - Configuración.
   - Estado de crecimiento.

h) De las orejas:
   - Tamaño (pequeñas o grandes).
   - Forma (ovaladas, redondas, triangulares).
   - Separación (pegadas, normales, salientes).

i) Del tronco:
   - Conjunto (grande, normal, pequeño).
   - Perfil del pecho (salido, normal o liso).
   - Pecho, de frente (ancho, normal o estrecho).
   - Espalda (recta, curvada, con joroba).
   - Cintura (pequeña, normal o grande).
   - Abdomen (liso, normal o saliente).

j) De las piernas:
   - Largas, normales o cortas.

k) De los pies:
   - Pequeños, normales, grandes (en relación con el tamaño del cuerpo).

l) Del pelo:
   - Color (rubio, moreno, rojo, castaño o rojizo, negro, gris, veteado, blanco).
   - Tintado o teñido.
   - Densidad (espeso, normal, claro).
   - Calvas (total, parcial, frontal, occipital).

m) De la frente:
   - Altura (normal. alta o baja).
   - Anchura (normal o estrecha).

n) De las manos:
   - Pequeñas, normales o grandes (en relación con el resto del cuerpo).
   - Dedos (largos, normales, cortos).
   - Deformaciones o peculiaridades.

ñ) De las marcas:
   - Tatuajes.
   - Lunares (indicar si llevan vello).
   - Cicatrices (forma, situación, dirección, extensión).

C) **Características de la indumentaria:**

En la descripción de la persona hay que mencionar también sus prendas de vestir:

- Prenda de abrigo (gabardina, abrigo, anorak, chaquetón).
- Chaqueta (sport, color, anchura, modelo).
- Jersey (color, cuello).
- Calzado (zapatos, botas, alpargatas, deportivos), color y desgaste.

2. Revisión de instalaciones

2.1. Apertura y cierre de edificios y locales

2.1.1. Apertura de edificios

La apertura del edificio comprende las siguientes tareas:

- Inspeccionar visualmente los elementos estructurales de acceso exteriores comprobando el estado de escaleras, rampas, puertas, ventanas, etc.
- Desconectar el sistema de alarma.
- Revisar planta por planta el estado de las zonas de trabajo y uso público, así como la ausencia de incidencias que requieran una atención especial.
- Encender las luces principales del edificio.
- Abrir a la hora concertada las puertas de acceso, supervisando que la entrada se realice según las normas y protocolos establecidos por el administrador o administradora.

2.1.2. Cierre de edificios

A la finalización de la jornada laboral se realizará una ronda completa de inspección por todo el edificio comprobando, planta por planta, el estado general y la ausencia de incidencias que requieran una atención especial. Esta actividad se realizará siguiendo el protocolo descrito por la administración del edificio.

Concluida esta actividad, el personal abandonará el edificio conectando la alarma y cerrando las puertas principales de acceso.

2.1.3. Rondas

La ronda de seguridad es una tarea a realizar en la apertura y cierre del edificio que tiene como principal función la inspección de seguridad del edificio al inicio y finalización de la jornada laboral diaria, verificando el estado general de las instalaciones en materia de seguridad, y el correcto funcionamiento de los equipos y sistemas de detección y alarma.

La ronda se realizará antes de la apertura del edificio al personal y al público en general y al finalizar la jornada laboral cuando todo el personal haya abandonado el edificio.

Realizando el recorrido planta a planta, inspeccionando y asegurando cada una de ellas, de tal forma que su labor contribuya a garantizar el control de incidencias y la seguridad general en el edificio.

Para la adecuada realización de esta tarea es preciso que el personal conozca detalladamente el edificio, así como el funcionamiento de los equipos y sistemas de seguridad disponibles; especialmente las alarmas.

2.1.4. Áreas sensibles

Las áreas sensibles son aquellas zonas, salas o despachos que por circunstancias concretas requieran de una atención de seguridad específica. Por regla general, las áreas sensibles más destacables y que exigen de un mayor control de seguridad en cualquier edificio público son:

A) Despacho de dirección y alto cargo

La inspección se realizará todos los días a partir de la finalización del horario laboral normalizado, cuando la dirección o alto cargo y su secretaria o secretario hayan abandonado el edificio.

Se comprobará si el despacho y las salas anexas están cerradas, en caso contrario se comprobará la presencia e identidad de quien permanezca en su interior; a la salida se cerrarán las puertas registrando el hecho como incidencia en el libro oficial de incidencias o aplicación informática correspondiente.

Durante la inspección no es preciso entrar en los despachos si las puertas están cerradas o no se detectan irregularidades desde el exterior. Únicamente se accederá a ellos cuando la comprobación así lo exija por razones evidentes de seguridad.

B) Salas y cuartos de máquinas e instalaciones

En estas salas o cuartos técnicos es necesario inspeccionar que todo esté, aparentemente, en orden, comprobando lo siguiente:

- Que no permanecen en su interior personas no autorizadas.
- Que las puertas estén o se queden cerradas.

2.2. Puesta en marcha y parada de instalaciones

Muy relacionada con la función de apertura y cierre de edificios y locales está la función de puesta en marcha y parada de instalaciones; ya que la puesta en marcha está relacionada con la apertura del edificio o local; mientras que la parada de instalaciones se vincula con el cierre del mismo.

Durante el proceso de apertura del edificio, el Auxiliar de Servicios realizará la desconexión del sistema de alarma y revisará planta por planta el estado de las zonas de trabajo y uso público, así como la ausencia de incidencias que requieran una atención especial.

Una vez finalizada la ronda o en el transcurso de la misma se encenderán las luces del edificio, abriendo a la hora concertada las puertas de acceso, supervisando que la entrada se realice según las normas y protocolos establecidos por el administrador o administradora.

En relación con las instalaciones del local o recinto, la función de puesta en marcha de instalaciones comprendería la puesta a punto y en servicio de:

- La calefacción o refrigeración de la sala (encendido y apagado, conservación y limpieza de sistemas de calefacción o de aire acondicionado y climatizadores, cualquiera que sea este).
- Los sistemas de ventilación exterior (ejemplo: apertura y cierre de ventanas y balcones) y/o interior (ejemplo: mismas obligaciones respecto del sistema de extractores de aire que exista).
- La iluminación artificial y/o natural (encendido y apagado de luminarias, conservación, mantenimiento y limpieza).
- La iluminación de señalización y de emergencia (control de su correcto funcionamiento, conservación y permanencia).

A la finalización de la jornada laboral el Auxiliar de Servicios realizará una ronda completa de inspección por todo el edificio comprobando, planta por planta, revisará todas las dependencias, cerrará las puertas y ventanas, apagará las luces, cerrará grifos, apagará las instalaciones de calefacción, aire acondicionado y cualesquiera otras que deban ser desconectadas al cierre del Centro. Esta actividad se realizará siguiendo el protocolo descrito por la administración del edificio.

Concluida esta actividad abandonará el edificio conectando la alarma y cerrando las puertas principales de acceso.

Un gran edificio público de oficinas o servicios cuenta, por lo general, con un gran número de instalaciones, como son:

1. **Electricidad en Alta y Media Tensión.**
   a) Centros de Transformación (celdas de entrada/salida, protección, medida, transformadores y salidas en baja tensión).
   b) Centro de seccionamiento.
   c) Líneas.
   d) Puestas a tierras.
2. **Electricidad en Baja Tensión.**
   a) Centros de Transformación (celdas de entrada/salida, protección, medida, transformadores y salidas en baja tensión).
   b) Acometidas.

c) Cuadros Generales de Distribución y Secundarios.

d) Derivaciones.

e) Cuadros eléctricos interiores y exteriores.

f) Tomas de corriente.

g) Equipos de compensación de energía reactiva.

h) Red de tierras.

i) Equipos de alumbrado interiores y exteriores.

j) Equipos de alumbrado de emergencia.

k) Instalaciones interiores y líneas.

l) Sistemas de prevención de sobretensiones y protección con pararrayos.

m) Mecanismos, protecciones, etc.

3. Climatización (calefacción, aire acondicionado y control).

a) Equipos generadores de frío o calor.

b) Climatizadores.

c) Motobombas.

d) Bombas de circulación.

e) Acumuladores.

f) Vasos de expansión.

g) Intercambiadores.

h) Cuadros de fuerza.

i) Cuadros de control y regulación.

j) Depósitos de combustible y grupo trasiego de gasóleo.

k) Equipos autónomos de climatización (splits, portátiles, de ventana...).

l) Elementos de control y regulación.

m) Equipos terminales (radiadores de chapa o de hierro, fancoils...).

n) Redes de distribución, compuertas, elementos de difusión, valvulería y accesorios.

ñ) Ventilación y extracción de humos.

o) Torres de refrigeración.

p) Tanques de agua y equipos auxiliares.

q) Cámaras de conservación y congelación.

4. **Gas y/o Gasóleo.**
   a) Contadores.
   b) Acometidas.
   c) Rampas.
   d) Distribución.
   e) Válvulas.
   f) Tanques.
5. **Agua Caliente Sanitaria.**
   a) Equipos de producción de ACS.
   b) Distribución.
   c) Elementos terminales.
   d) Termostatos, etc.
6. **Fontanería y Saneamiento.**
   a) Redes generales y acometidas.
   b) Recogida y evacuación de aguas pluviales.
   c) Emboces.
   d) Atascos.
   e) Grifería y valvulería.
   f) Sanitarios.
   g) Duchas.
   h) Sistemas de presión de agua.
   i) Sistemas de tratamiento de aguas (potabilizadoras, descalcificadoras, etc.).
7. **Sistemas de Alimentación Ininterrumpida.**
8. **Grupos electrógenos.**
   a) Grupos electrógenos.
   b) Equipos auxiliares.
9. **Protección contra incendios.**
   a) Centralitas.
   b) Grupos de presión.
   c) Redes de distribución.
   d) Aljibes.

e) Compuertas cortafuegos.
f) Sistemas automáticos de detección y alarma de incendios.
g) Sistema manual de alarma de incendios.
h) Extintores de incendios.
i) Bocas de incendio equipadas (BIE).
j) Hidrantes.
k) Columnas secas.
l) Sistemas fijos de extinción:
   i. Rociadores de agua.
   ii. Agua pulverizada.
   iii. Polvo.
   iv. Espuma.
   v. Agentes extintores gaseosos.
m) Sistema de abastecimiento de agua contra incendios.

10. Voz y Datos.

a) Sistema de vídeo-conferencia.
b) Sistema y equipos de megafonía.
c) Sistema y equipos de telefonía.
d) Sistema de voz y datos.

11. Instalaciones y equipos audio-visuales.

a) Equipos de audio-vídeo.
b) Proyectores.
c) Antenas de televisión.
d) Sistemas de grabación y duplicado de voz e imágenes.
e) Limpieza de cabezales de vídeo.
f) Reparación, regulación y sintonización de aparatos de TV, vídeo, cámaras, mezcladores de imagen y sonido, etc.

12. Cerrajería, carpintería de madera y metálica.

a) Ventanas y sus accesorios.
b) Manillas de apertura y soporte.
c) Otros elementos metálicos.

d) Puertas y puertas cortafuegos y sus accesorios.

e) Puertas y verjas automáticas de garajes y sus accesorios.

f) Muelles cierra-puertas

13. Tratamientos preventivos y correctivos de la legionella.

14. Instalaciones relacionadas con otras tareas:

a) Trabajos en Instalaciones y equipos de riego para atender los jardines.

b) Trabajos necesarios para desemboces de bajantes.

c) Trabajos de ayuda correspondientes al ramo de albañilería, carpintería, cerrajería, pintura y otros trabajos necesarios para completar los trabajos de reparación efectuados y las tareas relativas al mantenimiento preventivo y correctivo de las Instalaciones descritas en los puntos anteriores (del 1 al 13), para dejar dichas Instalaciones en su estado original antes de la avería y en condiciones adecuadas después de la intervención.

d) Obras necesarias de albañilería en elementos constructivos tales como repaso y reparación de goteras y filtraciones, etc.

e) Trabajos en fachadas y cubiertas, tales como limpieza y/o retirada según necesidades (pintadas, graffitis, elementos obsoletos, etc.).

f) Trabajos de persianas interiores y accesorios de cortinas de oficina.

g) Trabajos de persianas exteriores y lamas de ventanas.

h) Tratamientos preventivos y correctivos ante cualquier tipo de plaga (desinfección, desinsectación, desratización, etc.).

i) Retirada y destrucción y/o reciclaje de basuras industriales, muebles, etc.

j) Reparación de mobiliario de oficina.

k) Traslado, montaje y desmontaje de mobiliario, estanterías y archivos en los casos que fuese necesario.

l) Traslados, montaje y desmontaje de los sistemas de megafonía, telefonía, informática, estenotipia, videoconferencia, electrodomésticos y similares

m) Otros trabajos de jardinería: mantenimiento de zonas ajardinadas (césped, arbustos, etc.). Abono y replantado de césped y arbustos. Podas, etc.

n) Otros trabajos requeridos.

No corresponde al Auxiliar de Servicios el mantenimiento técnico ni la utilización de las instalaciones pero sí es conveniente que, al menos, tenga conocimiento de su ubicación y la puesta en marcha y parada de aquellas que se le encomiendan.

2.3. Custodia y control de llaves

Cuando así se determine por la administración del edificio el Auxiliar de Servicios se encargará de la custodia y control de llaves del edificio, bien sea para uso exclusivo del personal del centro o para su cesión temporal a personas externas que lo soliciten, en cuyo caso se anotarán en el libro oficial de registro o aplicación informática los movimientos de llaves, entrega y recogida solicitadas por personal laboral y contratas externas autorizadas por la administración del edificio.

3. Manejo y manipulación de cargas

Muchas de las funciones del Auxiliar de Servicios Generales están relacionadas con el manejo de cargas, lo que puede implicar para este personal la realización de tareas de manipulación, traslado, almacenamiento y custodia de los objetos, que tratamos a continuación.

3.1. Palets

El palet (también llamado palé, paleta, tarima o estiba) es el elemento básico, reconocido universalmente, como indispensable para el manejo de una carga unitaria.

Recibe el nombre de palet o paleta toda plataforma portátil, dotada o no de superestructura, sobre la cual se compone la unidad de carga más adecuada a la que se va a manejar, para su manutención y/o almacenaje, por medio de los diferentes elementos mecánicos.

La norma UNE ISO 445 lo define como: "*plataforma horizontal rígida, cuya altura está reducida al mínimo compatible con su manejo mediante carretillas elevadoras, transpaletas o cualquier otro mecanismo elevador adecuado, utilizado como base para agrupar, apilar, almacenar, manipular y transportar mercancías y cargas en general*".

La medida más corriente para la plataforma del palet es de 800mm x 1200mm para todos los productos de gran consumo. El europalet o palet europeo estándar es un tipo específico de palet con estas medidas anteriormente descritas.

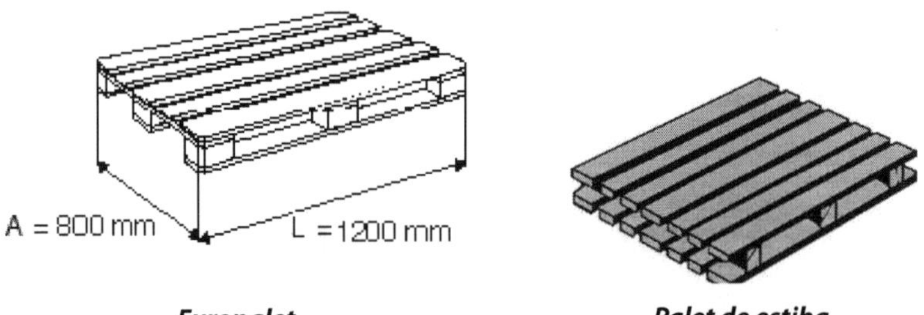

Europalet ***Palet de estiba***

La plataforma del palet está apoyada sobre largueros, convenientemente separados para permitir el paso de las horquillas de las carretillas y demás elementos de manejo; estos largueros, además, sirven para soportar la paleta para su apilado.

Existen multitud de tipos y tamaños de paletas disponibles. La elección de una u otra, debe de realizarse en función de las dimensiones de la unidad de carga, del método de manejo y almacenamiento escogido, e incluso del sistema de transporte empleado.

Si la paleta ha de ser transportada horizontalmente por una simple transpaleta eléctrica o manual, solamente se puede utilizar un cierto tipo. Las transpaletas se suelen introducir empujando, en el caso de las manuales, o conduciendo, cuando se trata de transpaletas eléctricas, debajo de las tablas de soporte de la paleta, usando ruedas de pequeño tamaño montadas en las horquillas de estas máquinas, pero permaneciendo siempre en contacto con el suelo. Por lo tanto, tan solo las paletas de dos entradas son adecuadas para este trabajo; las paletas de cuatro entradas también pueden ser utilizadas, pero solamente por el camino que permite que las ruedas permanezcan en contacto con el suelo.

Las paletas de dos entradas suelen ser bastante resistentes y sobre todo económicas, sin embargo, son susceptibles de errores de posicionamiento en las estanterías. Las de cuatro entradas ofrecen un mayor grado de utilidad en el ciclo total de manejo, solamente tienen un inconveniente y es que cuando no son exactamente cuadradas, pueden inducir a errores de manejo y colocación; conviene pues tener muy en cuenta estos dos aspectos a la hora del diseño de un almacén.

Cuando se almacena en bloque, se deben de usar paletas con un mínimo de dos o tres tablas en la plataforma superior, que pueden colocarse en altura encima de los productos de la de abajo; la utilización de estanterías permite la colocación de dos paletas en profundidad. La adopción de paletas con un perímetro de madera cerrando la base, proporciona una mejor repartición del peso de la carga y, cuando este perímetro es total el reparto de la misma es idóneo, siendo por lo tanto este el mejor de todos los disponibles.

El tablero superior de la paleta debe de ser elegido de acuerdo con la carga que se va a transportar, no teniendo que ser forzosamente igual que el tablero inferior. Esto es independiente de que la paleta sea de borde inferior abierto o cerrado. Existen muchas paletas en el mercado que tienen el tablero superior sobresaliente de la base. Estas paletas tienen una cierta ventaja cuando se usan con cargas de ancho total, aseguradas mediante el retractilado o la envoltura pero, sin embargo, no son adecuadas para los sistemas *drive-in* o *drive-throught*, porque pueden quedar enganchadas en los pilares de las estanterías.

La calidad de las paletas depende básicamente del material del que estén fabricadas. Para las paletas denominadas *desechables*, es decir, de un solo uso, se suelen utilizar paletas de cartón prensado, plásticos ligeros y maderas ligeras.

Cuando se trata de utilizar paletas de uso continuado, la preferencia se inclina más hacia maderas duras, no necesariamente de extremada dureza, ya que estadísticamente prima más en su calidad el que las tablas tengan pocos nudos y muchas fibras que lo contrario; igualmente es muy importante el método que se utilice para la fijación de las maderas (tornillos, clavos retorcidos, encolados, etc.). Existen normas internacionales que imponen las medidas y métodos de fijación más adecuados, aunque no todas son iguales; así, mientras que las normas ISO (*International Standards Organization*) y BSI (*British*

Standards Institution) centran sus especificaciones en las dimensiones y los rendimientos de las paletas, las normas europeas, de las cuales la más significativa es la denominada **Europallet** fija también la especificación del producto.

Cuando las cargas no pueden ser apiladas unas directamente sobre otras, se pueden utilizar paletas con pilares para el apilado a una altura razonable, dentro de los límites de resistencia de los mismos, siempre y cuando no se disponga de estanterías; estas paletas son generalmente metálicas, aunque la base suele ser de tablero de madera conglomerada y están provistas de pilares en sus esquinas, formando un armazón, que en su parte inferior poseen un alojamiento que les permite introducirse en la parte superior de la paleta colocada debajo.

También pueden ser utilizadas las paletas convertibles, que son paletas que permiten la introducción en sus esquinas de los pilares de una armadura metálica, que sirve de soporte a la paleta superior; estas tienen la ventaja de poder ser usadas de las dos maneras, es decir, como paleta convencional para cargas estables y con armadura para el caso de cargas inestables o de poca resistencia intrínseca.

La estructura de las paletas con pilares y de algunas de las paletas convertibles sirven como base para la construcción de las paletas-contenedor, cuyo uso está claramente indicado para aquellas cargas que no son estables o que claramente no pueden ser auto-apiladas.

Un tipo de paleta que difiere totalmente en su función de los anteriormente descritos es el Roll-pallet. Este tipo pueden estar provistos de varios niveles o simplemente formados por los soportes laterales, en cualquier caso es necesario sujetar las cargas por medio de tirantes. Al igual que cualquiera de los otros tipos de paletas, los roll-pallets pueden ser cogidos por las carretillas elevadoras, pero también están provistos de una estructura sobre ruedas que les permite ser arrastrados y actuar como remolques. Los roll-pallets son muy utilizados en aquellas actividades en que las mercancías han de entregarse en lugares que no disponen de sistemas mecánicos de descarga.

El material utilizado básicamente para la fabricación de los roll-pallets es el perfil de acero. Existe una gama ilimitada de tamaños y configuraciones, siendo la tendencia más usual la de fabricarlos a la medida de las necesidades del usuario. No existen, por lo tanto, normas ni especificaciones estándar para su fabricación y/o uso.

3.2. Medios mecánicos de carga, descarga y transporte de objetos y enseres

Los medios que se mueven y trasladan dentro del almacén son los denominados medios mecánicos. Los medios mecánicos en un almacén pueden ser muchos y diversos, estando en función del tamaño del almacén y de su grado de mecanización y/o automatización.

Entre los diferentes medios mecánicos que pueden existir en un almacén, distinguiremos dos tipos:

- Medios mecánicos manuales.
- Medios mecánicos autopropulsados.

3.2.1. Medios mecánicos manuales

Se conocen con el nombre de medios móviles manuales a aquellos que no poseen movimiento autónomo propio y que, por lo tanto, necesitan de la fuerza del hombre para realizarlo.

Según su función se pueden clasificar en:

- Equipos de transporte.
- Equipos de elevación y descenso.
- Equipos de suspensión de cargas.

No obstante, muchos de los equipos existentes en el mercado pueden realizar varias de esas funciones.

La *Guía para la selección de ayudas a la manipulación de cargas* editada por el Instituto Nacional de Seguridad e Higiene en el Trabajo y el Centro Nacional de Nuevas Tecnologías, enumera y describe los siguientes equipos mecánicos de control manual que pueden emplearse como ayuda a la manipulación de distintos tipos de cargas:

- Cajas y estanterías rodantes.
- Carretillas y carros.
- Mesas y plataformas elevadoras.
- Carros de plataforma elevadora.
- Transpaletas.
- Apiladores manuales.
- Volteadores.
- Sistemas basados en poleas.
- Torno o cabrestante.
- Bandas y cintas transportadoras a rodillo o a bolas.

A) Cajas y estanterías rodantes

Se trata de un diseño muy sencillo en el cual, a diversos tipos de sistemas de almacenamiento se le añaden ruedas. El empleo de las ruedas facilita y reduce las fuerzas de empuje y tracción. Podemos encontrarlos de los siguientes tipos:

a) **Plataforma universal**; se trata de un simple tablero con ruedas. A partir de este se pueden

encontrar variaciones más o menos complejas. Así, la plataforma puede tener una forma específica, circular por ejemplo para bidones o cubas, o un tamaño determinado adecuado a un cajón.

b) **Plataforma rodante con varias niveles de carga**. La plataforma puede encontrarse a diferentes alturas, bien a ras de suelo o a la altura de una mesa.

   También puede disponer de asideros que faciliten el transporte.

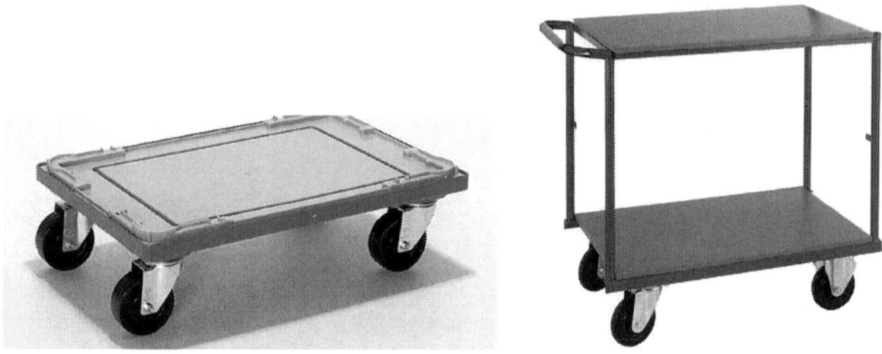

c) **Carro de paquetería con estantes/cajones**. Pueden disponer de paredes de distintos materiales o bien disponer de distintas alturas mediante tablones en los que pueden ir encastrados cajones para piezas sueltas o pequeñas.

d) **Carro rodante con paredes de rejilla**. Modelos con paredes de distintos materiales adaptados para distintos tipos de cargas. Podemos asimilarlos a los típicos carros de la compra de los supermercados. Son ideales para el transporte de pequeños objetos por las distintas dependencias del edificio.

B) Carretillas y carros

Una carretilla es un carro pequeño de mano, generalmente de una sola rueda, con un cajón para poner la carga y, en la parte posterior, dos varas para dirigirlo y dos pies en que descansa, utilizado en las obras para trasladar tierra, arena y otros materiales.

Este diseño permite distribuir el peso de la carga entre la rueda y el trabajador, lo que facilita su transporte.

En la actualidad nos encontramos con una gran variedad de carretillas y carros, generalmente de dos ruedas, más estables que la carretilla clásica y que se emplean para cargar y transportar cajas y otras cosas que se puedan apilar. Como ejemplo de ello tenemos los siguientes tipos de carretillas y carros:

- Con adaptaciones para transportar sillas, cubos o garrafas, bidones, tableros, etc. Existen modelos con distinto nivel de carga (hasta 500 kg).
- Con la pala retráctil para su mejor almacenaje.
- Con tres ruedas para permitir subir o bajar fácilmente por escaleras o superar los cambios de nivel.
- Con un sistema de suspensión hidráulico, dos largueros (cada uno con una pequeña rueda) y otro par de ruedas frontales giratorias. Se pueden usar para cargas más pesadas y para el transporte de electrodomésticos.

También podemos encontrarnos carretillas multifuncionales, plegables, portátiles y que cubren distintas necesidades; como las carretillas convertibles en escalera, o las carretillas convertibles en carro.

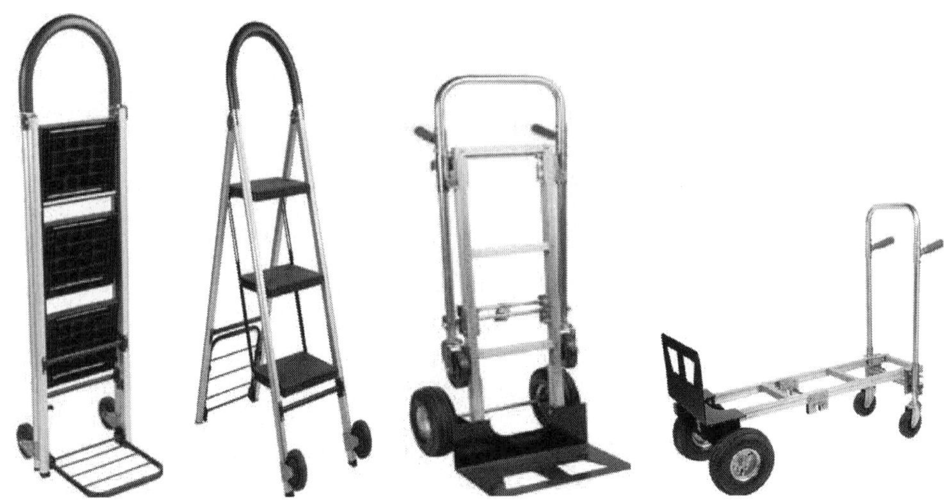

C) Mesas y plataformas elevadoras

La función fundamental de estos equipos es adaptar la altura de la superficie a cada necesidad, teniendo en cuenta el tipo de carga a manipular, poder subir y bajar las cargas situándolas a una altura idónea para su manipulación y facilitar las tareas de apilado y desapilado manual. También se emplean en áreas en las cuales es preciso salvar desniveles de los planos de trabajo.

En este tipo de equipos nos podemos encontrar con:

- Mesas con una superficie que disponen de un sistema de elevación. Es el modelo más sencillo de mesas elevadoras.
- Modelos con forma de U diseñados para el paletizado y despaletizado manual.
- Modelos que permiten además de regular la altura, la inclinación de cajas y contenedores para facilitar su llenado o vaciado manual.

Muchos de los modelos disponen de accesorios especiales que pueden dar respuesta a la mayor parte de las situaciones (por ejemplo, plataformas superiores giratorias o con superficie de rodillos).

Opcionalmente pueden disponer también de otros elementos como barandillas, topes de seguridad, etc. También es posible encontrarlas con ruedas y asideros, cumpliendo además las funciones de carro.

La capacidad de carga es muy variable, pudiendo encontrar mesas y plataformas que pueden soportar pesos de más de 2000 kg.

D) Carros de plataforma elevadora

Estos equipos combinan las ventajas de los dos anteriores, permitiendo regular la altura de la superficie de trabajo y a su vez facilitar el transporte.

Existen modelos constituidos por dos piezas especialmente diseñados para la elevación de armarios, cajas fuertes y otros productos similares de gran volumen y peso con palas de seguridad para la correcta elevación de las cargas. Este diseño permite la elevación y transporte de objetos de diversos tamaños. Algunos modelos permiten la elevación por escaleras.

E) Transpaletas

La transpaleta es un equipo empleado para la carga, descarga y traslado de materiales paletizados. Para ello, dispone de una horquilla de dos brazos horizontales paralelos que son los que permiten coger el palé con seguridad. Se utilizan para mover palés en distancias cortas.

Existen modelos de transpaletas manuales, que son equipos básicos, de gran sencillez que permiten el traslado horizontal de cargas. Se accionan manualmente mediante una bomba hidráulica que eleva la carga del suelo unos centímetros permitiendo su traslado con menor esfuerzo.

En el mercado se pueden encontrar distintos modelos con diferentes diseños y funciones tales como:

- Con báscula incorporada que permite pesar la carga.
- Con función de volteo o incluso algunas.

- Utilizables como superficie de trabajo (como si se tratara de una plataforma elevadora), permitiendo incluso que la altura de trabajo se regule automáticamente mediante células fotoeléctricas a medida que disminuye o aumenta la altura del apilamiento.

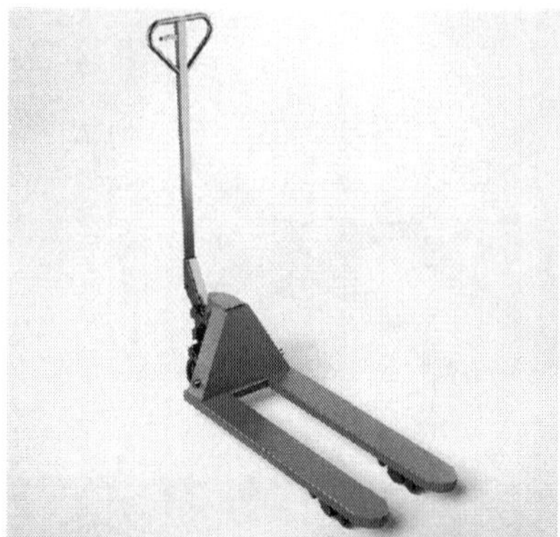

F) Apiladores manuales

El apilador manual es una consecuencia directa de la transpaleta manual; basta con instalar un pequeño mástil en el cuerpo de una transpaleta manual y un cilindro hidráulico más grande que suba y baje las horquillas montadas sobre un tablero provisto de rodillos que circulen por el carril de dicho mástil, colgado de unas cadenas montadas sobre sendas poleas instaladas en la cabeza del vástago del cilindro, para conseguir un apilador.

Dentro de los apiladores manuales, existen dos tipos claramente definidos, que son:

- Apiladores con tracción y elevación manual.
- Apiladores con tracción manual y elevación eléctrica.

a) Apiladores con tracción y elevación manual

En este tipo de apiladores, tanto la tracción como la elevación se realizan de forma totalmente manual. Para la tracción basta con empujar o tirar del timón para mover hacia adelante o hacia atrás el aparato. Para la elevación será necesario montar una pequeña bomba hidráulica manual, que será accionada o bien por una palanca independiente o, más comúnmente, por una propia; tanto en uno como en otro caso, es necesario efectuar un movimiento de vaivén arriba-abajo para efectuar la impulsión del aceite dentro del cilindro hidráulico y conseguir así la elevación; para el descenso bastará con abrir la tapa de drenaje del cilindro y por efecto de la gravedad este descenderá por sí solo.

Podríamos hacer mención a un tercer tipo de apilador, totalmente manual, que es el apilador por cable, el cual mediante un torno manual realiza la elevación, pero en la actualidad está prácticamente en desuso y por lo tanto creemos que no es necesario más que hacer esta breve mención.

b) Apiladores con tracción manual y elevación eléctrica

En la actualidad, es el tipo de apilador manual más utilizado. Básicamente este apilador es exactamente igual al descrito en primer lugar, excepto que en él se ha sustituido la bomba manual por una bomba hidráulica, accionada por un pequeño motor eléctrico, controlado mediante una botadura instalada en la cabeza del timón. Este motor eléctrico puede estar alimentado de dos maneras: por la red o por una batería.

Realmente, los apiladores alimentados por la red se utilizan cada día menos, ya que tienen un campo de acción limitado al alcance del cable de alimentación conectado a la red.

Los apiladores alimentados por una batería, generalmente del tipo de las baterías de arranque que utilizan los automóviles, necesitan de un pequeño cuadro de mandos formado por un ruptor instalado y una botonadura, que normalmente suelen ir instalados en la cabeza del timón.

G) Volteadores

Se trata de elementos que permiten el giro o inclinación de la carga.

Los hay de distintos tipos adaptados a diferentes tipos de carga, por ejemplo para palés, contenedores o cajas, facilitando así el llenado o vaciado manual de los mismos, o para el transporte y giro de bobinas.

También los hay para bidones, algunos de los cuales permiten el vaciado de forma dosificada.

H) Sistemas basados en poleas

Las poleas son elementos de transmisión de una fuerza. Pueden ser simples o compuestas, cuando se utilizan varias.

Las **poleas simples** se emplean para elevar pesos y constan de una rueda por la que pasa una cuerda. El mecanismo es muy sencillo, se cuelga el peso en un extremo de la cuerda y se tira del otro extremo para levantar el peso. Las poleas simples pueden ser fijas y móviles.

Ejemplos de sistemas con poleas simples fijas son la garrucha y la cabria, ambas compuestas por una polea que en el caso de la **garrucha** se encuentra amarrada a un elemento rígido en vuelo inclinado u horizontal, cuyo otro extremo está contrapesado o anclado a la base. En el caso de la **cabria**, la polea se encuentra suspendida en el punto de unión de tres puntales inclinados formando un trípode.

En el caso de la **polea simple móvil** la forma de utilizar la polea consiste en fijar la carga a la polea, mientras que un extremo de la cuerda se fija al soporte y se tira del otro extremo para levantar la polea y la carga.

Las **poleas compuestas** ofrecen una mayor ventaja mecánica que las simples.

La configuración más común de polea compuesta es el **polipasto**, en que las poleas se distribuyen en dos grupos, uno fijo y uno móvil, en cada uno de los cuales se instala un número arbitrario de poleas. La carga se une al grupo móvil. La eficiencia del sistema depende del número de poleas móviles que se empleen.

I) Torno o cabestrante

Equipo simple consistente en un cilindro que lleva adosada en la prolongación de su eje y fuera de los puntos de sustentación la manivela de accionamiento manual.

Se utiliza para la elevación de cargas. El peso que puede izar depende por una parte del propio equipo, pero estará en función de la potencia muscular del operario.

J) Bandas y cintas transportadoras a rodillos o a bolas

Son equipos de trabajo diseñados fundamentalmente para facilitar el traslado horizontal de las cargas y su transferencia a superficies planas. Consiste en una cinta con rodillos, ruedas o bolas en su superficie, sobre las que se deslizan las cargas, lo que facilita su transporte simplemente mediante el empuje de las mismas. Se pueden emplear siempre que el fondo de la carga sea regular.

3.2.2. Medios mecánicos autopropulsados

Los medios mecánicos autopropulsados son aquellos que poseen sistemas de movimiento propio y que, por lo tanto, únicamente necesitan del concurso humano para dirigirlos y actuarlos para la realización de las diferentes tareas de almacenaje.

Los medios mecánicos autopropulsados que se utilizan en los almacenes, pueden ser clasificados en 6 distintos grupos, que son:

- Transpaletas autopropulsadas o eléctricas.
- Apiladores autopropulsados o eléctricos.
- Carretillas contrapesadas.
- Carretillas retráctiles.
- Carretillas trilaterales.
- Transelevadores.

Cada uno de los diferentes tipos de medios mecánicos tienen su aplicación específica dentro del almacenaje; de alguno de ellos hemos hecho descripciones más o menos completas a lo largo del tema, que ahora trataremos de completar y/o resumir, con la indicación de cuáles son las consideraciones principales que hay que tener en cuenta para su utilización práctica.

A) Transpaletas autopropulsadas o eléctricas

El medio mecánico más sencillo de todos los que se pueden utilizar en un almacén lo constituye, sin lugar a dudas, la transpaleta autopropulsada o eléctrica.

La función de las transpaletas, como su propio nombre indica, en un almacén, es la de servir de medio para el traslado de paletas, así pues únicamente deben de ser capaces de tomar las paletas, levantarlas ligeramente y transportarlas de un punto a otro del almacén.

B) Apiladores autopropulsados o eléctricos

El uso de apiladores autopropulsados en los almacenes está también muy extendido y tienen grandes aplicaciones cuando se trata de realizar trabajos ligeros y/o de auxilio a otros sistemas de manutención.

Una aplicación muy clásica de los apiladores es la de efectuar la carga y descarga de estanterías situadas en las zonas de recepción y expedición de los grandes almacenes de distribución.

En la distribución física, juegan a veces un papel muy importante, pues su escaso peso propio y sus dimensiones reducidas les permiten realizar trabajos tales como la carga y descarga de pequeñas furgonetas, que una carretilla contrapesada, de gran peso propio y relativamente grandes dimensiones no podría realizar.

En alimentación, y sobre todo en las denominadas **grandes superficies**, son utilizados exhaustivamente para la carga mecánica de las estanterías que abastecen directamente al público.

C) Carretillas elevadoras contrapesadas

Las carretillas elevadoras contrapesadas reciben su nombre del gran contrapeso de hierro que incorporan en su parte posterior. Responden al tipo de cargadoras en **voladizo**, lo cual significa que llevan la carga por delante de su punto de apoyo. Basan por tanto su acción en el principio de la palanca de primer grado, en la cual un peso llamado **potente** es capaz de elevar otro peso llamado **resistente** apoyándose en un punto intermedio denominado **fulcro**.

En las carretillas elevadoras contrapesadas, el peso **potente** lo constituye el conjunto de la máquina, que incluye el **chasis** que, en su interior, incorpora el motor, la transmisión, la bomba hidráulica y los demás órganos de control de la máquina; el **contrapeso**, normalmente atornillado al chasis en su parte posterior; los **ejes**, de los cuales el delantero es el **motriz** y el trasero el **directriz**, para mejor maniobrar con la máquina; el **mástil**, el **tablero portahorquillas y las horquillas**, que en su mayoría forman parte del peso **potente**, ya que se encuentran instalados por delante del centro del eje delantero que es el punto de apoyo o fulcro de la carretilla. Por su parte, el peso **resistente** lo constituyen los elementos instalados por delante de dicho punto de apoyo y por supuesto la **carga** a elevar.

Ambos pesos, **potente y resistente**, forman un par de fuerzas con respecto al punto de apoyo, ejerciendo dos **momentos**, uno positivo que llamaremos **momento potente**, y otro negativo que denominaremos **momento resistente**, cuya magnitud estará en función de a qué distancia del punto de apoyo o centro del par se encuentren los respectivos pesos que los originan. Sobre la base de que el **momento potente** sea mayor que el **momento resistente**, el primero será capaz de elevar al segundo y cuando no ocurra esto no lo podrá elevar.

En la carretilla elevadora, existe lo que se denomina **capacidad nominal de carga**, concepto que está formado por dos parámetros, un **peso y una distancia** también llamada centro de gravedad o **centro de carga** nominal.

D) Carretillas elevadoras retráctiles

Uno de los medios más utilizados en los almacenes lo constituyen sin duda las carretillas elevadoras retráctiles. Las carretillas retráctiles, como decíamos anteriormente pueden ser de dos tipos distintos:

- Con mástil retráctil.
- Con horquillas retráctiles o pantógrafo.

Se caracterizan estas carretillas por necesitar un pasillo de maniobra inferior, en aproximadamente un metro, que las carretillas contrapesadas de igual capacidad de carga.

Todas las carretillas retráctiles están diseñadas con ruedas de bandajes macizos, de pequeño diámetro, para constituir unas máquinas de pocas dimensiones y ser accionadas por motores eléctricos, alimentados con baterías, ya que están concebidas única y exclusivamente para el trabajo en el interior de los almacenes.

En las carretillas de mástil retráctil, este discurre a través de las patas delanteras de la carretilla, también conocidas con el nombre de patas de carga, para lo cual estas están conformadas en forma de carriles, que incluso algunos fabricantes instalan del tipo recambiable, sobre rodillos, impulsados por un cilindro hidráulico que puede tener diversas posiciones dependiendo de los fabricantes, si bien lo más común es un cilindro articulado que empuja un carro portador del mástil.

En las carretillas de horquillas retráctiles, también conocidas con el nombre de carretillas de pantógrafo, las horquillas van montadas sobre un tablero que está unido a una especie de pantógrafo, que puede ser simple o doble, el cual, mediante uno o varios cilindros hidráulicos, casi nunca más de dos, produce la extensión de las horquillas y por ende de la carga.

Ambas disposiciones permiten a la máquina realizar la maniobra de giro, dentro de un pasillo de dimensiones más reducidas y por lo tanto utilizar pasillos de almacenaje inferiores.

Los mástiles utilizados por este tipo de carretillas responden exactamente a las mismas denominaciones, tipos y funciones que los indicados anteriormente para las carretillas elevadoras contrapesadas. Si bien hemos de hacer la aclaración de que el sistema de mástil retráctil, y más aún el sistema de pantógrafo, permiten alcanzar alturas de elevación superiores a las que se alcanzan con las carretillas contrapesadas, ya que mientras que estas últimas son, como ya decíamos carretillas con carga en voladizo, las carretillas retráctiles, en general, son del tipo de carretillas con carga entre largueros, sobre todo y cuando menos durante el transporte de la carga. Así pues, estas carretillas alcanzan con facilidad alturas de elevación, con mástil triple, del orden de los 8,5 metros.

E) Carretillas trilaterales

A lo largo de los apartados anteriores hemos hablado exhaustivamente de las carretillas trilaterales, por lo tanto ahora nos limitaremos a hacer una especie de resumen de sus características principales.

Las carretillas trilaterales reciben este nombre porque son capaces de tomar y depositar carga en tres posiciones, a saber:

- Posición lateral izquierda.
- Posición lateral derecha.
- Posición frontal.

Esta facultad les permite trabajar en pasillos tan estrechos como estrecha sea su configuración propia; en la mayoría de los casos, la anchura del pasillo que necesita una carretilla trilateral corresponde a la anchura de la carga que traslada, más el espesor del cuerpo del cabezal que le permite los movimientos y un pequeño margen de seguridad, del orden de los 300 mm, con esas dimensiones. El ancho de pasillo de una carretilla trilateral oscila entre 1.700 y 1.900 mm, en función de tipos, marcas, modelos y capacidades.

Dos son igualmente las clasificaciones que podemos realizar de las carretillas trilaterales:

- Atendiendo a la posición del operador.
- Atendiendo al tipo de cabezal que montan.

Si nos atenemos a la **posición del operador**, tenemos dos tipos de carretillas trilaterales:

- Carretillas con hombre abajo o torres.
- Carretillas con hombre arriba o combis.

F) Transelevadores

Se conoce con el nombre de transelevadoras a aquellos aparatos mecánicos que son capaces de elevar y transportar cargas a través de estrechísimos pasillos y a una gran velocidad.

Los transelevadores en sí, constituyen uno de los elementos de apilado de cargas más factibles de ser automatizados.

3.3. Manipulación manual de cargas

3.3.1. Introducción

La manipulación de cargas es una tarea bastante frecuente en todos los sectores de actividad y, en muchos casos, responsable de la aparición de fatiga física o bien de lesiones, que se pueden producir de una forma repentina o por la acumulación de pequeños traumatismos aparentemente sin importancia.

La **Ley 31/1995, de 8 de noviembre, de Prevención de Riesgos Laborales**, determinó el cuerpo básico de garantías y responsabilidades preciso para establecer un adecuado nivel de protección de la salud de los trabajadores frente a los riesgos derivados de las condiciones de trabajo.

Entre sus normas de desarrollo reglamentario que deben fijar las medidas mínimas que deben adoptarse para la adecuada protección de los trabajadores, se encuentran las destinadas a garantizar que de la manipulación manual de cargas no se deriven riesgos, en particular dorsolumbares, para los trabajadores; concretamente el **Real Decreto 487/1997, de 14 de abril**.

Este Real Decreto transpone al Derecho español el contenido de la **Directiva 90/269/CEE, de 29 de mayo**, que establece las disposiciones mínimas de seguridad y de salud relativas a la manipulación manual de cargas que entrañe riesgos, en particular dorsolumbares, para los trabajadores.

El Real Decreto 487/1997, en su disposición final primera, encomendó al Instituto Nacional de Seguridad e Higiene en el Trabajo (INSHT) (actualmente Instituto Nacional de Seguridad y Salud en el Trabajo (INSST)) la elaboración de una **Guía Técnica para la evaluación y prevención de los riesgos derivados de la manipulación manual de cargas**, que tendremos en cuenta también para la elaboración de este tema.

3.3.2. Definiciones

La citada Guía Técnica define **carga** como *"cualquier objeto susceptible de ser movido"*.

Dentro de esta definición se incluye la manipulación de personas (como los pacientes en un hospital, o los niños en una guardería) y la manipulación de animales (en una granja, o en una clínica veterinaria).

Se consideran también cargas los materiales que se manipulen, por ejemplo, por medio de una grúa u otro medio mecánico, pero que requieran aún del esfuerzo humano para moverlos o colocarlos.

El Real Decreto 487/1997 define **manipulación manual de cargas** *como "cualquier operación de **transporte o sujeción** de una carga por parte de uno o varios trabajadores, como el levantamiento, la colocación, el empuje, la tracción o el desplazamiento, que por sus características o condiciones ergonómicas inadecuadas entrañe riesgos, en particular dorsolumbares, para los trabajadores".*

En la manipulación manual de cargas interviene el esfuerzo humano, tanto de forma directa:

- Levantamiento.
- Colocación.

Como indirecta:

- Empuje.
- Tracción.
- Desplazamiento.

También es manipulación manual:

- Transportar o mantener la carga alzada.
- La sujeción con las manos y con otras partes del cuerpo, como la espalda.
- Lanzar la carga una persona a otra.

No será manipulación de cargas la aplicación de fuerzas como el movimiento de una manivela o una palanca de mandos.

Se entiende como **condiciones ideales de manipulación manual** a las que incluyen:

- Una postura ideal para el manejo:
  * Carga cerca del cuerpo.
  * Espalda derecha.
  * Sin giros ni inclinaciones.
- Una sujeción firme del objeto con una posición neutral de la muñeca.
- Levantamientos suaves y espaciados.
- Condiciones ambientales favorables.

3.3.3. Posibles lesiones derivadas de la manipulación manual de cargas

La manipulación manual de cargas es responsable, en muchos casos, de la aparición de:

- Fatiga física.
- Lesiones, que se pueden producir de una forma inmediata o por la acumulación de pequeños traumatismos aparentemente sin importancia.

Pueden lesionarse tanto los trabajadores que manipulan cargas regularmente como los trabajadores ocasionales.

Las lesiones más frecuentes son, entre otras:

- Contusiones.
- Cortes.
- Heridas.
- Fracturas.
- Lesiones músculo-esqueléticas.

Las lesiones músculo-esqueléticas se pueden producir en cualquier zona del cuerpo, pero son más sensibles los miembros superiores, y la espalda, en especial en la **zona dorsolumbar**.

Las lesiones dorsolumbares pueden ir desde un lumbago a alteraciones de los discos intervertebrales (hernias discales) o incluso fracturas vertebrales por sobreesfuerzo.

También se pueden producir:

- Lesiones en los miembros superiores (hombros, brazos y manos).
- Quemaduras producidas por encontrase las cargas a altas temperaturas.
- Heridas o arañazos producidos por esquinas demasiado afiladas, astillamientos de la carga, superficies demasiado rugosas, clavos, etc.
- Contusiones por caídas de la carga debido a superficies resbaladizas (por aceites, grasas u otras sustancias).
- Problemas circulatorios o hernias inguinales.
- Otros daños producidos por derramamiento de sustancias peligrosas.

Estas lesiones, aunque no son lesiones mortales, pueden tener larga y difícil curación, y en muchos casos requieren un largo período de rehabilitación, originando grandes costes económicos y humanos, ya que el trabajador queda muchas veces incapacitado para realizar su trabajo habitual y su calidad de vida puede quedar deteriorada.

3.3.4. Obligaciones del empresario

El Real Decreto 487/1997, en relación a la manipulación manual de cargas (MMC), establece las siguientes obligaciones del empresario:

- **Evitar la manipulación manual de cargas**, mediante la adopción de medidas técnicas u organizativas, en especial, mediante la utilización de equipos para el manejo mecánico de las mismas, sea de forma automática o controlada por el trabajador:
    * Paletización.
    * Grúas y carretillas elevadoras.
    * Sistemas transportadores (vías de rodillos, listones de rodillos, cintas transportadoras, vías de pantógrafo, toboganes, etc.).
    * Grúas y grúas pórtico.

Si la manipulación manual de cargas no se puede evitar, el empresario está obligado a:

- Reducir los riesgos de la manipulación manual de cargas.
- Evaluar los riesgos.
- Formación e información de los trabajadores.
- Consulta y participación.
- Vigilancia de la salud.

3.3.4.1. Reducir los riesgos de la manipulación manual de cargas

Los riesgos de la manipulación manual de cargas se pueden reducir con:

- La utilización de ayudas mecánicas (carros, carretillas, etc.).
- La reducción o rediseño de la carga.
- La actuación sobre la organización del trabajo.
- La mejora del entorno laboral.

3.3.4.2. Evaluar los riesgos

En los casos en que la manipulación manual no pueda evitarse, el empresario deberá evaluar los riesgos tomando en consideración los **factores de riesgo** siguientes, recogidos en el Anexo del Real Decreto 487/1997:

1. **Características de la carga**. La manipulación manual de una carga puede presentar un riesgo, en particular dorsolumbar, en los casos siguientes:
   - Cuando la carga es demasiado pesada o demasiado grande.
   - Cuando es voluminosa o difícil de sujetar.
   - Cuando está en equilibrio inestable o su contenido corre el riesgo de desplazarse.
   - Cuando está colocada de tal modo que debe sostenerse o manipularse a distancia del tronco o con torsión o inclinación del mismo.
   - Cuando la carga, debido a su aspecto exterior o a su consistencia, puede ocasionar lesiones al trabajador, en particular en caso de golpe.
2. **Esfuerzo físico necesario**. Un esfuerzo físico puede entrañar un riesgo, en particular dorsolumbar, en los casos siguientes:
   - Cuando es demasiado importante.
   - Cuando no puede realizarse más que por un movimiento de torsión o de flexión del tronco.
   - Cuando puede acarrear un movimiento brusco de la carga.
   - Cuando se realiza mientras el cuerpo está en posición inestable.
   - Cuando se trate de alzar o descender la carga con necesidad de modificar el agarre.
3. **Características del medio de trabajo**. Las características del medio de trabajo pueden aumentar el riesgo, en particular dorsolumbar, en los casos siguientes:
   - Cuando el espacio libre, especialmente vertical, resulta insuficiente para el ejercicio de la actividad de que se trate.
   - Cuando el suelo es irregular y, por tanto, puede dar lugar a tropiezos o bien es resbaladizo para el calzado que lleve el trabajador.

- Cuando la situación o el medio de trabajo no permite al trabajador la manipulación manual de cargas a una altura segura y en una postura correcta.
- Cuando el suelo o el plano de trabajo presentan desniveles que implican la manipulación de la carga en niveles diferentes.
- Cuando el suelo o el punto de apoyo son inestables.
- Cuando la temperatura, humedad o circulación del aire son inadecuadas.
- Cuando la iluminación no sea adecuada.
- Cuando exista exposición a vibraciones.

4. **Exigencias de la actividad**. La actividad puede entrañar riesgo, en particular dorsolumbar, cuando implique una o varias de las exigencias siguientes:
   - Esfuerzos físicos demasiado frecuentes o prolongados en los que intervenga en particular la columna vertebral.
   - Periodo insuficiente de reposo fisiológico o de recuperación.
   - Distancias demasiado grandes de elevación, descenso o transporte.
   - Ritmo impuesto por un proceso que el trabajador no pueda modular.
5. **Factores individuales de riesgo**. Constituyen factores individuales de riesgo:
   - La falta de aptitud física para realizar las tareas en cuestión.
   - La inadecuación de las ropas, el calzado u otros efectos personales que lleve el trabajador.
   - La insuficiencia o inadaptación de los conocimientos o de la formación.
   - La existencia previa de patología dorsolumbar.

La evaluación puede llevar a dos situaciones:

- Riesgo tolerable.
- Riesgo no tolerable.

3.3.4.3. Formación e información de los trabajadores

El empresario deberá garantizar que los trabajadores y los representantes de los trabajadores reciban una formación e información adecuadas sobre los riesgos derivados de la manipulación manual de las cargas, así como sobre las medidas de prevención y protección que hayan de adoptarse.

En particular, proporcionará a los trabajadores una formación e información adecuada sobre la forma correcta de manipular las cargas y sobre los riesgos de no hacerlo de dicha forma.

La información suministrada deberá incluir indicaciones generales y las precisiones que sean posibles sobre el peso de las cargas y, cuando el contenido de un embalaje esté descentrado, sobre su centro de gravedad o lado más pesado.

3.3.4.4. Consulta y participación de los trabajadores

El empresario deberá consultar a los trabajadores, y permitir su participación, en el marco de todas las cuestiones a las que se refiere el Real Decreto 487/1997.

Los trabajadores tendrán derecho a efectuar propuestas al empresario, así como a los órganos de participación y representación, dirigidas a la mejora de los niveles de protección de la seguridad y la salud en la empresa.

3.3.4.5. Vigilancia de la salud

El empresario garantizará el derecho de los trabajadores a una vigilancia adecuada de su salud cuando su actividad habitual suponga una manipulación manual de cargas y concurran algunos de los elementos o factores de riesgo contemplados en el anterior apartado 4.2.

Esta vigilancia médica recogerá la información específica más relevante para la evaluación de las alteraciones de la columna por sobrecarga, registrando los aspectos relacionados con la exposición laboral al riesgo, como los antecedentes de salud, que puedan interactuar con los factores laborales, desarrollando una anamnesis y exploración física para este tipo de patología a través de la formulación y el diseño de un protocolo médico específico.

3.3.5. Prevención de los riesgos. Factores de análisis

3.3.5.1. Peso de la carga

A efectos prácticos, la Guía Técnica considera cargas los objetos que pesen más de **3 kilos**.

Por regla general, el peso máximo que se recomienda no sobrepasar (en condiciones ideales de manipulación) es de **25 kg**.

Si la población expuesta son mujeres, trabajadores jóvenes o mayores, o si se quiere proteger a la mayoría de la población, no se deberían manejar cargas superiores a **15 kg**. (Se multiplica el peso general 25 x 0,6).

En circunstancias especiales, trabajadores sanos y entrenados físicamente podrían manipular cargas de hasta **40 kg**, siempre que la tarea se realice de forma esporádica y en condiciones seguras. (Se multiplica el peso general 25 x 1,6).

Estos son los valores máximos de peso en condiciones ideales; ahora bien, si no se dan estas condiciones ideales, estos límites de peso se reducirán como se verá más adelante.

Cuando se sobrepasen estos valores de peso, se deberán tomar medidas preventivas de forma que el trabajador no manipule las cargas, o que consigan que el peso manipulado sea menor. Entre otras medidas, y dependiendo de la situación concreta, se podrían tomar alguna de las siguientes:

- Uso de ayudas mecánicas.
- Levantamiento de la carga entre dos personas.

- Reducción de los pesos de las cargas manipuladas en reducción de la frecuencia, etc.

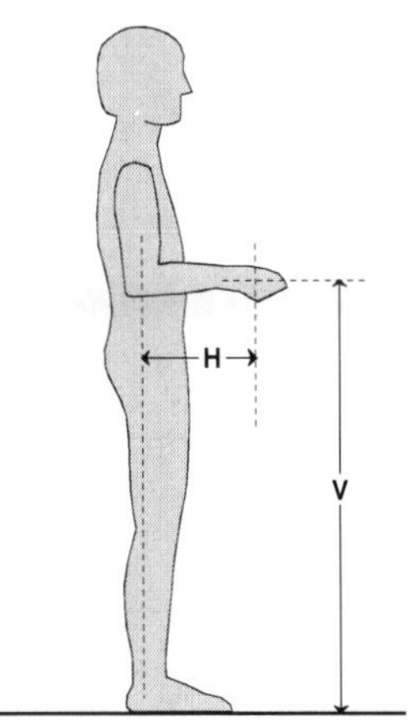

3.3.5.2. La posición de la carga con respecto al cuerpo

Un factor fundamental en la aparición de riesgo por manipulación manual de cargas es el **alejamiento de las mismas respecto al centro de gravedad del cuerpo**.

En este alejamiento intervienen dos **factores** que nos darán las "coordenadas" de la situación de la carga:

- La distancia horizontal (H).
- La distancia vertical (V).

Cuanto más alejada esté la carga del cuerpo, mayores serán las fuerzas compresivas que se generan en la columna vertebral y, por tanto, el riesgo de lesión será mayor.

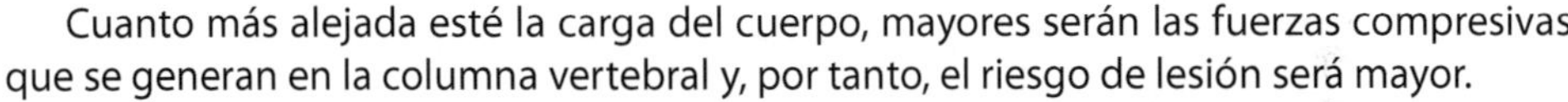

El peso teórico recomendado que se podría manejar en función de la posición de la carga con respecto al cuerpo se indica en la siguiente imagen. Para mujeres, trabajadores jóvenes o mayores multiplicaremos los pesos recomendados por 0,6. Esporádicamente, para trabajadores sanos y entrenados físicamente, se multiplicará por 1,6.

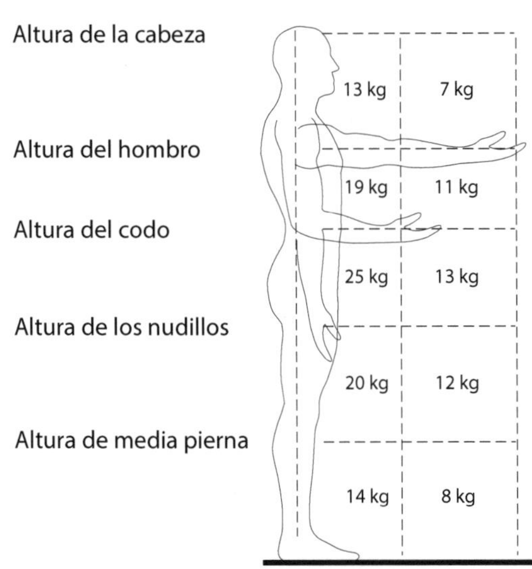

Posición de la carga con respecto al cuerpo

En la imagen de la posición de la carga vemos distintas zonas donde se señalan diferentes números. Fíjese que los valores mínimos de peso de la carga están en los extremos (arriba o abajo) y con los brazos extendidos.

Por ejemplo, a la altura del hombro, con el brazo extendido, se indica 11 kg.

Esto significa, que el peso recomendado máximo para mover una carga a la altura del hombro, con el brazo extendido, serán 11 kilos.

Si se tratara de una mujer, un trabajador joven o un trabajador mayor, multiplicaremos esa cantidad por el factor 0,6 para obtener su peso recomendado máximo; que sería entonces de: 11 x 0,6 = 6,6 kilos.

En el caso de trabajadores sanos y entrenados físicamente, se aceptaría que esporádicamente para ellos el peso recomendado máximo del ejemplo sería de:

11 x 1,6 = 17,6 kilos.

Cuando se manipulen cargas en más de una zona se tendrá en cuenta la más desfavorable, para mayor seguridad. Los saltos de una zona a otra no son bruscos, por lo que quedará a criterio del evaluador tener en cuenta incluso valores medios cuando la carga se encuentre cercana a la transición de una zona a otra.

Por ejemplo, si un trabajador tiene que mover una carga con el brazo extendido desde la altura del codo a la altura de la cabeza, vemos en la figura 2 que pasa por tres zonas: una marcada con 13 kilos (altura del codo), otra con 11 kilos (altura del hombro) y otra marcada con 7 kilos (altura de la cabeza). Esta última es la más desfavorable, por lo que el peso recomendado máximo de la carga sería:

- En el caso general: 7 kilos.
- En el caso de mujeres, trabajadores jóvenes o mayores: 7 x 0,6 = 4,2 kilos.
- Esporádicamente, en el caso de trabajadores sanos y entrenados físicamente: 7 x 1,6 = 11,2 kilos.

Más adelante, cuando veamos el desplazamiento vertical de las cargas, comprobaremos que estas cantidades se pueden disminuir más en función de los centímetros que se desplacen.

A) Manipulación de cargas en postura sentado

La Guía Técnica recomienda que *no se deberían manipular cargas de más de 5 kg en postura sentada, siempre que sea en una zona próxima al tronco, evitando manipular cargas a nivel del suelo o por encima del nivel de los hombros y giros e inclinaciones del tronco*, ya que la capacidad de levantamiento mientras se está sentado es menor que cuando se manejan cargas en posición de pie, debido a que no se puede utilizar la fuerza de las piernas en el levantamiento, el cuerpo no puede servir de contrapeso y por tanto la mayor parte del esfuerzo debe hacerse con los músculos más débiles de los brazos y el tronco.

También aumenta el riesgo debido a que la curvatura lumbar está modificada en esta postura.

B) Manipulación en equipo

Cuando se maneja una carga entre dos o más personas, las capacidades individuales disminuyen, debido a la dificultad de sincronizar los movimientos o por dificultarse la visión unos a otros.

En general, en un equipo de **dos personas**, la capacidad de levantamiento es dos tercios de la suma de las capacidades individuales.

Cuando el equipo es de **tres personas**, la capacidad de levantamiento del equipo se reduciría a la mitad de la suma de las capacidades individuales teóricas.

3.3.5.3. El desplazamiento vertical de la carga

El desplazamiento vertical de una carga es la distancia que recorre la misma desde que se inicia el levantamiento hasta que finaliza la manipulación.

Si hay desplazamiento vertical de la carga, el peso teórico recomendado que se podría manejar, propuesto en el apartado anterior, deberá reducirse multiplicando por el siguiente factor:

Desplazamiento vertical	Factor de corrección
Hasta 25 cm.	1
Hasta 50 cm.	0,91
Hasta 100 cm.	0,87
Hasta 175 cm.	0,84
Más de 175 cm.	0

El desplazamiento vertical ideal de una carga es de hasta 25 cm; siendo aceptables los desplazamientos comprendidos entre la "altura de los hombros y la altura de media pierna".

Se procurará evitar los desplazamientos que se realicen fuera de estos rangos. No se deberían manejar cargas por encima de 175 cm, que es el límite de alcance para muchas personas.

3.3.5.4. Los giros del tronco

Se puede estimar el giro del tronco determinando el ángulo que forman las líneas que unen los talones con la línea de los hombros.

Los giros del tronco aumentan las fuerzas compresivas en la zona lumbar. Si se gira el tronco mientras se maneja la carga, los pesos recomendados sugeridos con anterioridad en la imagen de la posición de la carga, se deberán reducir multiplicando por el siguiente factor:

Giro del tronco	Factor de corrección
Poco girado (hasta 30º)	0,9
Girado (hasta 60º)	0,8
Muy girado (90º)	0,7

3.3.5.5. Los agarres de la carga

Si la carga es redonda, lisa, resbaladiza o no tiene agarres adecuados, aumentará el riesgo al no poder sujetarse correctamente.

Unas asas o agarres adecuados van a hacer posible sostener firmemente el objeto, permitiendo una postura de trabajo correcta.

Al manipular una carga, se pueden dar los siguientes **tipos de agarres**:

A) **Agarre bueno**: si la carga tiene asas u otro tipo de agarres con una forma y tamaño que permita un agarre confortable con toda la mano, permaneciendo la muñeca en una posición neutral, sin desviaciones ni posturas desfavorables.

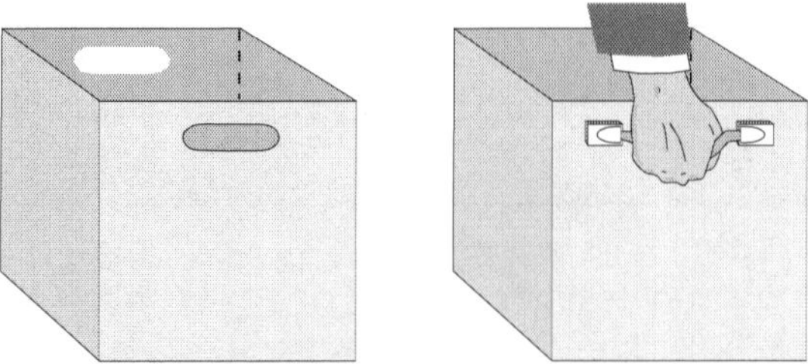

B) **Agarre regular**: si la carga tiene asas o hendiduras no tan óptimas, de forma que no permitan un agarre tan confortable como en el apartado anterior.

También se incluyen aquellas cargas sin asas que pueden sujetarse flexionando la mano 90º alrededor de la carga.

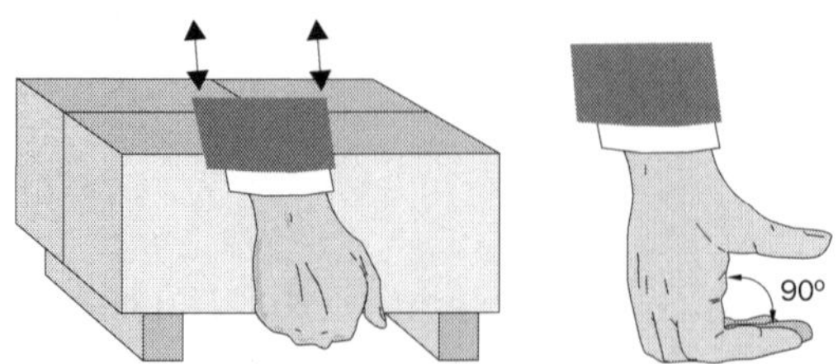

C) **Agarre malo**: si no se cumplen los requisitos del agarre medio.

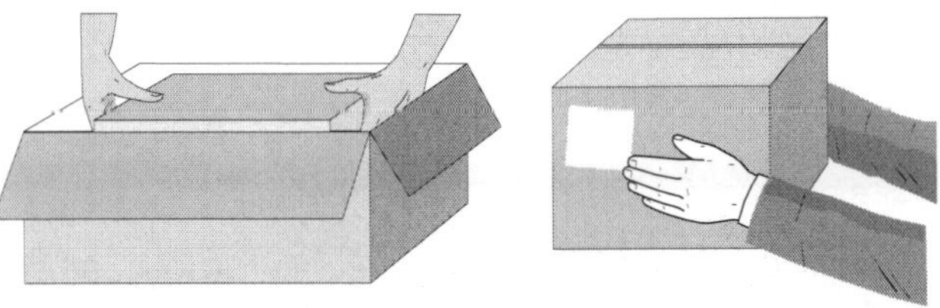

Si los agarres no son adecuados, el peso teórico propuesto en apartados anteriores deberá reducirse multiplicando por el siguiente factor:

Tipos de agarre	Factor de corrección
Agarre bueno	1
Agarre regular	0,95
Agarre malo	0,9

3.3.5.6. La frecuencia de la manipulación

Una frecuencia elevada en la manipulación manual de las cargas puede producir fatiga física y una mayor probabilidad de sufrir un accidente al ser posible que falle la eficiencia muscular del trabajador.

Dependiendo de la frecuencia de la manipulación, el peso teórico propuesto en la imagen de la posición de la carga deberá reducirse multiplicando por el siguiente factor de corrección:

Frecuencia de manipulación	Duración de la manipulación		
	< 1 hora/día	> 1 h y < 2 h/día	> 2 h y < 8 h/día
	Factor de corrección		
1 vez cada 5 minutos	1	0,95	0,85
1 vez / minuto	0,94	0,88	0,75
4 veces/minuto	0,84	0,72	0,45
9 veces/minuto	0,52	0,30	0
12 veces/minuto	0,37	0	0
>15veces/minuto	0	0	0

Si se manipulan cargas frecuentemente, el resto del tiempo de trabajo debería dedicarse a actividades menos pesadas y que no impliquen la utilización de los mismos grupos musculares, de forma que sea posible la recuperación física del trabajador.

3.3.5.7. El transporte de la carga

Desde el punto de vista preventivo, lo ideal es no transportar la carga una distancia superior a 1 metro.

Los trayectos superiores a los 10 metros supondrán grandes demandas físicas para el trabajador, ya que se producirá un gran gasto metabólico.

Los límites de carga acumulada diariamente en un turno de 8 horas, en función de la distancia de transporte, no deben superar los de la siguiente tabla:

Distancia de transporte (metros)	Kg/día transportados (máximo)
Hasta 10 metros	10.000 kg
Más de 10 metros	6.000 kg

3.3.5.8. La inclinación del tronco

Si el tronco está inclinado mientras se manipula una carga, se generarán unas fuerzas compresivas en la zona lumbar mucho mayores que si el tronco se mantuviera derecho, lo cual aumenta el riesgo de lesión en esa zona. La inclinación puede deberse tanto a una mala técnica de levantamiento como a una falta de espacio, fundamentalmente el vertical.

La postura correcta al manejar una carga es con la espalda derecha, ya que al estar inclinada aumentan mucho las fuerzas compresivas en la zona lumbar. Se evitará manipular cargas en lugares donde el espacio vertical sea insuficiente.

3.3.5.9. Las fuerzas de empuje y tracción

Independientemente de la intensidad de la fuerza, esta no se aplicará correctamente si se empuja o tracciona una carga con las manos por debajo de la "altura de los nudillos", o por encima del "nivel de los hombros" (imagen posición de la carga), ya que fuera de estos rangos, el punto de aplicación de las fuerzas será excesivamente alto o bajo.

Si, además, el apoyo de los pies no es firme, podrá aumentar el riesgo de lesión.

A modo de indicación, la Guía Técnica recomienda que no se superen los siguientes valores:

- Para poner en movimiento o parar una carga: 25 kg (250 N).
- Para mantener una carga en movimiento: 10 kg (100 N).

3.3.5.10. El tamaño de la carga

Una carga demasiado ancha va a obligar a mantener posturas forzadas de los brazos y no va a permitir un buen agarre de la misma. Tampoco será posible levantarla desde el suelo en una postura segura al no ser posible acercarla al cuerpo y mantener la espalda derecha.

Una carga demasiado profunda, aumentará la distancia horizontal, siendo mayores las fuerzas compresivas en la columna vertebral.

Una carga demasiado alta podría entorpecer la visibilidad, existiendo riesgo de tropiezos con objetos que se encuentren en el camino.

Es conveniente que la anchura de la carga no supere la anchura de los hombros (60 cm aproximadamente).

La profundidad de la carga no debería superar los 50 cm, aunque es recomendable que no supere los 35 cm. El riesgo se incrementará si se superan los valores en más de una dimensión y si el objeto no proporciona agarres convenientes.

3.3.5.11. La superficie de la carga

Las cargas con bordes cortantes o afilados podrán generar un riesgo de lesiones como cortes, rasguños, etc.

Si la carga es resbaladiza (en sí misma o por algún derrame externo), podrá caer de las manos del trabajador, pudiendo este golpearse.

También los objetos que estén demasiado calientes o demasiado fríos podrían originar un riesgo en su manipulación.

La superficie de la carga no tendrá elementos peligrosos que generen riesgos de lesiones. En caso contrario, se aconseja la utilización de guantes para evitar lesiones en las manos.

3.3.5.12. Otros factores de análisis

La Guía Técnica, además de los factores de análisis de la carga estudiados en los apartados anteriores, señala los siguientes:

- La información acerca del peso de la carga y su centro de gravedad.
- El centro de gravedad de la carga descentrado o que se pueda desplazar.
- Los movimientos bruscos o inesperados de la carga.
- Las pausas o períodos de recuperación.
- El ritmo impuesto por el proceso.
- La inestabilidad de la postura.
- Los suelos resbaladizos o desiguales.
- El espacio insuficiente.
- Los desniveles de los suelos.
- Las condiciones termohigrométricas extremas (se recomienda que en locales interiores el rango de temperaturas para trabajos ligeros se encuentre entre 14º y 25ºC).

- Las ráfagas de viento fuertes.
- La iluminación deficiente.
- Las vibraciones.
- Los equipos de protección individual.
- El calzado.
- Las tareas peligrosas para personas con problemas de salud.
- Las tareas que requieren capacidades físicas inusuales del trabajador.
- Las tareas peligrosas para mujeres embarazadas.
- La formación e información insuficientes.

3.3.6. Método para levantar una carga

Como norma general, es preferible manipular las cargas cerca del cuerpo, a una altura comprendida entre la altura de los codos y los nudillos, ya que de esta forma disminuye la tensión en la zona lumbar.

Si las cargas que se van a manipular se encuentran en el suelo o cerca del mismo, se utilizarán las técnicas de manejo de cargas que permitan utilizar los músculos de las piernas más que los de la espalda.

Para levantar una carga se pueden seguir los siguientes pasos:

No todas las cargas se pueden manipular siguiendo estas instrucciones. Hay situaciones (como, por ejemplo, manipulación de barriles, manipulación de enfermos, etc.) que tienen sus técnicas específicas.

1. **Planificar el levantamiento**

   - Utilizar las ayudas mecánicas precisas. Siempre que sea posible se deberán utilizar ayudas mecánicas.
   - Seguir las indicaciones que aparezcan en el embalaje acerca de los posibles riesgos de la carga, como pueden ser un centro de gravedad inestable, materiales corrosivos, etc.
   - Si no aparecen indicaciones en el embalaje, observar bien la carga, prestando especial atención a su forma y tamaño, posible peso, zonas de agarre, posibles puntos peligrosos, etc. Probar a alzar primero un lado, ya que no siempre el tamaño de la carga ofrece una idea exacta de su peso real.
   - Solicitar ayuda de otras personas si el peso de la carga es excesivo o se deben adoptar posturas incómodas durante el levantamiento y no se puede resolver por medio de la utilización de ayudas mecánicas.

- Tener prevista la ruta de transporte y el punto de destino final del levantamiento, retirando los materiales que entorpezcan el paso.
- Usar la vestimenta, el calzado y los equipos adecuados.

2. **Colocar los pies**
   - Separar los pies para proporcionar una postura estable y equilibrada para el levantamiento, colocando un pie más adelantado que el otro en la dirección del movimiento.
3. **Adoptar la postura de levantamiento**
   - Doblar las piernas manteniendo en todo momento la espalda derecha, y mantener el mentón metido. No flexionar demasiado las rodillas.
   - No girar el tronco ni adoptar posturas forzadas.
4. **Agarre firme**
   - Sujetar firmemente la carga empleando ambas manos y pegarla al cuerpo. El mejor tipo de agarre sería un agarre en gancho, pero también puede depender de las preferencias individuales, lo importante es que sea seguro.

   Cuando sea necesario cambiar el agarre, hacerlo suavemente o apoyando la carga, ya que incrementa los riesgos.
5. **Levantamiento suave**
   - Levantarse suavemente, por extensión de las piernas, manteniendo la espalda derecha. No dar tirones a la carga ni moverla de forma rápida o brusca.
6. **Evitar giros**
   - Procurar no efectuar nunca giros, es preferible mover los pies para colocarse en la posición adecuada.
7. **Carga pegada al cuerpo**
   - Mantener la carga pegada al cuerpo durante todo el levantamiento.
8. **Depositar la carga**
   - Si el levantamiento es desde el suelo hasta una altura importante, por ejemplo la altura de los hombros o más, apoyar la carga a medio camino para poder cambiar el agarre.
   - Depositar la carga y después ajustarla si es necesario.
   - Realizar levantamientos espaciados.

4. Pantallas de visualización de datos

El Real Decreto 488/1997, de 14 de abril, establece las disposiciones mínimas de seguridad y salud relativas al trabajo con equipos que incluyen pantallas de visualización.

Se entiende por **Pantalla de visualización** una pantalla alfanumérica o gráfica, independientemente del método de representación visual utilizado.

4.1. Equipo

A) Observación general

La utilización en sí misma del equipo no debe ser una fuente de riesgo para los trabajadores.

B) Pantalla

Los caracteres de la pantalla deberán estar bien definidos y configurados de forma clara, y tener una dimensión suficiente, disponiendo de un espacio adecuado entre los caracteres y los renglones.

La imagen de la pantalla deberá ser estable, sin fenómenos de destellos, centelleos u otras formas de inestabilidad.

El usuario de terminales con pantalla deberá poder ajustar fácilmente la luminosidad y el contraste entre los caracteres y el fondo de la pantalla, y adaptarlos fácilmente a las condiciones del entorno.

La pantalla deberá ser orientable e inclinable a voluntad, con facilidad para adaptarse a las necesidades del usuario.

Podrá utilizarse un pedestal independiente o una mesa regulable para la pantalla.

La pantalla no deberá tener reflejos ni reverberaciones que puedan molestar al usuario.

C) Teclado

El teclado deberá ser inclinable e independiente de la pantalla para permitir que el trabajador adopte una postura cómoda que no provoque cansancio en los brazos o las manos.

Tendrá que haber espacio suficiente delante del teclado para que el usuario pueda apoyar los brazos y las manos.

La superficie del teclado deberá ser mate para evitar los reflejos.

La disposición del teclado y las características de las teclas deberán tender a facilitar su utilización.

Los símbolos de las teclas deberán resaltar suficientemente y ser legibles desde la posición normal de trabajo.

D) Mesa o superficie de trabajo

La mesa o superficie de trabajo deberán ser poco reflectantes, tener dimensiones suficientes y permitir una colocación flexible de la pantalla, del teclado, de los documentos y del material accesorio.

El soporte de los documentos deberá ser estable y regulable y estará colocado de tal modo que se reduzcan al mínimo los movimientos incómodos de la cabeza y los ojos.

El espacio deberá ser suficiente para permitir a los trabajadores una posición cómoda.

E) Asiento de trabajo

El asiento de trabajo deberá ser estable, proporcionando al usuario libertad de movimiento y procurándole una postura confortable.

La altura del mismo deberá ser regulable.

El respaldo deberá ser reclinable y su altura ajustable.

Se pondrá un reposapiés a disposición de quienes lo deseen.

4.2. Entorno

A) Espacio

El puesto de trabajo deberá tener una dimensión suficiente y estar acondicionado de tal manera que haya espacio suficiente para permitir los cambios de postura y movimientos de trabajo.

B) Iluminación

La iluminación general y la iluminación especial (lámparas de trabajo), cuando sea necesaria, deberán garantizar unos niveles adecuados de iluminación y unas relaciones adecuadas de luminancias entre la pantalla y su entorno, habida cuenta del carácter del trabajo, de las necesidades visuales del usuario y del tipo de pantalla utilizado.

El acondicionamiento del lugar de trabajo y del puesto de trabajo, así como la situación y las características técnicas de las fuentes de luz artificial, deberán coordinarse de tal manera que se eviten los deslumbramientos y los reflejos molestos en la pantalla u otras partes del equipo.

C) Reflejos y deslumbramientos

Los puestos de trabajo deberán instalarse de tal forma que las fuentes de luz, tales como ventanas y otras aberturas, los tabiques transparentes o translúcidos y los equipos o tabiques de color claro no provoquen deslumbramiento directo ni produzcan reflejos molestos en la pantalla.

Las ventanas deberán ir equipadas con un dispositivo de cobertura adecuado y regulable para atenuar la luz del día que ilumine el puesto de trabajo.

D) Ruido

El ruido producido por los equipos instalados en el puesto de trabajo deberá tenerse en cuenta al diseñar el mismo, en especial para que no se perturbe la atención ni la palabra.

E) Calor

Los equipos instalados en el puesto de trabajo no deberán producir un calor adicional que pueda ocasionar molestias a los trabajadores.

F) Emisiones

Toda radiación, excepción hecha de la parte visible del espectro electromagnético, deberá reducirse a niveles insignificantes desde el punto de vista de la protección de la seguridad y de la salud de los trabajadores.

G) Humedad

Deberá crearse y mantenerse una humedad aceptable.

4.3. Interconexión ordenador/persona

Para la elaboración, la elección, la compra y la modificación de programas, así como para la definición de las tareas que requieran pantallas de visualización, el empresario tendrá en cuenta los siguientes factores:

a) El programa habrá de estar adaptado a la tarea que deba realizarse.

b) El programa habrá de ser fácil de utilizar y deberá, en su caso, poder adaptarse al nivel de conocimientos y de experiencia del usuario; no deberá utilizarse ningún dispositivo cuantitativo o cualitativo de control sin que los trabajadores hayan sido informados y previa consulta con sus representantes.

c) Los sistemas deberán proporcionar a los trabajadores indicaciones sobre su desarrollo.

d) Los sistemas deberán mostrar la información en un formato y a un ritmo adaptados a los operadores.

e) Los principios de ergonomía deberán aplicarse en particular al tratamiento de la información por parte de la persona.

4.4. Trabajador (usuario)

Según la Guía Técnica de Evaluación y Prevención de los Riesgos relativos a la utilización de equipos con Pantallas de Visualización, elaborada por el Instituto Nacional de Seguridad e Higiene en el Trabajo, los empleados que usan estos equipos se pueden clasificar en tres categorías:

a) Los que pueden considerarse "trabajadores" usuarios de equipos con pantalla de visualización: todos aquellos que superen las 4 horas diarias o 20 horas semanales de trabajo efectivo con dichos equipos.

b) Los que pueden considerarse excluidos de la consideración de "trabajadores" usuarios: todos aquellos cuyo trabajo efectivo con pantallas de visualización sea inferior a 2 horas diarias o 10 horas semanales.

c) Los que, con ciertas condiciones, podrían ser considerados "trabajadores" usuarios: todos aquellos que realicen entre 2 y 4 horas diarias (o 10 a 20 horas semanales) de trabajo efectivo con estos equipos.

Una persona incluida dentro de la categoría (C) puede ser considerada, definitivamente, "trabajador" usuario si cumple, al menos, 5 de los requisitos siguientes:

1.º Depender del equipo con pantalla de visualización para hacer su trabajo, no pudiendo disponer fácilmente de medios alternativos para conseguir los mismos resultados (este sería el caso del trabajo con aplicaciones informáticas que reemplazan eficazmente los procedimientos tradicionales de trabajo, pero requieren el empleo de pantallas de visualización, o bien de tareas que no podrían realizarse sin el concurso de dichos equipos).

2.º No poder decidir voluntariamente si utiliza o no el equipo con pantalla de visualización para realizar su trabajo (por ejemplo, cuando sea la empresa quien indique al trabajador la necesidad de hacer su tarea usando equipos con pantalla de visualización).

3.º Necesitar una formación o experiencia específicas en el uso del equipo, exigidas por la empresa, para hacer su trabajo (por ejemplo, los cursos impartidos por la empresa al trabajador para el manejo de un programa informático o la formación y experiencia equivalente exigidos en el proceso de selección).

4.º Utilizar habitualmente equipos con pantallas de visualización durante períodos continuos de una hora o más (las pequeñas interrupciones, como llamadas de teléfono o similares, durante dichos periodos, no desvirtúan la consideración de trabajo continuo).

5.º Utilizar equipos con pantallas de visualización diariamente o casi diariamente, en la forma descrita en el punto anterior.

6.º Que la obtención rápida de información por parte del usuario a través de la pantalla constituya un requisito importante del trabajo (por ejemplo, en actividades de información al público en las que el trabajador utilice equipos con pantallas de visualización).

7.º Que las necesidades de la tarea exijan un nivel alto de atención por parte del usuario; por ejemplo, debido a que las consecuencias de un error puedan ser críticas (este sería el caso de las tareas de vigilancia y control de procesos en los que un error pudiera dar lugar a pérdidas materiales o humanas).

4.5. Principales riesgos

Según la Guía Técnica de Evaluación y Prevención de los Riesgos relativos a la utilización de equipos con Pantallas de Visualización, elaborada por el Instituto Nacional de Seguridad e Higiene en el Trabajo, los principales riesgos asociados al uso de equipos con pantalla de visualización son: los trastornos musculoesqueléticos, la fatiga visual, y la fatiga mental.

TEMA 18

Planes de Autoprotección. Riesgos contemplados en el Plan de Autoprotección. Plan de Actuación ante Emergencias. Actuaciones en caso de incendio. Instalaciones de protección contra incendios. Extintores. Primeros auxilios

Índice

1. Planes de autoprotección: El Real Decreto 393/2007, de 23 de marzo, por el que se aprueba la norma básica de autoprotección de los centros, establecimientos y dependencias dedicados a actividades que puedan dar origen a situaciones de emergencia
2. Riesgos contemplados en el Plan de Autoprotección
3. Plan de Actuación ante Emergencias
4. Instalaciones de protección contra incendios. Actuaciones en caso de incendio
5. Primeros auxilios

1. Planes de autoprotección: El Real Decreto 393/2007, de 23 de marzo, por el que se aprueba la norma básica de autoprotección de los centros, establecimientos y dependencias dedicados a actividades que puedan dar origen a situaciones de emergencia

La obligación de los poderes públicos de garantizar el derecho a la vida y a la integridad física, como el más importante de todos los derechos fundamentales, incluido en el artículo 15 de la Constitución Española, debe plantearse no solo de forma que los ciudadanos alcancen la protección a través de las Administraciones Públicas, sino que se ha de procurar la adopción de medidas destinadas a la prevención y control de riesgos en su origen, así como a la actuación inicial en las situaciones de emergencia que pudieran presentarse.

Destaca la Ley 31/1995, de 8 de noviembre, de prevención de riesgos laborales, cuyo objeto es promover la seguridad y salud de los trabajadores mediante la aplicación de medidas y el desarrollo de las actividades necesarias para la prevención de riesgos derivados del trabajo.

El **Plan de Emergencias** está regulado por la citada Ley de Prevención de Riesgos Laborales (en su artículo 20), donde se especifica que "el empresario teniendo en cuenta el tamaño y la actividad de la empresa así como la posible presencia de personas ajenas a la misma, deberá: analizar las situaciones de emergencia; Adoptar las medidas necesarias en materia de primeros auxilios, lucha contra incendios y evacuación de los trabajadores; Designar al personal encargado de poner en práctica estas medidas, el cual deberá ser formado; Y comprobar periódicamente el correcto funcionamiento de dicho plan."

Es evidente que la protección de los trabajadores de una determinada dependencia o establecimiento, especialmente en cuanto se refiere a riesgos catastróficos, implica, las más de las veces, la protección simultánea de otras personas presentes en el establecimiento, con lo que, en tales casos, se estará atendiendo simultáneamente a la seguridad de los trabajadores y a la del público en general.

El **Plan de Autoprotección** está regulado por el ***Real Decreto 393/2007, de 23 de marzo, por el que se aprueba la Norma Básica de Autoprotección de los centros, establecimientos y dependencias dedicados a actividades que puedan dar origen a situaciones de emergencia.***

La Norma Básica de Autoprotección define y desarrolla la autoprotección y establece los mecanismos de control por parte de las Administraciones Públicas. Contempla una gradación de las obligaciones de la autoprotección y respeta la normativa sectorial específica de aquellas actividades que, por su potencial peligrosidad, importancia y posibles efectos perjudiciales sobre la población, el medio ambiente y los bienes, deben tener un tratamiento singular.

La Norma Básica de Autoprotección establece la obligación de elaborar, implantar materialmente y mantener operativos los Planes de Autoprotección y determina el contenido mínimo que deben incorporar estos planes en aquellas actividades, centros, establecimientos, espacios, instalaciones y dependencias que, potencialmente, pueden generar o resultar afectadas por situaciones de emergencia. Incide no sólo en las actuaciones ante dichas situaciones, sino también y con carácter previo, en el análisis y evaluación de los riesgos, en la adopción de medidas preventivas y de control de los riesgos, así como en la integración de las actuaciones en emergencia, en los correspondientes Planes de Emergencia de Protección Civil.

Con la aparición del RD 393/2007 quedó derogada la Orden de 29 de noviembre de 1984, por la que se aprobaba el *Manual de Autoprotección para el desarrollo del Plan de Emergencia contra Incendios y de Evacuación de Locales y Edificios*, que era la norma de autoprotección que se aplicaba hasta la entrada en vigor del nuevo Real Decreto.

El Plan de Emergencia contra incendios y de evacuación de locales y edificios de la legislación anterior constaba de cuatro documentos:

- Documento Nº 1: Evaluación del riesgo.
- Documento Nº 2: Medios de protección.
- Documento Nº 3: Plan de emergencia, propiamente dicho.
- Documento Nº 4: Implantación del plan de emergencias.

En la legislación actual se habla de Plan de autoprotección:

- Está organizado en un documento único.
- Se contemplan distintas situaciones de emergencias, no sólo el caso de incendio.

Aquellas empresas que no se encuentren en el catálogo de actividades del RD 393/2007, deben desarrollar por escrito sus medidas de emergencia según lo estipulado en el citado artículo 20 de la Ley 31/1995; este documento puede adoptar diversas denominaciones (plan, protocolo, procedimiento o manual de emergencia y evacuación), pudiendo integrar su contenido en el propio plan de prevención de la empresa.

Las funciones de vigilancia y custodia del material, y las preceptivas rondas para poner en marcha o apagar las instalaciones, abrir y cerrar las puertas de acceso, que corresponden al Personal Subalterno, le convierten en un elemento determinante a la hora de detectar y avisar de situaciones de riesgo y emergencia. Por esta razón, es imprescindible que este personal conozca en qué consiste el Plan de Autoprotección de su edificio, cómo tiene que actuar en caso de que detecte una situación de emergencia y a quién tiene que dirigirse.

Entenderemos como autoprotección el sistema de acciones y medidas encaminadas a:

- Prevenir y controlar los riesgos sobre las personas y los bienes.
- Dar respuesta adecuada a las posibles situaciones de emergencia.
- Garantizar la integración de estas actuaciones con el sistema público de protección civil.

Estas acciones y medidas deben ser adoptadas por los titulares de las actividades, públicas o privadas, con sus propios medios y recursos, dentro de su ámbito de competencia.

1.1. Objeto y regulación

El Real Decreto 393/2007 aprueba la Norma Básica de Autoprotección de los centros, establecimientos y dependencias, dedicados a actividades que puedan dar origen a situaciones de emergencia.

Las disposiciones de este Real Decreto se han de aplicar a todas las actividades comprendidas en el anexo I de la Norma Básica de Autoprotección que aprueba, y también se aplica con carácter supletorio en el caso de las Actividades con Reglamentación Sectorial Específica, contempladas en el punto 1 de dicho anexo.

Dicho anexo I realiza una clasificación de actividades, en la que destacamos por su afinidad con el propósito de este libro las siguientes actividades sin reglamentación sectorial específica a las que se aplica la Norma Básica de Autoprotección:

a) **Actividades sanitarias:**

- Establecimientos de usos sanitarios en los que se prestan cuidados médicos en régimen de hospitalización y/o tratamiento intensivo o quirúrgico, con una disponibilidad igual o superior a 200 camas.
- Cualquier otro establecimiento de uso sanitario que disponga de una altura de evacuación igual o superior a 28 m, o de una ocupación igual o superior a 2.000 personas.

b) **Actividades docentes:**

- Establecimientos de uso docente especialmente destinados a personas discapacitadas físicas o psíquicas o a otras personas que no puedan realizar una evacuación por sus propios medios.
- Cualquier otro establecimiento de uso docente siempre que disponga de una altura de evacuación igual o superior a 28 m, o de una ocupación igual o superior a 2.000 personas.

c) **Actividades residenciales públicas:**

- Establecimientos de uso residencial público: aquellos en los que se desarrollan actividades de residencia o centros de día destinados a ancianos, discapacitados físicos o psíquicos, o aquellos en los que habitualmente existan ocupantes que no puedan realizar una evacuación por sus propios medios y que afecte a 100 o más personas.
- Cualquier otro establecimiento de uso residencial público siempre que disponga de una altura de evacuación igual o superior a 28 m, o de una ocupación igual o superior a 2000 personas.

d) **Otras actividades**: aquellas otras actividades desarrolladas en centros, establecimientos, espacios, instalaciones o dependencias o medios análogos que reúnan alguna de las siguientes características:

- Todos aquellos edificios que alberguen actividades comerciales, administrativas, de prestación de servicios, o de cualquier otro tipo, siempre que la altura de evacuación del edificio sea igual o superior a 28 m, o bien dispongan de una ocupación igual o superior a 2.000 personas.

- Instalaciones cerradas desmontables o de temporada con capacidad igual o superior a 2.500 personas.
- Instalaciones de camping con capacidad igual o superior a 2.000 personas.
- Todas aquellas actividades desarrolladas al aire libre con un número de asistentes previsto igual o superior a 20.000 personas. No obstante, las Administraciones Públicas competentes podrán exigir la elaboración e implantación de planes de autoprotección a los titulares de actividades no incluidas en el anexo I, cuando presenten un especial riesgo o vulnerabilidad.

Quedan exentas del control administrativo y del registro, aquellos centros, establecimientos o instalaciones dependientes del Ministerio de Defensa, de Instituciones Penitenciarias, de las Fuerzas y Cuerpos de Seguridad, y Resguardo Aduanero, así como los de los órganos judiciales.

Cuando las instalaciones o actividades a las que se refiere esta Norma Básica dispongan de Reglamentación específica propia que regule su régimen de autorizaciones, los procesos de control administrativo y técnico de sus Planes de Emergencia Interior responderán a lo dispuesto en la citada Reglamentación específica.

El artículo 7 del Real Decreto 393/2007 dispone que las distintas Administraciones Públicas, en el marco de sus competencias, promoverán de forma coordinada la Autoprotección, estableciendo los medios y recursos necesarios mediante el desarrollo de actuaciones orientadas a la información y sensibilización de los ciudadanos, empresas e instituciones en materia de prevención y control de riesgos, así como en materia de preparación y respuesta en situaciones de emergencia.

La Dirección General de Protección Civil y Emergencias establecerá un Fondo de Documentación especializado en materia de autoprotección para contribuir al desarrollo y promoción de la misma.

Por otra parte, las Administraciones públicas, en el ámbito de la autoprotección, deben ejercer funciones de vigilancia, inspección y control, y velarán por el cumplimiento de las exigencias contenidas en la Norma Básica de Autoprotección.

El incumplimiento de las obligaciones de autoprotección será sancionable por las administraciones públicas competentes, conforme a la Ley 2/1985, de 21 de enero, las correspondientes Leyes de Protección Civil y Emergencias de las Comunidades Autónomas y el resto del ordenamiento jurídico aplicable en materia de autoprotección.

La Norma Básica tiene como objeto el establecimiento de los criterios esenciales, de carácter mínimo, para la regulación de la autoprotección, para la definición de las actividades a las que obliga, y para la elaboración, implantación material efectiva y mantenimiento de la eficacia del Plan de Autoprotección.

Para ello, la Norma Básica entiende como autoprotección al sistema de acciones y medidas encaminadas a prevenir y controlar los riesgos sobre las personas y los bienes, a dar respuesta adecuada a las posibles situaciones de emergencia y a garantizar la integración de estas actuaciones con el sistema público de protección civil. Estas acciones y medidas deben ser adoptadas por los titulares de las actividades, públicas o privadas, con sus propios medios y recursos, dentro de su ámbito de competencia.

1.2. Funciones de las Administraciones Públicas

Atendiendo a las competencias atribuidas a las Administraciones Publicas en el Real Decreto 393/2007, se considerarán los siguientes órganos competentes:

1. La Dirección General de Protección Civil y Emergencias del Ministerio del Interior, para:
    a) Mantener una relación permanente con los órganos competentes en materia de Protección Civil de las Comunidades Autónomas, a todos los efectos previstos en el presente Real Decreto.
    b) Realizar la información previa de todos los Planes de Autoprotección que hubieran de efectuarse por cualquier titular, cuando el órgano competente para el otorgamiento de licencia o permiso para la explotación o inicio de actividad, perteneciera a la Administración General del Estado, y establecer el correspondiente Registro para los mismos.
    c) Fomentar la creación de foros de debate y la realización de actividades de formación en materia de autoprotección.
    d) Constituirse como punto de contacto en todo lo relativo a la autoprotección en relación con la Unión Europea y otros Organismos Internacionales.
2. Los órganos de las Administraciones Públicas competentes para el otorgamiento de licencia o permiso para la explotación o inicio de actividad, para:
    a) Recibir la documentación correspondiente a los Planes de Autoprotección.
    b) Requerir cuantos datos estime oportuno en el ejercicio de sus competencias.
    c) Obligar a los titulares de las actividades ubicadas en una misma edificación o recintos contiguos para que presenten y/o implanten un plan conjunto de autoprotección, cuando la valoración de las circunstancias concurrentes y la protección de bienes y personas así lo recomiende, dándoles un plazo razonable para llevarlo a efecto.
    d) Velar por el cumplimiento de las obligaciones impuestas en materia de autoprotección, ejerciendo la inspección y control de la autoprotección.
    e) Comunicar a los órganos competentes en materia de protección civil aquellas circunstancias e informaciones que resulten de su interés en materia de autoprotección.

3. Los órganos competentes en materia de Protección Civil en el ámbito local, autonómico o estatal, según corresponda, sin perjuicio de las competencias atribuidas a los órganos a que se refiere el apartado anterior, estarán facultados, para:

    a) Exigir la presentación y/o la implantación material y efectiva del Plan de Autoprotección a los titulares de las actividades reseñadas en el anexo I, así como inspeccionar el cumplimiento de la norma básica de autoprotección en los términos previstos en la normativa vigente.

    b) Instar a los órganos de las Administraciones Públicas competentes en la concesión de licencias o permisos de explotación o inicio de actividades, el ejercicio de las atribuciones contenidas en el párrafo d) del apartado anterior.

    c) Ejercer la atribución contenida en el párrafo d) del apartado anterior, por sí mismo, cuando los órganos de las Administraciones Públicas competentes en la concesión de licencias o permisos de explotación o inicio de actividades, desatiendan el requerimiento formulado.

    d) Establecer y mantener los correspondientes registros y archivos de carácter público, de acuerdo con la normativa aplicable, de los Planes de Autoprotección.

    e) Obligar a los titulares de las actividades que consideren peligrosas, por sí mismas o por hallarse en entornos de riesgo, aunque la actividad no figure en el anexo I, a que elaboren e implanten un Plan de Autoprotección, dándoles un plazo razonable para llevarlo a efecto.

    f) Promover la colaboración entre las empresas o entidades cuyas actividades presenten riesgos especiales, con el fin de incrementar el nivel de autoprotección en sus instalaciones y en el entorno de estas.

    g) Ejercer la potestad sancionadora conforme a lo que prevean las leyes aplicables.

1.3. Obligaciones de los titulares de las actividades

Las obligaciones de los titulares de las actividades reseñadas en el Anexo del Real Decreto 393/2007, serán las siguientes:

a) Elaborar el Plan de Autoprotección correspondiente a su actividad, de acuerdo con el contenido mínimo definido en el anexo II y los criterios establecidos en el apartado 3.3. de esta Norma.

b) Presentar el Plan de Autoprotección al órgano de la Administración Pública competente para otorgar la licencia o permiso determinante para la explotación o inicio de la actividad.

c) Desarrollar las actuaciones para la implantación y el mantenimiento de la eficacia del Plan de Autoprotección, de acuerdo con el contenido definido en el Anexo II y los criterios establecidos en esta Norma Básica de Autoprotección.

d) Remitir al registro correspondiente los datos previstos en el anexo IV de esta Norma Básica de Autoprotección.

e) Informar y formar al personal a su servicio en los contenidos del Plan de Autoprotección.

f) Facilitar la información necesaria para, en su caso, posibilitar la integración del Plan de Autoprotección en otros Planes de Autoprotección de ámbito superior y en los planes de Protección Civil.

g) Informar al órgano que otorga la licencia o permiso determinante para la explotación o inicio de la actividad acerca de cualquier modificación o cambio sustancial en la actividad o en las instalaciones, en aquello que afecte a la autoprotección.

h) Colaborar con las autoridades competentes de las Administraciones Públicas, en el marco de las normas de protección civil que le sean de aplicación.

i) Informar con la antelación suficiente a los órganos competentes en materia de Protección Civil de las Administraciones Públicas de la realización de los simulacros previstos en el Plan de Autoprotección.

1.4. Obligaciones del personal de las actividades

El personal al servicio de las actividades reseñadas en el Anexo I de la Norma Básica de Autoprotección tendrá la obligación de participar, en la medida de sus capacidades, en el Plan de Autoprotección y asumir las funciones que les sean asignadas en dicho Plan.

1.5. Planes de autoprotección

La Norma Básica de Autoprotección de los centros, establecimientos y dependencias, dedicados a actividades que puedan dar origen a situaciones de emergencia, aprobada por el Real Decreto 393/2007, de 23 de marzo, regula en su apartado 3 los planes de autoprotección. Expondremos en este epígrafe su regulación y sus características más importantes.

Los conceptos y términos fundamentales utilizados en la Norma Básica de Autoprotección de los centros, establecimientos y dependencias, dedicados a actividades que puedan dar origen a situaciones de emergencia, deben entenderse así definidos:

- ***Actividad***: conjunto de operaciones o tareas que puedan dar origen a accidentes o sucesos que generen situaciones de emergencia.
- ***Aforo***: capacidad total de público en un recinto o edificio destinado a espectáculos públicos o actividades recreativas.
- ***Alarma***: aviso o señal por la que se informa a las personas para que sigan instrucciones específicas ante una situación de emergencia.

- ***Alerta***: situación declarada con el fin de tomar precauciones específicas debido a la probable y cercana ocurrencia de un suceso o accidente.
- ***Altura de evacuación***: la diferencia de cota entre el nivel de un origen de evacuación y el del espacio exterior seguro.
- ***Autoprotección***: sistema de acciones y medidas, adoptadas por los titulares de las actividades, públicas o privadas, con sus propios medios y recursos, dentro de su ámbito de competencias, encaminadas a prevenir y controlar los riesgos sobre las personas y los bienes, a dar respuesta adecuada a las posibles situaciones de emergencia y a garantizar la integración de estas actuaciones en el sistema público de protección civil.
- ***Centro, establecimiento, espacio, dependencia o instalación***: la totalidad de la zona, bajo control de un titular, donde se desarrolle una actividad.
- ***Confinamiento***: medida de protección de las personas, tras un accidente, que consiste en permanecer dentro de un espacio interior protegido y aislado del exterior.
- ***Efecto dominó***: la concatenación de efectos causantes de riesgo que multiplican las consecuencias, debido a que los fenómenos peligrosos pueden afectar, además de los elementos vulnerables exteriores, otros recipientes, tuberías, equipos o instalaciones del mismo establecimiento o de otros próximos, de tal manera que a su vez provoquen nuevos fenómenos peligrosos.
- ***Evacuación***: acción de traslado planificado de las personas, afectadas por una emergencia, de un lugar a otro provisional seguro.
- ***Intervención***: consiste en la respuesta a la emergencia, para proteger y socorrer a las personas y los bienes.
- ***Medios***: conjunto de personas, máquinas, equipos y sistemas que sirven para reducir o eliminar riesgos y controlar las emergencias que se puedan generar.
- ***Ocupación***: máximo número de personas que puede contener un edificio, espacio, establecimiento, recinto, instalación o dependencia, en función de la actividad o uso que en él se desarrolle. El cálculo de la ocupación se realiza atendiendo a las densidades de ocupación indicadas en la normativa vigente. No obstante, de preverse una ocupación real mayor a la resultante de dicho cálculo, se tomará ésta como valor de referencia. E igualmente, si legalmente fuera exigible una ocupación menor a la resultante de aquel cálculo, se tomará ésta como valor de referencia.
- ***Órgano competente para el otorgamiento de licencia o permiso para la explotación o inicio de actividad***: el Órgano de la Administr ación Pública que, conforme a la legislación aplicable a la materia a que se refiere la actividad, haya de conceder el título para su realización.
- ***Peligro***: probabilidad de que se produzca un efecto dañino específico en un período de tiempo determinado o en circunstancias determinadas.

- ***Plan de Autoprotección***: marco orgánico y funcional previsto para una actividad, centro, establecimiento, espacio, instalación o dependencia, con el objeto de prevenir y controlar los riesgos sobre las personas y los bienes y dar respuesta adecuada a las posibles situaciones de emergencias, en la zona bajo responsabilidad del titular, garantizando la integración de estas actuaciones en el sistema público de protección civil.
- ***Plan de actuación en emergencias***: documento perteneciente al plan de autoprotección en el que se prevé la organización de la respuesta ante situaciones de emergencias clasificadas, las medidas de protección e intervención a adoptar, y los procedimientos y secuencia de actuación para dar respuesta a las posibles emergencias.
- ***Planificación***: es la preparación de las líneas de actuación para hacer frente a las situaciones de emergencia.
- ***Prevención y control de riesgos***: es el estudio e implantación de las medidas necesarias y convenientes para mantener bajo observación, evitar o reducir las situaciones de riesgo potencial y daños que pudieran derivarse. Las acciones preventivas deben establecerse antes de que se produzca la incidencia, emergencia, accidente o como consecuencia de la experiencia adquirida tras el análisis de las mismas.
- ***Puertos comerciales***: los que en razón a las características de su tráfico reúnen condiciones técnicas, de seguridad y de control administrativo para que en ellos se realicen actividades comerciales portuarias, entendiendo por tales las operaciones de estiba, desestiba, carga, descarga, transbordo y almacenamiento de mercancías de cualquier tipo, en volumen o forma de presentación que justifiquen la utilización de medios mecánicos o instalaciones especializadas.
- ***Recursos***: elementos naturales o técnicos cuya función habitual no está asociada a las tareas de autoprotección y cuya disponibilidad hace posible o mejora las labores de prevención y actuación ante emergencias.
- ***Rehabilitación***: es la vuelta a la normalidad y reanudación de la actividad.
- ***Riesgo***: grado de pérdida o daño esperado sobre las personas y los bienes y su consiguiente alteración de la actividad socioeconómica, debido a la ocurrencia de un efecto dañino específico.
- ***Titular de la actividad***: la persona física o jurídica que explote o posea el centro, establecimiento, espacio, dependencia o instalación donde se desarrollen las actividades.

1.5.1. Concepto y objeto

El Plan de Autoprotección es el documento que establece el marco orgánico y funcional previsto para un centro, establecimiento, espacio, instalación o dependencia, con el objeto de prevenir y controlar los riesgos sobre las personas y los bienes y dar respuesta adecuada a las posibles situaciones de emergencia, en la zona bajo responsabilidad del titular de la actividad, garantizando la integración de estas actuaciones con el sistema público de protección civil.

El Plan de Autoprotección aborda la identificación y evaluación de los riesgos, las acciones y medidas necesarias para la prevención y control de riesgos, así como las medidas de protección y otras actuaciones a adoptar en caso de emergencia.

1.5.2. Contenido del plan de autoprotección

El Plan de Autoprotección se recogerá en un documento único cuya estructura es la siguiente:

1. La identificación de los titulares y del emplazamiento de la actividad.
2. La descripción detallada de la actividad y del medio físico en que se desarrolla.
3. El inventario, análisis y evaluación de riesgos.
4. El inventario y descripción de las medidas y medios de autoprotección.
5. El programa de mantenimiento de instalaciones.
6. El **Plan de actuación ante emergencias**:
   - Identificación y clasificación de las emergencias.
   - Procedimientos de actuación ante emergencias:
   - Detección y alerta.
   - Mecanismos de alarma:
     * Identificación de la persona que dará los avisos.
     * Identificación del Centro de Coordinación de Atención de Emergencias de Protección Civil.
   - Mecanismos de respuesta frente a la emergencia.

- Evacuación y/o confinamiento.
- Prestación de las primeras ayudas.
- Modos de recepción de las ayudas externas.
- Identificación y funciones de las personas y equipos que llevarán a cabo los procedimientos de actuación en emergencias.
- Identificación del Responsable de la puesta en marcha del Plan de Actuación ante Emergencias.

7. Integración del plan de autoprotección en otros de ámbito superior.
8. Implantación del Plan de Autoprotección.
9. Mantenimiento de la eficacia y actualización del Plan de Autoprotección.
10. Anexos:
    - Anexo I: Directorio de comunicación:
        * Teléfonos del Personal de emergencias.
        * Teléfonos de ayuda exterior.
        * Otras formas de comunicación.
    - Anexo II: Formularios para la gestión de emergencias.
    - Anexo II. Planos.

El documento del Plan de Autoprotección, se estructurará, con el contenido que figura a continuación, tanto si se refiere a edificios, como a instalaciones o actividades a las que sean aplicables los diferentes capítulos.

Índice paginado

Capítulo 1. Identificación de los titulares y del emplazamiento de la actividad.

1.1. Dirección Postal del emplazamiento de la actividad. Denominación de la actividad, nombre y/o marca. Teléfono y Fax.

1.2. Identificación de los titulares de la actividad. Nombre y/o Razón Social. Dirección Postal, Teléfono y Fax.

1.3. Nombre del Director del Plan de Autoprotección y del director o directora del plan de actuación en emergencia, caso de ser distintos. Dirección Postal, Teléfono y Fax.

Capítulo 2. Descripción detallada de la actividad y del medio físico en el que se desarrolla.

2.1. Descripción de cada una de las actividades desarrolladas objeto del Plan.

2.2. Descripción del centro o establecimiento, dependencias e instalaciones donde se desarrollen las actividades objeto del plan.

2.3. Clasificación y descripción de usuarios.

2.4. Descripción del entorno urbano, industrial o natural en el que figuren los edificios, instalaciones y áreas donde se desarrolla la actividad.

2.5. Descripción de los accesos. Condiciones de accesibilidad para la ayuda externa.

Este capítulo se desarrollará mediante documentación escrita y se acompañará al menos la documentación gráfica siguiente:

- Plano de situación, comprendiendo el entorno próximo urbano, industrial o natural en el que figuren los accesos, comunicaciones, etcétera.
- Planos descriptivos de todas las plantas de los edificios, de las instalaciones y de las áreas donde se realiza la actividad.

Capítulo 3. Inventario, análisis y evaluación de riesgos.

Deben tenerse presentes, al menos, aquellos riesgos regulados por normativas sectoriales. Este capítulo comprenderá:

3.1. Descripción y localización de los elementos, instalaciones, procesos de producción, etc., que puedan dar origen a una situación de emergencia o incidir de manera desfavorable en el desarrollo de la misma.

3.2. Identificación, análisis y evaluación de los riesgos propios de la actividad y de los riesgos externos que pudieran afectarle (Riesgos contemplados en los planes de Protección Civil y actividades de riesgo próximas).

3.3. Identificación, cuantificación y tipología de las personas tanto afectas a la actividad como ajenas a la misma que tengan acceso a los edificios, instalaciones y áreas donde se desarrolla la actividad.

Este capítulo se desarrollará mediante documentación escrita y se acompañará al menos la documentación gráfica siguiente:

- Planos de ubicación por plantas de todos los elementos y/o instalaciones de riesgo, tanto los propios como los del entorno.

Capítulo 4. Inventario y descripción de las medidas y medios de autoprotección.

4.1. Inventario y descripción de las medidas y medios, humanos y materiales, que dispone la entidad para controlar los riesgos detectados, enfrentar las situaciones de emergencia y facilitar la intervención de los Servicios Externos de Emergencias.

4.2. Las medidas y los medios, humanos y materiales, disponibles en aplicación de disposiciones específicas en materia de seguridad.

Este capítulo se desarrollará mediante documentación escrita y se acompañará al menos la documentación gráfica siguiente:

- Planos de ubicación de los medios de autoprotección, conforme a normativa UNE.
- Planos de recorridos de evacuación y áreas de confinamiento, reflejando el número de personas a evacuar o confinar por áreas según los criterios fijados en la normativa vigente.
- Planos de compartimentación de áreas o sectores de riesgo.

Capítulo 5. Programa de mantenimiento de instalaciones.

5.1. Descripción del mantenimiento preventivo de las instalaciones de riesgo, que garantiza el control de las mismas.

5.2. Descripción del mantenimiento preventivo de las instalaciones de protección, que garantiza la operatividad de las mismas.

5.3. Realización de las inspecciones de seguridad de acuerdo con la normativa vigente.

Este capítulo se desarrollará mediante documentación escrita y se acompañará al menos de un cuadernillo de hojas numeradas donde queden reflejadas las operaciones de mantenimiento realizadas, y de las inspecciones de seguridad, conforme a la normativa de los reglamentos de instalaciones vigentes.

Capítulo 6. Plan de actuación ante emergencias.

Deben definirse las acciones a desarrollar para el control inicial de las emergencias, garantizándose la alarma, la evacuación y el socorro. Comprenderá:

6.1. Identificación y clasificación de las emergencias:

- En función del tipo de riesgo.
- En función de la gravedad.
- En función de la ocupación y medios humanos.

6.2. Procedimientos de actuación ante emergencias:

a) Detección y Alerta.

b) Mecanismos de Alarma.

b.1) Identificación de la persona que dará los avisos.

b.2) Identificación del Centro de Coordinación de Atención de Emergencias de Protección Civil.

c) Mecanismos de respuesta frente a la emergencia.

d) Evacuación y/o Confinamiento.

e) Prestación de las Primeras Ayudas.

f) Modos de recepción de las Ayudas externas.

6.3. Identificación y funciones de las personas y equipos que llevarán a cabo los procedimientos de actuación en emergencias.

6.4. Identificación del Responsable de la puesta en marcha del Plan de Actuación ante Emergencias.

Capítulo 7. Integración del plan de autoprotección en otros de ámbito superior.

7.1. Los protocolos de notificación de la emergencia.

7.2. La coordinación entre la dirección del Plan de Autoprotección y la dirección del Plan de Protección Civil donde se integre el Plan de Autoprotección.

7.3. Las formas de colaboración de la Organización de Autoprotección con los planes y las actuaciones del sistema público de Protección Civil.

Capítulo 8. Implantación del Plan de Autoprotección.

8.1. Identificación del responsable de la implantación del Plan.

8.2. Programa de formación y capacitación para el personal con participación activa en el Plan de Autoprotección.

8.3. Programa de formación e información a todo el personal sobre el Plan de Autoprotección.

8.4. Programa de información general para los usuarios.

8.5. Señalización y normas para la actuación de visitantes.

8.6. Programa de dotación y adecuación de medios materiales y recursos.

Capítulo 9. Mantenimiento de la eficacia y actualización del Plan de Autoprotección.

9.1. Programa de reciclaje de formación e información.

9.2. Programa de sustitución de medios y recursos.

9.3. Programa de ejercicios y simulacros.

9.4. Programa de revisión y actualización de toda la documentación que forma parte del Plan de Autoprotección.

9.5. Programa de auditorías e inspecciones.

Anexo I. Directorio de comunicación.

1. Teléfonos del Personal de emergencias.
2. Teléfonos de ayuda exterior.
3. Otras formas de comunicación.

Anexo II. Formularios para la gestión de emergencias.

Anexo III. Planos.

Éste u otros documentos de naturaleza análoga que deban realizar los titulares en virtud de la normativa sectorial aplicable, podrán fusionarse en un documento único a estos efectos, cuando dicha unión permita evitar duplicaciones innecesarias de la información y la repetición de los trabajos realizados por el titular o la autoridad competente, siempre que se cumplan todos los requisitos esenciales de la presente Norma.

El titular del establecimiento que ya tenga elaborado un instrumento de prevención y autoprotección en base a otra normativa, deberá añadirle aquella parte del Anexo II que no esté contemplada en dicho instrumento.

El documento del Plan de Autoprotección incluirá todos los procedimientos y protocolos necesarios para reflejar las actuaciones preventivas y de respuesta a la emergencia.

1.5.3. Criterios para la elaboración del plan de autoprotección

Los criterios mínimos que deben observarse en la elaboración del Plan de Autoprotección son los siguientes:

1. El Plan de Autoprotección habrá de estar redactado y firmado por técnico competente capacitado para dictaminar sobre aquellos aspectos relacionados con la autoprotección frente a los riesgos a los que esté sujeta la actividad, y suscrito igualmente por el titular de la actividad, si es una persona física, o por persona que le represente si es una persona jurídica.
2. Se designará, por parte del titular de la actividad, una persona como responsable única para la gestión de las actuaciones encaminadas a la prevención y el control de riesgos.
3. Los procedimientos preventivos y de control de riesgos que se establezcan, tendrán en cuenta, al menos, los siguientes aspectos:
    a) Precauciones, actitudes y códigos de buenas prácticas a adoptar para evitar las causas que puedan originar accidentes o sucesos graves.
    b) Permisos especiales de trabajo para la realización de operaciones o tareas que generen riesgos.
    c) Comunicación de anomalías o incidencias al titular de la actividad.
    d) Programa de las operaciones preventivas o de mantenimiento de las instalaciones, equipos, sistemas y otros elementos de riesgo, definidos en el capítulo 5 del anexo II, que garantice su control.
    e) Programa de mantenimiento de las instalaciones, equipos, sistemas y elementos necesarios para la protección y seguridad, definidos en el capítulo 5 del Anexo II, que garantice la operatividad de los mismos.

4. Se establecerá una estructura organizativa y jerarquizada, dentro de la organización y personal existente, fijando las funciones y responsabilidades de todos sus miembros en situaciones de emergencia.
5. Se designará, por parte del titular de la actividad, una persona responsable única, con autoridad y capacidad de gestión, que será el director del Plan de Actuación en Emergencias, según lo establecido en el anexo II.
6. El director del Plan de Actuación en Emergencias será responsable de activar dicho plan de acuerdo con lo establecido en el mismo, declarando la correspondiente situación de emergencia, notificando a las autoridades competentes de Protección Civil, informando al personal, y adoptando las acciones inmediatas para reducir las consecuencias del accidente o suceso.
7. El Plan de Actuación en Emergencias debe detallar los posibles accidentes o sucesos que pudieran dar lugar a una emergencia y los relacionará con las correspondientes situaciones de emergencia establecidas en el mismo, así como los procedimientos de actuación a aplicar en cada caso.
8. Los procedimientos de actuación en emergencia deberán garantizar, al menos:
   - La detección y alerta.
   - La alarma.
   - La intervención coordinada.
   - El refugio, evacuación y socorro.
   - La información en emergencia a todas aquellas personas que pudieran estar expuestas al riesgo.
   - La solicitud y recepción de ayuda externa de los servicios de emergencia.

1.5.4. Coordinación y actuación operativa

Los órganos competentes en materia de protección civil velarán porque los Planes de Autoprotección tengan la adecuada capacidad operativa, en los distintos supuestos de riesgo que puedan presentarse, y quede asegurada la necesaria coordinación entre dichos Planes y los de protección Civil que resulten aplicables, así como la unidad de mando externa, en los casos que lo requieran.

Con esa finalidad, por dichos órganos, se establecerán los protocolos que garanticen, por un lado, la comunicación inmediata de los incidentes que se produzcan y tengan o puedan tener repercusiones sobre la autoprotección y, por otro, la movilización de los servicios de emergencia que, en su caso, deban actuar.

Asimismo, establecerán los procedimientos de coordinación de tales servicios de emergencia con los propios del Plan de Autoprotección y los requisitos organizativos que permitan el ejercicio del mando por las autoridades competentes en materia de protección civil.

1.5.5. Criterios para la implantación del plan de autoprotección

La implantación del plan de autoprotección comprenderá, al menos, la formación y capacitación del personal, el establecimiento de mecanismos de información al público y la provisión de los medios y recursos precisa para la aplicabilidad del plan.

A tal fin el plan de autoprotección atenderá a los siguientes criterios:

- Información previa. Se establecerán mecanismos de información de los riesgos de la actividad para el personal y el público, así como del Plan de Autoprotección para el personal de la actividad.
- Formación teórica y práctica del personal asignado al Plan de Autoprotección, estableciendo un adecuado programa de actividades formativas.
- Definición, provisión y gestión de los medios y recursos económicos necesarios.
- De dicha implantación se emitirá una certificación en la forma y contenido que establezcan los órganos competentes de las Administraciones Públicas.

1.5.6. Criterios para el mantenimiento de la eficacia del plan de autoprotección

Son los siguientes:

1. Las actividades de mantenimiento de la eficacia del Plan de Autoprotección deben formar parte de un proceso de preparación continuo, sucesivo e iterativo que, incorporando la experiencia adquirida, permita alcanzar y mantener un adecuado nivel de operatividad y eficacia.
2. Se establecerá un adecuado programa de actividades formativas periódicas para asegurar el mantenimiento de la formación teórica y práctica del personal asignado al Plan de Autoprotección, estableciendo sistemas o formas de comprobación de que dichos conocimientos han sido adquiridos.
3. Se preverá un programa de mantenimiento de los medios y recursos materiales y económicos necesarios.
4. Para evaluar los planes de autoprotección y asegurar la eficacia y operatividad de los planes de actuación en emergencias se realizarán simulacros de emergencia, con la periodicidad mínima que fije el propio plan, y en todo caso, al menos una vez al año evaluando sus resultados.
5. La realización de simulacros tendrá como objetivos la verificación y comprobación de:
   - La eficacia de la organización de respuesta ante una emergencia.
   - La capacitación del personal adscrito a la organización de respuesta.
   - El entrenamiento de todo el personal de la actividad en la respuesta frente a una emergencia.

- La suficiencia e idoneidad de los medios y recursos asignados.
- La adecuación de los procedimientos de actuación.

6. Los simulacros implicarán la activación total o parcial de las acciones contenidas en el Plan de Actuación en Emergencias.
7. De las actividades de mantenimiento de la eficacia del Plan se conservará por parte de la empresa a disposición de las Administraciones Públicas, información sobre las mismas, así como de los informes de evaluación realizados debidamente firmados por el responsable del Plan.

1.5.7. Vigencia del plan de autoprotección y criterios para su actualización y revisión

El Plan de Autoprotección tendrá vigencia indeterminada; se mantendrá adecuadamente actualizado, y se revisará, al menos, con una periodicidad no superior a tres años.

1.6. Medios de protección en el Plan de autoprotección

Tal como señalamos anteriormente, el Plan de autoprotección debe incluir un capítulo sobre inventario y descripción de las medidas y medios de autoprotección.

Entenderemos como **medios de protección** el conjunto de personas, máquinas, equipos y sistemas que sirven para reducir o eliminar riesgos y controlar las emergencias que se puedan generar.

Se consideran aquí los distintos medios e instalaciones de protección (no exclusivamente de protección contra incendios) disponibles en el Hospital/Centro:

- Inventario de medios de protección "activa" contra incendios.
- Medios de protección "pasiva" contra incendios: sectorización y evacuación.

La **protección activa** contra incendios incluye todos los medios e instalaciones previstas para la detección, la alarma y la extinción de incendios.

La **protección pasiva** contra incendios incluye las condiciones y especificaciones de diseño del propio edificio para minimizar las consecuencias de cualquier incendio. Son especialmente importantes a tener en cuenta:

- Las condiciones de sectorización, que permiten el confinamiento del incendio dentro de un sector de incendios.
- Las condiciones de evacuación, que permiten el desalojo parcial de una zona o el desalojo total del edificio.

En el último apartado de este tema haremos una especial mención a los medios de protección contra incendios.

En cuanto a los medios humanos, hay que reseñar que el hospital/centro cuenta con personas que la organización de emergencia ha designado para formar parte del "equipo de emergencia", proporcionándoles la formación, la instrucción y el adiestramiento necesario para poder desempeñar sus funciones con fiabilidad y eficacia en materia de extinción de incendios y control de situaciones de emergencia.

En última instancia, el Plan de Autoprotección prevé la intervención de servicios especializados (ayuda externa) cuando sea necesaria.

2. Riesgos contemplados en el Plan de Autoprotección

Existen diversas definiciones de riesgo, como: *situación que puede conducir a unas consecuencias negativas no deseadas en un acontecimiento,* o bien, *probabilidad de que suceda un peligro potencial* (entendiendo por peligro una situación física que puede provocar daños a la vida, a los equipos o al medio), o aún *consecuencias de una actividad dada, en relación con la probabilidad de que ocurra.*

Desde un punto de vista concreto de las actividades e instalaciones que nos afectan en el presente tema, los riesgos pueden clasificarse en tres categorías:

- *Riesgos convencionales:* relacionados con el desarrollo de la actividad empresarial y las instalaciones propias existentes en cualquier sector (electrocución, caídas, incendio, explosión, etc.).
- *Riesgos específicos:* asociados a la utilización o manipulación de productos que, por su naturaleza, pueden causar daños (productos tóxicos, radioactivos, petrolíferos, etc.).
- *Riesgos mayores:* (escapes de gases, explosiones, etc.): relacionados con accidentes y situaciones excepcionales. Sus consecuencias pueden presentar una especial gravedad ya que la rápida extensión de productos o energía alcanza áreas significativas.

2.1. Riesgos convencionales y específicos

En este apartado se incluirán todos aquellos riesgos generados en el interior de la instalación y ocasionados por las condiciones o formas de operación de las diferentes actividades llevadas a cabo, o debido a la peligrosidad de los distintos productos manejados.

2.1.1. Riesgo de incendio

A la hora de analizar el riesgo de incendio en un establecimiento existen varios métodos para su análisis y evaluación, que nos proporcionan información sobre el nivel del mismo. Existen varios métodos para evaluar el riesgo de incendio conocido como: riesgo intrínseco, Meseri, Gustav Purt, Gretener, E.R.I.C, F.R.A.M.E, o cualquier otro método admitido. Entre los métodos disponibles, se deberá aceptar el más apropiado para el estudio a realizar en función del inmueble para el cual se está elaborando el Plan de Autoprotección.

2.1.2. Riesgo de humo

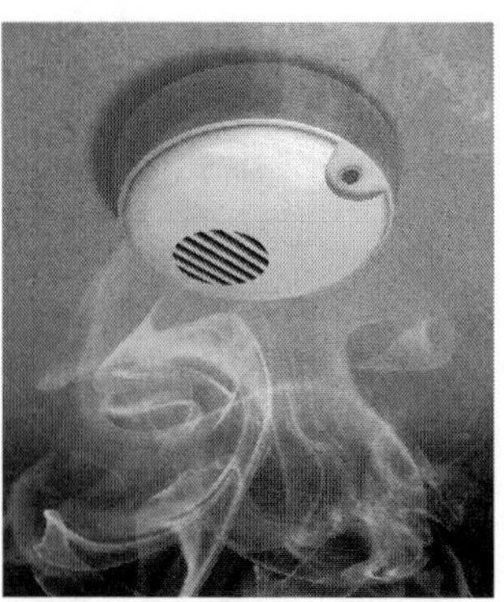

La naturaleza del riesgo de humo de gran intensidad va a ir ligado a algún tipo de incendio o explosión, pudiendo afectar a personas y/o bienes, es decir, puede provocar daños personales por asfixia y/o paradas respiratorias y por otro lado, ocasionar daños materiales, provocando desperfectos o destrucción. Las intensidades de las materializaciones de los riesgos en un daño, va en función de la intensidad del origen del suceso y del tiempo que se prolongue el mismo.

2.1.3. Riesgo de corte de suministro eléctrico generalizado

El riesgo de corte de suministro eléctrico puede estar a cualquier incidencia del funcionamiento normal de las instalaciones o por corte de los centros suministradores.

La magnitud de los daños provocados por un corte eléctrico, serán en función del tiempo de prolongación del mismo y del tipo de avería que lo haya podido originar, ocasionando pérdidas económicas, afectando directamente a la producción.

2.1.4. Riesgo de explosión

En los inmuebles, locales o establecimientos donde se encuentren instalaciones de gas, depósitos o almacenamiento de mercancías peligrosas, se deberá tener un especial cuidado por escape de los mismos, que pueden llegar a ocasionar explosiones, incendios o contaminación atmosférica, creando problemas graves de salud al personal en contacto con el punto de fuga en cuestión o provocando daños materiales.

El riesgo de explosión puede estar presente en muchas de las actividades realizadas en el mundo laboral, pudiendo ser debido a tres motivos fundamentales:

- La utilización de materiales explosivos.
- La presencia de gases, vapores, nieblas o nubes de polvos en el aire que pueden crear una atmósfera potencialmente explosiva.
- La existencia de recipientes, tuberías, etc., sometidos a presiones elevadas, derivando en reventones de las mismas.

2.1.5. Riesgo de contaminación por agentes químicos

La naturaleza de los principales riesgos a tener en cuenta son los siguientes:

- Riesgos según las propiedades físico-químicas de los elementos causales.
- Riesgos para la salud humana (toxicidad y otros efectos específicos).
- Riesgos para el medio ambiente.

2.1.6. Otros riesgos

En este apartado se incluirán aquellos riesgos, que son susceptibles de originar una situación adversa para las personas y bienes del centro, establecimiento y/o dependencias y que no se ha tenido en cuenta anteriormente.

2.2. Riesgos externos

Podríamos definir los riesgos de naturaleza externa que puedan afectar a la actividad, como la posibilidad de que se produzca un daño o catástrofe en el medio ambiente debido a un fenómeno natural o a una acción humana. A continuación se pasa a analizar cada uno de los distintos riesgos externos que pueden afectar a la actividad y que van a depender del agente que lo provoque.

2.2.1. Riesgos Naturales

Un riesgo natural se puede definir como la probabilidad de que un territorio y la sociedad que habita en ella, se vean afectados por episodios naturales de rango extraordinario.

A) Riesgos climáticos

- Lluvias.
- Tormentas.
- Vientos fuertes.
- Nevadas.

Hemos de tener en cuenta, de forma generalizada, la zona donde se ubica el centro, establecimiento y dependencias, para evaluar la posibilidad de riesgos de lluvia, tormentas, vientos fuertes, nevadas.

En función de la ubicación se valorará si la actividad a desarrollar está en zonas inundables, así como si es una zona de vientos fuertes, tormentas o una zona donde se producen nevadas o intensas heladas.

Y por último se establecerá cómo puede afectar la presencia de estos fenómenos, al funcionamiento normal de la actividad a realizar.

B) Riesgos geológicos

- Movimientos sísmicos.

  Los riesgos producidos por los movimientos sísmicos están originados por el choque de placas tectónicas. Según el mapa de peligrosidad sísmica de España contemplado en la Norma de Construcción Sismorresistente (NCSR-2002), se establece por municipios la relación de valores de la aceleración símica básica. También y a modo de consulta queda reflejada la peligrosidad sísmica en los Planes Especiales de Protección Civil.

- Erupciones volcánicas.

C) Riesgos geoclimáticos

Inundaciones por avenidas en cauce o desbordamiento, rotura de presas.

Los riesgos que derivan de inundaciones son impredecibles como cualquier riesgo natural y puede llegar a provocar graves daños materiales e incluso pérdida de vidas humanas.

Para un mejor análisis y evaluación de los riesgos de inundaciones se tendrán en cuenta las inundaciones históricas producidas en la zona donde se encuentra la actividad, comercio, edificio o establecimiento y así poder prevenir el riesgo de futuros episodios. Como referencia se pueden consultar los planes Especiales de Protección Civil ante el Riesgo de Inundaciones de las Comunidades Autónomas.

2.2.2. Riesgos tecnológicos

A) Actividades industriales peligrosas

En este apartado se tendrá que tener en cuenta el tipo de fabricación y almacenamiento de actividades peligrosas que se desarrollen en las proximidades de nuestro centro, establecimiento, dependencias, objeto del estudio para poder evaluar los riesgos que estas actividades pueden transmitir.

B) Transporte de mercancías peligrosas

Se estudiará la proximidad del inmueble, objeto de análisis, la/s carretera/s o línea de ferrocarril por las cuales se puedan realizar algún tipo de transporte de mercancías peligrosas que le afecten directa o indirectamente a la actividad en cuestión, ante un accidente, incendio, explosión, etc.

2.2.3. Riesgos antrópicos

A) Incendios

Se tendrá que tener en cuenta la proximidad a otras construcciones en general tales como edificios, naves, etc., para evaluar las actividades que se desarrollen en las mismas, que puedan afectar directamente a la actividad objeto de este estudio.

Un incendio es una ocurrencia de fuego no controlada que puede abrasar algo que no está destinado a quemarse.

Se pueden producir daños materiales y también a las personas. La exposición a un incendio puede ocasionar la muerte, generalmente por inhalación de humo y también por desvanecimiento producido por la intoxicación y quemaduras graves.

B) Grandes concentraciones humanas

Es importante tener en cuenta las zonas donde existan grandes concentraciones humanas, locales de reunión, etc.

2.3. Riesgos extraordinarios al personal

Además de los riesgos propios de la actividad y del entorno, hay que tener en cuenta los de tipo extraordinario que posibilitan situaciones de riesgo importantes que puedan incidir directamente o indirectamente en las personas o en el edificio. Estos riesgos dependerán de los siguientes parámetros:

- Aforo y ocupación.
- Vulnerabilidad.
- Condiciones físicas de accesibilidad de los servicios de rescate y salvamento.
- Tiempo de respuesta de los servicios de rescate y salvamento.
- Condiciones del entorno.
- Otras condiciones que puedan contribuir al riesgo.

Identificación de los riesgos

- Riesgo de amenaza de bomba.
- Riesgo de agresión física o con arma.
- Riesgo por intrusión.
- Riesgo de apoderamiento ilícito.
- Riesgos relacionados con la Sanidad Exterior.

2.3.1. Riesgo de amenaza de bomba

Los riesgos de amenaza de bomba siempre van a ir ligados al terrorismo o a falsa alarma creada por intereses particulares. No son predecibles, pero manifiesta una situación de alarma general con grave riesgo de pérdidas humanas y materiales en las instalaciones.

2.3.2. Amenaza de agresión física o con arma

Los riesgos de amenaza de agresión física o con arma, de forma generalizada, suelen estar relacionados con robos en el propio inmueble. Pueden ocasionar daños importantes en las personas de tipo físico y psicológico así como también puede provocar desperfectos y destrucciones en las instalaciones.

La amenaza o agresión física también puede ir motivada por el interés de la ejecución del daño a la propia persona.

2.3.3. Riesgo por intrusión

Hay riesgos que pueden existir por intrusión al inmueble, debiendo diferenciar el riesgo que provoca la intrusión en horas lectivas de trabajo o en horario fuera de trabajo. El primero puede originar riesgos para las personas que trabajan en el inmueble y el segundo va a afectar solamente al hurto o robo de mercancías, materiales…

2.3.4. Otros riesgos

Aquellos riesgos no contemplados en los puntos anteriores y que resulten de interés, tenerlos en cuenta.

3. Plan de Actuación ante Emergencias

3.1. Las emergencias. Regulación básica

La adopción por el empresario de medidas de emergencia es una de las manifestaciones del derecho a la protección frente a los riesgos laborales de los trabajadores, recogido en el artículo 14 de la Ley de Prevención de riesgos laborales cuando dispone que, en cumplimiento del deber de protección, el empresario deberá garantizar la seguridad y la salud de los trabajadores a su servicio en todos los aspectos relacionados con el trabajo. A estos efectos, en el marco de sus responsabilidades, el empresario realizará la prevención de los riesgos laborales mediante la adopción de cuantas medidas sean necesarias para la protección de la seguridad y la salud de los trabajadores, con las especialidades que se recogen en los artículos siguientes en materia de evaluación de riesgos, información, consulta y participación y formación de los trabajadores, **actuación en casos de emergencia y de riesgo grave e inminente**, vigilancia de la salud, y mediante la constitución de una organización y de los medios necesarios...

Teniendo en cuenta el tamaño y la actividad de la empresa, el empresario deberá analizar las posibles situaciones de emergencia y adoptar las medidas necesarias en materia de primeros auxilios, lucha contra incendios, evacuación de los trabajadores, etc., designando para ello personal encargado de poner en práctica estas medidas y comprobando periódicamente su correcto funcionamiento.

Para la aplicación de estas medidas, el empresario deberá organizar las relaciones que sean necesarias con servicios externos a la empresa, asistencia médica de urgencia, de forma que quede garantizada la rapidez y eficacia de las mismas.

España ha ratificado diversos Convenios de la Organización Internacional del Trabajo que guardan relación con la seguridad y la salud en los lugares de trabajo y que forman parte del nuestro ordenamiento jurídico. En concreto, el ya mencionado Convenio 155, de 22 de junio de 1981 (ratificado por España el 26 de julio de 1985), y el Convenio 148, de 20 de junio de 1977 (ratificado por nuestro país el 24 de noviembre de 1980), relativos a la seguridad y salud de los trabajadores y al medio ambiente de trabajo.

En el mismo sentido, y en el ámbito de la Unión Europea, se han fijado mediante las correspondientes Directivas, criterios de carácter general sobre las acciones en materia de seguridad y salud en los lugares de trabajo, así como criterios específicos referidos a medidas de protección contra accidentes y situaciones de riesgo. Concretamente, la Directiva 89/654/CEE, de 30 de noviembre.

Esta Directiva ha sido objeto de transposición al Derecho español mediante el Real Decreto 486/1997, de 14 de abril, ya citado anteriormente, por el que se establecen las disposiciones mínimas de seguridad y salud en los lugares de trabajo. Y, entre ellas, como obligaciones del empresario, la de adoptar las medidas necesarias para la seguridad y salud de los trabajadores (condiciones constructivas, orden y limpieza, instalaciones de servicio y protección, condiciones ambientales, iluminación, servicios higiénicos y locales de descanso, material y locales de primeros auxilios, información a los trabajadores, etc.).

Cuando los trabajadores puedan estar expuestos un **riesgo grave e inminente** con ocasión de su trabajo, el empresario estará obligado a:

a) Informar lo antes posible a todos los trabajadores afectados sobre la existencia de dicho riesgo y las medidas adoptadas o que deban adoptarse.

b) Adoptar las medidas y dar instrucciones necesarias para que los trabajadores puedan interrumpir su actividad. No podrá exigirse que los trabajadores reanuden la actividad mientras persista el peligro.

c) Disponer lo necesario para que el trabajador que no pudiera ponerse en contacto con su superior jerárquico, ante una situación de peligro, pueda él mismo adoptar las medidas necesarias para evitar las consecuencias de dicho peligro.

El trabajador tendrá derecho a interrumpir su actividad y abandonar el lugar de trabajo, en caso necesario, cuando considere que dicha actividad entraña un riesgo grave e inminente para su vida o su salud.

Cuando el empresario no adopte o no permita adoptar las medidas necesarias para garantizar la seguridad y salud de los trabajadores, los representantes legales de estos podrán acordar, por mayoría de sus miembros, la paralización de la actividad de los trabajadores afectados por dicho riesgo. Tal acuerdo será comunicado de inmediato a la empresa y a la Autoridad Laboral, la cual, en el plazo de veinticuatro horas, anulará o ratificará la paralización acordada.

Por otra parte, el artículo 24 de la Ley de Prevención de Riesgos Laborales, destinado a regular la coordinación de actividades cuando concurren varias empresas con trabajadores en el mismo lugar de trabajo, establece en su apartado 2 que el empresario titular del centro de trabajo adoptará las medidas necesarias para que aquellos otros empresarios que desarrollen actividades en su centro de trabajo reciban la información y las instrucciones adecuadas, en relación con los riesgos existentes en el centro de trabajo y con las medidas de protección y prevención correspondientes, así como sobre las **medidas de emergencia** a aplicar, para su traslado a sus respectivos trabajadores.

Además, una de las competencias y obligaciones de los Servicios de Prevención –ya sean propios, ajenos o mancomunados– es estar en condiciones de proporcionar a la empresa el asesoramiento y apoyo que precise en función de los tipos de riesgo en ella existentes y en lo referente a "...e) La prestación de los primeros auxilios y planes de emergencia...".

También, en el ámbito del derecho de consulta de los trabajadores, el artículo 33 de la Ley de Prevención de Riesgos Laborales dispone que el empresario deberá consultar a los trabajadores, con la debida antelación, la adopción de las decisiones relativas a "...c) La designación de los trabajadores encargados de las medidas de emergencia...".

3.2. Las emergencias en el plan de autoprotección

Como ya se ha expuesto en epígrafes anteriores, en el documento que debe contener el Plan de Autoprotección, figura un Capítulo 6 relativo al Plan de actuación ante emergencias, definiéndolas como "las acciones a desarrollar para el control inicial de las emergencias, garantizándose la alarma, la evacuación y el socorro". Este Plan debe comprender:

3.2.1. Identificación y clasificación de las emergencias

- En función del tipo de riesgo.
- En función de la gravedad.
- En función de la ocupación y medios humanos.

Como más importantes tenemos: el incendio, la amenaza de bomba, el accidente laboral o enfermedad repentina de una persona.

3.2.2. En función de la gravedad

Las emergencias se pueden clasificar en función de la gravedad de la situación, pudiendo ser situaciones sucesivas, que las denominaremos según la siguiente clasificación:

A) **Preemergencia**. Se define como aquella situación en la que los parámetros definidores del riesgo, evidencian que la materialización del mismo, puede ser inminente.

B) **Emergencia**. Cuando los parámetros definidores del riesgo, evidencian la materialización del riesgo. Dentro de la situación de emergencia distinguimos:

   a) ***Conato de emergencia*** (nivel 1): Asimilable a una primera etapa de un incendio, es aquella situación que puede ser controlada y solucionada de forma sencilla y rápida por el personal y medios de protección del local, dependencias o sector. El conato está ligado directamente al riesgo de incendio en general.

   b) ***Emergencia parcial o local (nivel 2)***: es aquella situación en la que el riesgo o accidente requiere para ser controlado la intervención del equipo de intervención, formado por las personas designadas e instruidas expresamente para ello; afecta a una zona del edificio y puede ser necesaria la "evacuación parcial" o desalojo de la zona afectada.

   c) ***Emergencia general (nivel 3)***: es aquella situación en la que el riesgo o accidente pone en peligro la seguridad e integridad física de las personas y es necesario proceder al desalojo o evacuación total o parcial. Requiere la intervención de equipos de alarma y evacuación y ayuda externa.

3.2.3. Procedimientos de actuación ante emergencias

Cualquier situación de emergencia que se considere requiere actuaciones que básicamente pueden ser clasificadas entre alguno de los siguientes grupos:

a) **Actuaciones de "alarma"**: son las actuaciones que activan el Plan de Autoprotección y provocan la movilización de recursos de acuerdo a la gravedad del riesgo o accidente de acuerdo a los distintos grados de emergencia:

   - **Alerta**: situación de "conato de emergencia" o primer aviso que requiere evaluar la situación. Se define la **alerta** como situación declarada con el fin de tomar precauciones específicas debido a la probable y cercana ocurrencia de un suceso o accidente.
   - **Alarma local**: situación que requiere actuación de los equipos de intervención. Se define la **alarma** como, aviso o señal por la que se informa a las personas para que sigan instrucciones específicas ante una situación de emergencia.
   - **Alarma general**: situación de grave peligro que requiere proceder al desalojo o evacuación del edificio.

b) **Actuaciones de "intervención"**: son las actuaciones propias de intervención de los equipos designados e instruidos para el control del riesgo o accidente: incendio, amenaza de bomba, accidente laboral o enfermedad, accidente medioambiental, otros.

c) **Actuaciones de "evacuación"**: son las actuaciones derivadas de un estado o situación de emergencia general, en la que es necesario proceder al desalojo o evacuación del centro (parcial o total):

- Señal de alarma general.
- Itinerarios.
- Opciones de salida.
- Puntos de reunión exterior.
- Normas de conducta.
- Información y simulacro.

3.2.4. Identificación y funciones de las personas y equipos que llevarán a cabo los procedimientos de actuación en emergencias

En este apartado del plan de intervención se identifica a los distintos equipos de emergencia con sus respectivos turnos de trabajo si los hay, para que en el caso de que se produzca, se disponga de una respuesta a nivel operativo a efectos de controlar o minimizar las consecuencias. Los equipos de emergencia que disponga el establecimiento y su composición irán en función de la plantilla de personal y de los riesgos que se puedan originar dependiendo de su grado de peligrosidad.

Los equipos de emergencia estarán integrados por un conjunto de personas especialmente entrenadas para la preemergencia y emergencia, dentro del ámbito del establecimiento.

Sus componentes o miembros se agrupan en tres equipos:

- Equipos de Intervención.
- Equipo de Alarma y Evacuación.
- Equipo de Apoyo.

Al frente de los distintos equipos de emergencia es necesario que haya un responsable.

3.2.4.1. Funciones generales de cada miembro del equipo

Cada componente del equipo deberá:

- Estar informado del riesgo general y particular que presentan los diferentes procesos dentro de la actividad que se desarrolle.
- Señalar las anomalías que se detecten y verificar que han sido subsanadas.
- Tener conocimiento de la existencia y uso de los medios materiales de que se dispone.
- Hacerse cargo del mantenimiento de los citados medios.

- Estar capacitado para suprimir sin demora las causas que puedan provocar cualquier anomalía mediante:
  * La acción indirecta (dando la alarma a las personas designadas en el Plan de Emergencia).
  * La acción directa y rápida (cortar la corriente eléctrica, cerrar la llave de paso del gas, aislar las materias inflamables, etc.).
- Combatir la emergencia desde que se descubre, mediante:
  * El accionamiento de la alarma.
  * La aplicación de las consignas del Plan de Actuación.
  * La utilización de los medios de primera intervención disponibles mientras llegan los refuerzos.
  * Prestar los primeros auxilios a las personas accidentadas.
  * Coordinarse con los miembros de otros equipos para anular los efectos de los accidentes o reducirlos al mínimo.

3.2.4.2. Denominación y dotación de los equipos de emergencia

Para toda situación de emergencia se establece un mando único y una organización jerarquizada para una mayor garantía de eficacia y seguridad en las intervenciones.

A la vista del personal de la organización disponible en el inmueble, se dispondrán los equipos de emergencia, cuya composición y funciones estarán analizadas y definidas en el Plan de Actuación.

Se seleccionará el personal necesario para la constitución de los equipos entre los empleados que por su trabajo, permanezcan en el inmueble la mayor parte de la jornada, teniendo en cuenta su capacitación, formación y experiencia, preparación física, dotes de mando y espíritu de colaboración.

A) Director del Plan de Actuación (Jefe de Emergencias)

Persona designada por la Dirección Gerencia, que será responsable única, con autoridad y capacidad de gestión para activar el Plan, de acuerdo con lo establecido en el mismo, declarando la correspondiente situación de emergencia, notificando a las autoridades competentes de Protección Civil, informando al personal, y adoptando las acciones inmediatas para reducir las consecuencias del accidente o suceso.

El Director del Plan de Actuación, normalmente, será la persona del establecimiento que ostente la mayor categoría administrativa, y contará con un sustituto, en caso de ausencia o enfermedad. Si la situación lo requiere, contará con personal de apoyo para la comunicación con el exterior y asesoramiento.

Sus funciones son:

- Declarar la activación del Plan y el fin de la situación de emergencia.
- Establecer la situación de emergencia en función del nivel de gravedad.
- Actuará desde el Centro de Control y en función de la información facilitada por el Jefe de Intervención sobre la evolución de la emergencia, enviará al área siniestrada las ayudas internas disponibles, y recabará las externas que sean necesarias.
- Ostenta en las emergencias la máxima autoridad del establecimiento y decide las acciones a tomar, incluso la evacuación si fuera pertinente, según las consecuencias previstas en el Plan, con el asesoramiento del Jefe de Intervención.
- Dirige, junto al Jefe de Intervención, las acciones a realizar por los equipos de emergencia en los accidentes que se produzcan.
- Colabora con el responsable de los Servicios Públicos de Extinción de Incendios y salvamento, prestándole el apoyo necesario.
- Determina el contenido de la información para las Administraciones Públicas y en su caso para los medios de comunicación, en colaboración con el Director del Plan de Autoprotección, en caso de ser persona distinta.
- Propone periódicamente, y en su caso, organiza los simulacros de emergencia.

B) Comité de autoprotección

Como máximo órgano, formado por personal Directivo y asesor, en su caso, tiene como misión:

- Dar su conformidad al PA presentado y garantizar su implantación.
- El seguimiento, mejora y actualización permanente.
- Analizar los simulacros, en su caso, los siniestros que se produzcan.
- Planificar la ejecución de las medidas correctoras.
- Dirigir con el Jefe de Emergencias y la Dirección en situación de emergencia las actuaciones correspondientes.

Se reunirán cada seis meses como mínimo para revisar actuaciones planificadas, nuevas mejoras, incidentes que se hayan producido, incorporaciones, etc...

Será convocado por el Jefe de Emergencia, como órgano asesor, cuando las circunstancias de la emergencia así lo requieran.

C) Jefe de intervención (JI)

Es la persona que asume la máxima responsabilidad técnica de las acciones contra el siniestro, hasta la llegada de los servicios de apoyo externo, coordinando los equipos de intervención para optimizar las actuaciones sobre las causas y consecuencias derivadas de la emergencia y conseguir su control.

Será designado entre el personal que presta sus servicios en el establecimiento, dependiendo directamente del Director del Plan de Actuación. Deberá ser una persona con capacidad de mando. El Jefe de Intervención contará siempre con un sustituto.

Sus funciones son:

- Valorar la emergencia y asume la dirección y coordinación de los equipos de emergencia en el lugar del accidente, manteniendo contacto directo con el Director del Plan de Actuación (Jefe de Emergencia).
- Colaborar con los Servicios Externos, informándoles y proporcionándoles cuanto precisen de los medios de protección disponibles.

D) Equipo de Primera Intervención (EPI)

El personal presente en cada turno, que detecte la emergencia, actuará como EPI. En la fase de primera intervención será el propio personal del servicio el que asuma las intervenciones propias de los equipos de primera intervención hasta la llegada del Jefe de Intervención.

Sus componentes son aquellos, de entre el personal del establecimiento, que deben tener una formación y el adiestramiento adecuado. Es necesario que su composición sea, como mínimo, de dos personas.

Su función principal es:

- Deben conocer los riesgos específicos del inmueble y particulares de cada planta o sector debidamente clasificados, por el uso y actividad desarrollada, así como los riesgos externos que puedan afectarle.
- Deben conocer las dotaciones y ámbitos de aplicación de los medios de Autoprotección disponibles en el inmueble y los asignados en cada zona.
- Señalar las anomalías que se produzcan en los sistemas de protección encomendados (detección, alarma, extinción y evacuación) y conseguir su rápida reparación.
- Combatir los riesgos desde su descubrimiento con los medios disponibles en el inmueble y, una vez hayan transmitido la alarma, aplicar las consignas del Plan de Autoprotección.
- Evitar la propagación del riesgo cerrando puertas y ventanas y alejando o enfriando los productos inflamables y combustibles próximos al foco de incendio.
- Seguir las instrucciones de sus superiores y de cualquier otra persona cualificada dentro de este Plan de Autoprotección (Bomberos, etc.).

Actúa con extintor adecuado sin exponerse físicamente. Si no lo extingue avisa al Centro de Coordinación para aviso a ESI.

E) Equipo de Segunda Intervención (ESI)

Representa la máxima capacidad extintora, hasta la llegada de los Bomberos. Se compone por los miembros de la unidad o unidades de intervención que actuarán cuando

la gravedad de la emergencia no pueda ser controlada por los Equipos de Primera Intervención (EPI).

Sus funciones son:

- Reforzar, apoyar o subsanar necesidades auxiliares del Equipo de Primera Intervención (EPI).
- Apoyo, cuando su actuación sea necesaria a los servicios de ayuda exterior.
- Así mismo pueden tener las mismas funciones que el Equipo de Primera Intervención (EPI).
- Pueden combatir conatos en su zona o sector, residiendo su eficacia en su proximidad al lugar de la emergencia.
- Se les puede asignar también funciones de prevención.

F) Equipo de Primeros Auxilios (EPA)

Estará formado por el personal que tenga conocimientos de primeros auxilios y socorrismo.

Sus funciones serán:

- Conocer las dotaciones y ámbitos de aplicación de los medios de protección disponibles en el inmueble (evacuación y primeros auxilios) y estar familiarizados con las vías de evacuación y áreas de confinamiento.
- Señalar las anomalías que se produzcan en los medios de protección.
- Actuar en caso de incendio o emergencia, controlando el traslado de las personas afectadas y prestar los primeros auxilios a los accidentados con los medios disponibles en ese momento.
- Seguir las instrucciones de sus superiores y cualquier otra persona cualificada dentro de este Plan de Autoprotección (bomberos, etc.).

G) Equipo de Alarma y Evacuación (EAE)

El personal presente en cada turno, actuará como EAE, cuando así se lo indique el Jefe de Intervención.

Su misión es asegurar una evacuación total y ordenar su sector y/o establecimiento y garantizar que se ha dado la alarma.

Sus funciones principales son las siguientes:

- Deberán conocer los riesgos específicos, tanto del inmueble, como particulares de cada planta o sector, debidamente clasificados por tipologías y lugares, generados por el uso y actividad desarrollada, y muy especialmente los que puedan afectar, tanto a las vías de evacuación verticales y horizontales, como los ocupantes de las plantas.

- Conocer las dotaciones y ámbitos de aplicación de los medios de protección disponibles, especialmente las vías de evacuación, su capacidad y sistemas de protección, alumbrado, señalización y ventilación.
- Tener conocimiento de los métodos básicos de control de multitudes y actuaciones en situación de pánico.
- Suprimir sin demora, en caso de alarma, las causas que provoquen cualquier anomalía, neutralizando las vías que no se deben utilizar (ascensores, etc.) y despejando las vías de evacuación, comprobando sus accesos.
- Conducir ordenadamente la evacuación de la planta o zona asignada y abandonarla, previa comprobación de que no queda nadie atrapado o lesionado.
- Prestar especial atención a los grupos críticos, que son aquellas personas que tienen algún tipo de limitación física o psíquica.
- Seguir las instrucciones de sus superiores o cualquier otra persona cualificada dentro de este Plan de Autoprotección (bomberos, etc.).
- Una vez en el exterior, procederá al recuento y comprobación del personal evacuado, comunicando las novedades según lo previsto en el Plan. En caso de emergencia con público, el recuento será complicado y poco fiable, por lo que el EAE deberá asegurarse de la evacuación total de su área.

H) Equipos de Ayuda a Personas con Necesidades Especiales (EPNE)

En algunos casos es necesaria la creación de este equipo de emergencia para prestar ayuda en caso de necesidad al personal, que por sus características físicas y/o psíquicas, no puedan realizar la evacuación de forma independiente. Coordinará su actuación con el Equipo de Alarma y Evacuación (EAE).

I) Servicio de vigilancia 24 horas, en su caso

El control de vigilancia en las instalaciones va a depender del tipo de actividad del establecimiento, y en su caso será definida las funciones a desempeñar, para dar respuesta rápida ante una situación de emergencia.

Sus funciones son:

- Control de acceso en su caso.
- Avisar al Jefe de Emergencia o Director del Plan de cualquier conato o emergencia.

J) Equipos de Apoyo

Forman este equipo, el Servicio de Mantenimiento que no forma parte de los Equipos de Segunda Intervención, así como el personal del Servicio de Seguridad. Tendrán la misma capacitación que aquellos.

Sus funciones son básicamente las siguientes:

Servicio de Mantenimiento:

Recibido aviso alarma parcial o general, procederán a:

- Cortar paso de gases del área afectada o total.
- Cortar suministro combustible calderas.
- Parar climatizadores, grupos y tomas de refrigeración.
- Cortar suministro eléctrico por sectores conforme sea necesario.
- Paralizar ascensores y montacargas y activar según instrucciones del Jefe de Intervención.
- Mantener operativo los grupos electrógenos y el sistema de extinción por agua.
- Conocer su actuación específica dentro del Plan de Emergencia.

Servicio de Seguridad:

Recibido aviso de alarma parcial o general procederán a:

- Controlar y permeabilizar los accesos y vías perimetrales, para garantizar la intervención de las ayudas externas.
- Esperar a Bomberos y acompañarlos al lugar.

3.2.4.3. Centralización de alarmas: El Centro de control o coordinación

El Centro de Coordinación de emergencias es donde se reciben las llamadas de alarma y desde donde se movilizan los recursos necesarios para el control de la emergencia.

Se trata del lugar físico desde donde el Director del Plan de Actuación en Emergencias dirige la resolución de la misma. Debe tener una ocupación permanente, indicada en el Plan, que dependerá de la disponibilidad de personal en cada momento. Debe constar de medios de comunicación tanto con el exterior como con el interior, a ser posible redundantes. También debe incluir un ejemplar del Plan de Autoprotección con los planos pertinentes.

Desde este Centro se realizan las siguientes actuaciones:

- Comunicaciones con el interior (Director del Plan de Actuación, equipos de emergencia...).
- Comunicaciones con el exterior (medios de ayuda externa, medios de comunicación social, autoridades competentes...).
- Informar al Director del Plan de Actuación (Jefe de Emergencia) de las comunicaciones recibidas de los equipos de emergencia y desde el exterior.

3.2.5. Actuaciones en alerta (nivel 1)

Cualquier persona que pueda verse involucrada en una situación de "conato de emergencia" está obligada a comunicarlo de inmediato al Centro de Coordinación.

La situación de ALERTA se activa:

- Por activación de un detector automático.
- Telefónicamente marcando la extensión habilitada al respecto.
- Mediante pulsador de alarma.

El Centro de Coordinación confirmará la veracidad de la alarma:

a) Alarma no confirmada (falsa alarma): información a Jefe de Intervención el cual confirmará el cierre de la incidencia.

b) Alarma confirmada:

  * Poner en preaviso o alerta al 112 (o bomberos, policía, etc.).
  * Avisar al Jefe de Intervención y Equipo de Segunda Intervención.
  * El Jefe de Intervención informará al Jefe de Emergencias.

3.2.6. Actuaciones en alarma local (nivel 2)

El Jefe de Intervención comunicará:

- Al Centro de Coordinación la confirmación del nivel de alarma para aviso a 112 (o bomberos, policía, etc.).
- La situación al Jefe de Emergencias.

El Jefe de Emergencias:

- Cambiará el nivel de emergencia, si procede.
- Alerta o activa al Equipo Específico de Emergencias.
- Activa al Comité de Autoprotección, si procede.
- Comunica a Dirección-Gerencia, si no coincide en la misma persona.

3.2.7. Actuaciones de alarma general (nivel 3)

Aquí corresponde al Jefe de Emergencias:

- Cambiar el nivel de emergencia, si procede.
- Activar al Equipo Específico de Emergencias, en los casos que se definan.
- Declarar el estado de Emergencia General, si procede.

3.2.8. Actuaciones frente a un incendio

En una primera intervención, la extinción con los medios portátiles (extintores) deberá ser realizada por las personas presentes en el lugar donde se inicie el incendio. (Equipo de Primera Intervención –EPI-). Para ello, todo el personal recibirá instrucciones generales de empleo y uso de los mismos.

No obstante, los trabajos de extinción y control de un incendio que no es apagado en sus fases iniciales, serán realizados por el Equipo de Segunda Intervención (ESI) y dirigidos por el Jefe de Intervención.

Si intervienen los Servicios de Bomberos profesionales, llevarán el mando y la iniciativa. El Equipo de Segunda Intervención (ESI) se retirará si no es precisa su colaboración.

3.2.9. Actuaciones frente a amenazas de bomba

Existe poca información fiable que nos permita diferenciar entre lo que es en una amenaza de bomba verdadera o una amenaza falsa.

En todo caso, una vez que la amenaza de bomba ha sido recibida, debe ser evaluada inmediatamente teniendo en cuenta para ello las recomendaciones que se indican a continuación Objetivos que hay que alcanzar:

1. Conocer el procedimiento a seguir cuando se recibe una amenaza de bomba.
2. Evitar la creación del sentimiento de pánico.
3. Conocer las formas de reducir el efecto de los explosivos.
4. Mantener la alerta de seguridad como instrumento de reacción ante una amenaza.

Instrucciones generales

- Centralita o receptor de la llamada: Comunicárselo a la Dirección del Centro
- Dirección del centro:
    * Comunicárselo a las Fuerzas de Seguridad del Estado.
    * Presta colaboración con los recursos disponibles en el centro.
    * Activa Evacuación (total o parcial).
- Fuerzas de Seguridad del Estado:
    * Determina veracidad de la amenaza.
    * Toma el mando.

Instrucciones específicas

1. Todas las llamadas telefónicas recibidas serán consideradas seriamente, hasta que se lleve a cabo la comprobación de la veracidad de las mismas.

2. La recepción de una llamada de amenaza en teléfonos independientes de la centralita o que tengan línea directa o reservada, particulariza la amenaza.
3. La persona que reciba la notificación, deberá estar advertida de cómo proceder a la obtención del máximo número de datos, siguiendo las instrucciones que a continuación se describen:
   - Conserve la calma, sea cortés y escuche con atención.
   - Fíjese en su acento, entonación y frases que usa y anote literalmente todo lo que diga en el formulario que se adjunta a continuación para el personal encargado de la recepción de llamadas.
   - Mantenga en la línea telefónica a la persona que llama, el mayor tiempo posible.

Instrucciones de actuación

a) La operadora de centralita avisada inmediatamente, tras la recepción de la llamada, al Jefe de la Emergencia.

b) El Jefe de la Emergencia lo notificará a la Policía, al Director del Plan de Autoprotección y activa el "Nivel de Alarma 2" considerando la credibilidad del mensaje de inicio.

c) El Director del Plan de Autoprotección siguiendo las instrucciones de los Cuerpos de Seguridad del Estado (Policía, Guardia Civil, etc), asesorado por el Comité de Autoprotección si lo considerara oportuno, determinara el nuevo Nivel de Alarma y la acción a seguir:
   - No tomar acción alguna.
   - Registrar sin evacuar.
   - Evacuar y registrar.

d) Los Equipos de Emergencia, con independencia de su papel a desempeñar en cuanto a una posible evacuación, colaborarán en todo momento con los miembros de los Cuerpos de Seguridad del Estado.

e) Si algún miembro de los equipos de emergencia localiza un objeto sospechoso, NO DEBERÁ TOCARLO, lo comunicará al CENTRO DE COORDINACIÓN informando del mayor número de detalles (tamaño, forma, apariencia, ubicación) señalizando la zona y evitando la aproximación de otras personas.

3.2.10. Plan de evacuación

El objetivo del Plan de Evacuación es determinar el conjunto de instrucciones y normas para el desalojo de la zona, planta o de todo el Edificio, en caso de alarma local o general.

Se desprende, por tanto, dos tipos de evacuación:

- **Evacuación parcial**: En caso de "alarma local" (Emergencia Nivel 2), cuando la emergencia sólo afecta a una zona y sólo es necesario el desalojo de la misma

para facilitar el trabajo al Equipo de Intervención. Es, por tanto, un desplazamiento fuera de la zona afectada.

Corresponde llevar a cabo en caso de "alarma local". En una primera fase, una vez transmitida la alarma al Centro de Coordinación, mientras llega el Jefe de Intervención, el Equipo de Alarma y Evacuación de la zona (ej. los médicos o DUE, cocineros y pinches...), coordinaran el desplazamiento de las personas más próximas a la zona afectada.

Una vez llegue el Jefe de Intervención, evaluará la situación y determinará la zona que debe quedar desalojada que, salvo que la emergencia sea mínima, coincidirá con la zona donde este localizada la situación de emergencia.

Desde el Centro de Coordinación de Emergencias, se movilizará al Equipo de Alarma y Evacuación del resto del centro (p.e. los Auxiliares de Enfermería), que se desplazarán de inmediato para llevar a cabo el desalojo de las personas "dependientes" y "asistidas" a la zona de seguridad que se les indique.

Todos los afectados se desplazarán o serán desplazados fuera de la zona, donde se les indique, si así lo solicita el Jefe de Intervención.

En la zona de seguridad donde se han desplazado, esperarán instrucciones de volver una vez controlada la emergencia.

Solo el Jefe de intervención tendrá autoridad para declarar el "fin de la emergencia". Cada zona dispone de instrucciones particulares con indicaciones para ejecutar la evacuación parcial que se incluyen en el "Apéndice del Plan de Autoprotección".

- **Evacuación general**: En caso de "alarma general" (Emergencia Nivel 2), cuando se declara la situación de "emergencia general" porque puede afectar a todo el Edificio o la emergencia esta fuera de control, lo que obliga inexorablemente a evacuar el Edificio hacia el exterior.

  Corresponde llevar a cabo en caso de "alarma general", cuando la emergencia esta fuera de control y puede afectar a todo el Edificio o parte de él pero de manera indiscriminada.

  Solo el Director del Plan de Actuación en Emergencias (Jefe de emergencia) del Hospital / Centro o persona delegada, puede dar la orden para activar el Plan de Evacuación general. La orden será transmitida al Centro de Coordinación de Emergencias para que accione o ponga en funcionamiento el sistema de "alarma general", para conocimiento de todos.

  El sistema de comunicación de alarma general será comunicado y puesto a prueba para que todo el personal tenga conocimiento del mismo. ¡Todos deberán conocer la señal y/o el mensaje de alarma general¡.

  Desde el Centro de Coordinación se dará la orden de EVACUACIÓN haciendo uso de los sistemas de alarma general disponibles: sistema de señal acústica y el sistema de megafonía que permite emitir mensajes en clave e instrucciones concretas.

El Equipo de Alarma y Evacuación se movilizará para asumir las funciones específicas que a cada uno se le asigna en su zona asignada correspondiente en la que procederán al desalojo de las personas "dependientes" y "asistidas".

Todas las personas "validas" (las que se valen por sí mismas en una evacuación) que se encuentren en el interior deben salir por el itinerario marcado para su zona hasta el punto de reunión previsto en el exterior, siguiendo las instrucciones generales que se le indiquen.

Cada zona o sector dispone de instrucciones particulares con indicaciones para ejecutar la "evacuación general" que se incluyen en el "Apéndice del Plan de Autoprotección".

3.2.11. Recomendaciones en general

A) Los componentes de todos los equipos de emergencia deberán llevar:

- Prenda de Alta visibilidad.
- Equipamiento de protección individual (casco, guantes, calzados, ERA, etc.), preferentemente los miembros de los Equipos de Primera y Segunda Intervención.

B) Señalización de los medios de evacuación

Se utilizarán las señales de salida de uso habitual o de emergencia, definidas en la norma UNE 23034:1988, conforme a los siguientes criterios:

1. Las salidas del establecimiento, planta o inmueble tendrán una señal con el rótulo "SALIDA", excepto en edificios de uso Residencial Vivienda y, en otros usos, cuando se trate de salidas de recintos cuya superficie no exceda de 50 m^2, y que sean fácilmente visibles.
2. La señal con el rótulo "SALIDA DE EMERGENCIA" debe utilizarse en toda salida prevista para uso exclusivo en caso de emergencia.
3. Deben disponerse señales indicativas de dirección de los recorridos, visibles desde todo origen de evacuación desde el que no se perciban directamente las salidas o sus señales indicativas y en particular, frente a toda salida de un recinto con ocupación mayor de 100 personas que acceda lateralmente a un pasillo.
4. En los puntos de los recorridos de evacuación en los que existan alternativas que puedan inducir a error, también se dispondrán las señales antes citadas, de forma que quede claramente indicada la alternativa correcta. Tal es el caso de determinados cruces o bifurcaciones de pasillos, así como de aquellas escaleras que, en la planta de salida del inmueble, continúen su trazado hacia plantas más bajas, etc.
5. En dichos recorridos, junto a las puertas que no sean de salida y que puedan inducir a error en la evacuación debe disponerse la señal con el rótulo "SIN SALIDA" en lugar fácilmente visible pero en ningún caso sobre las hojas de las puertas.

6. Las señales se dispondrán de forma coherente con la asignación de ocupantes que se pretenda evacuar por cada salida, conforme a lo establecido en el capítulo 4 de esta Sección del Código Técnico de la Edificación (CTE).
7. El tamaño de las señales será:
    a) 210 x 210 mm cuando la distancia de observación de la señal no exceda de 10 m.
    b) 420 x 420 mm cuando la distancia de observación esté comprendida entre 10 y 20 m.
    c) 594 x 594 mm cuando la distancia de observación esté comprendida entre 20 y 30 m.

C) Señalización de las instalaciones manuales de protección contra incendios

1. Los medios de protección contra incendios de utilización manual (extintores, bocas de incendio equipadas, pulsadores manuales de alarma y dispositivos de disparo de sistemas de extinción) se deben señalizar mediante carteles definidos según la norma UNE 23033-1 cuyo tamaño sea:
    a) 210 x 210 mm cuando la distancia de observación de la señal no exceda de 10 m.
    b) 420 x 420 mm cuando la distancia de observación esté comprendida entre 10 y 20 m.
    c) 594 x 594 mm cuando la distancia de observación esté comprendida entre 20 y 30 m (el Código Técnico de la Edificación contempla que el tamaño de la señalización cuando la distancia de observación esté comprendida entre 20 y 30 metros, sea de 630x630 mm).
2. Las señales deben ser visibles incluso en caso de fallo en el suministro al alumbrado normal. Cuando sean fotoluminiscentes, sus características de emisión luminosa deben cumplir lo establecido en la norma UNE 23035-4:1999.

D) Instrucciones de evacuación

1. Si la situación de Emergencia lo requiere, se activará el sistema de **alarma general** previsto.
2. Si esto ocurriera inexcusablemente hay que proceder a **desalojar** el Edificio, siguiendo el itinerario marcado en planos para su zona.

Se deben cumplir las siguientes instrucciones:

- **No correr**, conservando la serenidad.
- Dejar todo **desconectado**.
- **No detenerse** en las salidas; continuar hasta alcanzar el "punto de reunión".
- **No retroceder** ni volver bajo ningún concepto.
- Si se necesita comunicar algún **incidente,** hacerlo en el "punto de reunión".

4. Instalaciones de protección contra incendios. Actuaciones en caso de incendio

4.1. Equipos y sistemas de protección contra incendios: extintores de incendios

El Anexo I del Reglamento de instalaciones de protección contra incendios (RD 513/2017, de 22 de mayo) establece las características básicas de los equipos y sistemas de protección contra incendios y cómo se ha de realizar su instalación.

Para ello, los clasifica del siguiente modo:

Sistemas y equipos de protección activa contra incendios:

- Sistemas de detección y de alarma de incendios.
- Sistemas de abastecimiento de agua contra incendios.
- Sistemas de hidrantes contra incendios.
- Extintores de incendio.
- Sistemas de bocas de incendio equipadas.
- Sistemas de columna seca.
- Sistemas fijos de extinción por rociadores automáticos y agua pulverizada.
- Sistemas fijos de extinción por agua nebulizada.
- Sistemas fijos de extinción por espuma física.
- Sistemas fijos de extinción por polvo.
- Sistemas fijos de extinción por agentes extintores gaseosos.
- Sistemas fijos de extinción por aerosoles condensados.
- Sistemas para el control de humos y de calor.
- Mantas ignífugas.
- Alumbrado de emergencia.
- Sistemas de señalización luminiscente.

A) Sistemas de detección y de alarma de incendios

Dentro de este grupo se citan los siguientes sistemas:

- Equipo de suministro de alimentación (e.s.a.).
- Dispositivos para la activación automática de alarma de incendio:
  * Detectores de calor puntuales,
  * Detectores de humo puntuales,

* Detectores de llama puntuales,
* Detectores de humo lineales,
* Detectores de humos por aspiración.
* Detectores con fuente de alimentación autónoma.

- Dispositivos para la activación manual de alarma de incendio (pulsadores de alarma).
- Equipos de control e indicación (e.c.i.)

Los pulsadores de alarma se situarán de modo que la distancia máxima a recorrer, desde cualquier punto que deba ser considerado como origen de evacuación, hasta alcanzar un pulsador, no supere los 25 m. Los pulsadores se situarán de manera que la parte superior del dispositivo quede a una altura entre 80 cm. y 120 cm.

El e.c.i. estará diseñado de manera que sea fácilmente identificable la zona donde se haya activado un pulsador de alarma o un detector de incendios.

Tanto el nivel sonoro, como el óptico de los dispositivos acústicos de alarma de incendio y de los dispositivos visuales (incorporados cuando así lo exija otra legislación aplicable o cuando el nivel de ruido donde deba ser percibida supere los 60 dB(A), o cuando los ocupantes habituales del edificio/establecimiento sean personas sordas o sea probable que lleven protección auditiva), serán tales que permitirán que sean percibidos en el ámbito de cada sector de detección de incendio donde estén instalados.

El sistema de comunicación de la alarma permitirá transmitir señales diferenciadas, que serán generadas, bien manualmente desde un puesto de control, o bien de forma automática, y su gestión será controlada, en cualquier caso, por el e.c.i.

Cuando las señales sean transmitidas a un sistema integrado, los sistemas de protección contra incendios tendrán un nivel de prioridad máximo.

En caso de utilizar sistemas anti-intrusión, éstos deberán ser compatibles con el sistema de apertura de emergencia del sistema de sectorización automática.

B) Sistemas de abastecimiento de agua contra incendios

El sistema de abastecimiento de agua contra incendios estará formado por un conjunto de fuentes de agua, equipos de impulsión y una red general de incendios destinada a asegurar, para uno o varios sistemas específicos de protección, el caudal y presión de agua necesarios durante el tiempo de autonomía requerido.

Cuando se exija un sistema de abastecimiento de agua contra incendios, sus características y especificaciones serán conformes a lo establecido en la norma UNE 23500.

Para los sistemas de extinción de incendios que dispongan de una evaluación técnica favorable de la idoneidad para su uso previsto, los sistemas de abastecimiento de agua contra incendios, contemplados en dichos documentos, se considerarán conformes con este Reglamento.

C) Sistemas de hidrantes contra incendios

Los sistemas de hidrantes contra incendios, estarán compuestos por una red de tuberías para agua de alimentación y los hidrantes necesarios.

Los hidrantes contra incendios, serán del tipo de columna o bajo tierra.

Los hidrantes de columna deberán llevar el marcado CE, de conformidad con la norma UNE-EN 14384.

Los hidrantes bajo tierra deberán llevar el marcado CE, de conformidad con la norma UNE-EN 14339.

Para asegurar los niveles de protección de los distintos hidrantes contra incendios, solo se admiten hidrantes de columna de rango de par «2» y de tipos «B» o «C». Cuando se prevean riesgos de heladas, solo se admitirán los de tipo «C». El mST, requerido para el tipo «C» será de 250 N·m. Solo se admiten hidrantes bajo tierra, con PFA de 1600 kPa (16 kg/cm^2).

Los hidrantes contra incendios, alcanzarán el coeficiente de flujo, Kv (presión en bar y caudal en m^3/h), indicado en la tabla siguiente, en función de las conexiones de entrada, de las salidas y de su número.

Salidas: Número y DN	Kv mínimo	
	Hidrante de columna	Hidrante bajo tierra
1 de 45	33	33
2 de 45	66	66
1 de 70	80	80
2 de 70	150	150
1 de 90/100	180	150

Los racores y mangueras, utilizados en los hidrantes contra incendios, necesitarán, antes de su fabricación o importación, ser aprobados, justificándose el cumplimiento de lo establecido en las normas UNE 23400 y UNE 23091, respectivamente.

Para considerar una zona protegida por hidrantes contra incendios se harán cumplir las condiciones que se indican a continuación, salvo que otra legislación aplicable imponga requisitos diferentes:

a) La distancia de recorrido real, medida horizontalmente, a cualquier hidrante, será inferior a 100 m en zonas urbanas y 40 m en el resto.

b) Al menos, uno de los hidrantes (situado, a ser posible, en la entrada del edificio) deberá tener una salida de 100 mm, orientada perpendicular a la fachada y de espaldas a la misma.

c) En el caso de hidrantes que no estén situados en la vía pública, la distancia entre el emplazamiento de cada hidrante y el límite exterior del edificio o zona protegidos, medida perpendicularmente a la fachada, debe estar comprendida entre 5 m y 15 m.

En cualquier caso, se deberá cumplir que:

a) Los hidrantes contra incendios deberán estar situados en lugares fácilmente accesibles, fuera de espacios destinados a la circulación y estacionamiento de vehículos y debidamente señalizados.

b) En lugares donde el nivel de las aguas subterráneas quede por encima de la válvula de drenaje, ésta debe taponarse antes de la instalación. En estos casos, si se trata de zonas con peligro de heladas, el agua de la columna deberá sacarse por otros medios después de cada utilización. Se identificarán estos hidrantes para indicar esta necesidad.

c) El caudal ininterrumpido mínimo a suministrar por cada boca de hidrante contra incendios será de 500 l/min. En zonas urbanas, donde la utilización prevista del hidrante contra incendios sea únicamente el llenado de camiones, la presión mínima requerida será 100 kPa (1 kg/cm^2) en la boca de salida. En el resto de zonas, la presión mínima requerida en la boca de salida será 500 kPa (5 kg/cm^2), para contrarrestar la pérdida de carga de las mangueras y lanzas, durante la impulsión directa del agua sobre el incendio.

D) Extintores de incendio

El extintor de incendio es un equipo que contiene un agente extintor, que puede proyectarse y dirigirse sobre un fuego, por la acción de una presión interna. Esta presión puede producirse por una compresión previa permanente o mediante la liberación de un gas auxiliar.

En función de la carga, los extintores se clasifican de la siguiente forma:

a) Extintor portátil: Diseñado para que puedan ser llevados y utilizados a mano, teniendo en condiciones de funcionamiento una masa igual o inferior a 20 kg.

b) Extintor móvil: Diseñado para ser transportado y accionado a mano, está montado sobre ruedas y tiene una masa total de más de 20 kg.

Los extintores de incendio, sus características y especificaciones serán conformes a las exigidas en el Real Decreto 709/2015, de 24 de julio, por el que se establecen los requisitos esenciales de seguridad para la comercialización de los equipos a presión.

Los extintores de incendio portátiles necesitarán, antes de su fabricación o importación, ser certificados, a efectos de justificar el cumplimiento de lo dispuesto en la norma UNE-EN 3-7 y UNE-EN 3-10. Los extintores móviles deberán cumplir lo dispuesto en la norma UNE-EN 1866-1.

El emplazamiento de los extintores permitirá que sean fácilmente visibles y accesibles, estarán situados próximos a los puntos donde se estime mayor probabilidad de iniciarse el incendio, a ser posible, próximos a las salidas de evacuación y, preferentemente, sobre soportes fijados a paramentos verticales, de modo que la parte superior del extintor quede situada entre 80 cm y 120 cm sobre el suelo.

Su distribución será tal que el recorrido máximo horizontal, desde cualquier punto del sector de incendio, que deba ser considerado origen de evacuación, hasta el extintor, no supere 15 m.

Los agentes extintores deben ser adecuados para cada una de las clases de fuego normalizadas, según la norma UNE-EN 2:

a) Clase A: Fuegos de materiales sólidos, generalmente de naturaleza orgánica, cuya combinación se realiza normalmente con la formación de brasas.

b) Clase B: Fuegos de líquidos o de sólidos licuables.

c) Clase C: Fuegos de gases.

d) Clase D: Fuegos de metales.

e) Clase F: Fuegos derivados de la utilización de ingredientes para cocinar (aceites y grasas vegetales o animales) en los aparatos de cocina.

f) Fuegos eléctricos (en algunos países Clase E): Posible con todos los tipos de combustible.

Según el agente extintor, se utilizarán los siguientes extintores:

- Agua: fuegos de clase A.
- Agua pulverizada: fuegos de clases A y B.
- Espuma: fuegos de clases A, B y F.
- De polvo: fuegos de clases A, B, C y eléctricos.
- De CO2: fuegos de clases A, B, C y eléctricos.
- Específicos para metales: fuegos de clase D y eléctricos.
- De acetato potásico: fuegos de clases B y C.

Los generadores de aerosoles podrán utilizarse como extintores, siempre que cumplan el Real Decreto 1381/2009, de 28 de agosto, por el que se establecen los requisitos para la fabricación y comercialización de los generadores de aerosoles, modificado por el Real Decreto 473/2014, de 13 de junio y dispongan de una evaluación técnica favorable de la idoneidad para su uso previsto, de acuerdo con lo establecido en el artículo 5.3 de este Reglamento. Dentro de esta evaluación se deberá tomar en consideración que estos produc-

tos deben de cumplir con los requisitos que se les exigen a los extintores portátiles en las normas de aplicación, de forma que su capacidad de extinción, su fiabilidad y su seguridad de uso sea, al menos, la misma que la de un extintor portátil convencional. Adicionalmente, deberá realizarse un mantenimiento periódico a estos productos donde se verifique que el producto está en buen estado de conservación, que su contenido está intacto y que se puede usar de forma fiable y segura. La periodicidad y el personal que realice estas verificaciones será el mismo que el que le correspondería a un extintor portátil convencional.

Los extintores de incendio estarán señalizados conforme indica el anexo I, sección 2.ª, del presente Reglamento. En el caso de que el extintor esté situado dentro de un armario, la señalización se colocará inmediatamente junto al armario, y no sobre la superficie del mismo, de manera que sea visible y aclare la situación del extintor.

E) Sistemas de bocas de incendio equipadas

Los sistemas de bocas de incendio equipadas (BIE) estarán compuestos por una red de tuberías para la alimentación de agua y las BIE necesarias.

Las BIE pueden estar equipadas con manguera plana o con manguera semirrígida.

La toma adicional de 45 mm de las BIE con manguera semirrígida, para ser usada por los servicios profesionales de extinción, estará equipada con válvula, racor y tapón para uso normal.

Las BIE con manguera semirrígida y con manguera plana deberán llevar el marcado CE, de conformidad con las normas UNE-EN 671-1 y UNE EN 671-2, respectivamente.

Los racores deberán, antes de su fabricación o importación, ser aprobados, de acuerdo con el Reglamento, justificándose el cumplimiento de lo establecido en la norma UNE 23400 correspondiente.

De los diámetros de mangueras contemplados en las normas UNE-EN 671-1 y UNE-EN 671-2, para las BIE, solo se admitirán 25 milímetros de diámetro interior, para mangueras semirrígidas y 45 milímetros de diámetro interior, para mangueras planas.

Para asegurar los niveles de protección, el factor K mínimo, según se define en la norma de aplicación, para las BIE con manguera semirrígida será de 42, y para las BIE con manguera plana de 85.

Los sistemas de BIE de alta presión demostrarán su conformidad con este Reglamento mediante una evaluación técnica favorable, según el Reglamento. Las mangueras que equipan estas BIE deben ser de diámetro interior nominal no superior a 12 mm. Se admitirán diámetros superiores siempre que en la evaluación técnica se justifique su manejabilidad.

Las BIE deberán montarse sobre un soporte rígido, de forma que la boquilla y la válvula de apertura manual y el sistema de apertura del armario, si existen, estén situadas, como máximo, a 1,50 m. sobre el nivel del suelo.

Las BIE se situarán siempre a una distancia, máxima, de 5 m, de las salidas del sector de incendio, medida sobre un recorrido de evacuación, sin que constituyan obstáculo para su utilización.

El número y distribución de las BIE tanto en un espacio diáfano como compartimentado, será tal que la totalidad de la superficie del sector de incendio en que estén instaladas quede cubierta por, al menos, una BIE, considerando como radio de acción de ésta la longitud de su manguera incrementada en 5 m.

Para las BIE con manguera semirrígida o manguera plana, la separación máxima entre cada BIE y su más cercana será de 50 m. La distancia desde cualquier punto del área protegida hasta la BIE más próxima no deberá exceder del radio de acción de la misma. Tanto la separación, como la distancia máxima y el radio de acción se medirán siguiendo recorridos de evacuación.

Para facilitar su manejo, la longitud máxima de la manguera de las BIE con manguera plana será de 20 m y con manguera semirrígida será de 30 m.

Para las BIE de alta presión, la separación máxima entre cada BIE y su más cercana será el doble de su radio de acción. La distancia desde cualquier punto del local protegido hasta la BIE más próxima no deberá exceder del radio de acción de la misma. Tanto la separación, como la distancia máxima y el radio de acción, se medirán siguiendo recorridos de evacuación. La longitud máxima de las mangueras que se utilicen en estas B.I.E de alta presión, será de 30 m.

Se deberá mantener alrededor de cada BIE una zona libre de obstáculos, que permita el acceso a ella y su maniobra sin dificultad.

Para las BIE con manguera semirrígida o con manguera plana, la red de BIE deberá garantizar durante una hora, como mínimo, el caudal descargado por las dos hidráulicamente más desfavorables, a una presión dinámica a su entrada comprendida entre un mínimo de 300 kPa (3 kg/cm^2) y un máximo de 600 kPa (6 kg/cm^2).

Para las BIE de alta presión, la red de tuberías deberá proporcionar, durante una hora como mínimo, en la hipótesis de funcionamiento simultáneo de las dos BIE hidráulicamente más desfavorables, una presión dinámica mínima de 3.450 kPa (35 kg/cm^2), en el orificio de salida de cualquier BIE

Las condiciones establecidas de presión, caudal y reserva de agua deberán estar adecuadamente garantizadas.

Para las BIE con manguera semirrígida o con manguera plana, el sistema de BIE se someterá, antes de su puesta en servicio, a una prueba de estanquidad y resistencia mecánica, sometiendo a la red a una presión estática igual a la máxima de servicio y, como mínimo, a 980 kPa (10 kg/cm^2), manteniendo dicha presión de prueba durante dos horas, como mínimo, no debiendo aparecer fugas en ningún punto de la instalación.

En el caso de las BIE de alta presión, el sistema de BIE se someterá, antes de su puesta en servicio, a una prueba de estanquidad y resistencia mecánica, sometiendo a la red a una presión de 1,5 veces la presión de trabajo máxima, manteniendo dicha presión de prueba durante dos horas, como mínimo, no debiendo aparecer fugas en ningún punto de la instalación.

Las BIE estarán señalizadas conforme indica el Reglamento. La señalización se colocará inmediatamente junto al armario de la BIE y no sobre el mismo.

F) Sistemas de columna seca

El sistema de columna seca, estará compuesto por:

- Toma de agua en fachada o en zona fácilmente accesible al Servicio Contra Incendios, con la indicación de «USO EXCLUSIVO BOMBEROS», provista de válvula antiretorno, conexión siamesa, con llaves incorporadas y racores de 70 mm, con tapa y llave de purga de 25 mm.
- Columna de tubería de acero galvanizado DN80.

1.° Los sistemas de columna seca ascendentes constarán de salidas en las plantas pares hasta la octava y en todas a partir de ésta, provistas de conexión siamesa, con llaves incorporadas y racores de 45 mm con tapa; cada cuatro plantas, se instalará una válvula de seccionamiento, por encima de la salida de planta correspondiente.

2.° En los sistemas de columna seca descendentes se instalará válvula de seccionamiento y salida en cada planta; la llave justo por debajo de la salida; la salida estará provista, en todas las plantas, de conexión siamesa con llaves incorporadas y racores de 45 mm con tapa.

Las bocas de salida de la columna seca estarán situadas en recintos de escaleras o en vestíbulos previos a ellas.

La toma situada en el exterior y las salidas en las plantas tendrán el centro de sus bocas a 0,90 m sobre el nivel del suelo.

Las válvulas serán de bola, con palanca de accionamiento incorporada.

Los racores deberán, antes de su fabricación o importación, ser aprobados, de acuerdo con el Reglamento, justificándose el cumplimiento de lo establecido en la norma UNE 23400.

Cada edificio contará con el número de columnas secas suficientes para que la distancia entre las mismas, siguiendo recorridos de evacuación, sea menor de 60 m. Cada columna, ascendente o descendente, dispondrá de su toma independiente en fachada.

La zona próxima a la toma de fachada de la columna seca, se deberá mantener libre de obstáculos, reservando un emplazamiento, debidamente señalizado, para el camión de bombeo.

El sistema de columna seca, se someterá, antes de su puesta en servicio, a una prueba de estanquidad y resistencia mecánica, sometiéndolo a una presión estática igual a la máxima de servicio y, como mínimo de 1470 kPa (15 kg/cm^2) en columnas de hasta 30 m y de 2.450 kPa (25 kg/cm^2) en columnas de más de 30 m de altura, durante dos horas, como mínimo, no debiendo aparecer fugas en ningún punto de la instalación.

El sistema de columna seca, estará señalizado con el texto «USO EXCLUSIVO BOMBEROS». La señalización se colocará inmediatamente junto al armario del sistema de columna seca y no sobre el mismo, identificando las plantas y/o zonas a las que da servicio cada toma de agua, así como la presión máxima de servicio.

G) Sistemas fijos de extinción por rociadores automáticos y agua pulverizada

Los sistemas de extinción por rociadores automáticos y agua pulverizada, estarán compuestos por los siguientes componentes principales:

- Red de tuberías para la alimentación de agua.
- Puesto de control.
- Boquillas de descarga necesarias.

Los componentes de los sistemas de extinción por rociadores automáticos y agua pulverizada deberán llevar el marcado CE, de conformidad con las normas de la serie UNE-EN 12259, una vez entre en vigor dicho marcado. Hasta entonces, dichos componentes podrán optar por llevar el marcado CE, cuando las normas europeas armonizadas estén disponibles, o justificar el cumplimiento de lo establecido en las normas europeas UNE-EN que les sean aplicables, mediante un certificado o marca de conformidad a las correspondientes normas, de acuerdo con el Reglamento.

El diseño y las condiciones de instalación de los sistemas de extinción por rociadores automáticos, serán conformes a la norma UNE-EN 12845.

Los sistemas de diluvio o inundación total con rociadores y/o boquillas de pulverización abiertas, sus características y especificaciones, así como las condiciones de instalación, serán conformes a las normas UNE 23501, UNE 23502, UNE 23503, UNE 23504, UNE 23505, UNE 23506 y UNE 23507.

Los mecanismos de disparo y paro manuales estarán señalizados, conforme al Reglamento.

H) Sistemas fijos de extinción por agua nebulizada

Los sistemas de extinción por agua nebulizada, estarán conectados a un suministro de agua (almacenada en botellas o bien en depósito con sistema de bombeo), mediante un sistema de tuberías equipadas de una o más boquillas, capaces de nebulizar el agua en su descarga. Estos sistemas podrán descargar agua nebulizada pura o una mezcla de ésta con otros agentes.

Los sistemas de extinción por agua nebulizada, sus características y especificaciones, así como las condiciones de su instalación, serán conformes a la norma UNE-CEN/TS 14972.

Los mecanismos de disparo y paro manuales estarán señalizados, conforme indica el Reglamento.

I) Sistemas fijos de extinción por espuma física

Los sistemas de extinción por espuma física, estarán compuestos por los siguientes componentes principales:

- Red de tuberías.
- Tanque de almacenamiento de espumógeno.
- Dosificador o proporcionador.
- Boquillas de descarga.

El diseño y las condiciones de instalación de los sistemas de extinción por espuma física serán conformes a la norma UNE-EN 13565-2.

Los componentes de los sistemas fijos de extinción por espuma física serán conformes a la norma UNE-EN 13565-1.

Los espumógenos de alta, media y baja expansión, serán conformes a las normas UNE-EN 1568-1, UNE-EN 1568-2, UNE-EN 1568-3 y UNE-EN 1568-4.

Los mecanismos de disparo y paro manuales estarán señalizados, conforme indica el Reglamento.

J) Sistemas fijos de extinción por polvo

Los sistemas de extinción por polvo estarán compuestos por los siguientes componentes principales:

- Recipiente de polvo.
- Recipientes de gas propelente.
- Tuberías de distribución.
- Válvulas selectoras.
- Dispositivos de accionamiento y control.
- Boquillas de descarga.

Son sistemas en los que el polvo se transporta mediante gas a presión, a través de un sistema de tuberías, y se descarga mediante boquillas.

Estos sistemas solo serán utilizables cuando quede garantizada la seguridad o la evacuación del personal. Además, el mecanismo de disparo incluirá un retardo en su acción y un sistema de prealarma, de forma que permita la evacuación de dichos ocupantes, antes de la descarga del agente extintor.

El diseño y las condiciones de instalación de los sistemas de extinción por polvo serán conformes a la norma UNE-EN 12416-2.

Los componentes de los sistemas de extinción por polvo serán conformes a la norma UNE-EN 12416-1.

El polvo empleado en el sistema será conforme a la norma UNE-EN 615.

Los mecanismos de disparo y paro manuales estarán señalizados, conforme indica el Reglamento.

K) Sistemas fijos de extinción por agentes extintores gaseosos

Los sistemas por agentes extintores gaseosos estarán compuestos, como mínimo, por los siguientes elementos:

- Dispositivos de accionamiento.
- Equipos de control de funcionamiento.

- Recipientes para gas a presión.
- Tuberías de distribución.
- Difusores de descarga.

Los dispositivos de accionamiento serán por medio de sistemas de detección automática, apropiados para la instalación y el riesgo, o mediante accionamiento manual, en lugar accesible.

Las concentraciones de aplicación se definirán en función del riesgo y la capacidad de los recipientes será la suficiente para asegurar la extinción del incendio, debiendo quedar justificados ambos requisitos.

Estos sistemas solo serán utilizables cuando quede garantizada la seguridad o la evacuación del personal. Además, el mecanismo de disparo incluirá un retardo en su acción y un sistema de prealarma, de forma que permita la evacuación de dichos ocupantes, antes de la descarga del agente extintor.

El diseño y las condiciones de su instalación serán conformes a la norma UNE-EN 15004-1. Esta norma se aplicará conjuntamente, según el agente extintor empleado, con las normas de la serie UNE-EN 15004. Las tecnologías no desarrolladas en las citadas normas se diseñarán de acuerdo con normas internacionales (ISO, EN) que regulan la aplicación de estas tecnologías, entre tanto no se disponga de una norma nacional de aplicación.

Los componentes de los sistemas de extinción mediante agentes gaseosos deberán llevar el marcado CE, de conformidad con las normas de la serie UNE-EN 12094, una vez entre en vigor dicho marcado. Hasta entonces, dichos componentes podrán optar por llevar el marcado CE, cuando las normas europeas armonizadas estén disponibles, o justificar el cumplimiento de lo establecido en las normas europeas UNE-EN que les sean aplicables, mediante un certificado o marca de conformidad a las correspondientes normas, de acuerdo al Reglamento.

Los mecanismos de disparo y paro manuales estarán señalizados, conforme indica el Reglamento.

L) Sistemas fijos de extinción por aerosoles condensados

Los sistemas fijos de extinción por aerosoles condensados, estarán compuestos por: dispositivos de accionamiento, equipos de control de funcionamiento y unidades de generadores de aerosol.

Los generadores de aerosoles podrán utilizarse en los sistemas fijos de extinción por aerosoles condensados, siempre que cumplan el Real Decreto 1381/2009, de 28 de agosto.

Los mecanismos de disparo y paro manuales estarán señalizados, conforme indica el Reglamento.

M) Sistemas para el control de humos y de calor

Los sistemas de control de calor y humos limitan los efectos del calor y de los humos en caso de incendio. Estos sistemas pueden extraer los gases calientes generados al inicio de un incendio y crear áreas libres de humo por debajo de capas de humo flotante, favoreciendo así las condiciones de evacuación y facilitando las labores de extinción.

Los sistemas de control de calor y humos pueden adoptar cuatro principales estrategias para el movimiento de los gases de combustión: flotabilidad de los gases calientes (edificios de techo alto), presurización diferencial (vías de evacuación), ventilación horizontal (edificios de reducida esbeltez, como túneles o aparcamientos) y extracción de humos (en aparcamientos o tras la actuación de un sistema de supresión del incendio).

a) Los sistemas de ventilación para evacuación de humos y calor basados en estrategias de flotabilidad, estarán compuestos por un conjunto de aberturas (aireadores naturales) o equipos mecánicos de extracción (aireadores mecánicos) para la evacuación de los humos y gases calientes de la combustión de un incendio, por aberturas de admisión de aire limpio o ventiladores mecánicos de aportación de aire limpio y, en su caso, por barreras de control de humo, dimensionadas de manera que se genere una capa libre de humos por encima del nivel de piso del incendio y se mantenga la temperatura media de los humos dentro de unos niveles aceptables.

   Los sistemas de control de temperatura y evacuación de humos por flotabilidad se proyectarán de acuerdo con lo indicado en la UNE 23585. La instalación, puesta en marcha y mantenimiento de los sistemas de control de humos, cuando sean aplicados a edificios de una planta, multiplanta con atrios, multiplanta con escaleras o a emplazamientos subterráneos, se realizará según lo indicado en la UNE 23584.

b) Los sistemas de control de humos y calor por presión diferencial son sistemas concebidos para limitar la propagación de humo de un espacio a otro, dentro de un edificio, a través de resquicios entre las barreras físicas (por ej.: rendijas alrededor de puertas cerradas), o por las puertas abiertas. Estos sistemas permiten mantener condiciones seguras para las personas y los servicios de extinción en los espacios protegidos.

   El diseño y la instalación de los sistemas de presurización diferencial, para establecer las rutas de escape de las personas y de protección a los Servicios de Extinción de Incendios, especialmente en los edificios multiplanta con escaleras comunes, se realizará de acuerdo con la UNE-EN12101-6 y con la UNE 23584, en los aspectos que la anterior no prevea.

c) Los sistemas de control de humos y calor por ventilación horizontal son sistemas concebidos para limitar la propagación del humo desde un espacio a otro dentro de un edificio con reducida esbeltez.

   Hasta el momento de entrada en vigor de normas europeas UNE-EN para el diseño de los sistemas de control de humos y calor por ventilación horizontal, se podrá hacer uso de otras normas o documentos técnicos de referencia, de reconocida solvencia, que sean reconocidos por el Ministerio competente en la materia. A estos efectos, pueden considerarse las normas o documentos técnicos cuya utilización haya sido aprobada en otros Estados Miembros.

d) Los sistemas de ventilación para extracción de humos son sistemas concebidos para extraer el humo generado durante un incendio, funcionando durante y/o tras el mismo. Su diseño se realizará según la capacidad de extracción, a partir de una ratio del volumen del edificio (renovaciones por hora) o a través de otros parámetros, según el método escogido.

También pueden utilizarse para la extracción del humo tras el incendio, cuando se instala un sistema de supresión del incendio incompatible con un sistema de control de humos de los otros tipos indicados.

Las barreras de humo que forman parte de un sistema de extracción de calor y humos deberán llevar el marcado CE, de conformidad con la UNE-EN 12101-1. Los aireadores de extracción natural que forman parte de un sistema de extracción de calor y humos deberán llevar el marcado CE, de conformidad con la UNE-EN 12101-2.

Los extractores mecánicos que forman parte de un sistema de extracción de calor y humos deberán llevar el marcado CE, de conformidad con la UNE-EN 12101-3.

El resto de componentes de los sistemas para el control de humo y de calor deberán llevar el marcado CE, de conformidad con las normas de la serie UNE-EN 12101, una vez entre en vigor dicho marcado. Hasta entonces, dichos componentes podrán optar por llevar el marcado CE, cuando las normas europeas armonizadas estén disponibles, o justificar el cumplimiento de lo establecido en las normas europeas UNE-EN que les sean aplicables, mediante un certificado o marca de conformidad a las correspondientes normas, de acuerdo al Reglamento.

N) Mantas ignífugas

Las mantas ignífugas son láminas de material flexible destinadas a extinguir por sofocación pequeños fuegos.

Las mantas ignífugas necesitarán, antes de su fabricación o importación, ser aprobadas, de acuerdo con lo establecido en el Reglamento, a efectos de justificar el cumplimiento de lo dispuesto en la norma UNE-EN 1869.

Las mantas ignífugas deberán mantenerse adecuadamente envasadas hasta su uso, con el fin de protegerlas de condiciones ambientales adversas.

En el envase o en el folleto que acompaña al producto, se indicarán las instrucciones de mantenimiento previstas por el fabricante.

Dada la naturaleza de este producto, deberá indicarse la caducidad del mismo, que no debe exceder los 20 años.

El emplazamiento de las mantas ignífugas permitirá que sean fácilmente visibles y accesibles. Estarán situadas próximas a los puntos donde se estime mayor probabilidad de uso.

Las mantas ignífugas estarán señalizadas, conforme indica el Reglamento.

O) Alumbrado de emergencia

Las instalaciones destinadas a alumbrado de emergencia, deben asegurar, en caso de fallo del alumbrado normal, la iluminación en los locales y accesos hasta las salidas, para garantizar la seguridad de las personas que evacuen una zona, y permitir la identificación de los equipos y medios de protección existentes.

Las instalaciones de alumbrado de emergencia serán conformes a las especificaciones establecidas en el Reglamento Electrotécnico de Baja Tensión, aprobado por Real Decreto 842/2002, de 2 de agosto, y en la Instrucción Técnica Complementaria ITC-BT-28.

P) Sistemas de señalización luminiscente

Se incluirán en esta sección los sistemas de señalización luminiscente, cuya finalidad sea señalizar las instalaciones de protección contra incendios.

Los sistemas de señalización luminiscente deben reunir las características siguientes:

1. Los sistemas de señalización luminiscente tendrán como función informar sobre la situación de los equipos e instalaciones de protección contra incendios, de utilización manual, aun en caso de fallo en el suministro del alumbrado normal.

   Los sistemas de señalización luminiscente incluyen las señales que identifican la posición de los equipos o instalaciones de protección contra incendios.

   Los sistemas de señalización podrán ser fotoluminiscentes o bien sistemas alimentados eléctricamente (fluorescencia, diodos de emisión de luz, electroluminiscencia...).

2. La señalización de los medios de protección contra incendios de utilización manual y de los sistemas de alerta y alarma, deberán cumplir la norma UNE 23033-1. Las señales no definidas en esta norma se podrán diseñar con los mismos criterios establecidos en la norma UNE 23033-1, en la UNE 23032 y a la UNE-EN ISO 7010.

   En caso de disponerse de planos de situación («Usted está aquí»), éstos serán conformes a la norma UNE 23032, y representarán los medios manuales de protección contra incendios, mediante las señales definidas en la norma UNE 23033-1.

3. Los sistemas de señalización fotoluminiscente (excluidos los sistemas alimentados electrónicamente) serán conformes a la UNE 23035-4, en cuanto a características, composición, propiedades, categorías (A o B), identificación y demás exigencias contempladas en la citada norma. La identificación realizada sobre la señal, que deberá incluir el número de lote de fabricación, se ubicará de modo que sea visible

una vez instalada. La justificación de este cumplimiento se realizará mediante un informe de ensayo, emitido por un laboratorio acreditado, conforme a lo dispuesto en el Reglamento de la Infraestructura para la Calidad y la Seguridad Industrial, aprobado por Real Decreto 2200/1995, de 28 de diciembre.

Los sistemas de señalización fotoluminiscente serán de la categoría A, en los centros donde se desarrollen las actividades descritas en el anexo I de la norma Básica de Autoprotección, aprobado por Real Decreto 393/2007, de 23 de marzo.

4. Entre tanto no se disponga de una norma nacional o europea de referencia, los sistemas de señalización alimentados eléctricamente, deberán disponer de una evaluación técnica favorable de la idoneidad para su uso previsto, según se establece en el Reglamento. En todo caso han de cumplir los requisitos de diseño establecidos anteriormente.

4.2. Señalización relativa a los equipos de lucha contra incendios

Ya lo adelantamos en el tema anterior al tratar de la señalización en el lugar de trabajo, pero conviene recalcar que conforme al *Real Decreto 485/1997, de 14 de abril, sobre disposiciones mínimas en materia de señalización de seguridad y salud en el trabajo*, las señales relativas a los equipos de lucha contra incendios tienen forma rectangular o cuadrada y un pictograma blanco sobre fondo rojo (el rojo deberá cubrir como mínimo el 50 por 100 de la superficie de la señal).

En España los paneles instalados conforme a la norma UNE 1115 están permitidos a pesar de que está norma se haya anulado y sustituido por la UNE-EN ISO 7010. Sin embargo, todos los nuevos paneles instalados a partir del 1 de enero de 2014, deben respetar la norma UNE-EN ISO 7010, que pretende unificar pictogramas para toda la Unión Europea.

A partir de entonces, todas las señales de alerta y alarma y de equipos de protección contra incendios deberán de incluir llamas en el lateral derecho:

La citada señalización podrá complementarse con las indicaciones direccionales que contiene la misma norma.

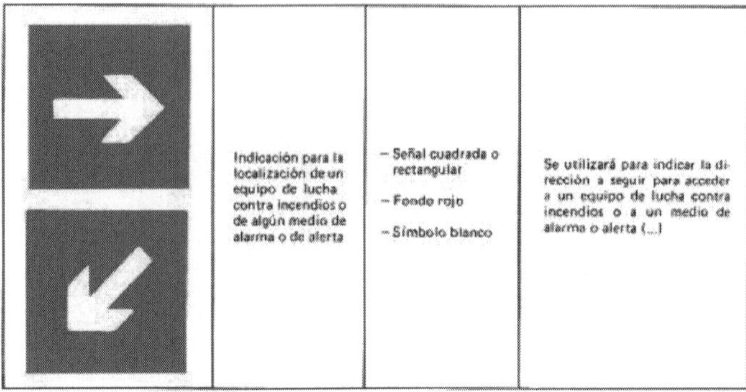

	Indicación para la localización de un equipo de lucha contra incendios o de algún medio de alarma o de alerta	– Señal cuadrada o rectangular – Fondo rojo – Símbolo blanco	Se utilizará para indicar la dirección a seguir para acceder a un equipo de lucha contra incendios o a un medio de alarma o alerta (...)

4.3. Actuaciones en caso de incendio

En el supuesto de producción de un incendio, se deben adoptar las siguientes actuaciones básicas:

- Localizar el origen de la incidencia.
- Clasificar la magnitud del incendio (Conato, Emergencia Parcial o General).
- Comunicar el hecho al Jefe de Emergencia o de Primera Intervención a su sustituto, facilitándole la mayor cantidad de datos posibles del siniestro.
- Si la magnitud del incendio lo permite, se dispone de conocimientos en lucha contra incendios y sin ponerse en peligro iniciar la extinción con los extintores portátiles de la zona. Apagar un fuego con el extintor inadecuado, puede resultar inútil, e incluso contraproducente.
- Si se decide a atacar el fuego con los medios de extinción disponibles, no dejar nunca que el fuego corte las posibles vías de escape. Tampoco girarse ni dar la espalda al fuego.
- Actuar siempre por parejas (ante cualquier eventualidad o desarrollo del siniestro, siempre se podrá contar con la ayuda de un compañero).
- Si el incendio es controlado comunicarlo al Jefe de Emergencia, pero sin abandonar el lugar, el incendio podría reactivarse.
- Si el incendio no se puede controlar, evacuar la zona cerrando las puertas que se vayan dejando a la espalda e indicarlo al Jefe de Emergencia.
- Si no se puede salir debido a la gran cantidad de fuego o al humo:
  * Mojar la puerta donde uno se encuentre (usar la papelera o los cajones como cubo), con el fin de enfriarla.

* Mojar toallas o trapos y colócalas en los bajos de la puerta, para evitar la entrada del humo.

- Es muy importante, para la seguridad, observar los siguientes aspectos:

  * Conocer las vías de evacuación y puertas de salida, así como con la localización de los medios de emergencia (extintores portátiles, pulsadores de alarma, etc.).

  * Recordar que en caso de haber gran cantidad de humo y fuego en los accesos, lo mejor es esperar en el interior de tu local o dependencia. Si se ocurre salir, hacerlo envuelto en una manta o prenda empapada de agua.

5. Primeros auxilios

Los primeros auxilios se pueden definir como la primera acción en el hecho de socorrer a una persona o personas que han sufrido un accidente.

Siguiendo las últimas actualizaciones en primeros auxilios, cuando se van prestar los primeros auxilios, que lo pueden realizar una persona no sanitaria ni entrenada para ello, es conveniente que se tengan unas nociones básicas a la hora de afrontar una situación de emergencia.

Para afrontar con seguridad y eficacia una situación en la que se requiera prestar los primeros auxilios hay que seguir unos principios generales en primeros auxilios, asegurando el éxito de la intervención.

5.1. Serenidad

Sin ponerse nervioso, esto es fácil decirlo, pero hasta que no llega el momento de la verdad, no se comprende la importancia de afrontar una situación de emergencia con tranquilidad y serenidad. No hay que tener prisa, se evitarán errores.

5.1.1. Composición de lugar

En el lugar del accidente hay que establecer las posibles consecuencias, puesto que ninguna situación es igual a otra. Recordar de forma sencilla pautas de actuación; reconocer el lugar de los hechos, los posibles peligros, solicitar ayuda y activar los servicios de emergencias.

Hasta que no lleguen las fuerzas del orden público o los servicios de emergencias, los intervinientes o socorristas serán los responsables del lugar de intervención y de los afectados, por lo que el control de la situación es crucial. Para ello deben:

- Movilizar a las víctimas lo imprescindible y con máxima precaución:

  La movilización de una víctima siempre acarrea ciertos peligros, como son agravar una posible lesión medular o complicar la gravedad de otras situaciones, por tanto se deberá realizar con total garantía.

- No llevar a cabo más acciones de las imprescindibles:

  La misión del socorrista es realizar únicamente las medidas necesarias para no retrasar la asistencia sanitaria o el traslado de la víctima, en ningún caso el socorrista reemplazará a los equipos de emergencias médicas.

- Evitar situaciones no deseadas:

  Únicamente se deberá hacer las acciones o medidas de las que se esté absolutamente seguro. No hay que olvidar la responsabilidad, de la cual hablaremos con detalle un poco más adelante en el apartado de responsabilidad legal.

Dentro de los principios es interesante resaltar: Proteger, Avisar y Socorrer, que se irán viendo a lo largo del libro en diferentes apartados, no obstante, quedan definidos de la siguiente manera:

- **Proteger**: sobre todo al propio interviniente y por supuesto a la víctima y sin olvidarse del lugar del incidente. Se adoptarán todas las medidas necesarias para proteger y hacer seguro el lugar.
- **Avisar**: llamar al teléfono de coordinación de emergencias 112 y solicitar la ayuda que se estime necesaria.
- **Socorrer**: asistir a la víctima o víctimas en un primer momento hasta la llegada de los equipos especializados.

5.2. Valoración primaria y secundaria de las lesiones

5.2.1. Reconocimiento de los signos de compromiso vital

La valoración del individuo accidentado o con una enfermedad repentina se debe hacer en el lugar en el que se produce la lesión.

Consistirá en realizar una valoración global del estado de la persona al objeto de:

1. Determinar el alcance de las lesiones o gravedad de la circunstancia.
2. Establecer las prioridades de actuación.
3. Adoptar las medidas adecuadas en cada caso.
4. Asegurar el traslado del paciente a un centro sanitario en las condiciones adecuadas.

Para ello nos valemos de unos signos de gravedad que nos van a mostrar la gravedad del cuadro. Estos signos corroborarían el estado del sistema nervioso mediante la valoración de la consciencia (consciente o inconsciente), sistema respiratorio (respira o no respira) y el sistema circulatorio (hay pulso o no hay pulso).

Estos signos se complementarían con la determinación de las constantes vitales.

5.2.1.1. Valoración primaria

En ella se identifican las situaciones que supongan una amenaza inmediata para la vida del usuario. Debe consistir en un rápido reconocimiento de las constantes vitales. Simultáneamente, se iniciará la restauración de las constantes vitales en caso de que alguna no esté presente.

Se aplicará el plan de prioridades:

- Mantenimiento de la permeabilidad de las vías aéreas, con control de la estabilidad de la columna cervical.
- Valoración de la respiración.
- Valoración de la circulación y control de las hemorragias severas.

5.2.1.2. Valoración secundaria

Se realiza una vez aseguradas las funciones vitales. Es la exploración detallada del paciente por sectores, de la cabeza a los pies, buscando posibles lesiones:

1. **Examen neurológico básico**:
   - Nivel de consciencia.
   - Pupilas: tamaño, reactividad y simetría.
   - Exploración motora y sensitiva de los miembros.
2. **Cabeza**:
   - Cuero cabelludo y cara: heridas, contusiones, quemaduras, etc.
   - Signos de fractura: otorragia, hematomas.
   - Lesiones oculares.
   - Fractura o luxación del maxilar inferior.
   - Fractura nasal, etc.
3. **Cuello**:
   - Ante la más mínima sospecha de fractura o cualquier tipo de lesión, por pequeña que sea, de la columna cervical, inmovilizarla con lo que se tenga a mano, sin cambiarle la postura del cuello, hasta que lleguen los profesionales sanitarios.
4. **Tórax**:
   - Heridas, fracturas costales, etc. Heridas abiertas.
   - Dolor torácico: calidad de dolor.

5. **Abdomen**:
   - Heridas, contusiones, etc. Heridas abiertas.
   - Dolor abdominal.
   - Hemorragia interna (sospecha).
6. **Extremidades**:
   - Heridas sangrantes, contusiones, puntos dolorosos.
   - Deformaciones de los miembros u otros signos de fractura.

5.2.1.3. Signos de compromiso vital en paciente pediátrico

1. Valoración de la oxigenación

Ventilación

- Vías respiratorias: estarán permeables siempre que el niño respire tranquilo y sin dificultad, hable o llore y no tenga ruidos respiratorios.
- Signos y síntomas en obstrucción de vías respiratorias altas:

Signo	0	2	3	4
Retracción esternal	Ninguna	Leve	Moderada	Grave en reposo
Estridor	Ninguno	Sólo con agitación	Leve en reposo	Grave en reposo
Coloración	Normal	Normal	Subcianótico	Cianótico
Nivel de conciencia	Normal	Inquieto cuando se le molesta	Inquieto cuando no se le molesta	Letárgico

- Respiración: signos y síntomas:
  * Taquipnea, polipnea.
  * Tiraje: supraesternal, intercostal, subcostal.
  * Aleteo nasal.
  * Cianosis.
  * Letargia.
- Circulación:
  * Coloración:
    - Cianosis: distal, central.
    - Palidez.

        - Enrojecimiento generalizado.
        - Sudoración y frialdad.
    * Pulso:
        - Taquicárdico.
        - Bradicárdico.
        - Lleno.
        - Débil.
        - Filiforme.
    * Relleno capilar.
    * Oliguria.
    * Alteración del nivel de conciencia.

2. Valoración de la hidratación

- Historia de vómitos y diarreas.
- Rechazo de alimentación.
- Ojos hundidos.
- Fontanelas deprimidas en menores de 18 meses.
- Lengua pastosa y mucosas secas.
- Signo del pliegue positivo.
- Aliento cetoacidótico.
- Respiración acidótica.
- Letargia o disminución del nivel de conciencia.

3. Valoración de la termorregulación

- **Fiebre**:
    * Rubor, sudoración, taquicardia.
    * Polipnea.
    * Ojos llorosos, conjuntivas hiperémicas.
    * Escalofrío, piloerección.
    * Cefaleas.
    * Cianosis peribucal y piel reticulada.
    * Decaimiento, somnolencia.

- **Hipotermia**:
  * Temperatura inferior a 35ºC axilar.
  * Bradipnea.
  * Coloración palido-subcianótica de piel y mucosa.
  * Postura variable. Rígido o en opistótono.
  * Actividad variable. Irritabilidad o letargia, ataxia, manos en garra, rigidez de manos y articulaciones.
  * En casos extremos midriasis.

4. Valoración de la actividad-exploración

Posturas corporales:

- Normal.
- Decorticación: Brazos en flexión abducción, Muñecas o dedos en flexión sobre el tórax.
- Descerebración:
  * Brazos en extensión y rotación interna.
  * Muñecas en pronación.
  * Piernas extendidas.
- Medular: Fláccidos.

Nivel de conciencia:

- Alerta:
  * Despierto.
  * Responde verbalmente de forma adecuada.
  * Dormido, responde cuando se le estimula.
- Letárgico. Despierta cuando se estimula, si se deja se vuelve a dormir.
- Obnubilado. Difícil de despertar, responde adecuadamente cuando está despierto.
- Estuporoso. Dormido si no se le estimula, incoherente cuando está despierto.
- Semicomatoso. Responde a estímulos dolorosos en defensa o con postura.
- Comatoso. No responde a ningún estimulo.
- Otra forma de valoración neurológica es la escala de Glasgow y Glasgow modificada:

Escala de Glasgow modificada	
Apertura de ojos:	4.- Espontánea. 3.- Al hablar. 2.- Al dolor. 1.- Sin respuesta.
Respuesta motora:	6.- Movimientos espontáneos. 5.- Se retira al contacto. 4.- Se retira frente al dolor. 3.- Respuesta en flexión frente al dolor. 2.- Respuesta en extensión. 1.- No hay respuesta al dolor.
Respuesta verbal:	5.- Gorgojea, balbucea, sonríe y sigue objetos con la mirada. 4.- Irritación y llanto consolable. 3.- Llora frente al dolor. 2.- Se queja frente al dolor. 1.- Sin respuesta .

Actividad

Refleja en el niño coordinación psicomotora, dándonos indicios de nivel de conciencia.

- Hiperactividad.
- Normoactividad.
- Hipoactividad.

Conducta

- Comunicativo.
- Agresivo.
- Introvertido.

Pupilas

- Posición:
  * Miosis.
  * Intermedia.
  * Midriasis.
- Respuesta a la luz:
  * Normal.
  * Perezosa.
  * Arreactiva.

- Simetría:
  * Isocórica.
  * Anisocórica.
  * Contracción y dilatación pupilar rítmica.
- Hippus:
  * Temblor del iris.

Otros signos a valorar

- Cefaleas y vómitos.
- En lactantes menores de 18 meses, fontanela deprimida, abombada o tensa y pulsátil.
- Estrabismo, signo del sol naciente.
- Constantes vitales: aumento de la tensión arterial, bradicardia, bradipnea e incluso apnea.
- Patrones respiratorios de los distintos niveles de afectación neurológica:
  * Mesencéfalo: Cheyne-Stokes.
  * Protuberancia: hipoventilación central.
  * Bulbar: apneica.
  * Medular.
- Focalización y/o asimetría:
  * Hemiparesia: disminución de la sensibilidad en un hemicuerpo.
  * Hemiplejía: pérdida de motilidad en un hemicuerpo.

5. Valoración de la eliminación

Diuresis

- Malformaciones genitourinarias.
- Existencia de globo vesical a la palpación, a veces con dolor.
- Hábitos, frecuencia, cantidad.
- Tenesmo vesical.
- Características de la orina.
  * Color:
    - Normal.
    - Hematúrica.
    - Colúrica.
    - Piúrica.

  * Olor:
    - Normal.
    - Ácida.
  * Densidad.

Defecación

- Malformaciones ano-rectales.
- Distensión abdominal (asas marcadas, aerofagia, meteorismo).
- Fecalomas, coprolitos.
- Peristáltica, tenesmo rectal.
- Hábitos:
  * Estreñimiento.
  * Normal.
  * Diarrea.
- Características de las heces:
  * Consistencia.
  * Color.
  * Olor.
  * Cantidad.
  * Frecuencia.
  * Composición.

Sudoración

- Diaforesis profusa con:
  * Piel pálida y fría.
  * Piel sonrosada y caliente.

6. Valoración de la seguridad-pertenencia

La exploración del estado mental del paciente nos ayuda a encuadrar signos y síntomas de los problemas psicológicos y las valoraciones de necesidades antes mencionadas.

Mecanismos de defensa

- Regresión: retorno a una relación de unidades corporales, dependencia semejante a la del lactante.
- Sufrimiento: ligado a una vivencia de castigo o a un sentimiento de falta.

- Oposición: el niño rehuye la limitación impuesta por la enfermedad o los cuidados (agitación, cólera, impulsividad, actitudes provocativas) negando las dificultades.
- Sumisión e inhibición: incapacidad para comprender la enfermedad, suele desembocar en fracaso escolar.
- Sublimación y colaboración: se identifica con el agresor-bienhechor (Personal de Enfermería).

Hospitalismo

- Fase de protesta: momento de la separación, en donde el niño se agita, llama a los padres y se muestra inconsolable.
- Fase de desespero: rehúsa comer, se queda callado, inactivo, sumido en estado de gran dolor.
- Fase de desvinculación: deja de rechazar a las enfermeras, acepta sus cuidados, comida, juguetes; si en este momento ve a su madre puede que no la reconozca, que llore o grite.

Características de los niños maltratados

- Antecedentes de problemas de conducta.
- Es demasiado hiperactivo, absorbente, provocador.
- Se niega a comer, infringe reglas, destroza pertenencias de padres u otras personas.

5.2.1.4. Valoración en el anciano

A la hora de hacer una valoración de urgencia a un anciano debemos conocer las principales modificaciones que se producen en la persona como consecuencia de la edad:

- **Modificaciones cardiovasculares**
  * *Con respecto al corazón:* experimenta una disminución de peso y de volumen, se produce una atrofia de sus fibras musculares, aparece una rigidez de las válvulas cardíacas, hay un aumento de grasa subepicárdica…
  * *Con respecto a la arteria aorta:* pierde elasticidad, adquiere un mayor perímetro, espesor, volumen, peso y longitud.
  * *Con respecto a las arterias:* se produce un alargamiento de las mismas, aparece una dilatación arterial, su recorrido se hace tortuoso, experimentan una gran rigidez…
  * *Con respecto a las venas:* se produce esclerosis (aumento de tejido conjuntivo), hay una disminución de fibras elásticas y musculares y aparece una tendencia a la dilatación.

* *Con respecto a las modificaciones funcionales cardiovasculares:* hay un aumento del gasto cardíaco, hay una disminución de la fuerza de contracción, se produce un alargamiento de la duración de la sístole y la diástole y del tiempo entre ambas y tiene lugar una modificación de la tensión arterial.

- **Modificaciones respiratorias**

  El pulmón disminuye su volumen de peso y su consistencia y los bronquios manifiestan una dilatación con adelgazamiento de su pared. Hay una dilatación de las cavidades alveolares, una disminución del espesor de la pared alveolar y capilares sanguíneos. Las arterias pulmonares se ven engrosadas y endurecidas.

  La *caja torácica* presenta: alteraciones óseas de cartílagos y de músculos, rigidez de las articulaciones, degeneración de los discos intervertebrales...

  Con respecto a las modificaciones funcionales respiratorias: hay un aumento de la frecuencia respiratoria, una disminución de la capacidad vital y pulmonar total, el volumen residual es mayor y hay una disminución del volumen respiratorio y de la difusión alveolo-capilar.

- **Modificaciones en el sistema nervioso**

  El peso del cerebro se reduce aproximadamente un 11% entre los 45 y los 85 años (peso normal 1.400 g a los 20 años). Pese a que se pierden hasta 100.000 neuronas diarias, no hay pruebas de que esta pérdida de peso sea a costa de ellas, pudiendo serlo por la merma de líquido extracelular.

  La corteza cerebral se estrecha, y los ventrículos aumentan de tamaño, y se pierden neuronas en todos los niveles del cerebro, como cerebelo, médula espinal, etc. Las neuronas sufren degeneración de su estructura así como pérdida de determinadas terminaciones.

  El cerebro utiliza durante toda su vida la misma cantidad de oxígeno, pero en la vejez aumenta el consumo de determinadas sustancias y es más rico en pigmentos de hierro.

  La conducción en los nervios periféricos se enlentece y el «tacto fino» y el «dolor» se perciben con mayor dificultad. El temblor senil, rápido y fino, tiene también origen en este proceso. Las denominadas «placas seniles» se observan tanto en cerebros senescentes como en cerebros aquejados de demencia presenil. Dichas placas aparecen sobre todo a nivel de la corteza cerebral y son sustancias que se acumulan y tienen un origen oscuro, no se ha demostrado que influyan en la aparición de procesos patológicos cerebrales.

  Con gran frecuencia se aprecia una importante esclerosis de los vasos sanguíneos de la base cerebral, que son estrechos y frágiles, tortuosos e inelásticos.

  Según algunas teorías, pese a la pérdida progresiva de neuronas, no se pierde capacidad intelectual, dado que esta pérdida es suplida por la proliferación de uniones entre las neuronas. Según esto, el deterioro intelectual de algunos ancianos no se debería a procesos naturales de envejecimiento sino a procesos exclusivamente patológicos.

Desde el punto de vista psicológico, existen dos tipos de ancianos: los *bien adaptados* (saben llevar bien su condición y mantienen, al menos parcialmente, su independencia aunque aceptan bien la ayuda) y los *mal adaptados* (caracterizados bien por ser irritables o auto- despreciativos).

Tanto en unos como en otros el comportamiento suele ser la prolongación del carácter que han tenido siempre.

5.3. Reanimación cardio-pulmonar (Soporte vital Básico)

5.3.1. Conceptos y desarrollo de Soporte Vital Básico

Este manual recoge las recomendaciones actualizadas en 2015 por la ERC (*European Resuscitation Council*) que han sido validadas y asumidas por la práctica totalidad de los profesionales de la emergencia sanitaria.

En la actualidad existe un organismo internacional denominado ILCOR (*International Liasion Committee on Resuscitation*), integrado por la AHA, el ERC, el *Australian Resuscitation Council*, la *Heart and Stroke Foundation of Canada*, el *Resuscitation Council of Southern África* y el Consejo Latino Americano de Resucitación que "proporciona un mecanismo de consenso mediante el cual la ciencia y el conocimiento relevante internacional en emergencias cardiacas puedan ser identificados y revisados". Las primeras recomendaciones del ILCOR fueron elaboradas a modo de declaración de consejos, en el año 1997 y partiendo de ellas cada una de las organizaciones ya existentes ha ido adaptando sus guías de actuación.

La enseñanza de RCP básica, tiende a convertirse en muchos países en una prioridad de salud pública, por el número de fallecimientos y lesiones irreversibles que podía evitar su conocimiento generalizado. El ERC ha dado las siguientes recomendaciones para la enseñanza de la RCP Básica:

- Idealmente, las técnicas completas de RCP (compresiones y respiraciones utilizando una relación de 30:2) deberían ser enseñadas a todos los ciudadanos.
- La formación en RCP basada exclusivamente en compresiones torácicas, puede utilizarse en situaciones especiales: falta de tiempo, instrucciones telefónicas, campañas publicitarias.
- La enseñanza del SVB debería ser obligatoria en todas las escuelas de Odontología y de Enfermería.
- Los hospitales europeos han de asegurar un programa de formación continuada en RCP para todo el personal médico.
- Los hospitales europeos han de tener programas para asegurar que todo el personal en contacto directo con la atención al paciente recibe enseñanza y reciclaje en RCP.
- Todo el personal de los servicios de emergencia debería recibir enseñanza y reciclaje en SVB.

- Todos los conductores de los servicios públicos deberían estar entrenados en SVB.
- Todas las escuelas europeas habrían de incluir en sus currículos docentes la enseñanza de SVB.

5.3.1.1. Conceptos fundamentales

Durante mucho tiempo, al intentar analizar los resultados de situaciones que habían cursado con paradas cardiorrespiratorias, se detectaba una enorme diversidad y falta de precisión de los términos empleados. Esta falta de homogeneidad, hacía imposible los estudios comparativos y dificultaba enormemente la elaboración de recomendaciones comunes, donde pudiesen traducirse los avances científicos.

En junio de 1990 en la abadía de Utstein en Noruega, representantes de diversas organizaciones internacionales, se dieron a la tarea de unificar conceptos y nomenclatura. De esta forma nació el conocido como **"Estilo Utstein"** que básicamente consiste en la elaboración de un glosario de los términos fundamentales en la RCP y que es considerado como una de las iniciativas con mayores y mejores resultados de la colaboración internacional en el campo de la resucitación cardiopulmonar (RCP).

Desde ese momento, en la práctica totalidad de los países del mundo se consensuaron las siguientes definiciones:

- **Parada cardiaca**: cese de la actividad mecánica cardíaca, confirmado por la ausencia de pulso detectable, inconsciencia y apnea (o respiración agónica, entrecortada).
- **Parada cardíaca presenciada**: cuando la PC es vista, oída, o se produce en una persona monitorizada.
- **Parada cardíaca no presenciada**: no hay certeza del momento de inicio.
- **Parada respiratoria (PR)**: ausencia de la respiración (apnea) con presencia de actividad cardíaca.
- **Etiología de la parada cardíaca**: una parada se considerará de origen cardíaco excepto en caso de traumatismo, ahogamiento, asfixia, sobredosis, exanguinación o cualquier otra causa no cardíaca determinada por el reanimador.
- **RCP**: es un término muy amplio que significa el acto de intentar lograr la restauración de circulación espontánea. La RCP es un acto: puede ser básica o avanzada.
- **Reanimación Cardiopulmonar básica (RCP- B)**: es el intento de restaurar circulación eficaz usando compresiones torácicas externas e insuflación de los pulmones con aire espirado. Los reanimadores pueden facilitar la ventilación a través de dispositivos para la vía aérea y protectores faciales apropiados para su uso por inexpertos. Esta definición excluye la bolsa con válvula-mascarilla, técnicas invasivas de mantenimiento de vía aérea, como la intubación y cualquier otro dispositivo para la vía aérea que sobrepase la faringe.

- **Reanimación Cardiopulmonar avanzada (RCP-A)**: realización de maniobras invasivas para restablecer la ventilación y circulación efectivas. El manejo de la vía aérea en RCP-A incluye la ventilación con bolsa-mascarilla, la intubación endotraqueal (IET), la punción cricotiroidea, etc. La ayuda circulatoria en RCP-A incluye la administración de medicación por vía traqueal o venosa, el uso de desfibriladores, etc.
- **Soporte Vital**: es un concepto más amplio que el de RCP, al integrar, junto a las maniobras clásicas, contenidos referidos a la prevención de las PCR y la difusión a toda la población de estos conocimientos. El reconocimiento de la situación, la alerta a los servicios de emergencia, la intervención precoz o los programas de difusión de estos conocimientos, son contenidos propios del Soporte Vital. Se habla además de SV básico o SV Avanzado, dependiendo del material que empleemos y de los conocimientos de los que lo ejecuten.
- **Masaje cardíaco externo (MCE)**: son las compresiones torácicas realizadas por un reanimador o mediante dispositivos mecánicos durante la RCP para intentar restablecer la circulación espontánea.
- **RCP por espectadores o primeros intervinientes**: cuando la RCP se inicia por personas que no forman parte del sistema sanitario de emergencias. En general, será la persona que presenció el paro. En algunas ocasiones, pueden ser personal sanitario, pero que no forman parte del sistema sanitario de emergencia.
- **Personal de emergencias**: son individuos que responden a una emergencia sanitaria, de manera oficial, formando parte de un sistema de respuesta organizado. Según esta definición, médicos, enfermeras o técnicos que presencian un paro cardíaco en un lugar público e inician RCP, pero que no han respondido al suceso como parte de un sistema organizado de respuesta, no son personal de emergencia.
- **Ritmo desfibrilable o no**: se refiere al ritmo inicial monitorizado; que cuando requiere choque eléctrico se subdivide en fibrilación ventricular (FV) o taquicardia ventricular sin pulso (TVSP); y cuando no lo requiere se subdivide en asistolia y disociación electromecánica.
- **Desfibriladores externos automáticos o semiautomáticos (DEA/DESA)**: este término, genérico, se refiere a desfibriladores que analizan el ritmo en el electrocardiograma de superficie del paciente, para detectar fibrilación ventricular o taquicardia ventricular rápida. Los automáticos (poco frecuentes) producen la descarga al detectar la alteración, mientras que los DESA avisan de la alteración pero requieren de la intervención del operador para efectuar su descarga.
- **Recuperación de la circulación espontánea (RECE)**: recuperación de la circulación espontánea, comprobada por la existencia de respiración, tos o movimientos. Para el personal sanitario la RECE puede incluir la palpación de un pulso central espontáneo, usualmente carotídeo en niños mayores y braquial o femoral en niños pequeños o lactantes, o la toma de la presión arterial.
- **RECE mantenida**: cuando no se requiere MCE durante 20 min consecutivos, persistiendo los signos de circulación.

- **Recuperación de la ventilación espontánea (REVE)**: consiste en la reaparición de la respiración espontánea en un niño previamente apneico. La respiración agónica no es una REVE.
- **Fármacos**: se refiere a la administración de cualquier medicación durante la RCP, independientemente de la vía de elección (intravenosa, intraósea, intratraqueal).
- **Finalización del suceso**: una resucitación finaliza cuando se determina la muerte, o se restablece la circulación espontánea de manera sostenida más de 20 min consecutivos.

La unificación de la terminología mediante el estilo Utstein, supuso un incuestionable avance al propiciar que todos los profesionales "hablasen el mismo idioma". Esto ha contribuido enormemente en la protocolización de las recomendaciones, facilitando los estudios comparativos y los análisis pormenorizados de las intervenciones. Desde el punto de vista de la práctica diaria, el avance ha sido también muy notable al permitir una comunicación precisa, entre los diferentes grupos de profesionales.

5.3.1.2. La cadena de supervivencia

Si queremos aumentar la supervivencia de los afectados por una PCR, deberemos no sólo realizar correctamente un tipo de maniobras sino que, además, estas deberán seguir un orden preciso. Es lo que se conoce como **"Cadena de Supervivencia"**.

De los cuatro "eslabones", que componen la "**Cadena de Supervivencia**":

1. Activación precoz de los servicios de emergencia sanitaria.
2. RCP básica.
3. Desfibrilación precoz.
4. Soporte vital avanzado.

Los dos primeros corresponderían con SVB (Soporte Vital Básico) y los dos últimos con lo que genéricamente se conoce como SVA – Soporte Vital Avanzado.

Los cuatro eslabones de esta cadena imaginaria, se enlazan secuencialmente y los buenos resultados que obtengamos dependerán directamente de lo rápido que se activen y de lo correctamente que se realice cada uno de ellos.

Activar servicios de emergencia. Pedir Ayuda

Maniobras de RCP- Básica

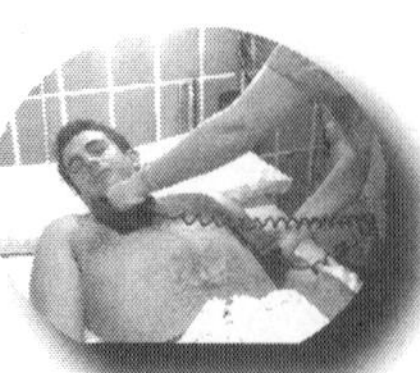

Desfibrilación precoz

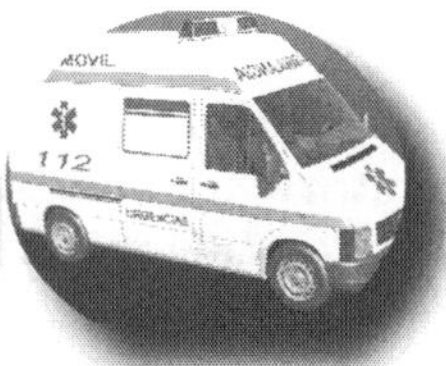

Maniobras de RCP Avanzada. Estabilización y Traslado

A) Activación precoz de los servicios de emergencia sanitaria

Una vez identificada la situación de parada cardiorrespiratoria, la primera medida a realizar es la activación de los servicios de emergencias sanitarios.

Para que este eslabón funcione adecuadamente, son necesarios dos requisitos: por un lado la correcta formación de amplios sectores de la población, para que cualquier ciudadano pueda identificar el estado de PCR y, por otro, la unificación y difusión masiva de los números de teléfono de las emergencias sanitarias para que la cadena pueda ser activada de inmediato.

En este eslabón, se incluye el reconocimiento de las personas en riesgo inminente de sufrir una parada cardiaca. La llamada, podría conseguir que se instaurase un tratamiento precoz, que previniese la parada.

B) La RCP básica

La iniciación de medidas de RCP debe comenzar lo antes posible. La probabilidad de que una víctima sobreviva tras una PCR está en relación directa con la precocidad con la que comiencen las maniobras de RCP, una intervención inmediata podría doblar o triplicar la supervivencia de las paradas cardio-respiratorias por fibrilación ventricular.

La RCP básica sustituye de forma precaria las funciones vitales por lo que, si se realiza adecuadamente, nos permite ganar algunos minutos hasta que lleguen los equipos de emergencia con personal y material especializados. Incluso realizando las maniobras sólo con compresiones torácicas, conseguiríamos mejores resultados que esperando sin hacer nada.

Hay que tener presente que el **cerebro humano comienza a deteriorarse aproximadamente a partir de los 4 minutos de no recibir oxígeno**, por lo que únicamente la precocidad de las maniobras, nos podrá asegurar que el individuo recupere sus funciones cerebrales satisfactoriamente.

Peter Safar, uno de los pioneros en la enseñanza de RCP, dice al respecto que *"la enseñanza de algo de RCP a todas las personas, probablemente salve más vidas, que la perfección obtenida por unos pocos"*.

C) La desfibrilación precoz

Las **causas** más frecuentes de PCR son la **fibrilación ventricular (FV)** y la **taquicardia ventricular sin pulso (TVSP)**, alteraciones, ambas, que tienen una buena respuesta a la desfibrilación precoz, por lo que se prioriza su aplicación, por delante de la administración de fármacos.

El buen pronóstico de la desfibrilación precoz decrece, según el tiempo que se tarde en desfibrilar. Cada minuto de retraso en la desfibrilación, reduce la probabilidad de supervivencia en un 10%-12% y a los diez minutos estas posibilidades llegan a cero. Se estima que hasta un 30 por ciento de las muertes por infarto podrían evitarse si el enfermo fuese tratado con un desfibrilador durante los primeros minutos, cruciales para la supervivencia.

Es tan clara la evidencia, que en muchos Estados se ha regulado la instalación de desfibriladores externos automáticos (DEA) en lugares públicos (aeropuertos, campos deportivos...), y se está formando a personal no sanitario (bomberos, policías, profesores, azafatas...) para que puedan hacer uso de estos dispositivos.

D) El Soporte Vital Avanzado / Cuidados postresucitación

El último eslabón de la cadena, indica la necesidad de completar la estabilización de las funciones vitales, el traslado del paciente y la aplicación de cuidados postresucitación.

En el SVA se asegurará la vía aérea, se establecerá ventilación mecánica si fuese necesaria y se administrarán los líquidos y drogas que requiera cada caso. Los resultados logrados con carácter inmediato con la desfibrilación precoz se consolidan cuando se asocia antes de 10 minutos el conjunto de técnicas de Soporte Vital Avanzado (SVA).

Únicamente cuando se han estabilizado las funciones vitales del enfermo, se procederá a su traslado hacia el centro sanitario de elección, según el caso.

Preste atención a este aspecto: únicamente cuando se han estabilizado las funciones vitales del enfermo, se procederá a su traslado hacia el centro sanitario de elección. Con la creación de los equipos de emergencia prehospitalaria en la década de los 90 y la implantación de la "cadena de supervivencia" se produjo un cambio notable en los procedimientos. Ya no se trata de "correr" para llegar lo antes posible al hospital, el enfermo se estabiliza en el lugar donde ocurra el accidente y el traslado, se realiza posteriormente. Esta es la mejor manera de aumentar la supervivencia y minimizar los efectos secundarios al accidente.

Los cuidados post – parada cardiaca, cobran cada vez más importancia, como parte de la cadena de supervivencia y si se realizan de forma adecuada, podría mejorar notablemente el pronóstico del paciente.

5.3.1.3. Secuencia del Soporte Vital Básico

La expresión "**Soporte Vital Básico**" hace referencia a una amplia variedad de contenidos que tienen que ver con la prevención, el reconocimiento y las intervenciones adecuadas, ante una supuesta parada cardiorrespiratoria.

Son actuaciones sencillas que la población general debería conocer, siendo especialmente importante el adiestramiento del personal de los servicios públicos, de aquellos que trabajen en lugares donde se produzcan grandes concentraciones humanas y del personal sanitario, para que puedan intervenir, aun sin contar con equipos o material específico alguno.

Ante una supuesta situación de PCR, **lo primero será identificar la situación**. Antes que pedir ayuda o realizar ninguna actividad, tenemos que saber qué está pasando.

La estrategia para que cualquier ciudadano pueda identificar y valorar a una víctima con una aparente PCR es muy simple y consiste en observar, de una manera secuencial, únicamente **dos aspectos clínicos: consciencia y respiración.** Según la valoración que realicemos de cada uno de estos aspectos, corresponderá realizar una u otra intervención.

A) Valorar la consciencia

Lo primero que debemos hacer para valorar una posible parada cardiorrespiratoria (PCR) es comprobar el estado de consciencia del individuo.

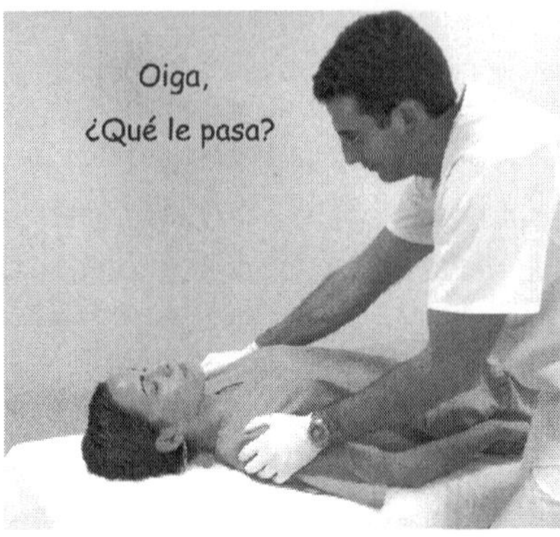

Examinar a la víctima **estimulándola auditiva y sensitivamente**. Se debe mover al paciente suavemente por los hombros, gritándole en voz alta: oiga, ¿qué le pasa? En caso de sospecha de traumatismo cervical evitaremos mover el cuello.

1. Intervenciones según el estado de consciencia

Si la víctima contesta a nuestro estímulo (habla, se mueve…) tendremos la seguridad de que se mantienen la funciones cardiorrespiratorias (respira y tiene pulso), pero esto de ninguna manera nos asegura que estas no puedan estar amenazadas.

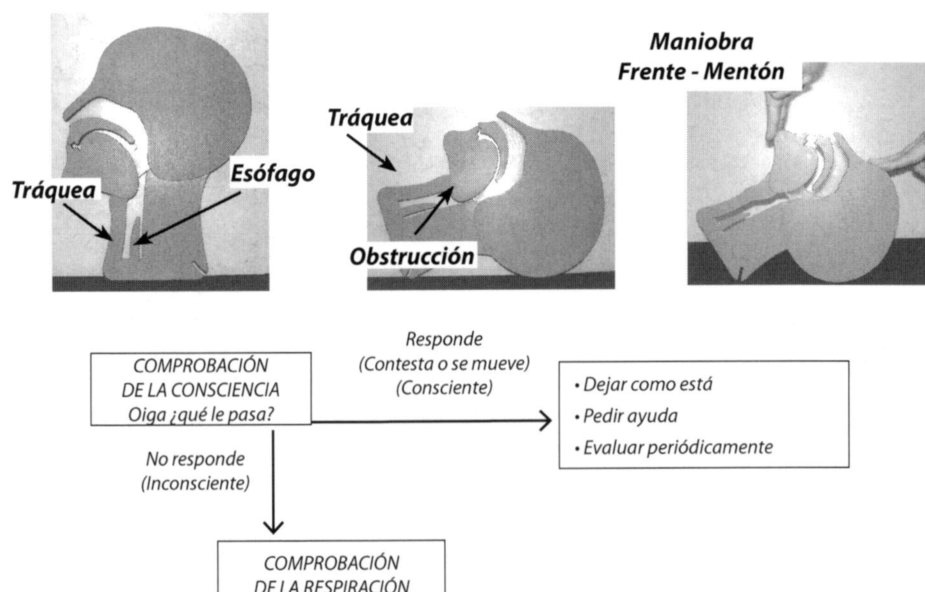

Déjelo como está (si la posición no supone peligro), pida ayuda y vuelva junto a él.

Deberemos permanecer junto al sujeto y evaluarlo periódicamente, hasta la llegada de los equipos especializados. Al permanecer junto a la víctima podremos observar otras alteraciones como hemorragias u obstrucciones, que quizás requieran de nuestra intervención inmediata por el problema potencial que suponen.

Si la víctima está inconsciente, no responderá a estímulos auditivos ni sensitivos, por lo que deberemos pedir ayuda y comprobar de forma inmediata la ventilación, para descartar que se encuentre en PCR. En cualquier caso, en toda persona inconsciente deberemos despejar la vía aérea mediante "la maniobra frente - mentón" o la tracción mandibular.

2. Apertura de la vía aérea. Maniobra Frente - Mentón

Al perderse la consciencia, la lengua pierde su tono cayendo hacia atrás obstruyendo la entrada de la tráquea, lo que puede provocar la asfixia del accidentado.

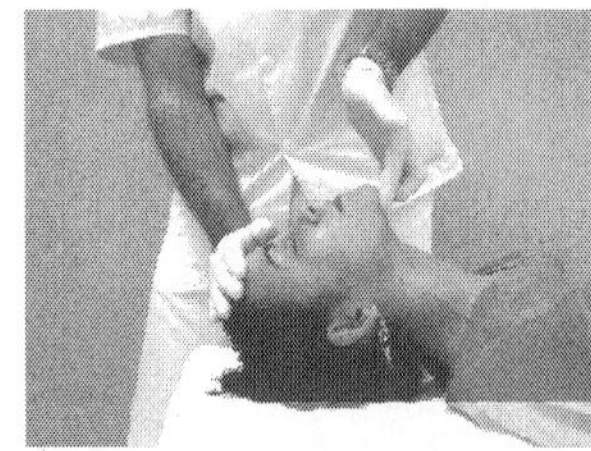

Maniobra Frente -Mentón

La forma de evitar que esto suceda es mediante la denominada *maniobra frente-mentón* que consiste en, con la víctima en decúbito supino, colocar una mano en la frente y la punta de los dedos de la otra en el vértice de la barbilla, empujando hacia arriba; de esta manera conseguimos despejar la vía aérea.

En los **traumatizados** la posible presencia de lesiones en la columna cervical aconseja emplear la maniobra denominada *"tracción o elevación mandibular"*, que consiste en traccionar de la mandíbula introduciendo en ella el dedo pulgar en forma de gancho, mientras que con la otra mano sujetamos con fuerza la frente del accidentado.

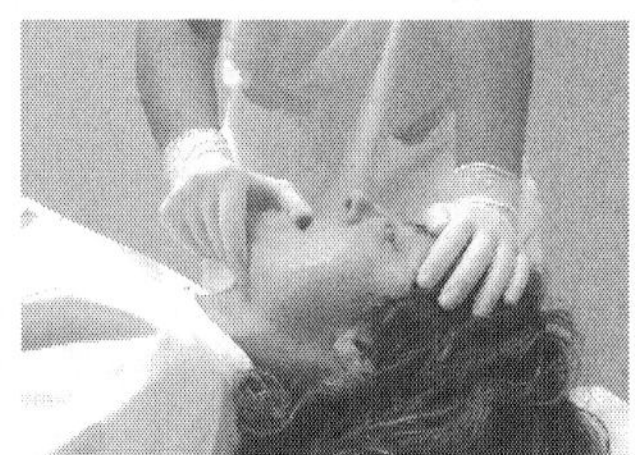

Maniobra de Tracción Mandibular

De esta forma evitamos movilizar la columna cervical, por las consecuencias fatales que pudieran derivarse de esta acción, en unas estructuras óseas dañadas por el traumatismo.

B) Valorar la ventilación

Si nos encontramos con un individuo inconsciente, debemos comprobar de forma inmediata la respiración, para lo que será imprescindible abrir previamente la vía aérea.

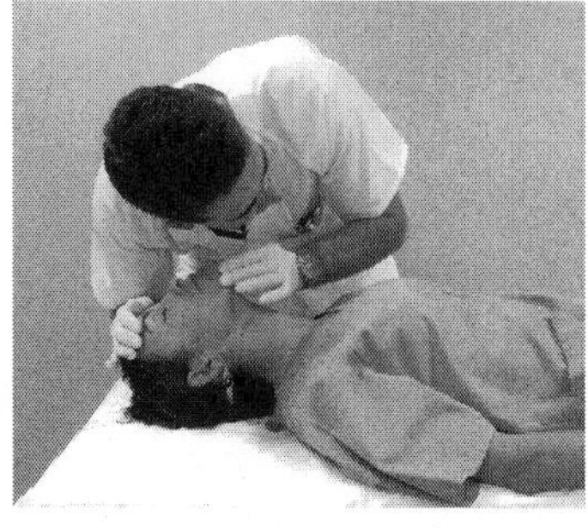

Para valorar la ventilación del paciente, se debe colocar a la víctima en decúbito supino y realizar la apertura de la vía aérea (maniobra frente-mentón), acercando a continuación la mejilla a la boca-nariz de la víctima, para de esta forma oír y sentir la respiración del paciente, así como ver los movimientos ventilatorios de la caja torácica.

VER, OÍR y SENTIR durante 5 a 10 segundos (máximo de 10 segundos), es la manera de comprobar si el paciente está respirando con normalidad.

1. Intervenciones si el paciente respira

Si el paciente está inconsciente pero respira normalmente, lo colocaremos en la denominada posición "lateral de seguridad" y buscaremos ayuda.

Si se trata de un traumatismo, como norma y por precaución, no movilizaremos al paciente, a menos que sea absolutamente necesario para el mantenimiento de sus funciones vitales.

La posición lateral de seguridad

La posición lateral de seguridad (PLS) o posición de recuperación, se emplea para prevenir la obstrucción de la vía aérea por la caída de la lengua hacia la faringe, o la aspiración de contenido gástrico por el árbol traqueobronquial, en el caso de que se produzca un vómito.

La posición debe ser estable, cercana a una posición lateral real con la cabeza en declive y sin presión en el pecho que perjudique la respiración.

Para colocar al paciente en PLS, lo haremos rodar hacia el reanimador siguiendo los siguientes pasos:

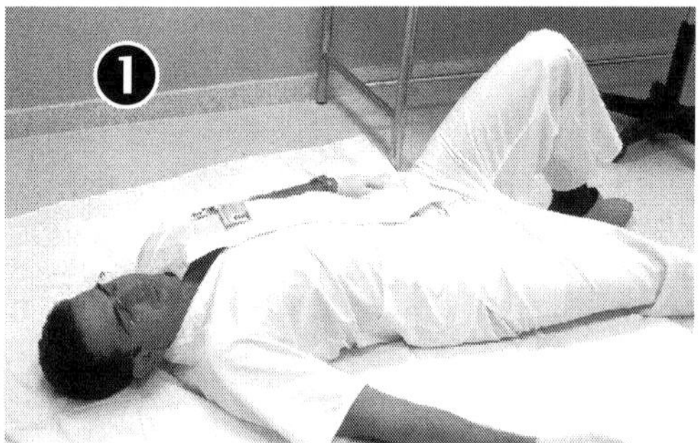

- Arrodillarse junto a la víctima manteniendo sus piernas estiradas.
- Realizar la abducción del brazo del paciente que tengamos más cercano, hasta ponerlo en ángulo recto con el cuerpo. Doblar el codo, y poner la palma de la mano hacia arriba (foto 2).

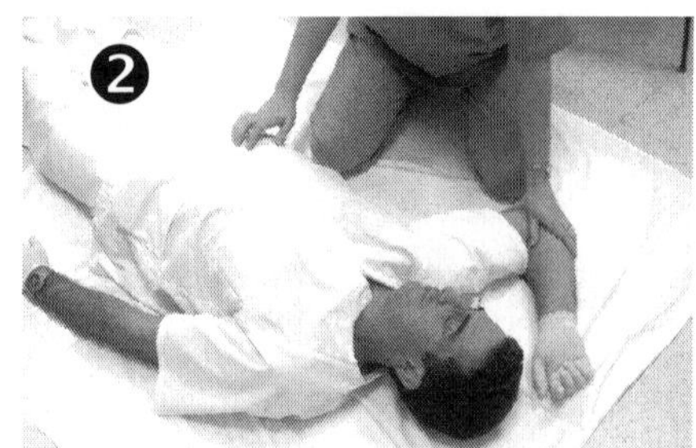

- Traccionar del brazo del paciente más alejado a nosotros, cruzándolo sobre su tórax y colocando la palma de la mano sobre el hombro contrario (foto 3).

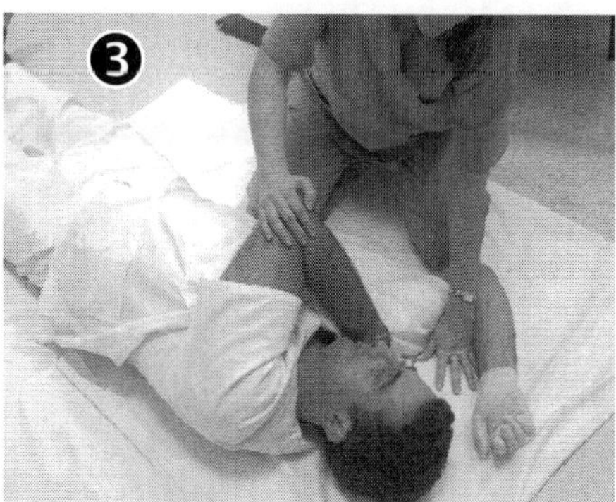

- Levantar la pierna del paciente más alejada a nuestra posición, dejándola con la rodilla levantada y el pie apoyado en el suelo (foto 4).

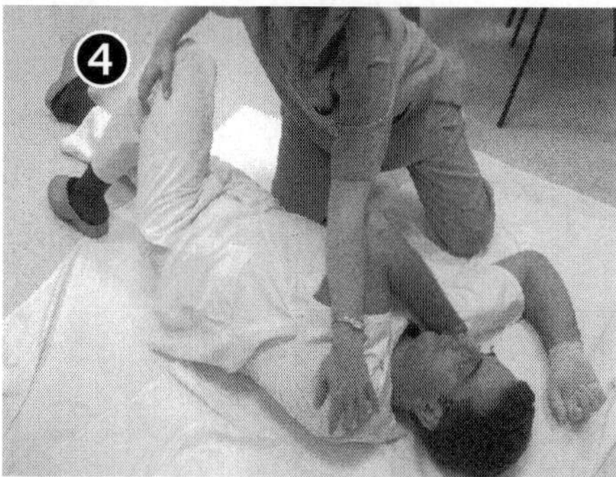

- Con una mano en la rodilla levantada y la otra en el hombro del mismo lado, tirar con fuerza para girar a la víctima sobre su costado (foto 4).
- Colocar la pierna que ha quedado encima, de forma que la cadera y la rodilla estén dobladas en ángulo recto (foto 5).

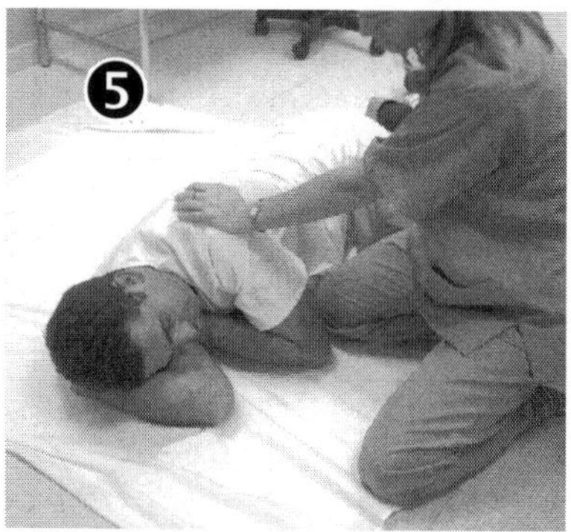

– Inclinar la cabeza asegurándose de que la vía aérea permanezca abierta (foto 6).

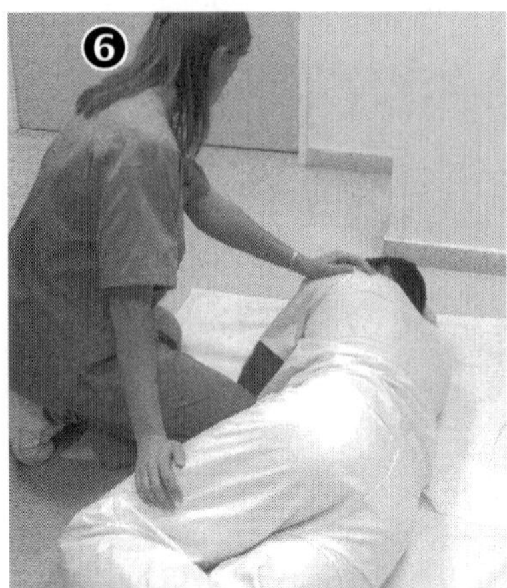

– Ajustar la mano bajo la mejilla para mantener la cabeza inclinada (foto 6).

– Retirar cualquier objeto que pueda molestar al paciente.

Una vez el paciente se encuentra en PLS, se debe pedir ayuda si aún no se ha hecho y regresar a su lado, para comprobar periódicamente que mantiene sus funciones vitales.

2. Intervenciones si el paciente no respira

Si la víctima está inconsciente y carece de ventilación espontánea, **pediremos ayuda** (para llamar a los servicios de emergencia y buscar un DEA) e iniciaremos las maniobras de RCP (30 compresiones torácicas y 2 ventilaciones).

En los primeros segundos tras una parada cardiaca, podría ocurrir que el paciente presente alguna respiración, ocasional o bien "boqueadas", lentas y ruidosas. Es lo que se conoce como **respiración agónica o gasping**. Ponga atención en no confundir esto con la respiración normal. En todo caso, si tiene dudas acerca de si hay o no respiración normal, actúe como si no la hubiese.

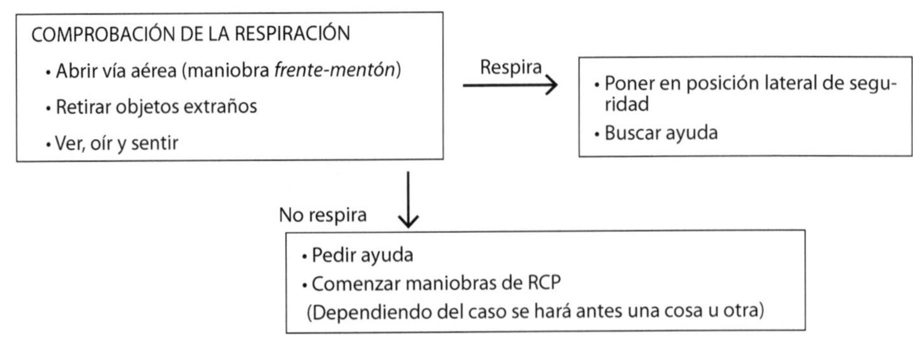

C) Maniobras de Soporte Vital Básico

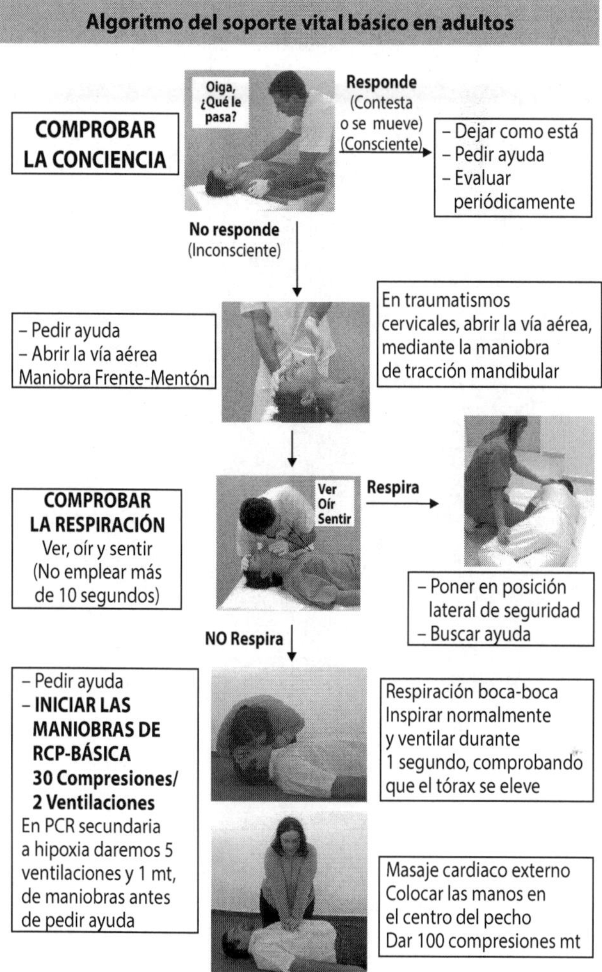

Si hemos confirmado el diagnóstico de PCR (ausencia de consciencia y respiración) procederemos a realizar las maniobras de RCP Básicas que pretenden mantener y restaurar la circulación efectiva usando compresiones torácicas externas ("**masaje cardiaco**") y ventilación de los pulmones con aire espirado (**respiración boca-boca**).

Estas intervenciones no requieren ningún tipo de equipo o instrumento, si bien se incluyen dentro de esta definición el uso de los denominados dispositivos de barrera: protectores faciales y mascarillas o dispositivos simples para la vía aérea.

Con estas maniobras pretendemos mantener un mínimo de oxigenación y circulación, que evite el daño irreparable que puede provocar en el cerebro la falta de oxígeno.

Realizaremos **30 compresiones torácicas, seguidas de 2 insuflaciones**.

Los reanimadores no entrenados, pueden realizar la reanimación cardiopulmonar sólo con compresiones torácicas, guiada por los operadores de los teléfonos de emergencia.

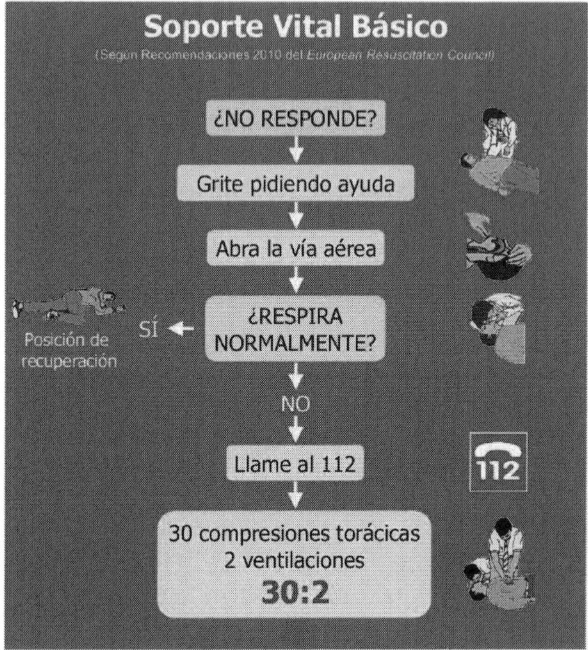

Algoritmo de RCP Básica del adulto

1. Masaje cardiaco externo

El masaje cardiaco externo se realiza apoyando el talón de una mano en el centro **del pecho** (mitad inferior del esternón) y el talón de la otra sobre la primera. Es conveniente entrelazar los dedos asegurándonos que la presión no se ejerce sobre las costillas. El enfermo deberá permanecer en decúbito supino, con las extremidades superiores a lo largo del cuerpo.

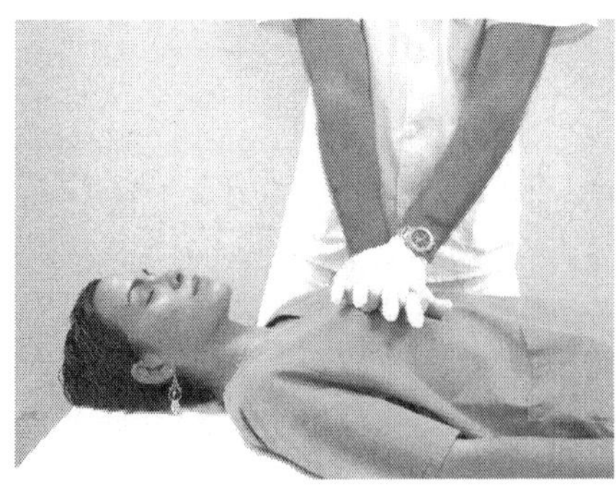

El reanimador se sitúa **preferentemente arrodillado**, a un lado de la víctima y, una vez localizado el punto de compresión, coloca los brazos extendidos y perpendiculares al esternón. Con el cuerpo erguido, se carga el peso sobre ellos sin doblarlos en ningún momento, para conseguir con el menor esfuerzo físico, la mayor eficacia posible.

Para evitar el excesivo cansancio del reanimador será importante la altura desde la que realicemos el masaje, siendo en ocasiones conveniente ayudarnos de un taburete o similar.

El objetivo debería ser, comprimir hasta una profundidad de al menos 5 cm (pero no más de 6 cm) y a una frecuencia de al menos 100 compresiones/min (pero no más de 120 compresiones/min), permitiendo el retroceso completo del tórax, y reduciendo al máximo las interrupciones de las compresiones torácicas.

Se seguirá la secuencia de **30 compresiones / 2 ventilaciones, independientemente del número de reanimadores**.

Se desaconseja buscar el punto de compresión mediante el método de "seguir el borde de las costillas", por emplear demasiado tiempo. Las manos se colocan directamente en el centro del pecho.

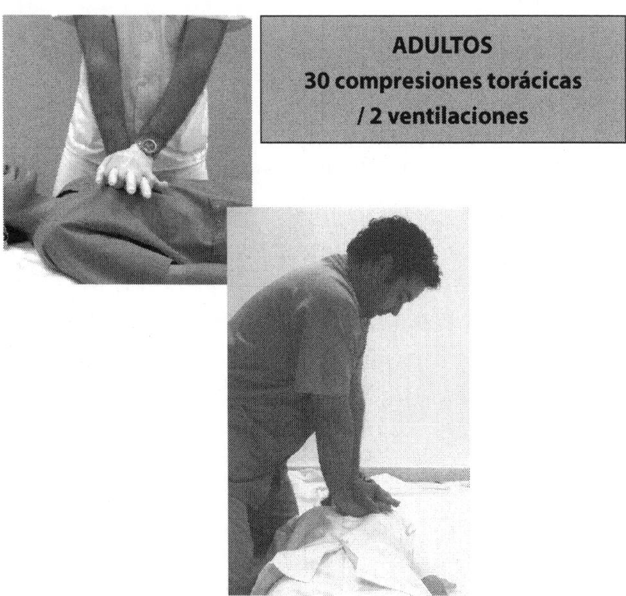

Con el masaje cardiaco externo se consigue un suficiente soporte circulatorio, tanto por la presión ejercida directamente sobre el corazón (Bomba Cardíaca), como por la realizada sobre el tórax (Bomba Torácica). A modo de esponja, durante las compresiones se expulsa sangre del corazón y los pulmones hacia los diferentes órganos, que volverá en el momento de la descompresión.

2. Respiración boca-boca

Tras realizar las 30 compresiones torácicas, daremos **dos ventilaciones de rescate**.

Despejaremos la vía aérea mediante la maniobra frente-mentón y comprobaremos que no hay ningún cuerpo extraño que pueda obstruir la vía aérea (alimentos, prótesis dentales...). Si hay algún objeto extraño que veamos, lo retiramos con nuestros dedos, pero no es oportuno realizar barrido digital a ciegas.

Con la vía aérea despejada, taponaremos los orificios nasales, con los dedos pulgar e índice de la mano colocada en la frente, mientras sellamos con nuestra boca la de la víctima, e insuflamos aire.

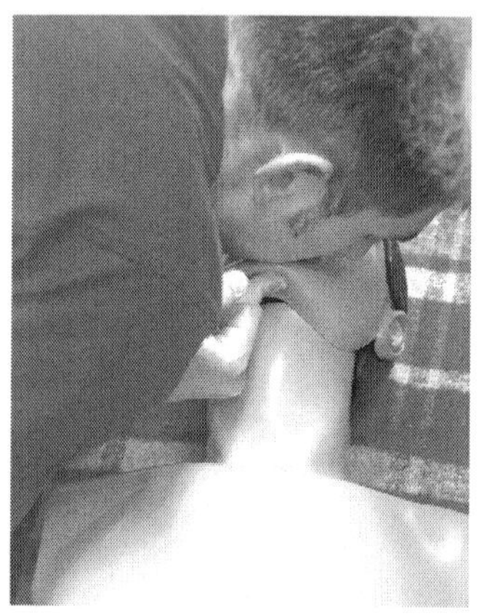

Haremos una inspiración normal (no profunda) y durante aproximadamente 1 segundo insuflaremos aire, comprobando cómo se eleva el tórax. Debe ser aire suficiente para hacer que el pecho de la víctima se eleve, pero evitando respiraciones rápidas o enérgicas.

Al retirarnos para que el accidentado pueda espirar, comprobaremos con nuestra mirada el movimiento de descenso de la caja torácica.

El tiempo total empleado en dar las dos respiraciones no debiera exceder de 5 segundos.

En caso necesario se puede insuflar el aire a través de la nariz o del estoma de traqueotomía, tapando siempre el orificio por el que no se insufla.

Debe evitarse insuflar muy rápidamente o con mucha cantidad de aire, para evitar que se desvíe hacia la cavidad gástrica, lo que por una parte no tendría ninguna utilidad, y por otra, facilitaría la aparición de vómitos, aumentando el riesgo de broncoaspiración.

El aire ambiente tiene una concentración de oxígeno de aproximadamente el 21%, mientras que el aire que expiramos no sobrepasa el 16%, pero aun así, esta concentración es suficiente para conseguir una cantidad de oxígeno en la sangre del paciente, que evite dañar las células cerebrales, en espera de la llegada de los equipos de emergencia.

Los reanimadores no entrenados, pueden optar por realizar la reanimación cardiopulmonar sin respiración boca a boca, realizando sólo compresiones torácicas. Al comprimir/descomprimir el tórax, además del soporte circulatorio, se consigue un mínimo soporte ventilatorio.

Las maniobras de reanimación deben continuar con la misma cadencia, hasta que el enfermo se recupere, llegue ayuda con equipo especializado o se produzca el agotamiento de los reanimadores.

5.3.1.4. Técnicas del Soporte Vital Básico

A) Control de las hemorragias

El control de las posibles hemorragias forma parte del SVB.

Las hemorragias se detienen **comprimiendo** con un apósito limpio (compresa, gasa, pañuelo, paño...) sobre el lugar del sangrado y, en el caso de que se produzcan en las extremidades, elevando estas por encima del nivel del corazón. Se aplicarán cuantos apósitos sean necesarios y se realizará un vendaje compresivo.

El uso de torniquetes está contraindicado y sólo se utilizarán en caso de producirse la **amputación traumática** de un miembro, pues no podríamos detener la hemorragia de otra manera. La parte amputada se introduce dentro de una bolsa de plástico y esta, una vez sellada, se trasladará con el enfermo hasta el hospital, dentro de otra bolsa que contendrá hielo o nieve y agua. La temperatura ideal para trasladar la parte amputada es de unos 4º y es importante evitar que el hielo entre en contacto directo con la parte amputada, para evitar lesiones que dificulten su posterior reimplante.

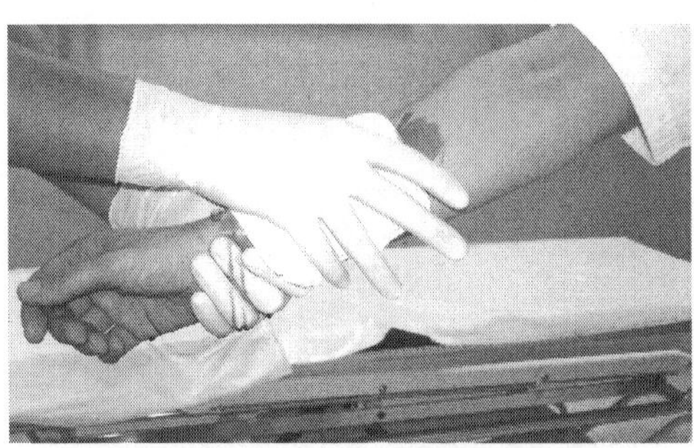

Aplíquese presión directa sobre la herida con uno o varios apósitos

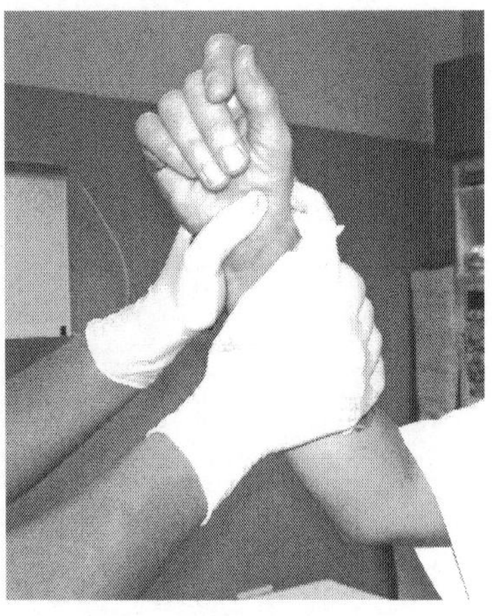

Si puede, levante el miembro herido

Se colocará el torniquete (vendas, cuerda, etc.) próximo a la parte amputada presionando hasta detener la hemorragia pero sin apretar en exceso. Si hubiese que apretar mucho, tendremos que aflojar cada 10 segundos (durante al menos 2 o 3 minutos) para asegurar la correcta perfusión al miembro.

Si la amputación fuese incompleta, inmovilizaremos las partes con una férula en la posición más anatómica y menos dolorosa posible y lo trasladaremos al hospital, evitando realizar exploraciones de ningún tipo hasta llegar allí.

En cualquier caso no facilite líquidos ni alimentos al enfermo y acuda de inmediato a un hospital.

B) Colocación de cánulas orofaríngeas. Cánula de Guedel

Entre las cánulas orofaríngeas, la más conocida y usada es la **cánula de Guedel**. Esta se usa para mantener la vía aérea abierta evitando, a su vez, que la caída de la lengua la obstruya.

Dependiendo del fabricante, existen diversos modelos, pero todos están construidos en PVC semirrígido (o material similar) y poseen un refuerzo al principio de la misma, para evitar que, una vez colocada, se obstruya al morderla el enfermo.

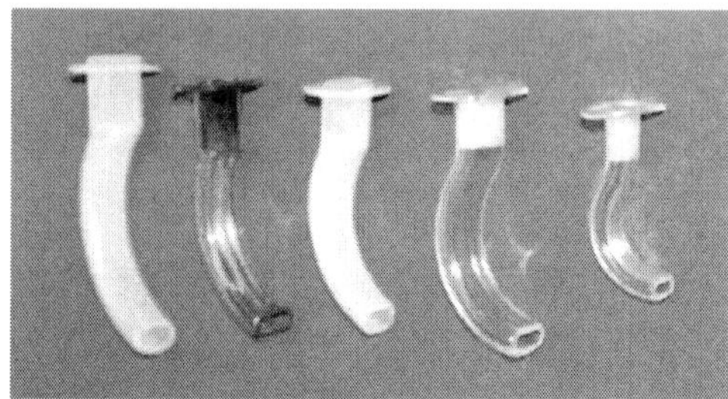

Cánulas de Guedel

Tienen un tamaño que oscila entre 5 y 12 centímetros y que se identifica por una numeración y, en algunos modelos, también por un color diferente.

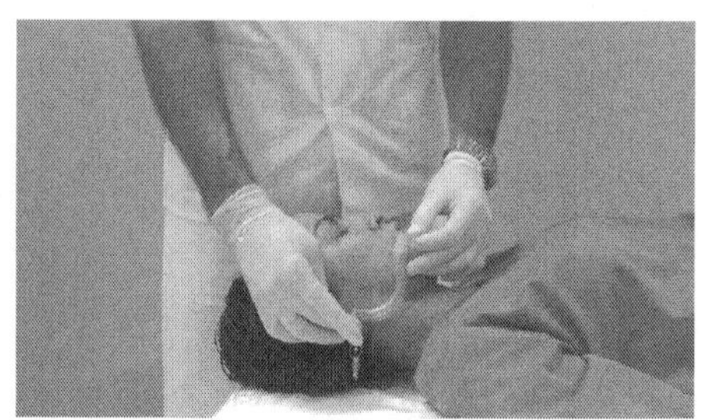

Medir la cánula antes de colocarla

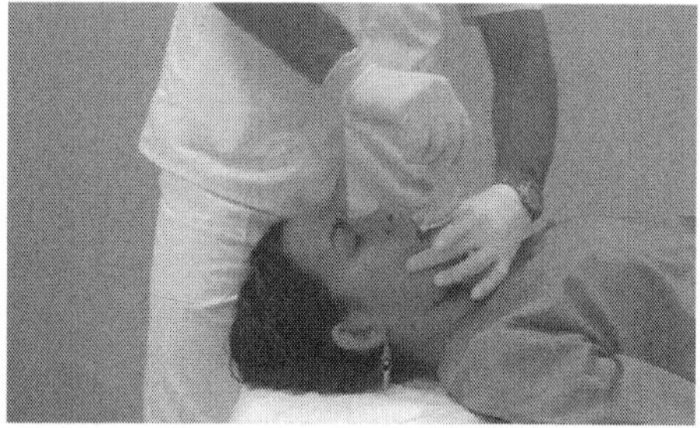

Se comienza a introducir con la concavidad hacia el paladar y posteriormente se rota 180º

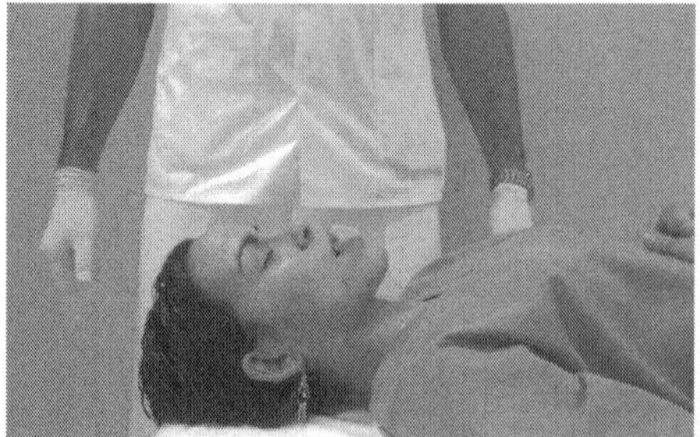

El refuerzo de la cánula debe quedar entre los dientes del paciente

Dependiendo del paciente al que se destine, se seleccionará la longitud adecuada, que debe ser igual a la distancia que existe entre la comisura de los labios y el lóbulo del pabellón auricular. Lo correcto, antes de colocarla, es medir la cánula adecuada a cada paciente.

La cánula de Guedel se coloca introduciéndola en la boca del afectado, con la concavidad hacia el paladar para, una vez metida hasta aproximadamente la mitad, rotarla 180º, mientras se termina de introducir hasta la faringe.

Una vez colocada, la parte más dura de la cánula debe quedar entre los dientes del paciente, de esta manera, evitaremos posibles obstrucciones si la mordiese.

C) Desfibrilador externo automático (DEA)

Las **causas** más frecuentes de parada cardiorrespiratoria (PCR) son **la fibrilación ventricular (FV) y la taquicardia ventricular sin pulso (TVSP)**. Estas alteraciones del ritmo, deben ser tratadas de forma prioritaria, mediante desfibrilación externa, entendiendo como tal la transmisión de corriente eléctrica, medida en julios, al músculo cardíaco a través de la pared torácica, con el objeto de poner fin a la FV o la TVSP. Esta acción se conoce entre los profesionales sanitarios como descarga o choque, y de esta manera la denominaremos en adelante.

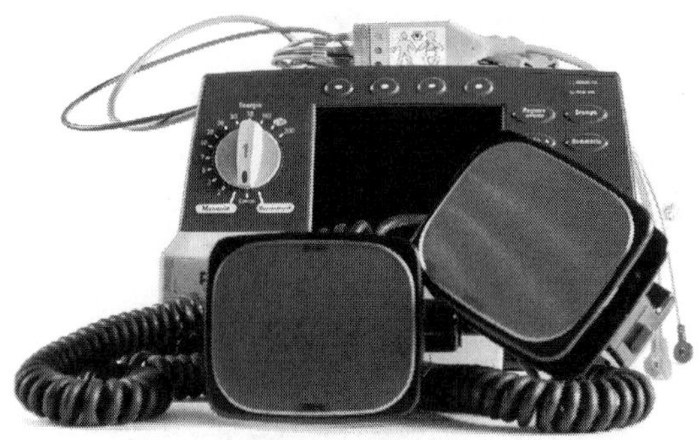

Desfibrilador manual

Numerosos estudios demuestran que el uso precoz de desfibriladores externos puede aumentar considerablemente la supervivencia de los individuos que sufren una PCR. En varios países entre los que se encuentra España (Real Decreto 365/2009, de 20 de marzo. BOE 80, Jueves 2 de abril de 2009), ya está legislada la colocación y utilización de Desfibriladores Externos Automáticos (DEA), en los lugares de pública concurrencia. La mayor parte de las comunidades autónomas, con las competencias sanitarias transferidas, han regulado el uso de desfibriladores externos automatizados fuera del ámbito sanitario. (Andalucía, Decreto 22/2012, de 14 de febrero; Aragón, Decreto 229/2006, de 21 noviembre; Asturias, Decreto 24/2006, de 15 marzo; Baleares, Decreto 2/2005, de 14 enero; Canarias, Decreto 225/2005, de 13 diciembre; Cataluña, Decreto 355/2002, de 24

diciembre; Galicia, Decreto 99/2005, de 21 abril; Navarra, Decreto Foral 105/2002, de 20 mayo; País Vasco, Decreto 8/2007, de 23 enero...).

Los denominados DEA son desfibriladores externos automáticos o semiautomáticos (ambos se conocen con el mismo nombre), que incorporan un sistema de análisis del ritmo. Cuando un dispositivo automático detecta un ritmo que requiere choque, se carga y suministra el choque, mientras que el semiautomático, aconseja al reanimador cuándo suministrar el choque y éste, una vez tomadas las debidas precauciones (al igual que con el desfibrilador manual, no se debe tocar al paciente en el momento de la descarga), será el que realice la acción última (oprimir el botón de descarga) para administrarlo.

Los DEA no disponen de las palas que tienen los desfibriladores manuales y se conectan al paciente mediante dos electrodos adhesivos de gran tamaño, que sirven al mismo tiempo para registrar la señal del ECG analizando el ritmo cardíaco, y para transmitir la energía de la descarga, en el caso de que fuese necesaria.

Estos dispositivos, han demostrado ser sumamente precisos y seguros para el paciente y para el reanimador, tanto si son usados por personas legas como por personal sanitario. Están indicados en niños mayores de 1 año.

Se puede considerar efectuar compresiones torácicas antes de la desfibrilación cuando la llegada del SEM a la escena sea después de 4-5 minutos de la llamada.

1. Procedimiento para el empleo de los DEA

Ante una posible PCR, comience a aplicar el algoritmo correspondiente.

Si al valorar la respiración comprueba que el individuo no respira, consiga un DEA.

DEA

Si tiene un DEA disponible úselo de inmediato, si no, comience con las maniobras de RCP hasta su llegada.

- Coloque a la víctima en decúbito supino y colóquese en su lado izquierdo.
- Coloque los electrodos sobre el pecho del paciente, en posición antero-lateral (posición esternón-ápex). La placa adhesiva del esternón se coloca en la parte superior derecha del tórax del paciente, a la derecha del esternón debajo de la cla-

vícula. La placa del ápex se coloca en la parte inferior izquierda del pecho sobre el ápex del corazón, a la izquierda del pezón en la mitad de la línea axilar.

– Encienda el dispositivo y siga las indicaciones auditivas/visuales.

Para realizar el análisis del ritmo con las máximas garantías, debe evitarse el movimiento de la víctima y el contacto físico con ella, por lo que en este momento y durante el menor tiempo posible, deberá detener las maniobras de RCP.

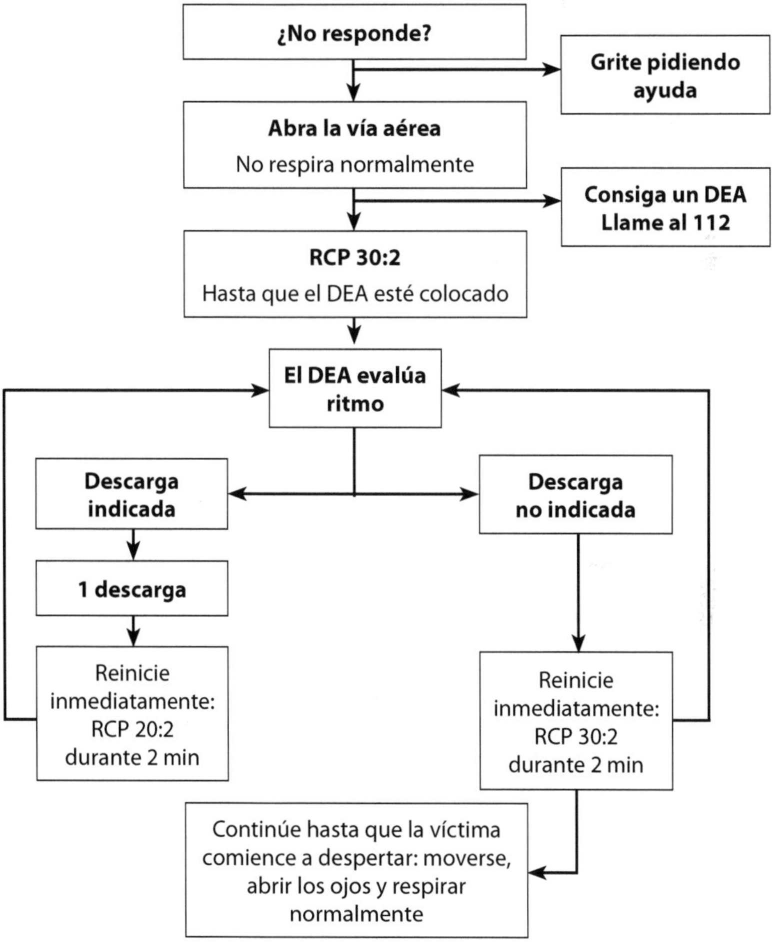

¿No responde?

Grite pidiendo ayuda

Abra la vía aérea
No respira normalmente

Consiga un DEA
Llame al 112

RCP 30:2
Hasta que el DEA esté colocado

El DEA evalúa ritmo

Descarga indicada

Descarga no indicada

1 descarga

Reinicie inmediatamente: RCP 20:2 durante 2 min

Reinicie inmediatamente: RCP 30:2 durante 2 min

Continúe hasta que la víctima comience a despertar: moverse, abrir los ojos y respirar normalmente

2. Si está indicado el choque

– Asegúrese de que todo el mundo se aparta de la víctima.

– Pulse el botón de choque.

- Realice las maniobras de RCP (30 compresiones torácicas-2 ventilaciones) durante 5 ciclos (aproximadamente 2 minutos).
- Repita el análisis o el choque como se indique.
- Si en algún momento apareciera una condición de "choque no indicado" pase al siguiente apartado.

Imagen característica de una fibrilación ventricular

3. Si el choque no está indicado

- Busque signos de que hay circulación.
- Si no hubiera signos de circulación, lleve a cabo las maniobras de RCP (30 compresiones torácicas – 2 ventilaciones) durante 2 minutos y repita el análisis.
- Seguir las instrucciones del DEA hasta que esté disponible el Soporte Vital Avanzado.

Tenga presente que cuanto más se demore en realizar la desfibrilación, menor es la probabilidad de éxito.

Si no dispone de un DEA, comience con las maniobras de RCP hasta disponer de uno de estos dispositivos o hasta la llegada de los equipos especializados.

A) Uso del resucitador manual

Es un dispositivo con un balón autoinflable y una válvula que evita la reinspiración, recibe el nombre coloquial de ambú, en referencia a la casa comercial que los popularizo. Se utiliza para realizar la respiración artificial de forma manual.

El de los adultos, suele tener un volumen aproximado de 1.600 ml, siendo menor en el pediátrico, al objeto de evitar barotraumas.

Pueden emplearse con mascarilla o directamente sobre el tubo endotraqueal (u otro de los dispositivos para aislar la vía aérea).

Poseen una toma de oxígeno y como accesorio se suele acompañar de un reservorio con el que se pueden alcanzar concentraciones de oxígeno cercanas al 100 %.

Hay que prestar especial atención a la limpieza y correcta colocación de la válvula. Un error en esa comprobación, puede anular la funcionalidad del dispositivo.

A pesar de su aparente sencillez, es un dispositivo difícil de usar correctamente. Es necesario sellar la mascarilla sobre la cara y presionar el balón al mismo tiempo, lo que exige cierto entrenamiento.

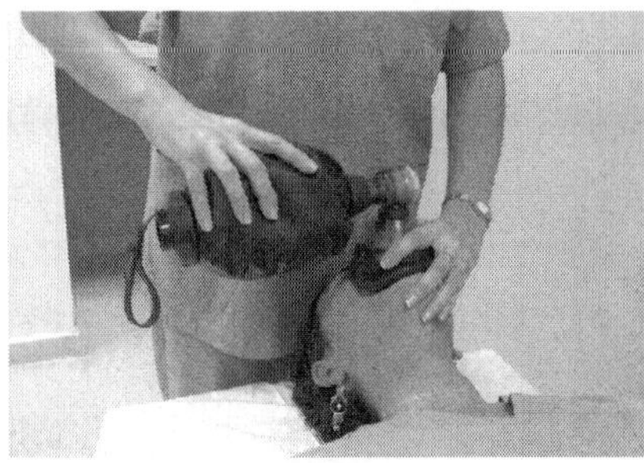

El reanimador se coloca por detrás de la cabeza del paciente, la extiende hacia atrás, coloca una cánula orofaríngea (Guedel) y aplica la máscara sobre el rostro con la mano izquierda colocando los 2-3 últimos dedos sobre la mandíbula y los demás sobre la mascarilla. Se exprime la bolsa con la mano derecha y se observa el tórax para comprobar cómo tiene lugar la ventilación pulmonar.

Si hay dos reanimadores, uno puede realizar las 30 compresiones y el otro las 2 insuflaciones mediante el resucitador manual.

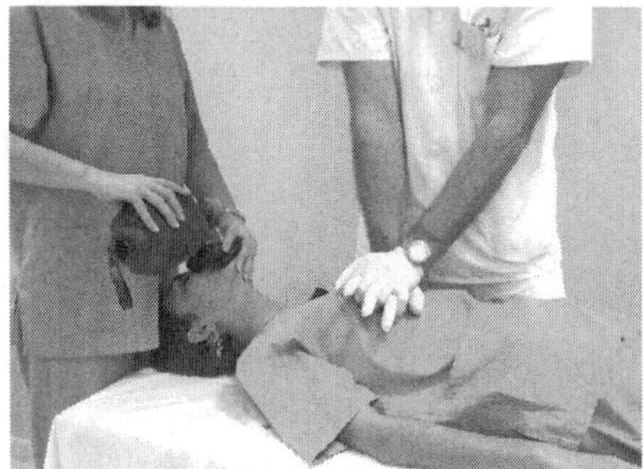

5.3.1.5. ¿Cuándo debe suspenderse la RCP Básica?

Las maniobras de RCP deben mantenerse en principio hasta la llegada de los equipos especializados, excepto en las siguientes situaciones:

- Cuando el paciente recupere circulación espontánea. Nos mantendremos alerta junto al accidentado comprobando sus funciones vitales periódicamente.
- Cuando habiéndose iniciado la RCP se comprueba fehacientemente la voluntad previa del afectado de no recibir las maniobras de RCP (testamento vital).
- Cuando se confirma documentalmente de forma inequívoca que la parada cardíaca se ha producido como consecuencia de la evolución terminal e irreversible de una enfermedad incurable.

- Cuando habiéndose iniciado sin éxito la RCP se confirma de forma indiscutible que estas maniobras se instauraron con un retraso superior a 10 minutos con respecto a la iniciación de la parada cardíaca (excepto situaciones como el ahogamiento, la hipotermia accidental o la intoxicación con barbitúricos).
- Cuando después de un tiempo prudencial nunca inferior a 30 minutos continúa la ausencia de cualquier tipo de actividad eléctrica cardíaca (excepto en situaciones de hipotermia o ahogamiento), evidenciándose signos de hipoxia generalizada (livideces, midriasis...).
- Cuando el reanimador está exhausto, lo cual puede producirse cuando un único reanimador realiza una RCP prolongada.

5.3.2. Soporte Vital Básico en pediatría

5.3.2.1. Introducción

En el niño, a diferencia de lo que ocurre en el adulto, la parada cardiorrespiratoria (PCR) de origen cardiaco es poco frecuente, siendo el principal motivo las disfunciones respiratorias (obstrucciones agudas, neumonías, depresión respiratoria...) seguido del fallo circulatorio por sepsis o hemorragias.

La PCR también puede afectar a niños sanos por los accidentes (sobre todo domésticos) o por muerte súbita.

Cuando el pronóstico se compara con el del adulto, suele ser peor, debido a que en la mayoría de los casos el niño lleva en hipoxemia un periodo prolongado de tiempo, antes de producirse la PCR, con la consecuente lesión de diversos órganos, en tanto que en el adulto la PCR se suele producir de forma brusca sin hipoxia previa.

En los niños, **es preferible modificar la secuencia de RCP que se emplea en el adulto**. Por un lado, una vez diagnosticada la situación de PCR se realizaran **5 ventilaciones de rescate** y **un minuto de masaje cardiaco**, antes de buscar ayuda.

Por otro lado, la relación más correcta entre compresiones y ventilaciones es de **15 compresiones y 2 ventilaciones**, aunque los reanimadores legos, podrían utilizar la misma relación que en el adulto (30:2).

5.3.2.2. Comprobación del nivel de consciencia

Para determinar el nivel de consciencia del niño, se le debe gritar mientras se le sacude suavemente por los hombros. Si existe sospecha de que pueda tener alguna lesión en la cabeza o en el cuello por las alteraciones que presenta o por el mecanismo de la lesión no se debe agitar, moviéndolo lo menos posible.

Si el niño está inconsciente pediremos ayuda y comprobaremos de inmediato la respiración.

5.3.2.3. Posición de RCP

Al niño se le debe colocar en decúbito supino sobre una superficie dura y lisa. En los lactantes también puede utilizarse la palma de la mano o el antebrazo del reanimador en caso de reanimarle en brazos.

En los niños pequeños, al apoyar su espalda sobre la palma de la mano del reanimador, los hombros se elevan, permitiendo que la cabeza se extienda ligeramente hacia atrás abriendo la vía aérea de forma adecuada.

5.3.2.4. Vía aérea

Las maniobras de apertura de la vía aérea es necesarias para poder comprobar si el niño respira, el objetivo es conseguir que la vía aérea sea permeable.

La maniobra de elección es, como en el adulto, "la maniobra frente – mentón" (extender la cabeza y elevar la mandíbula) y solo cuando esta no funciona, se puede probar con la maniobra de elevación mandibular (con los dedos pulgar e índice de cada mano, detrás de cada lado de la mandíbula del niño y empújela hacia delante).

Después de abierta la vía aérea se debe comprobar si el niño respira, observando si existen movimientos respiratorios, escuchando su ventilación y, con la mejilla del reanimador junto a la boca del niño, sintiendo la salida del aire (ver, oír, sentir) durante un máximo de 10 segundos.

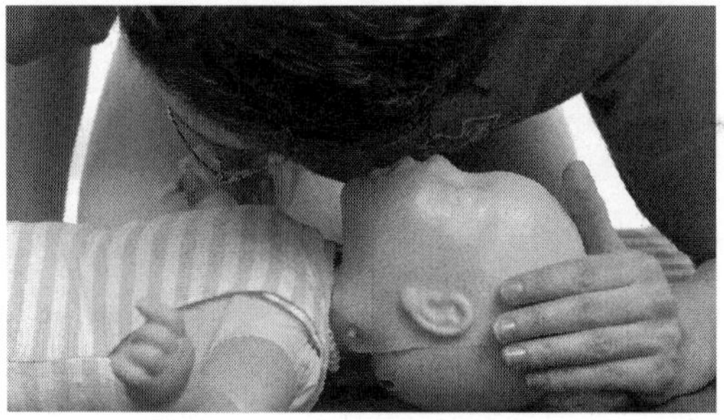

Si el niño respira, se le coloca en posición lateral de seguridad y se pide ayuda. Si el niño tiene dificultad respiratoria suele adoptar unas posturas determinadas que le facilitan la respiración y no se deben modificar, limitándose el reanimador a pedir ayuda.

Si el niño no respira hay que pedir ayuda e iniciar la ventilación manteniendo abierta la vía aérea. Si es un lactante, la boca del reanimador se debe aplicar abarcando la boca y la nariz del niño. Si se trata de un niño mayor de un año se puede utilizar la técnica boca a boca de forma similar a como se hace en los adultos. La técnica dependerá no tanto de la edad, como del tamaño del niño.

Se realizan 5 ventilaciones de rescate. Insuflaciones lentas de 1 segundo por ventilación, tomando aire entre una ventilación y otra.

El volumen correcto de aire en cada ventilación será aquel que haga que el tórax se eleve. Es importante insuflar aire solamente hasta que empiece a subir el pecho para evitar una dilatación gástrica que podría provocar regurgitación del contenido del estómago. También podríamos provocar barotrauma.

5.3.2.5. Circulación

Una vez abierta la vía aérea y realizadas las 5 insuflaciones, el reanimador debe comprobar si el niño permanece arreactivo o si aparecen signos de que hay circulación, para valorar la necesidad de iniciar las compresiones cardiacas.

Hay que buscar durante un máximo de 10 segundos signos de vida: movimientos, tos... incluso si se está cualificado, se puede comprobar el pulso (el femoral en todos los caos, o el braquial en los lactantes o en los niños mayores de un año el carotideo).

Si el niño continúa arreactivo y sin signos de circulación, **tras las 5 insuflaciones** comenzaremos con las compresiones cardiacas con una cadencia de **15 compresiones y 2 ventilaciones**.

El área de compresión en la RCP pediátrica se localiza en la mitad inferior del esternón, un dedo por encima del apéndice xifoides.

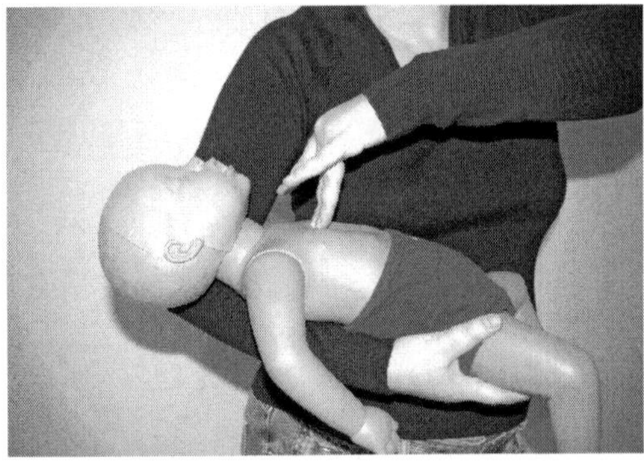

La técnica de compresión dependerá de la edad del niño o, especialmente de su corpulencia. En los lactantes comprimiremos con la punta de los dedos medio y anular o con la técnica "del abrazo" (rodeando el tórax con las dos manos y con ambos pulgares sobre el esternón). En los niños más mayores o corpulentos, se puede emplear el talón de una sola mano.

Las compresiones se realizan siguiendo un eje perpendicular y con la fuerza suficiente para comprimir el tórax al menos un tercio de su diámetro.

En los niños, al igual que en los adultos, las compresiones deben durar el 50% del ciclo, permitiendo en la segunda parte de éste, la relajación del tórax. La frecuencia de las compresiones debe ser de al menos 100 por minuto (sin pasar de 120).

5.3.2.6. Algoritmo Soporte Vital básico en pediatría

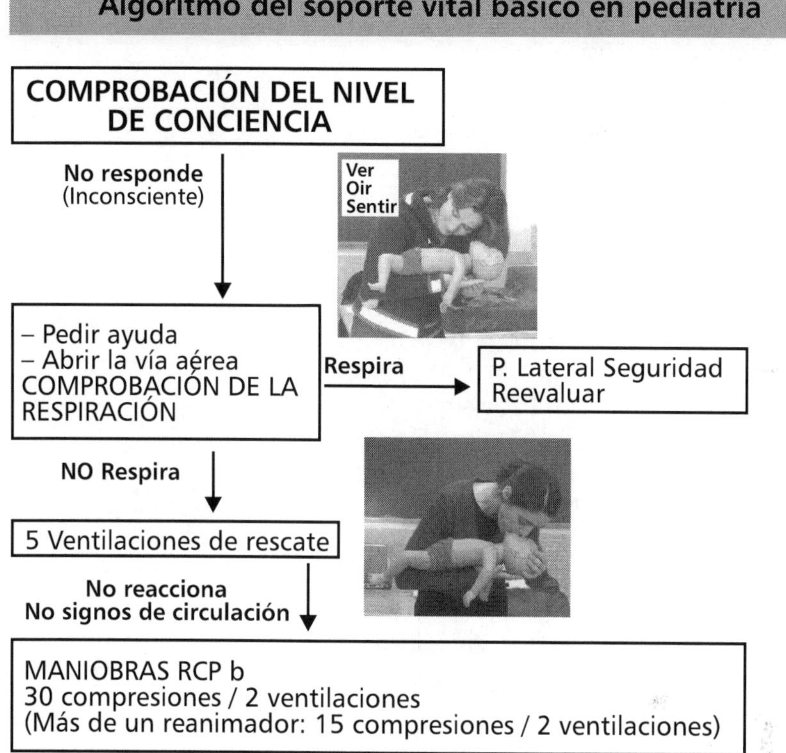

5.4. Obstrucción de las vías aéreas

5.4.1. Desobstrucción de la vía aérea en adultos

La obstrucción de la vía aérea por cuerpo extraño en adultos (OVACE) o atragantamiento, puede producir la muerte en pocos minutos, pero puede tratarse con buenos resultados, si se actúa con rapidez y decisión.

La obstrucción parcial o completa de la vía aérea por un cuerpo extraño provoca un cuadro repentino de asfixia que, en el peor de los casos, si no se resuelve, desemboca en hipoxia, inconsciencia, apnea, paro cardiaco y muerte.

Si la **obstrucción es parcial**, el paciente mostrará una gran agitación, con una ventilación más o menos dificultosa, tos y/o estridor (pitos). El gesto de llevarse las manos a la garganta, es reflejo y prácticamente universal. El estado de consciencia no suele estar al-

terado en un primer momento y, en esta situación, el reanimador debe alentar al individuo para que tosa si le es posible, por ser esta la mejor y menos traumática forma de expulsar el cuerpo extraño.

Ante la OVACE parcial, nos limitamos a animar al afectado para que tosa una y otra vez. Reevaluamos y estamos alerta por si empeora la situación.

Cuando la **obstrucción es completa**, el paciente no puede hablar ni toser y en poco tiempo puede sobrevenir la inconsciencia.

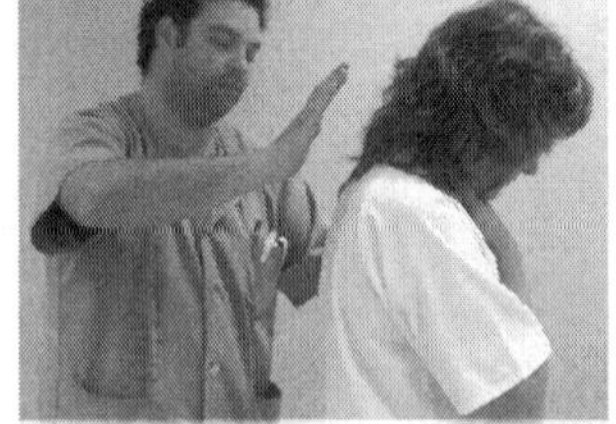

5 palmadas interescapulares

5.4.1.1. Paciente consciente

Mientras el paciente está consciente, **daremos 5 golpes interescapulares** con el sujeto ligeramente inclinado hacia adelante, para que, si conseguimos movilizar el cuerpo extraño, salga hacia el exterior. Es posible que esta maniobra resuelva la situación pero, si no es así, continuaremos realizando 5 compresiones abdominales (**Maniobra de Heimlich**).

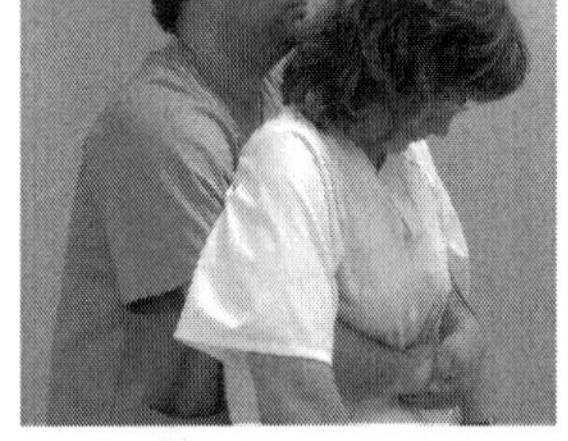

5 compresiones abdominales

El reanimador se sitúa por detrás de la víctima, rodeando con sus brazos el abdomen de ésta. Una de las manos, cerrada y con el pulgar hacia dentro, se sitúa en el epigastrio, alejado de la apófisis xifoides y del reborde costal. La otra mano agarra a la primera, para realizar de esta forma una fuerza mayor.

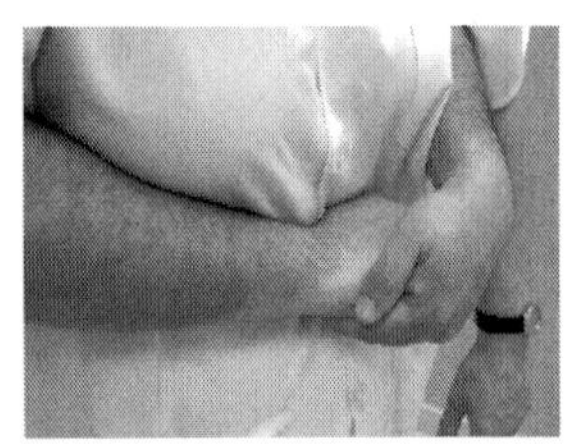

Se realizan compresiones enérgicas del abdomen hacia arriba y hacia adentro.

En embarazadas y en pacientes muy obesos se puede realizar la maniobra de modo similar, pero abrazando el tórax del paciente (tercio inferior torácico, alejado de la apófisis xifoides, coincidiendo con el área de masaje cardiaco) en lugar del abdomen.

Estas maniobras se repetirán hasta la expulsión del cuerpo extraño o hasta la inconsciencia del paciente, alternando 5 palmadas interescapulares y 5 compresiones abdominales.

5.4.1.2. Paciente inconsciente

Si la obstrucción no se resuelve en poco tiempo, el paciente perderá la consciencia. En este caso, trataremos de que no sufra daño en la caída y con el paciente en posición de decúbito supino, comenzaremos las maniobras de RCPb. Procederemos exactamente igual que en los casos de paciente inconsciente sin respiración, repitiendo la secuencia de 30 compresiones torácicas y 2 ventilaciones.

Algoritmo de actuación en adultos, en los casos de asfixia por obstrucción de vía aérea, por un cuerpo extraño

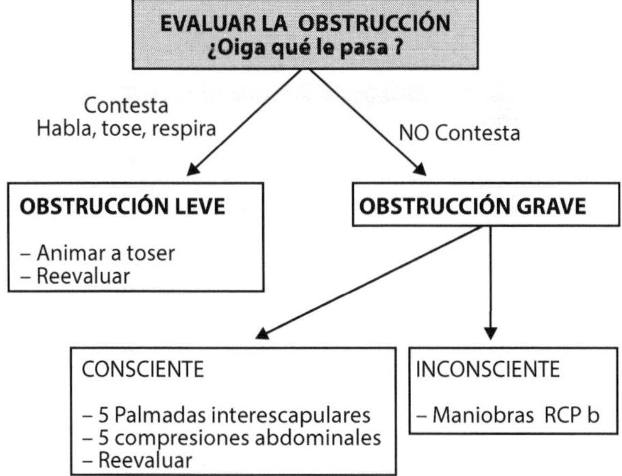

5.4.2. Obstrucción de la vía aérea en niños

En el niño, al igual que en el adulto, la secuencia de actuación ante la obstrucción de la vía aérea por un cuerpo extraño dependerá fundamentalmente de si esa obstrucción es total o parcial.

Si la obstrucción es parcial, el niño podrá toser por lo que habrá que animarlo a que lo siga haciendo por ser esta la manera más eficaz de expulsar el cuerpo extraño.

Si la obstrucción es total, el niño no podrá toser, por lo que seguiremos el siguiente procedimiento:

- 5 golpes interescapulares con el talón de nuestra mano. Si el niño es suficientemente pequeño, se puede sostener en decúbito prono sobre el antebrazo del reanimador, con la cabeza más baja que el tronco y aplicar los golpes con la otra mano.
- 5 compresiones directamente sobre el tórax, al objeto de aumentar la presión intratorácica y ayudar a la expulsión del cuerpo extraño de la vía aérea.

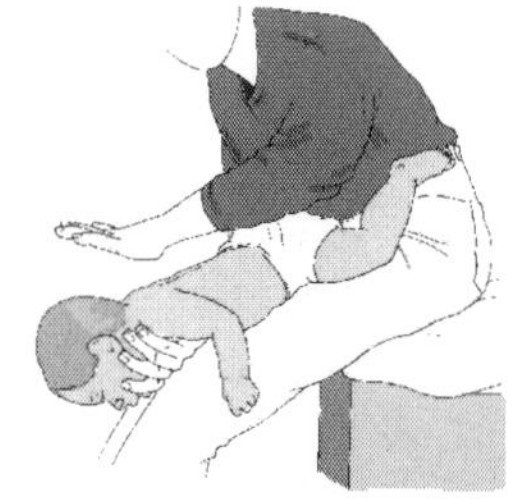

Desobstrucción de la vía aérea en lactante. Golpes en la espalda

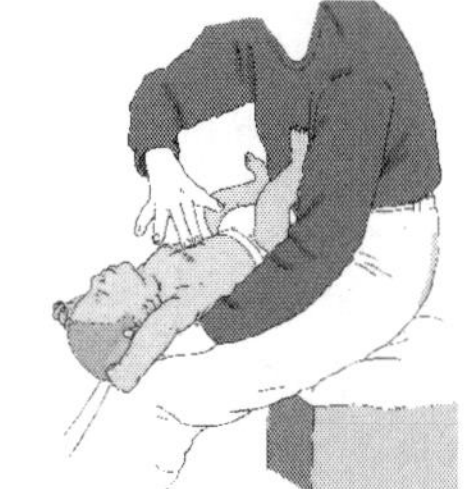

Desobstrucción de la vía aérea en lactante. Compresiones torácicas

Este procedimiento se seguirá repitiendo una y otra vez, hasta que el niño pierda la consciencia. En este momento, actuaremos como ya hemos descrito para los casos de inconsciencia y ausencia de respiración, intentaremos ventilar 5 veces y, si no hay respuesta, comenzaremos con el masaje cardiaco. Continuaremos repitiendo las maniobras de RCP b hasta la desobstrucción de la vía aérea.

Si se visualiza el cuerpo extraño, se debe intentar su extracción manual con el dedo índice en forma de gancho, pero no realizar un barrido digital a ciegas, ya que el cuerpo extraño puede ser empujado involuntariamente hacia la vía aérea agravando aún más la obstrucción.

5.5. Hemorragias

La hemorragia se define como la salida masiva de sangre de los vasos sanguíneos, por la rotura de los mismos. La rotura de un vaso sanguíneo puede ser debida a causas mecánicas (heridas, desgarros, cortes, etc.) o bien hemorragias patológicas sin trauma aparente alguno.

Una hemorragia es tanto más grave cuanto más cantidad de sangre sale y con mayor rapidez. Si hay una pérdida de más de un litro de sangre en una persona adulta o más de medio litro en un niño, puede considerarse una hemorragia grave y puede dar lugar a un **shock hipovolémico**.

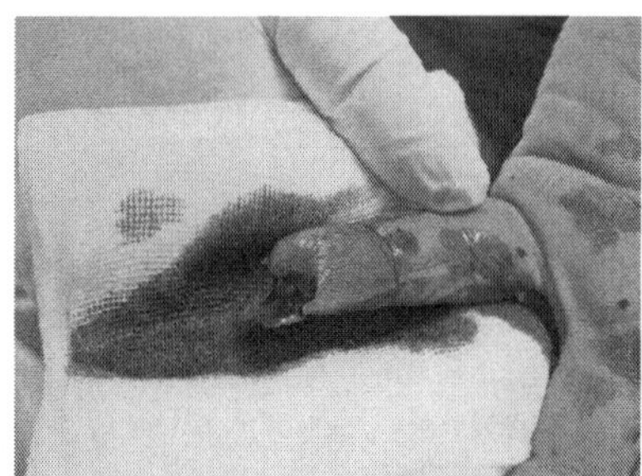

Amputación de la última falange del dedo meñique

Las pérdidas de sangre que tienen lugar en un corto periodo de tiempo son más peligrosas que las que se producen en un tiempo mayor.

Para controlar las hemorragias se produce la unión de plaquetas alrededor del vaso sangrante para formar un coágulo que impida que siga saliendo sangre fuera del mismo.

Por todo ello, una atención urgente de la hemorragia puede resultar muy efectiva para evitar consecuencias más graves.

Las hemorragias pueden ser:

- **Internas**: la hemorragia interna es aquella en la cual la sangre no sale al exterior del cuerpo, sino que se queda acumulada debajo de la piel o en una cavidad del organismo.

- **Externas**: la hemorragia externa es aquella en la cual la sangre sale hacia el exterior del organismo.

Según sea el tipo de vaso sanguíneo que sangra, se habla de:

- **Hemorragia arterial**: la sangre es de color rojo intenso y sale a presión, siendo más acentuada la salida con la sístole cardiaca.
- **Hemorragias venosas**: la sangre que brota lo hace de forma continua y babeante. Es de color rojo menos intenso que la sangre arterial (color rojo azulado).
- **Hemorragias capilares**: brota de múltiples puntos en forma de sábana (como si de manantiales de agua se tratara). Es de color intermedio entre los dos anteriores.

Según la procedencia de la hemorragia se habla de:

- **Hematemesis**: sangre procedente del aparato digestivo que es expulsada con el vómito. Generalmente del tracto superior. La sangre puede ir desde un color rojo hasta el negro, propio de la sangre ya digerida. Puede presentarse en forma de vómitos con grumos que recuerdan a los posos del café, de ahí su nombre; «vómitos en poso de café».
- **Melenas**: sangre procedente del aparato digestivo que es expulsada con las heces. Generalmente procede del tracto digestivo inferior.
- **Gingivorragia**: hemorragia de las encías.
- **Otorragia**: hemorragia a través del oído (conducto auditivo externo).
- **Epistaxis**: hemorragia que se produce a través de la nariz.
- **Hemoptisis**: sangre procedente del aparato respiratorio que es expulsada por la boca a través de la tos o el vómito. Es característico en la tuberculosis, cáncer de pulmón, etc.
- **Víbices**: hemorragias pequeñas de la piel que se producen por rotura de diminutos vasos sanguíneos. La sangre queda acumulada debajo de la epidermis y origina imágenes pequeñas en forma de llama.
- **Petequias**: hemorragias cutáneas puntiformes, rojizas y múltiples. Se localiza en la dermis.
- **Equimosis**: son acumulaciones de sangre de la piel más extensas que las anteriores. También se llaman cardenales.
- **Púrpura**: hemorragia de piel y mucosas que no desaparecen con la presión. Es una mácula.
- **Hematuria**: hemorragia del aparato urinario que cursa con eliminación de sangre en la orina.
- **Hemotórax**: derrame sanguíneo en la cavidad pleural.

- **Menorragia**: hemorragia de la menstruación.
- **Metrorragia**: hemorragia del aparato genital femenino de carácter patológico.
- **Hemartros**: derrame de sangre en una cavidad articular.

5.5.1. Actitud ante las hemorragias

5.5.1.1. Actitud ante una hemorragia externa

Lo más importante es controlar la hemorragia. Para ello se debe:

a) Tumbar al paciente y colocarse guantes.

b) Retirar la ropa que cubre la zona que sangra y aplicar presión sobre la zona que sangre:

Utilizando una gasa, compresa o toalla limpia se presionará fuertemente sobre la zona, y si no disponemos de material se apretará con la misma mano, previa colocación de guantes. En caso de que las heridas sean muy extensas se colocará un vendaje compresivo.

c) Elevación.

Para reducir la presión de la sangre en la zona afectada y controlar la hemorragia se elevará dicha zona.

Si la zona afecta está situada en algún miembro, habrá que elevarlo de forma que quede en posición superior al corazón.

d) Aplicar presión sobre la arteria. Esta técnica se utiliza cuando han fracasado los procedimientos anteriores.

Se trata de hacer compresión con los dedos sobre la arteria y hacia el hueso, con el fin de minimizar el flujo de sangre en el miembro.

Se hará al mismo tiempo compresión en la zona sangrante y elevación.

- **Si la hemorragia es en el miembro superior**:

  Colocar la palma de la mano bajo el brazo del paciente y presionar la arteria braquial contra el hueso.

- **Si la hemorragia es en el miembro inferior**:

  Colocar la palma de la mano sobre la ingle del paciente y presionar la arteria femoral.

e) Aplicación de un torniquete.

El torniquete sólo se usará en caso de que los métodos descritos anteriormente hayan fracasado, debido a las consecuencias tan graves que acarrea su uso.

Actuación:

- Para que no salga sangre de una arteria, el torniquete se dispondrá entre la herida y el corazón.
- Lo mejor es utilizar una venda colocándola unos cuatro-cinco dedos por encima de la herida y dando dos vueltas alrededor del miembro sujetándola con un nudo.
- Aplicar algún objeto duro (una vara por ejemplo) dentro del nudo y hacer dos nudos más sobre dicho objeto.
- Girar el objeto poco a poco hasta que no fluya sangre.
- Aflojar el torniquete cada 5 minutos para evitar una isquemia irreversible y trasladar al paciente urgentemente al hospital.

5.5.1.2. Actitud ante una hemorragia interna

- Tumbar al paciente en posición de decúbito supino con la cabeza hacia un lateral y los pies por encima de la cabeza.
- Controlar la frecuencia cardíaca, la frecuencia respiratoria y el nivel de consciencia constantemente.
- Tapar al paciente para que no pierda calor.
- En las hemorragias internas, amputaciones, politraumatismos no se debe administrar nada por vía oral.
- Trasladar al paciente a un hospital.

5.5.1.3. Actitud ante otros tipos de hemorragias

A) Hemorragia de nariz (epistaxis)

- Sentar al paciente, colocándole la cabeza un poco hacia delante para que no ingiera sangre.
- Informar al paciente de la necesidad de respirar por la boca y de evitar toser o realizar movimientos bruscos para que no se deshaga el coágulo que se forma.
- Comprimir sobre la ventana que sangra con los dedos índice y pulgar unos minutos.
- Si habiendo aplicado estas medidas el paciente sigue sangrando, se le colocará un tapón de gasa humedecido en agua destilada.
- Si no se controla el sangrado trasladar a un hospital.

B) Hemorragia dental

- Informar al paciente de que no debe hacer enjuagues con ningún producto, ni siquiera agua.

- Colocar un tapón de gasa humedecido en agua oxigenada en el lugar de la hemorragia e informar al paciente que debe aprisionarlo fuertemente.
- Derivar al paciente al dentista.

C) Hemorragia de oído (otorragia)

- Colocar al paciente en decúbito lateral izquierdo o derecho según el oído afectado. Si está afectado el oído izquierdo se colocará en posición de decúbito lateral izquierdo y a la inversa.
- No colocar gasas ni cualquier otro apósito en el oído, para facilitar la salida de sangre.
- Trasladar al paciente al hospital.

D) Hemorragia genital femenina

- Colocar a la paciente en posición de decúbito supino.
- Tapar a la paciente con una manta para evitar pérdidas de calor.
- Tomar las constantes vitales de forma continua.
- Administrar suero oral.
- Trasladar al hospital en la posición de decúbito supino.

5.5.2. Signos y síntomas de hemorragias

Las hemorragias producen diferentes síntomas:

a) Los **síntomas locales** se producen por la extravasación de sangre en una zona, cavidad, o al exterior. Pueden variar desde un cuadro totalmente asintomático (petequias, etc.) a un dolor localizado por compresión de la sangre extravasada a una cavidad (hemartros).

b) Los **síntomas generales** dependen de la cantidad de sangre extravasada. La gravedad de la hemorragia depende de:

   - La cantidad de sangre perdida.
   - La velocidad o ritmo de la pérdida sanguínea.
   - Localización de la misma, etcétera.

   Una pérdida de sangre del 10-30% de la volemia (500-1.500 cc) crea problemas al organismo que deben solucionarse reponiendo el volumen de líquido perdido. Una pérdida entre 30-60% (1.500-3.000 cc) es muy grave y exige una transfusión inmediata. Si la pérdida es superior al 60% es mortal.

Los **signos y síntomas** más frecuentes en todas las hemorragias son: palidez, sudoración fría, pulso rápido y débil, alteración del nivel de consciencia, evolución a shock hipovolémico.

Signos y síntomas más frecuentes en hemorragias internas: presencia de sangre en el vómito, por vagina o recto, hematomas en distintas zonas del cuerpo, abdomen duro o muy sensible y signos y síntomas de shock.

5.6. Heridas

Las heridas son lesiones que producen rotura (pérdida de la continuidad) de la piel, con peligro de que surjan infecciones por contaminación microbiana.

Las heridas se manifiestan clínicamente por: dolor, hemorragia, separación de los bordes de la herida.

Tipos de heridas. Clasificación

1. *Según la intencionalidad del agente causante*
   - **Heridas intencionadas**. Son las producidas por un tratamiento, tal como una operación, venóclisis o una radiación.
   - **Heridas no intencionadas**. Se originan de forma accidental.
2. *Según el grado de integridad de la piel*
   - **Heridas abiertas**. Se producen cuando la piel o superficie de la membrana mucosa están rotas.
   - **Heridas cerradas**. Cuando los tejidos están dañados sin que haya habido rotura de la piel.
3. *Según el grado de contaminación*
   - **Heridas limpias**.
   - **Heridas sucias**.
   - **Heridas contaminadas**.
4. *Según la naturaleza del agente agresor*
   - **Heridas incisas**. Están producidas por elementos cortantes. Pueden ser intencionadas (cirugía), o accidentales. Se caracterizan por ser heridas con bordes limpios y tendentes a la hemorragia.
   - **Heridas contusas abiertas**. Están originadas por el choque violento sobre la piel de objetos romos, como, por ejemplo, una piedra. La piel aparece equimótica, dado que la sangre de los tejidos dañados se libera entre los propios tejidos y pueden dar lugar a la aparición de tejidos desvitalizados e isquémicos

con tendencia a la necrosis. Sus bordes son irregulares. Son normalmente no intencionadas aunque pueden ser resultado de intervenciones quirúrgicas.

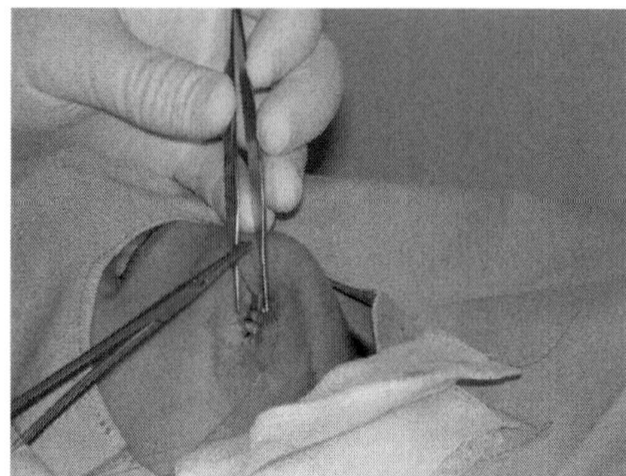

Herida contusa abierta en el maxilar inferior

- **Heridas contusas cerradas**. Se producen cuando, a pesar del golpe, se conserva la integridad de la piel.
- **Heridas abrasivas**. Son heridas abiertas que se han originado como resultado de una fricción. Solamente afectan a la piel. Son muy tetanígenas. Pueden ser también intencionadas, por ejemplo, cuando se extraen las capas superficiales de la piel para preparar una cicatriz.
- **Heridas punzantes**. Herida abierta realizada por un instrumento cortante que penetra en la piel y los tejidos internos. Las heridas punzantes pueden ser accidentales (pinchazos) o intencionadas (colocación de drenaje). El dolor y el orificio pueden ser mínimos y la hemorragia pequeña, pero sin embargo puede haber lesiones importantes. Son las que tienen mayor riesgo de infección por tétanos. Si el agente vulnerante atraviesa la piel y luego sale, la herida recibe el nombre de herida transfixiante.
- **Heridas mixtas o complejas**. Son aquellas en las que intervienen varios agentes causales a la vez:
  - *Por arrancamiento*: herida compleja en la que interviene un factor de tracción y/o rotación sobre los tejidos. No suelen sangrar demasiado, ya que al estirarse los vasos se produce una hemostasia. Son muy dolorosas, llegándose incluso a producir la muerte por shock neurogénico. La lesión típica de estas heridas es el scalp o arrancamiento del cuero cabelludo.
  - *Por asta de toro*: son heridas graves, complejas, con grandes desgarros tisulares y que pueden originar la muerte no sólo por la lesión principal, sino por las asociadas. Tienen alta susceptibilidad de infección. Aunque el orificio de entrada sea pequeño, puede haber grandes lesiones internas porque el asta sigue diferentes trayectorias.

* *Por armas de fuego*: son heridas que ocasionan grandes destrozos, ya que, aunque los proyectiles sean pequeños, poseen una gran energía por la gran velocidad que alcanzan. Las lesiones que produce dependerán de la distancia a la que se encuentre el objeto: a gran distancia la bala entra y sale siendo el orificio de entrada y de salida iguales y las lesiones originadas mínimas; si es a menor distancia el orificio de salida es mucho mayor, ya que el avance de la lesión es en forma de cono. En heridas por metralla intervienen desgarros, arrancamientos, son anfractuosas en profundidad e isquémicas, lo cual favorece el riesgo de infección.

* *Heridas por mordeduras*: son heridas contaminadas por flora anaerobia bucal (perros, gatos, humanos, etc.); las más graves son las humanas, debido a la diversidad de la flora bacteriana de la boca. Pueden ser incisas o punzantes, interviniendo a veces el factor arrancamiento. Estas heridas nunca deben suturarse porque son heridas altamente contaminadas y con gran riesgo de infección.

* *Heridas por aplastamiento*: las lesiones por compresión pueden ocasionar desgarros y necrosis de la zona implicada.

5.7. Atención general a las quemaduras

5.7.1. Concepto. Generalidades

La quemadura es definida como la destrucción de los tegumentos, incluso de los tejidos subyacentes, bajo el efecto de un agente térmico, eléctrico, químico o radiactivo. El traumatismo producido no sólo destruye la capa protectora cutánea, sino que, además, causa alteraciones fisiopatológicas en otros órganos y sistemas, las cuales vendrán relacionadas con el grado y extensión de las quemaduras. Como consecuencia de ello, se producen grandes pérdidas de líquidos (fluidos) y electrolitos originados por la masiva destrucción de los tejidos, que determinan la utilización de medidas urgentes y agresivas de tratamiento. Las infecciones, las complicaciones gastrointestinales, la desnutrición y la pérdida de masa muscular son las causas tardías determinantes de la supervivencia y calidad final del gran quemado.

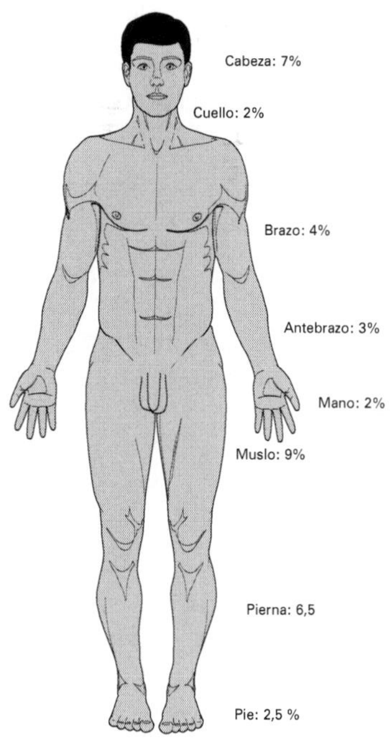

Es de suma importancia el estudio de la atención prehospitalaria al gran quemado, puesto que después de los accidentes de tráfico son los segundos causantes de mayor mortalidad en los grupos jóvenes de la población.

Con el nombre genérico de quemado encuadramos cuatro etiologías:

- El quemado térmico.
- El quemado eléctrico.
- El quemado químico.
- El quemado por radiaciones.

Consideramos al gran quemado como un poliagredido y se presenta en el medio prehospitalario como quemado politraumatizado o quemado intoxicado por humo. La tríada quemado-politraumatizado-intoxicado por humo, presente en un 10% de los casos, supone un riesgo pronóstico en estos sujetos.

Clásicamente se distinguen tres grados en las quemaduras:

- **Primer grado**. Se afecta exclusivamente la epidermis y viene caracterizada clínicamente por eritema y dolor.
- **Segundo grado**:
  - *Superficiales*: se afecta toda la epidermis y parte de la dermis. Aparece enrojecimiento y flictenas o ampollas muy dolorosas. Bajo las ampollas podemos observar una piel sonrosada e hiperémica.
  - *Profundas*: se lesiona la dermis y clínicamente es igual a la anterior, pero manteniendo un tono más pálido. Su signo patognomónico es que, si conserva algún folículo piloso, la mínima tracción lo despega con facilidad.
- **Tercer grado**. Se produce una destrucción total de la piel y de los elementos dérmicos, incluidas las terminaciones nociceptivas, por lo que el dolor es escaso. Su aspecto es de un nacarado variable que puede llegar al negro.

El cálculo de la extensión de las quemaduras se realiza exclusivamente en las quemaduras de segundo y tercer grado, siendo el sistema más empleado el denominado "Regla de los 9".

Las quemaduras inferiores al 10-15% las consideramos benignas desde el punto de vista vital, entre el 15 y el 30% serán entendidas y tratadas como graves, mientras que en el momento que superan el 30% de extensión corporal quemada se califican como muy graves.

Cálculo extensión de las quemaduras	
Localización	**Extensión**
Cabeza y cuello	9%
Tronco anterior	18%
Tronco posterior	18%
Extremidad superior	9%
Extremidad inferior	18%
Genitales	1%

Regla de los 9 para el cálculo de extensión de las quemaduras

5.7.2. Valoración clínica

Atendiendo al pronóstico vital podemos valorar tres cuadros clínicos genéricos y un caso especial, el de las quemaduras inhalatorias.

5.7.2.1. Cuadro clínico con pronóstico vital

La gravedad viene dada por alteración pulmonar, por shock hipovolémico o por ambos, correspondiéndose este cuadro con quemados en más del 50% de la superficie corporal.

La primera fase postquemadura se caracteriza por un aumento de las resistencias sistémicas y, más aún, de las resistencias pulmonares.

Las alteraciones fisiopatológicas conducen a trastornos de la ventilación por asfixia (obstrucción debida a edema) o broncoespasmo.

5.7.2.2. Cuadro clínico sin pronóstico vital inmediato

En estos casos en los que no existe un compromiso vital es preciso contemplar la aparición de complicaciones a causa de:

- Dolor y agresión neuroendocrina.
- Hipovolemia progresiva.
- Riesgo de hipotermia e infección.

Las principales causas de muerte en el gran quemado son la infección y el fallo pulmonar.

5.7.2.3. Cuadro clínico sin gravedad

Se trata de aquellos individuos que sufren quemaduras de segundo grado con una extensión menor al quince por ciento de superficie corporal quemada y sin lesiones asociadas.

5.7.2.4. Consideraciones específicas de las quemaduras inhalatorias

La quemadura inhalatoria representa un daño severo y significativo para el paciente que la sufre. Su presencia incrementa la mortalidad de quien la padece en un 20-35%.

Sospecharemos la presencia de quemadura inhalatoria cuando el quemado ha estado confinado en un espacio cerrado, tenga pérdida de vello nasal, quemaduras faciales, faringe eritematosa, disfagia, esputos carbonáceos y signos de obstrucción de la vía aérea superior.

Pero muchos de estos signos indirectos no son necesariamente diagnósticos, de todos ellos, el signo de más alta sospecha es que el paciente haya sido encontrado en un espacio o ambiente cerrado y que se encuentre inconsciente o estuporoso.

5.7.3. Cuidados al paciente

Tras la valoración inicial, en la que se someterá al sujeto afecto de una quemadura a todas aquellas medidas terapéuticas que sean necesarias para mantener la vida (permeabilidad de vía aérea, intubación orotraqueal si fuese necesario; asegurar una correcta ventilación/oxigenación y canalizar al menos una vía venosa de grueso calibre), procederemos a valorar la gravedad de la quemadura atendiendo a los siguientes criterios:

Criterios de gravedad	
- Extensión. - Edad. - Profundidad.	- Patología previa. - Lesiones asociadas. - Localización.

Criterios de gravedad en las quemaduras

Las medidas de **cuidados generales** que se aplicarán serán las siguientes:

1. Continuar manteniendo permanentemente la vía aérea permeable, favoreciendo con oxígeno adicional una buena ventilación.
2. Controlar las constantes vitales, instaurando sondas nasogástrica y vesical para medir la diuresis.
3. Las medidas locales a aplicar consisten en:
   - Retirar ropas y cubrir con sábana estéril o limpia.
   - Baño/lavado aséptico con agua a chorro.
   - No aplicar pomadas sobre la zona quemada.
   - Colocar un apósito estéril con un tul graso y un vendaje funcional, si fuese preciso.

5.8. Fracturas

La fractura es una interrupción de la continuidad de un hueso y se define según su tipo y magnitud. Estas lesiones tienen lugar cuando el hueso se ve sometido a esfuerzos mayores de los que pueda soportar. Debemos diferenciarlas de las fisuras, que son fracturas longitudinales de un hueso (no llega a romperse por completo).

Las fracturas pueden depender de golpes directos, fuerzas aplastantes, movimientos repentinos de torsión, contracciones musculares muy fuertes y por patología propia del hueso (gran debilitamiento por descalcificación o por un tumor óseo).

Aunque el hueso es el que sufre la rotura, las estructuras adyacentes también se ven afectadas, ocasionando edemas en tejidos blandos, hemorragia muscular y articular, luxación, rotura de tendones, rotura de nervios y lesiones vasculares. Las vísceras también pueden verse afectadas por la fuerza que origina la fractura o por fragmentos de la misma.

Los huesos tienen cierta elasticidad, lo que les permite absorber presiones potentes hasta un punto dado sin romperse.

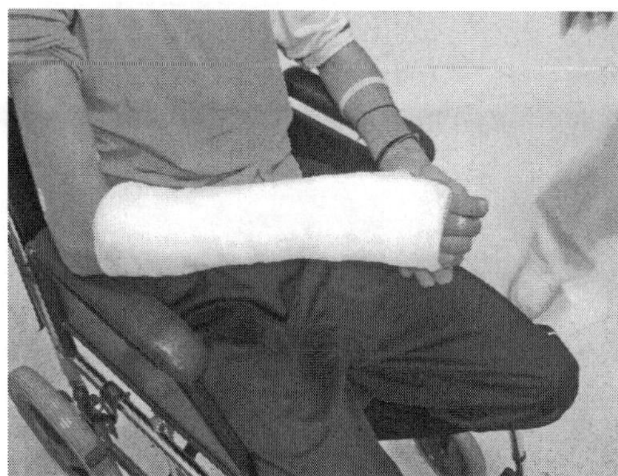

Fractura del radio

Las fuerzas que ocasionan las fracturas se clasifican en:

- **Fuerza directa**. Una fuerza violenta de alta energía con potencia suficiente para ocasionar fracturas graves. Incluye:
  - *Fuerza en cuña*, que fractura el hueso e impulsa un fragmento dentro de otro o dentro de la articulación.
  - *Fuerza de compresión*, que impulsa los huesos y los introduce mutuamente, con lo cual se produce una fractura incompleta, de manera que la corteza se rompe en un lado y hay sección en el lado contrario.
  - *Fuerza de aplastamiento*, que rompe los huesos en fragmentos.
- **Fuerza indirecta**. Una fuerza menos violenta con poca energía que fractura los huesos a cierta distancia en el sitio en que se aplicó. Incluye:
  - *Fuerza de torsión*, que es aquella que gira al hueso con potencia suficiente para romperlo.
  - *Fuerza de cizallamiento tangencial*, que es la que se ejerce cuando parte de un hueso queda fijo y hay una fractura de la zona por arriba o por debajo.
  - *Fuerza de anulación*, que es la que se ejerce con un ángulo tal que en él precisamente se fractura el hueso.

5.8.1. Tipos de fracturas

Una **fractura completa** consiste en la interrupción de la continuidad total del hueso en sentido transverso y es frecuente que se acompañe de desplazamiento del hueso con respecto a su posición normal. En una **fractura incompleta** la rotura abarca sólo una parte del corte transverso del hueso.

Dependiendo de la afectación que sufra la piel, podremos hablar de **fractura cerrada** (fractura simple), que no perfora la piel, en tanto que la fractura abierta se acompaña de salida del hueso por piel o mucosa. Las **fracturas abiertas** se clasifican en grados: la de grado I es una herida abierta de menos de 1 cm de longitud; la de grado II es de mayor diámetro sin lesión extensa de los tejidos blandos y la de grado III es más grave, con lesión amplia de tejidos blandos y alto grado de contaminación.

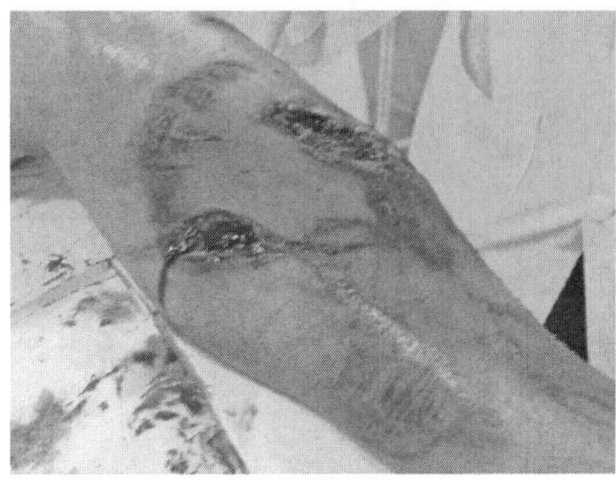

Fractura abierta de la tibia

Las fracturas también se describen, según la posición anatómica de los fragmentos, como fracturas desplazadas y no desplazadas. En los niños suele aparecer un tipo de fractura denominada en **tallo verde**, consistente en una rotura en donde las partes no pierden el contacto.

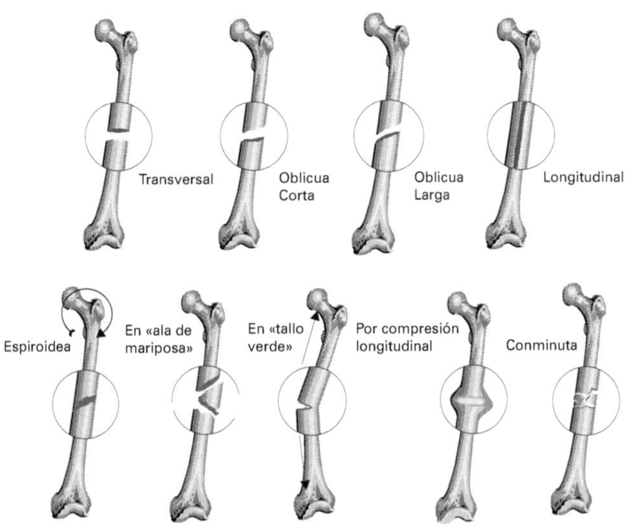

TEMA 19

Conocimientos básicos de Internet y de correo electrónico a nivel de usuario

Índice

1. Conocimientos básicos de Internet
2. Conocimientos básicos de correo electrónico a nivel de usuario

1. Conocimientos básicos de Internet

1.1. La Red Internet: origen, evolución y estado actual. Conceptos elementales sobre protocolos y servicios en Internet

1.1.1. Qué es Internet

Internet es una gran red de ordenadores conectados entre sí que pueden intercambiar información. Es la llamada Red de Redes por las dimensiones que presenta. Es un conjunto de redes descentralizadas independientes de los distintos gobiernos que están interconectadas entre sí formando una gran red lógica a nivel mundial.

Gracias a que todos los datos se transmiten siguiendo los mismos parámetros (Protocolo) todos los ordenadores presentes en la red se entienden entre sí.

Lógicamente, debido a las dimensiones que tiene, Internet sigue una cierta estructuración que permite el acceso de un modo fácil a los datos compartidos en ella.

La estructura que sigue la Red de Redes es básicamente la indicada en la figura adjunta.

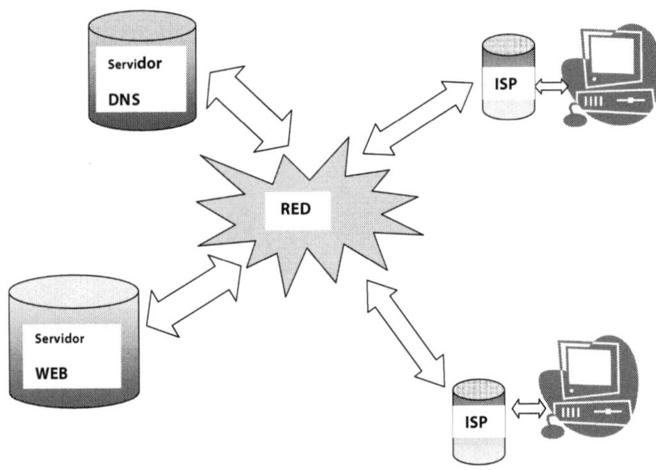

Esquema de Red Internet

1.1.2. Historia de Internet

¿Cómo comenzó Internet? Veremos brevemente su historia…

Internet tal y como lo conocemos hoy se empezó a gestar en la época de la guerra fría, para intentar que en caso de un ataque, unos ordenadores siguieran funcionando aunque hubiera varios inutilizados.

Así nació la red ARPANET en 1969 con unos cuantos nodos que se intercomunicaban entre sí. El número de nodos empezó a crecer hasta lo que conocemos hoy en día y se gestó el protocolo que serviría para comunicar todos los elementos entre sí, el TCP.

Fue ya en 1989 cuando se creó el estándar WWW que conocemos hoy y en 1990 apareció el primer navegador Web.

A partir de ahí hemos asistido a la evolución de la tecnología, Internet, la aparición e integración de las redes sociales y a lo que se conoce como el Mundo Globalizado, ya que la información de cualquier cosa que ocurra se obtiene instantáneamente en prácticamente cualquier parte del mundo.

1.1.3. Terminología relacionada

Veremos algunos de los términos relacionados con Internet más importantes para que sepan qué significan cuando los escuchen o vean:

- **ADSL** (Línea de abonado Digital Asimétrica): hace posible la transmisión de información digital a través de las líneas telefónicas.
- **Arroba (@)**: símbolo utilizado para separar el nombre de usuario del servidor en las direcciones de correo electrónico.
- **Banner**: publicidad en la red.
- **Browser**: también denominado *Navegador Web*. Sirve para dirigirse a los sitios WWW.
- **Buscador**: sitios que nos ofrecen listados de páginas donde aparecen los elementos deseados.
- **BandWith**: ancho de banda, es una medición del volumen de datos transmitidos.
- **CGI**: programa que puede ser ejecutado desde una página, devolviendo un resultado a partir de ciertos datos introducidos.
- **Chat**: sistema de conversación en línea.
- **Cloud (Nube)**: conjunto de almacenamiento y otros servicios usado por distintos operadores para evitar pérdidas de datos en los dispositivos por parte de los usuarios. Gracias a la nube se pueden ofrecer múltiples servicios sin un gran coste ni inversiones de hardware por parte de los usuarios.
- **Cookies**: permiten guardar información en la máquina del cliente para facilitar posteriores accesos a la página Web que las crea.
- **Correo Electrónico (Email)**: correo transmitido a través de medios electrónicos.
- **DNS**: servidor de nombres de Internet. Convierte los nombres que introducimos en el navegador a direcciones IP para poder acceder a las páginas.
- **Dominio**: dirección única de una máquina en Internet.
- **Firewall**: sistema de seguridad que bloquea accesos no deseados a o desde la red.
- **FTP**: protocolo de transferencia de ficheros a través de Internet.

- **Gateway**: equipo que permite el acceso de una máquina a la red.
- **HTML**: lenguaje de programación de las páginas Web.
- **HTTP**: protocolo de acceso a los contenidos Web.
- **HTTPS**: protocolo de acceso de seguridad a contenidos Web. Indica que el protocolo dispone de algoritmos de encriptación.
- **IP**: dirección que tendrá el equipo en la red.
- **ISP**: proveedor de servicios de Internet.
- **IRC**: sistema de conversación en línea.
- **LAN**: Red informática de área local.
- **PHP**: lenguaje para programar Webs con ciertas peculiaridades.
- **Pop Up**: son ventanas emergentes que aparecen cuando estamos navegando, que pueden aportar información de diversa índole.
- **Proxy**: un proxy es un PC que hace de enlace entre una red local e Internet aportando ciertas peculiaridades en cuanto a configuración y accesos.
- **RTB**: Red telefónica Básica o RTC Red telefónica Conmutada.
- **Server**: servidor donde se ofrecen páginas Web para ser consultadas.
- **SPAM**: envío múltiple de correos no solicitados, con fines publicitarios o delictivos.
- **TCP/IP**: protocolo actual para conectar la red.
- **Telnet**: protocolo para conectar con otro ordenador en remoto y darle órdenes.
- **URL**: dirección Universal para identificarse en Internet.
- **WAN**: Red informática de área amplia (algunos autores la traducen también como extendida).
- **WWW**: *World Wide Web* protocolo que siguen actualmente las páginas en Internet.

1.1.4. Protocolo TCP/IP

TCP/IP (*Transmision Control Protocol/Internet Protocol*) es el protocolo que regula la transmisión y recepción de datos en Internet.

Los datos a enviar se dividen en paquetes, cada uno de estos paquetes lleva la dirección a la que se dirige. La red envía los paquetes al destino por el mejor camino posible en cada momento y si alguno se pierde por el camino, el destino lo percibe al reunirlos y demanda que se le envíe de nuevo.

1.1.5. Direccionamiento

Una dirección Web es un número formado por varios grupos de dígitos. Es lo que conoceríamos como IP.

Un ejemplo de IP podría ser 87.25.12.214. Como verá, son cuatro grupos de números de un máximo de tres dígitos cada uno y siempre inferiores al 255.

Una IP identificará unívocamente a un equipo dentro de la red. De ahí el hecho de que se asignen direcciones, llamadas públicas, con las que acceden a Internet, al Gateway de una red local, y dentro de estas redes los equipos tengan otras IP privadas distintas a la pública, ya que, de no ser así, se agotarían los números disponibles en muy poco tiempo.

También puede acceder a un sitio web a través del nombre de su dominio, que también es único en la red. En ese caso los servidores DNS traducirán ese nombre a una IP para que los paquetes se encaminen correctamente. Actualmente se sigue usando el método tradicional de asignación de direcciones IP denominado IPv4. A finales de 2019 se agotaron las direcciones IP a nivel mundial, por lo que en la actualidad hay un cuello de botella en ese aspecto, ya que los operadores se encuentran con que no se dispone de IPs públicas para sus usuarios, aunque estas sean dinámicas y vayan cambiando. Ante esta situación, y a la espera de que de una vez por todas se implemente el nuevo protocolo de asignación de IPs IPv6, que permitirá muchas más direcciones, se está usando una solución denominada CG-NAT, y que consiste en compartir una determinada IP pública con varios usuarios, lo cual imposibilita ciertos servicios que necesiten, por ejemplo, abrir puertos en el rúter.

Hay empresas que suministran dominios libres con diferentes extensiones como pueden ser .com, .es, .org, etc.; algunas de estas extensiones están reservadas aunque realmente se pueden usar libremente. Algunos dominios muy solicitados pueden llegar a costar sumas importantísimas de dinero.

El protocolo de acceso web sería **http://www.dominio** o **http://Número IP**

1.1.6. Acceso a Internet

¿Cómo podemos acceder a Internet? Veremos los elementos y circunstancias que se deben dar para ello.

1.1.6.1. Proveedores

En primer lugar necesitará un Proveedor de Servicios de Internet (ISP) que le ofrezca salida a la red pública.

El ISP deberá proporcionarle todos los datos para configurar correctamente su acceso a Internet y le asignará una dirección en la red, que podrá ser fija o variable. Básicamente se encargará de gestionar la conexión entre su ordenador e Internet.

1.1.6.2. Tipos

Hay varios tipos de conexión a Internet en función de la velocidad y el tipo de línea con la que desee o pueda acceder. Hay que tener en cuenta que en un uso habitual el tráfico de datos es asimétrico. Es decir, hay más datos de bajada que de subida. Esto es así

porque, normalmente, el protocolo necesita muy pocos datos (subida) para dar la orden a las páginas web de mostrar los contenidos, pero se necesitan más datos (bajada) para que el explorador muestre los resultados.

Los diversos tipos de conexión son:

- **Línea Telefónica:**
  * **RTB**: Modem telefónico convencional (Hasta 56 Kbps).
  * **ADSL**: Transmisión de datos digitales de Alta Velocidad (de 256 Kbps a 20 Mbps).
- **Cable:** (Entre 2 y 50 Mbps).
- **Fibra óptica**: (entre 50 y 600Mbps). Es la más utilizada en la actualidad.
- **Móvil:**
  * **WAP** (Hasta 10 Kbps).
  * **GPRS** (Entre 56 y 114 Kbps).
  * **UMTS** (Hasta 2 Mbps).
  * **HDSPA** (Hasta 14 Mbps).
- **Satélite** (Hasta 38 Mbps).
- **Red Eléctrica** (Sobre todo domótica, cuando no es viable otra conexión).
- **Redes Inalámbricas Wi-fi y WiMax.**
- **Radio** (Para zonas rurales sin cobertura ADSL).

1.1.6.3. Software

Para navegar a través de Internet, necesitará un software llamado *navegador Web* que habilite su PC para este trabajo.

Hay varios navegadores Web disponibles en el mercado, aunque los más utilizados son Internet Explorer, Google Chrome, Edge, Mozilla, Firefox o también Safari en Mac y Ópera (sobre todo en Linux).

Principales navegadores Web

1.1.6.4. Seguridad y ética en Internet

El tener tanta información y tanta libertad a disposición de todo el mundo lleva a pensar en la necesidad de seguir algún tipo de ética o medidas de seguridad para esos contenidos.

Aunque no siempre se llevan a cabo estas propuestas, indicaremos las bases sobre ello.

A) Ética

Bernie Poole de la University of Pittsburgh at Johnstown, Pennsylvania, planteó los siguientes temas de Ciberética:

- Piratería de software.
- Injusticias y desigualdades en el acceso a Internet (género, raza, dinero).
- Delitos que se pueden cometer a través de Internet.
- El problema de la intimidad y vida privada en Internet.
- Controlar el contenido de Internet para evitar la censura.
- El contenido de Internet y los niños (cómo los padres podrían proteger a sus hijos de algunos contenidos).

Actualmente podemos añadir algunos puntos más a tener en cuenta en base al desarrollo que ha tomado Internet desde un tiempo a esta parte:

- Publicidad comercial.
- Falta de autoridad en la red de Internet.
- Primacía del servicio al bien común en Internet.
- El derecho al honor, a la fama y a la honra.
- Impunidad y anonimato.
- Libertad de publicación y pornografía.
- Internet y la libertad de expresión.

Son todos aspectos que deben ser tenidos en cuenta y meditados antes de lanzarse al consumo masivo de datos en la red.

Otro término que se emplea para describir las normas de comportamiento general en internet es NETIQUETA, por analogía al comportamiento denominado de etiqueta en el mundo tradicional.

B) Seguridad

¿Qué hay de la seguridad en Internet? Antes de que apareciera Internet, los únicos virus conocidos eran aquellos que provocaban enfermedades a las personas o animales. Hoy en día cualquier persona ha conocido algún tipo de virus informático que ha atacado a su ordenador en mayor o menor medida.

Para prevenir el ataque de dichos virus existen diversas aplicaciones, denominadas *antivirus* y para evitar el que accedan a su ordenador sin su consentimiento existen los llamados Firewalls o cortafuegos.

No obstante debe ser consciente de que nunca se está seguro del todo y debe extremar las precauciones al navegar por la red, para evitar ser víctima de algún tipo de fraude o contaminación por virus.

1.1.6.5. Contenidos

En lo que respecta a los contenidos presentes en la red, podemos valorar aquellos sitios que presenten los contenidos de una manera simple e intuitiva y que no se pierdan por complicados accesos.

Debe prevalecer la simplicidad y la claridad de ideas para que el visitante entienda rápidamente lo que se le quiere ofrecer y pueda valorar si le interesa o no.

En la red hay multitud de contenidos muy diversos y se puede encontrar prácticamente cualquier cosa que a uno se le ocurra, simplemente introduciéndolo en el Google, uno de los buscadores de contenidos más importantes de la red.

Hay que saber qué contenidos pueden sernos de utilidad y cuáles no, para no tener problemas al intentar digerir tal cantidad de datos.

1.1.7. Evolución

La red de Internet que conocemos hoy poco o nada tiene que ver con la inicial. Esto es debido a que es una red abierta a nivel mundial en el que todos trabajan por ir avanzando en sus posibilidades. En la actualidad son de uso común las redes sociales y los servicios basados en la nube, impensables hace muy pocos años.

El auge de las diversas plataformas se basa en la necesidad de inmediatez, almacenamiento y de compartir que tienen los usuarios a día de hoy.

Así, podemos ver servicios de diversa índole, como almacenamiento en la nube para proteger los datos, del tipo Mega, Dropbox, OneDrive, etc.

El uso de las redes sociales es universal y entre ellas podemos destacar Facebook, Instagram, Twitter, Tik-Tok...

En cuanto a otros servicios que todos conocemos, como el alojamiento de vídeos en Youtube, o los servicios de mensajería para dispositivos móviles (que lógicamente también se basan en Internet) como WhatsApp y Telegram, han hecho que a día de hoy podamos disponer de contacto inmediato con cualquier persona y saber qué ocurre en cualquier parte del mundo al instante.

1.2. Navegación, favoritos, historial, búsqueda. Los menús de Internet Explorer y sus funciones

Ya hemos visto qué es la World Wide Web y sabemos que necesitamos de un navegador para acceder a ella. Veremos en este punto como usar correctamente un navegador.

Para la navegación necesitaremos una aplicación. Ya vimos las dos más importantes. En nuestro caso estudiaremos el Internet Explorer.

Cuando abrimos el programa, se mostrará la ventana de la figura.

Ventana del navegador Internet Explorer

Veamos las partes en que se divide la pantalla.

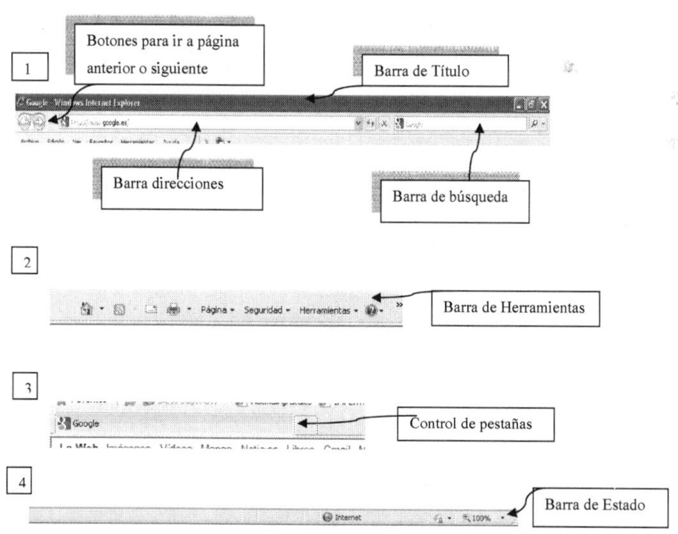

Partes del Explorador

Para comenzar a navegar por Internet solo tiene que escribir la página a la que desea ir en la barra de direcciones.

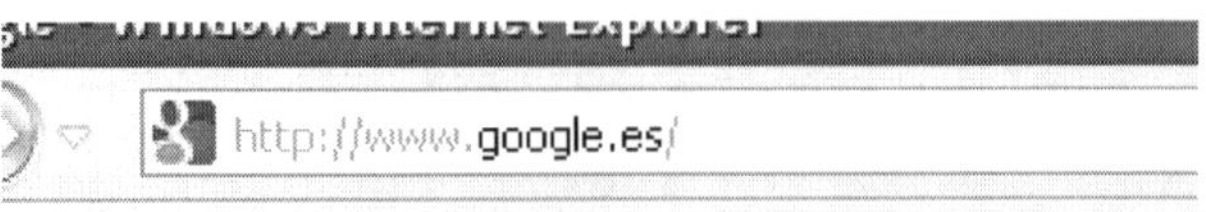

Comience a navegar

1.2.1. Histórico

Cuando usted navega por las páginas Web, estas se guardan en un histórico por si deseara recapitular por donde ha estado navegando o volver a alguna de ellas.

Por defecto dicho histórico no se ve, aunque puede hacerlo visible usando el comando Ver → Barras de Explorador → Historial.

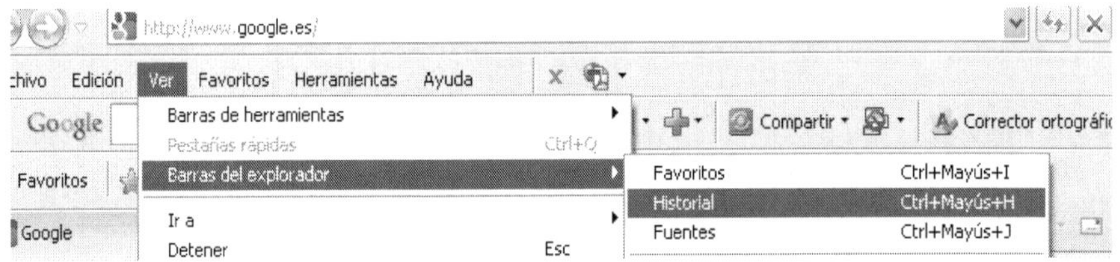

Acceso a Historial

Como verá, con la combinación de teclas **CTRL + MAYUSCULAS + H** también puede acceder al mismo. Le aparecerá a la izquierda de la pantalla un recuadro con las páginas visitadas agrupadas por días.

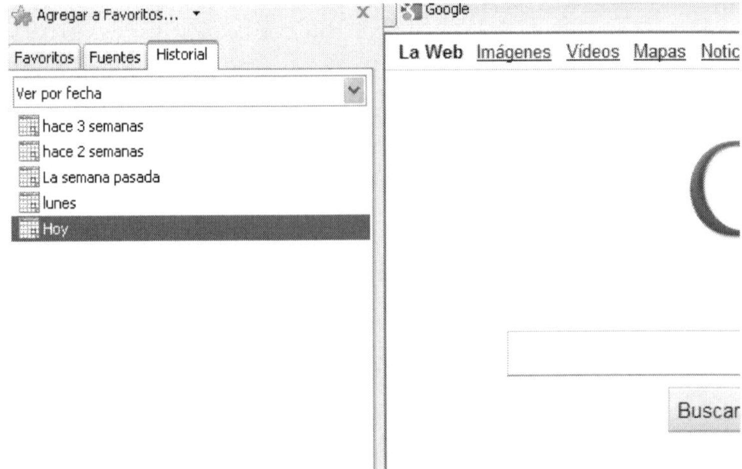

Historial de visitas

1.2.2. Manejar imágenes

Generalmente las imágenes cargadas en las páginas Web no suelen ser de mucha calidad, ya que deben ocupar poco espacio para no resultar demasiado lentas al cargarse en la página del navegador Web.

Las imágenes se optimizan para verse correctamente a distintas resoluciones de pantalla ocupando el mínimo espacio posible, usando para ello formatos de compresión especiales como por ejemplo .jpg o .png.

No obstante, si le interesa guardar por algún motivo alguna imagen de una página Web y esta no está protegida, únicamente debe posicionarse sobre ella y actuar sobre el comando **Guardar Como...** o alguna de las opciones que se presentan desde el menú contextual del ratón, o directamente copiar la imagen y pegarla en la carpeta del ordenador que elija.

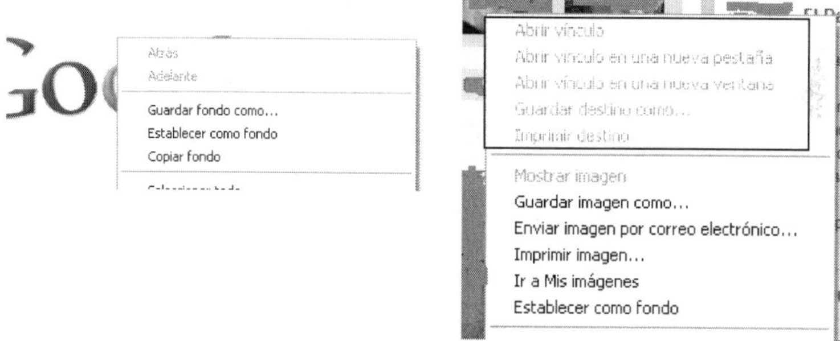

Opciones al tratar con imágenes

1.2.3. Guardado

Si desea guardar el contenido de una página Web en su PC para futuras consultas sin conexión deberá utilizar el comando Guardar de la Barra de herramientas. También podrá acceder desde el menú Archivo a esta opción. No todas las páginas permiten ser guardadas correctamente.

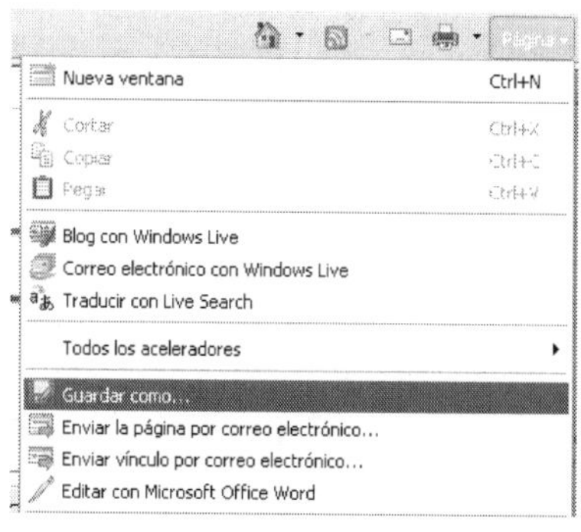

Guardar una página Web

1.2.4. Búsqueda

Para realizar una búsqueda de algo en la red, deberá utilizar un buscador. Hay muchos buscadores aunque el más extendido hoy en día es el **Google**®. En la parte derecha de la barra de navegación vimos que había un apartado de búsqueda. Ahí puede indicar el elemento que desea buscar y tendrá asignado un buscador por defecto.

Si desea ir a la página del buscador no tiene más que teclearla: www.google.es

Pero, ¿qué es realmente un buscador? Un buscador es un sistema informático que indexa archivos almacenados en servidores Web, de manera que cuando el usuario solicita información sobre algún tema, es capaz de mostrar enlaces a las webs donde encontrar la información solicitada.

Para buscar algo en Internet, hay que tener muy claro lo que se quiere buscar e intentar sintetizar con las mínimas palabras y lo más concisa y exactamente posible esta búsqueda, para no perderse en millones de resultados. Aunque Google se ha instaurado como el buscador por excelencia, hay más buscadores en la red como Bing, Yahoo, etc. Últimamente está tomando cierta relevancia el buscador DuckDukGo debido a que no guarda información alguna del usuario, preservando totalmente su privacidad.

Búsqueda de información en la red

1.2.5. Vínculos

¿Qué son los vínculos? Son enlaces a páginas Web o a partes de un documento. Es decir, es un elemento que está predefinido para que cuando se haga clic sobre él con el botón izquierdo del ratón le lleve a una página Web o mande un email, o dentro de una misma página, le lleve a algún punto de ella.

Ejemplo de vínculo   www.google.com

1.2.6. Favoritos

Puede que usted navegue habitualmente por una serie de páginas y desee guardarlas en algún sitio para no tener que estar constantemente escribiendo sus direcciones.

Aquí aparece la funcionalidad de *Favoritos*, también llamados *Marcadores*. Mediante esta funcionalidad, puede guardar ordenadamente enlaces a las páginas Web que desee y luego únicamente deberá pinchar sobre ellas para acceder.

Se puede acceder desde dos puntos.

Acceso a Favoritos

Podrá agregar la página en la que está en ese momento a Favoritos, hacerlo en una nueva carpeta o acceder a la página que desee. También puede organizar sus Favoritos a su gusto añadiendo o eliminando entradas y carpetas para organizarlos.

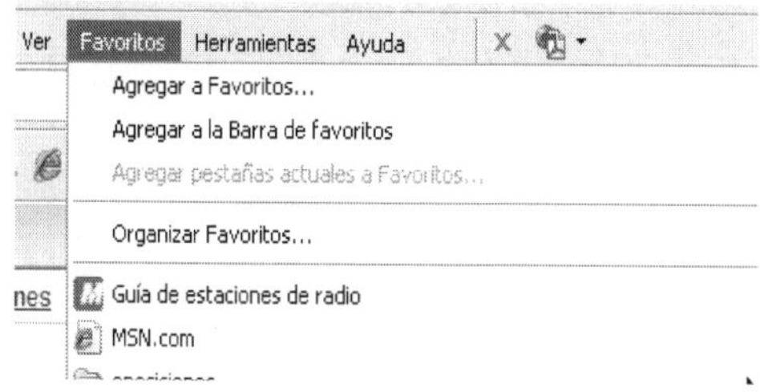

Posibilidades de Favoritos

1.2.7. Impresión

La impresión de una página se puede llevar a cabo desde la barra de herramientas. Es conveniente ver una vista previa para evitar sobresaltos a la hora de imprimir.

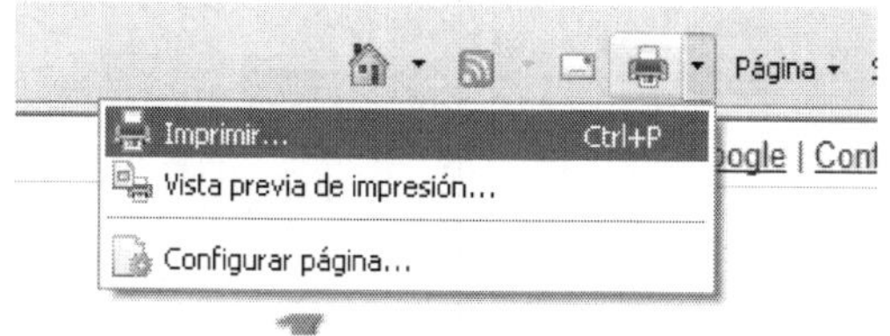

Impresión de una página Web

1.2.8. Caché

La caché es una memoria intermedia en la que el navegador guarda sus accesos más recientes para que, si vuelve a la página, esta se cargue más rápido y únicamente busque los cambios en la misma.

En algunas ocasiones la caché puede resultar algo inconveniente, por lo que puede ser necesario eliminarla.

Si necesita asegurarse de que los datos de la página no se han cogido de la caché, debe presionar el botón Actualizar que se encuentra tras la barra de direcciones, para que el navegador adquiera toda la información desde la propia página.

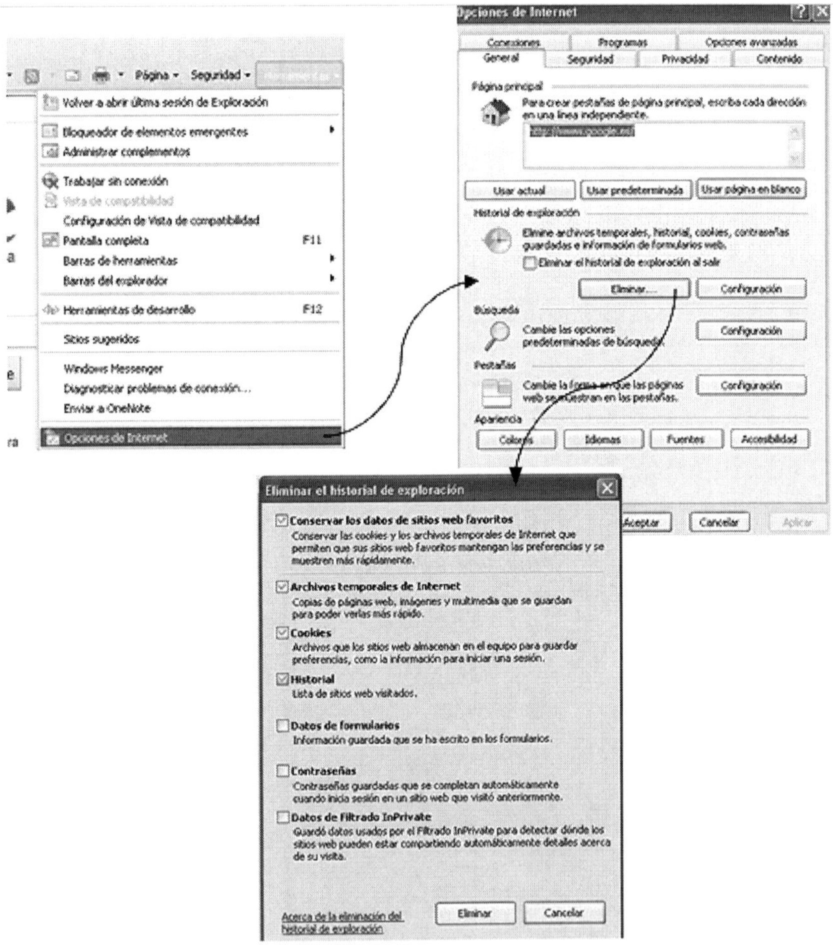

Eliminación de caché (archivos temporales) y otros elementos

1.2.9. Cookies

Las cookies son datos que las páginas Web guardan en el navegador del cliente que accede a ellas para facilitar posteriores accesos a dicha página.

Pueden guardar los contenidos que ha visitado anteriormente, etc. Así le prestan un servicio más efectivo al cliente o permiten lanzarle una publicidad más directa a sus hábitos.

Puede borrar las cookies al igual que la caché, tal y como hemos visto en la página anterior.

Hay que tener en cuenta que algunos antivirus bloquean las cookies para que no se guarde nada en su ordenador.

1.2.10. Seguridad

Cuando navegamos por Internet, en realidad no sabemos a qué ordenador nos estamos conectando, ni si esa conexión puede acarrear algún tipo de perjuicio en nuestro sistema.

Para eso los navegadores tienen distintos niveles de seguridad configurables, con el fin de dar más o menos permisos a las diferentes páginas Web en función de nuestros parámetros, ya que daremos un nivel bajo de seguridad a aquellas páginas cuyos contenidos conocemos fehacientemente y dejaremos un nivel medio o alto a aquellas páginas que pueden ser potencialmente peligrosas.

Todo esto es totalmente configurable desde la barra de herramientas.

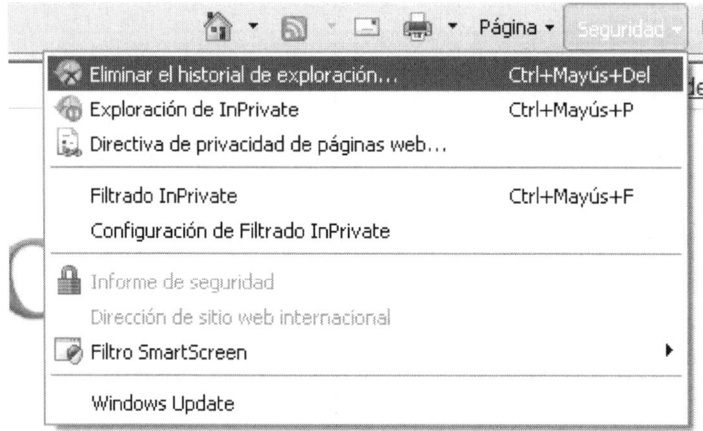

Opciones de seguridad

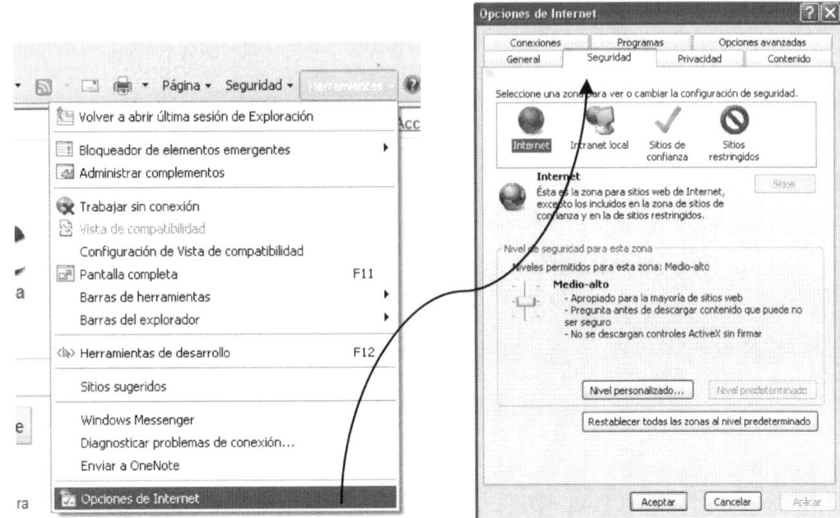

Configuración niveles seguridad

Además de las configuraciones de niveles de seguridad, existe un modo de navegación denominado **modo incógnito**, que dependiendo del navegador utilizado tiene un nombre u otro. Por ejemplo, en Explorer se denomina **InPrivate**. En este modo, no se guardan las páginas visitadas en el historial ni se guardan cookies sobre los elementos visitados en el PC.

1.2.11. Atajos de teclado

A continuación se indican los comandos basados en teclas rápidas más utilizados para Explorer 11. Se recomienda visitar la página de soporte de Microsoft para ver todos los comandos existentes.

Agregar el sitio actual a favoritos	Crtl + D
Cerrar pestaña	Ctrl + W
Ir a la página principal	Alt + Inicio
Eliminar el historial de exploración	Ctrl + Mayús + Supr
Obtener Ayuda y soporte técnico	F1
Abrir el historial de exploración	Ctrl + H
Abrir una nueva pestaña	Ctrl + T
Abrir una nueva ventana de Exploración de InPrivate	Ctrl + Mayús + P
Imprimir la página actual	Ctrl + P
Actualizar la página	F5
Pasar de una pestaña a otra	Ctrl + Tab
Ver las descargas	Ctrl + J

2. Conocimientos básicos de correo electrónico a nivel de usuario

2.1. Conceptos elementales y funcionamiento

En este tema hablaremos sobre el correo electrónico, también llamado e-mail, que es un servicio de red que nos permite a los usuarios el poder enviar y recibir mensajes; estos mensajes están catalogados como mensajes electrónicos, y además estos mensajes pueden ir acompañados de archivos digitales de diferentes tipos como ofimáticos (Word, Excel...), imágenes, música, vídeo, etc.

Estos archivos se mueven de manera muy rápida y son necesarios solo segundos o minutos para que lleguen a su destinatario, independientemente de la distancia a la que estén. Desde hace ya tiempo el correo electrónico ha desplazado al correo que llamamos ordinario debido a su eficiencia y, sobre todo, bajo coste para muchos usos habituales.

Una **dirección de correo electrónico** es un conjunto de caracteres que identifican a un individuo o una organización que puede enviar y recibir mensajes.

Cada dirección es única y pertenece siempre a la misma persona u organización.

2.1.1. Formato de las direcciones

En cuanto al formato de las direcciones de correo son fácilmente reconocibles porque siempre aparece una "@" (arroba) que podemos decir que significa "Pertenece a...", por el contrario las páginas WEB no contienen este carácter y suele tener WWW en su dirección.

Web → www.ejemplopagina.com

Email → persona@proveedor.com

Nos centramos en las direcciones de correo, lo que hay a la derecha de la "@" es el proveedor que ofrece la dirección de correo al usuario y es un dato que no se puede modificar. Ese dato del proveedor suele llamarse **dominio** y podemos diferenciar en él dos partes, la organización que suele identificar a la empresa del servicio, y un tipo de 2-3 caracteres.

Sin embargo, la parte de la izquierda suele depender de la elección del propio usuario, de hecho es denominada **nombre del usuario** y es un dato identificador que puede tener letras, números y algunos signos. La longitud de una dirección de correo puede ir desde las 6 a los 254 caracteres.

info@elcorreoelectronico.com

Nombre del usuario · Organización · Tipo

Dominio

Para poder enviar y recibir correos electrónicos tendremos que estar registrados en alguna empresa que ofrezca el servicio; este podrá ser un servicio gratuito o de pago, y podremos acceder a este servicio mediante un nombre de usuario y una contraseña.

2.1.2. Proveedores de correo

Como hemos comentado, hay dos tipos de proveedores que se diferencian sobre todo en que unos son gratuitos y los otros no. Los que son gratuitos suelen incluir publicidad, o bien en los propios mensajes o en el interfaz que se usa para el correo, que en ese caso suele ser de tipo Web.

Los más comunes son *GMAIL*, *HOTMAIL* (MSM), *YAHOO*.

Como gran ventaja diremos que permiten poder enviar, recibir y leer mensajes desde cualquier sitio remoto que tenga conexión a internet y pueda acceder a la página web correspondiente.

Como desventaja, podemos hablar de la dificultad de añadir nuevas funciones, salvo las del propio sitio web y que además suele ser más lento el acceso y la consulta de los propios mensajes.

2.1.3. Clientes de correo

Los clientes de correo son programas para poder gestionar los mensajes de correo que recibimos y para los que enviamos. Estos clientes, como contrapartida a los sitios Web tienen muchas más funcionalidades, ya que el propio usuario puede configurar y tener control total del correo a nivel global.

Estos clientes suelen necesitar más información para poder configurar el correo como el tipo de conexión que suele ser de tipo POP. Además de esto, tiene la ventaja de que los mensajes se descargan de golpe si están disponibles y quedan almacenados en el propio ordenador, y pueden ser leídos sin estar conectados a internet (off line). En los sitios Web tienen que estar conectados todo el tiempo.

Hay varios programas que permiten realizar las funciones de cliente de correo electrónico; en este tema nos centraremos en la solución que ofrece Microsoft que se llama Microsoft Outlook.

2.1.4. Problemas más comunes del correo

El principal problema que existe es la recepción del llamado "correo no deseado"; son correos que no han sido solicitados, normalmente de tipo de publicidad engañosa. Además de este tipo de correos existen también los problemas que afectan a otros aspectos como la seguridad y veracidad de este medio de comunicación, como son:

- Virus.
- Suplantación de identidad.
- Hoaxes (*un bulo o noticia falsa, es un intento de hacer creer a un grupo de personas que algo falso es real*).
- Etc.

Para prevenir, podemos tener las siguientes precauciones:

- Si recibimos mensajes que hablen de algo que no conocemos aunque nos lo haya mandado alguien conocido intentaremos verificar su autenticidad.

- Si trae archivos adjuntos, solo los abriremos si estamos totalmente seguros de su autenticidad.
- Solo reenviaremos mensajes si estamos seguros de que es realmente importante y cierto.

2.1.5. Funcionamiento del correo

El correo electrónico es muy fácil de utilizar, pero se basa en procedimientos operativos más complicados que los que usan las páginas web. Para la mayoría de los usuarios, el funcionamiento es transparente, lo cual significa que no es necesario entender cómo funciona el correo electrónico para poder utilizarlo.

Tan solo ofrecemos una breve introducción para ayudar a entender sus principios básicos.

Empezamos comentando los **protocolos** de correo electrónico:

- El protocolo SMTP (*Simple Mail Transfer Protocol*) permite el envío (correo saliente) desde el cliente hacia Internet (el mensaje se transmite, inicialmente, entre servidores de correo).
- El protocolo POP (*Post Office Protocol*) permite recibir mensajes de correo hacia el cliente (se almacenan en el ordenador del destinatario), desde el servidor (correo entrante).

Para poder enviar un mensaje es imprescindible conocer la cuenta (identificador del usuario) y la dirección de la máquina del usuario al que queremos enviar dicho mensaje.

1. Cuando un usuario envía un correo, el mensaje se dirige hasta el buzón de correo de su proveedor de Internet.
2. Luego este lo almacena y lo reenvía al servidor de correo del destinatario, donde se guarda.
3. Y cuando el destinatario solicita sus mensajes, el servidor de correo del proveedor se los envía.

Todo esto se realiza en un período de tiempo breve. Pocos minutos bastan para que llegue el mensaje a su destino.

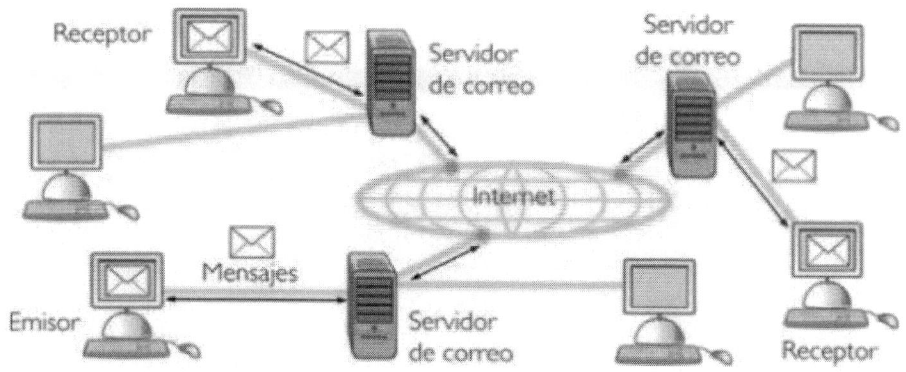

2.2. Microsoft outlook 2010: el entorno de trabajo

Microsoft Outlook 2010 es una de los programas desarrollados por Microsoft para el paquete ofimático Office 2010; este permite a los usuarios organizar de manera fácil, rápida y eficiente los correos electrónicos, además de mejorar funciones de la versión anterior e incluir otras nuevas como la vista previa del calendario y la tarjeta de contacto, por ejemplo.

Al acceder al programa, podemos considerar dos situaciones, la primera será si ya existe alguna cuenta de correo electrónico de cualquier servidor configurada en el mismo, tanto de un proveedor de pago como de tipo gratuito; de ser así este se iniciará de manera normal.

Si no es así y es el primer uso, aparecerá un asistente para configurar una cuenta de manera guiada.

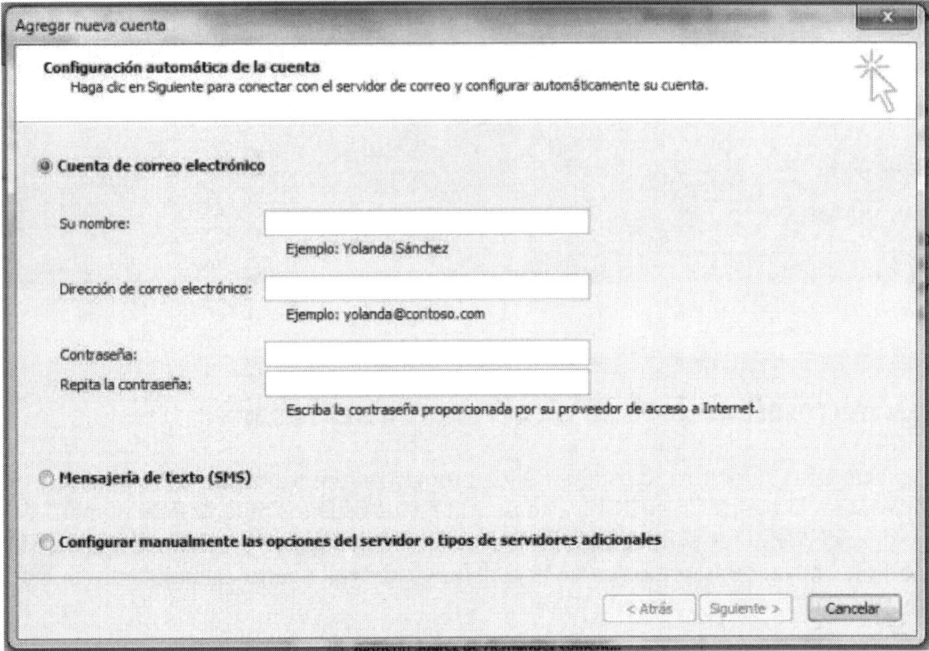

Si se necesita añadir una nueva cuenta con posterioridad, se podrá hacer a través de la pestaña superior izquierda en "**Archivo**", seleccionar opción de Información y posteriormente hacer clic en "**Agregar nueva cuenta**"

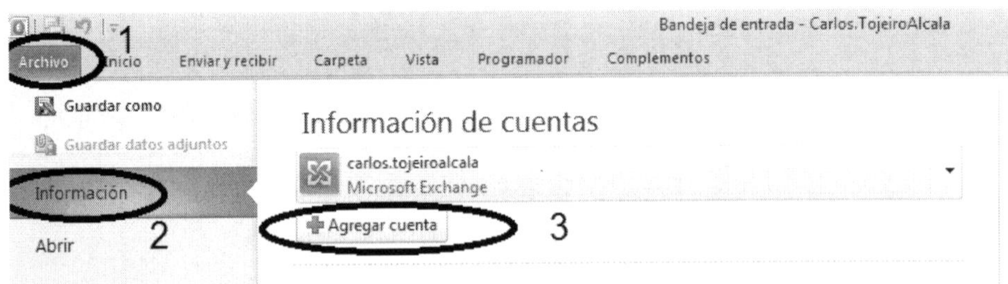

2.2.1. Entorno de trabajo

Al iniciar Microsoft Outlook 2010 nos mostrará una ventana como la que vemos en la imagen inferior, la cual podemos dividir en las siguientes partes:

N.º	Nombre	Descripción
1	*Pestañas (Menús)*	Almacenan de manera organizada las opciones de la barra de herramientas
2	*Barra de Herramientas*	Herramientas a usar por el usuario clasificadas por las acciones a realizar
3	*Panel de lectura*	Muestra el contenido de los mensajes
4	*Carpetas de Correo*	Muestras las opciones del correo seleccionado
5	*Carpetas de Outlook*	Opciones extras de Outlook
6	*Favoritos*	Acciones más comunes de los usuarios de Outlook
7	*Calendario*	Calendario con marcador de eventos
8	*Buscador*	Buscador de archivos dentro de las bandejas
9	*Bandeja*	Muestra el contenido de una bandeja en concreto
10	*Servidor*	Muestra el servidor al cual se encuentra conectado
11	*Opciones de Vista*	Cambia el zoom de la página y la forma de vista
12	*Tareas*	Lista de tareas asignadas al usuario
13	*Estado Bandeja*	Conteo y situación de la bandeja seleccionada

* Podemos ver todas estas opciones en la ventana principal que tenemos a continuación. Lógicamente, al ir marcando en algunas de las opciones esta vista puede ir cambiando y desapareciendo en algunos casos.

Nosotros nos centraremos en el correo y dejaremos las partes relativas a Calendario, Tareas y Eventos.

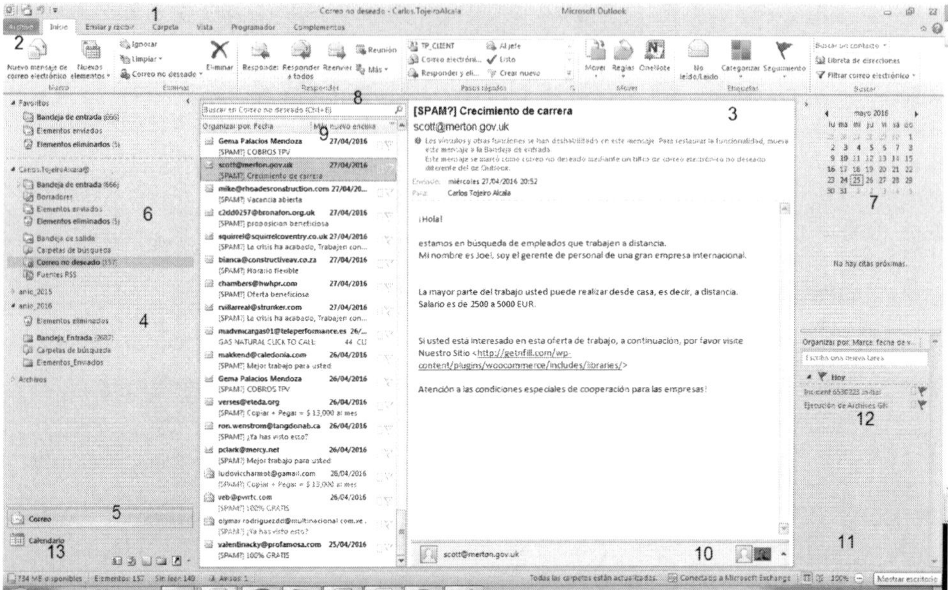

2.2.2. Manejo del correo

El manejo del correo en Outlook 2010 es muy rápido e intuitivo, con una sencilla vista rápida para reconocer sus opciones. Lo primero sería ver la zona del "Correo" lo que llamamos "La carpeta del correo", que muestra las opciones más comunes del servidor de correo.

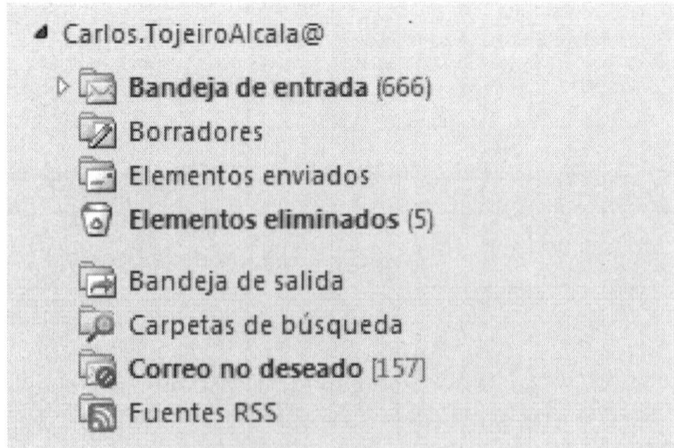

Al lado de cada opción aparece un número, que se corresponde con la cantidad de elementos que están sin leer en cada una de las carpetas:

- **Bandeja de entrada**: contiene los mensajes que van entrando al correo electrónico.
- **Borradores**: contiene los mensajes no finalizados (Borrador) creados por el usuario para su posterior envío, o aquellos que fueron guardados por el sistema por diversas causas.
- **Elementos enviados**: contiene los mensajes emitidos por el usuario de esta cuenta de correo.
- **Elementos eliminados**: contiene temporalmente los correos que fueron eliminados.
- **Carpeta de búsqueda**: permite crear carpetas con mensajes organizados de manera específica.
- **Correo no deseado** (*Spam*): contiene correos recibidos cuyo origen es desconocido o sospechoso.

2.2.3. Pestañas del programa

Desde la versión 2007, el Office en general y el Outlook en concreto, ha cambiado el entorno de sus programas drásticamente con el uso de pestañas para tener una organización más completa de todas las herramientas de que dispone, las cuales son:

- **Archivo**: contiene las opciones básicas de guardar, imprimir o incluso configurar datos y páginas, y opciones generales del programa.
- **Inicio**: contiene las funciones básicas de Microsoft Outlook 2010.
- **Enviar y Recibir**: contiene todas las opciones necesarias para enviar y también recibir mensajes.
- **Carpeta**: contiene herramientas que permiten organizar de una manera más profesional el correo.
- **Vista**: contiene opciones para poder modificar la visualización del contenido de la pantalla principal.

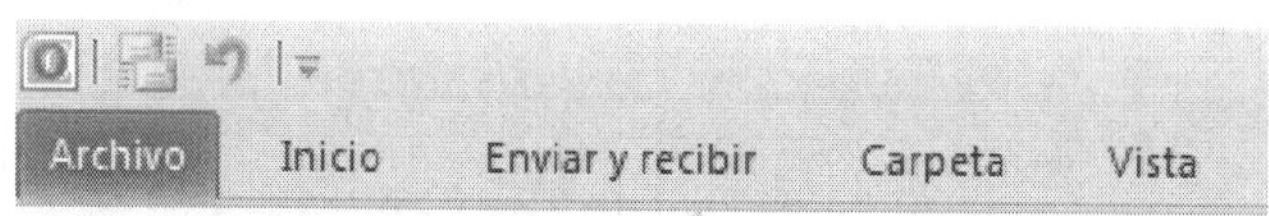

Es importante destacar que el contenido de todas las pantallas puede variar según el modulo que vayamos usando, en nuestro caso nos centraremos en el de correo.

2.2.4. Barras de herramientas

Las barras de herramientas contienen un gran número de funciones que permiten al usuario de la aplicación realizar diferentes acciones como crear, modificar y eliminar objetos. Estas barras se han dividido en secciones o **pestañas**; pasamos a describir a continuación las más importantes.

2.2.5. Pestaña: archivo

Si hacemos clic en la pestaña de Archivo, se abre un menú que podemos ver en la imagen inferior.

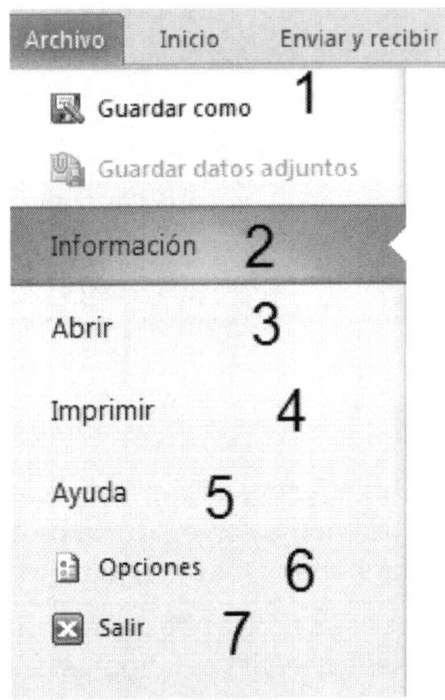

N.º	Nombre	Descripción
1	*Guardar como*	Permite guardar el documento (en nuestro caso correo electrónico)
2	*Información*	Incluye herramientas a usar por el usuario para gestionar las cuentas que están añadidas en el programa
3	*Abrir*	Abre objetos de Outlook 2010
4	*Imprimir*	Muestras las opciones para imprimir objetos
5	*Ayuda*	Ofrece información sobre las funcionalidades de Outlook
6	*Opciones*	Da acceso a la configuración completa de todas las opciones del programa
7	*Salir*	Permite salir de la aplicación

En los apartados siguientes se explican las opciones más importantes, sobre todo las relacionadas con el correo.

2.2.5.1. Archivo → Información

Al pulsar en la opción de Información aparecen diferentes opciones para configurar la cuenta:

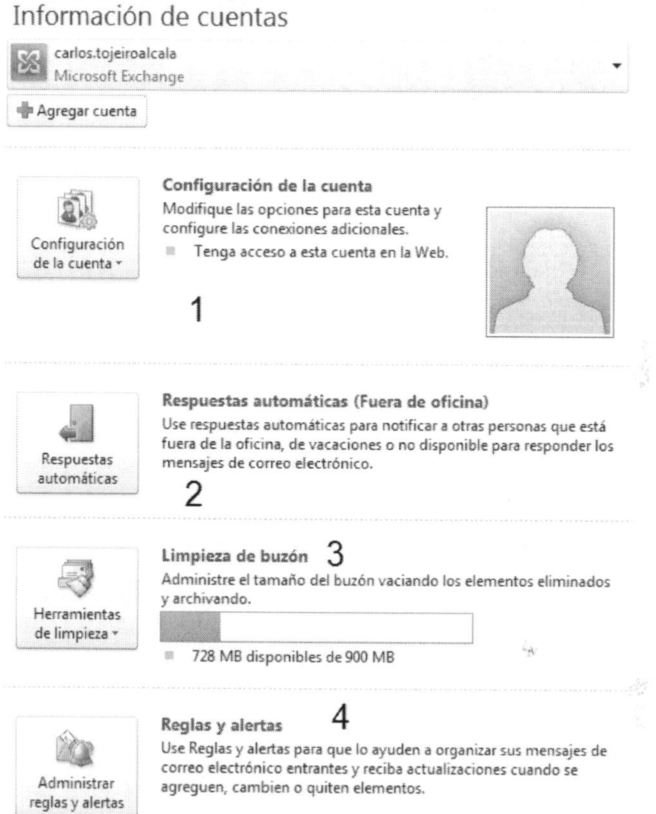

N.º	Nombre	Descripción
1	*Configuración de la cuenta*	Permite modificar las opciones de una de las cuentas configuradas en el Outlook
2	*Respuestas automáticas*	Ofrece opciones para marcar respuestas automáticas que se envían a través de condiciones configurables
3	*Herramientas de limpieza*	Permite reducir el espacio consumido por archivos vaciando los elementos eliminados
4	*Administrador de Reglas y Alertas*	Permite administrar las notificaciones de acciones o correos

2.2.5.2. Archivo → Imprimir

Al pulsar en la opción de Imprimir aparecen diferentes opciones para configurar:

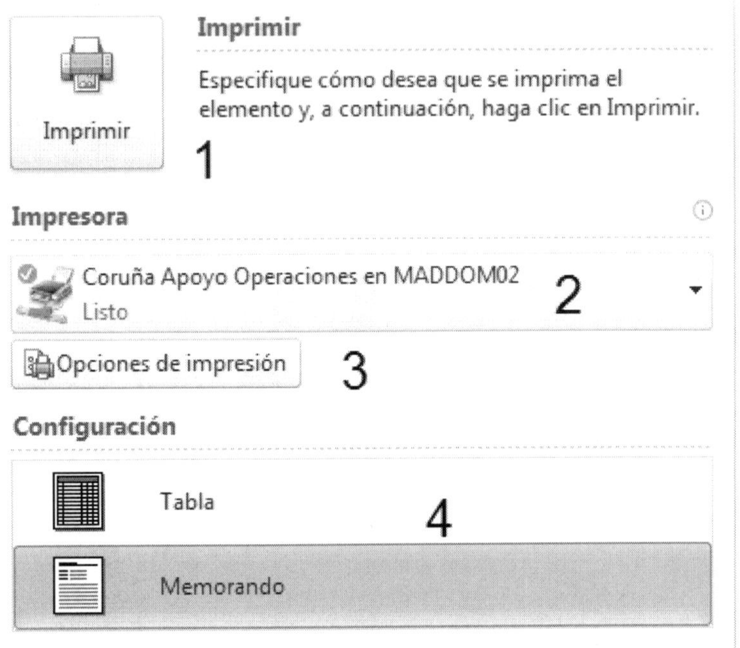

N.º	Nombre	Descripción
1	*Imprimir*	Permite imprimir el documento seleccionado, en nuestro caso un correo electrónico
2	*Lista de Impresoras*	Permite seleccionar una impresora para la impresión
3	*Opciones de Impresión*	Permite modificar la configuración de la impresión
4	*Configuración*	Permite elegir entre "Tabla" que imprime la lista de correos y "Memorando" que imprime el correo seleccionado

2.2.6. Pestaña: Inicio

Si hacemos clic en la pestaña de **Inicio**, se abre un menú que podemos ver en la imagen inferior. Esta pestaña irá cambiando según la opción de Outlook con la que estamos trabajando: Correo, Calendario, Tareas, etc.

Nos centramos en los valores que aparecen cuando estemos en **Correo**.

Vamos a comentar por separado cada bloque en que se divide la pestaña, que se denominan **Grupos**.

Grupo → NUEVO.

N.º	Nombre	Descripción
1	*Nuevo mensaje de Correo Electrónico*	Permite emitir un nuevo correo electrónico
2	*Nuevos elementos*	Crea un elemento nuevo como una reunión o un contacto o una cita

Grupo → Eliminar.

N.º	Nombre	Descripción
1	*Ignorar*	Permite enviar un correo y futuros correos del mismo remitente del correo seleccionado a la carpeta de elementos seleccionados
2	*Limpiar*	Quita los mensajes redundantes de la conversación seleccionada
3	*Correo no deseado*	Marca el correo seleccionado de ese remitente como correo no deseado
4	*Eliminar*	Elimina el elemento seleccionado

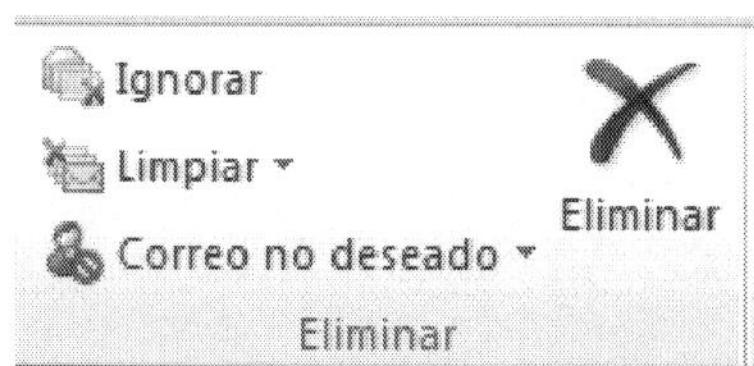

Grupo → Responder.

N.º	Nombre	Descripción
1	*Responder*	Responde al mismo remitente del mensaje seleccionado
2	*Responder a todos*	Responde al remitente y otros usuarios que esté en el mensaje seleccionado
3	*Reenviar*	Permite reenviar el mensaje seleccionado a varios contactos
4	*Reunión*	Crea una convocatoria de reunión sobre el mensaje seleccionado
5	*Más*	Despliega opciones extra de envío, como el de enviar archivos adjuntos

Grupo → Mover.

N.º	Nombre	Descripción
1	*Mover*	Mueve el correo seleccionado a una carpeta
2	*Reglas*	Establece reglas a seguir con la recepcion de correos
3	*OneNote*	Envía el mensaje seleccionado a OneNote

Grupo → Etiquetas.

N.º	Nombre	Descripción
1	*No leído / leído*	Permite marcar el correo como *No Leído*
2	*Categorizar*	Es un sistema de colores para poder catalogar los mensajes de correo
3	*Seguimiento*	Marca un correo para recordar su seguimiento

Grupo → Buscar.

N.º	Nombre	Descripción
1	*Buscar un contacto*	Permite buscar un contacto
2	*Libreta de direcciones*	Visualiza todos los contactos dentro de la libreta de direcciones
3	*Filtrar Correo electrónico*	Permite filtrar los correos electrónicos para su visualización

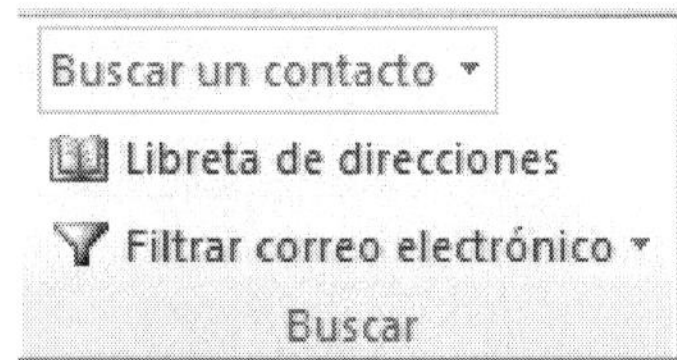

Criterios de búsqueda

La opción de Búsqueda permite escribir un número de frases en el cuadro de búsqueda que se encuentra en la parte superior de la lista de mensajes de Outlook. Además de poder buscar por palabras y frases, permite usar varios operadores, signos de puntuación y palabras clave para restringir los resultados de búsqueda.

Es muy simple, escribir una palabra o frase es la forma más sencilla de buscar. Outlook utiliza lo que se denomina "concordancia de prefijos" al buscar. Si escribe "ray" en el cuadro de búsqueda, Outlook devolverá los mensajes que contienen "ray", "Ray", "rayo" y "rayas", pero no "Saray" o "pararrayos".

Conceptos básicos de búsqueda

Cuando escribe palabras en el cuadro de búsqueda, Outlook analiza los mensajes de correo electrónico y muchos tipos de datos adjuntos para buscar esa palabra o frase. Por ejemplo, si busca "proyect", con o sin comillas, Outlook devolverá todos los mensajes con la palabra "proyecto", "proyectos", "proyector", "proyectar", etc. en cualquier lugar del nombre del remitente, el asunto, el cuerpo del mensaje o los datos adjuntos.

Cuando se escribe una dirección de correo electrónico, por ejemplo carlos.tojeiro71@ mad.com, Outlook devuelve todos los mensajes de correo electrónico que contengan esa dirección de correo electrónico en cualquier parte del email, ya sea en el asunto, el cuerpo del mensaje o en los datos adjuntos.

Para limitar los resultados de búsqueda a correos electrónicos enviados desde una dirección, escriba "de:carlos.tojeiro71@mad.com" en el cuadro de búsqueda.

Tablas de referencia de búsqueda

La siguiente tabla muestra algunos ejemplos de búsquedas que pueden resultar útiles. Además de estos ejemplos, puede usar Y, NO, O, <, >, = ,y otros operadores para refinar la búsqueda. Los operadores deben escribirse en mayúsculas.

Escriba lo siguiente	Para encontrar lo siguiente
carl	Los elementos que contengan *carlos*, *carlitos*,, *CARLITOS*, *CARlitOS* o cualquier otra combinación de letras en mayúsculas y minúsculas. La búsqueda instantánea no distingue entre mayúsculas y minúsculas.
carlos alcalá	Los elementos que contengan *carlos*, junto con todas las variaciones enumeradas en la fila anterior, o bien *alcalá*, junto con otras palabras que contengan *alcalá*, pero no necesariamente en ese orden.
carlos Y alcalá	Los elementos que contengan tanto *carlos* como *alcalá*, pero no necesariamente en ese orden. Tenga en cuenta que los operadores lógicos como, por ejemplo, Y, NO, y O se deben escribir en letras mayúsculas.
carlos NO tojeiro	Los elementos que contengan *carlos*, junto con todas las variaciones enumeradas en la primera fila de la tabla, pero no *tojeiro*.
carlos O tojeiro	Los elementos que contengan *carlos*, junto con todas las variaciones enumeradas en la primera fila de la tabla, los que contengan t*ojeiro* o los que contengan ambos términos.
"carl"	Los elementos que contengan la frase exacta *carl* y no las variaciones, como *carlistos* o *carlis*. Para buscar una cadena en concreto, debe usar comillas.
de:"carlos tojeiro"	Los elementos enviados desde *carlos tojeiro*. Observe el uso de comillas dobles para que los resultados de la búsqueda coincidan con la frase exacta dentro de las comillas. También puede escribir *de:* y, a continuación, las primeras letras del nombre de un contacto. Outlook le sugerirá una lista de contactos para que seleccione el que quiera.
de:"carlos tojeiro" sobre:"informe de estado"	Los elementos enviados desde *carlos tojeiro* en los que *informe de estado* aparezca en la línea de asunto, el cuerpo o el contenido de los archivos adjuntos. Fíjese en que debe que usar comillas dobles si quiere que los resultados de la búsqueda coincidan con la frase exacta que encierran las comillas.

tienedatosadjuntos:sí	Los elementos que tengan datos adjuntos. También puede utilizar "tiene archivos adjuntos:true" para obtener los mismos resultados.
archivos adjuntos:presentación.pptx	Los elementos que tengan datos adjuntos denominados *presentación.pptx* o los archivos adjuntos que incluyan *presentación.pptx* en su contenido.
asunto:"carlos"	Elementos cuyo asunto contiene la frase *carlos.*
cc:"carlos tojeiro"	Elementos en los que el nombre para mostrar *carlos tojeiro* está en la línea Cc.
cco: carlos	Los elementos en los que *carlos* esté en la línea CCO.
categoría:azul	Elementos que contienen un nombre de categoría que incluya la palabra azul. Por ejemplo "categoría azul" o "azulejo" o "azulado."
tamaño del mensaje:<10 KB	Los elementos cuyo tamaño sea menor de 10 kilobytes. Observe el uso del operador de comparación "menor que" (<).
tamañodelmensaje:>5 MB	Los elementos cuyo tamaño sea mayor que 5 megabytes. Observe el uso del operador de comparación "mayor que" (>).
recibido:=1/1/2016	Elementos que llegaron el 1/1/2016. Observe el uso del operador "igual a" (=).
recibido:ayer	Los elementos que llegaron ayer. La búsqueda instantánea también reconoce los siguientes valores de fecha: - **Fechas relativas:** Por ejemplo, *hoy, mañana, ayer* - **Fechas relativas de varias palabras** Por ejemplo, *esta semana, mes siguiente, semana pasada, mes pasado, año que viene.* - **Días:** *Domingo, lunes... sábado* - **Meses:** *Enero, febrero... Diciembre*
recibido:la semana pasada	Los elementos que llegaron la semana pasada. Tenga en cuenta que si ejecuta la consulta de nuevo dentro de un mes, se obtendrán resultados diferentes porque es una consulta relacionada con el tiempo.
pendiente:la semana pasada	Elementos marcados para seguimiento en una fecha de vencimiento.
tamaño del mensaje:muy pequeño	Elementos cuyo tamaño sea menor de 10 kilobytes.
tamaño del mensaje:pequeño	Elementos cuyo tamaño esté entre 10 y 25 kilobytes.
tamaño del mensaje:medio	Elementos cuyo tamaño esté entre 25 y 100 kilobytes.
tamaño del mensaje:grande	Elementos cuyo tamaño esté entre 100 y 500 kilobytes.
tamaño del mensaje:muy grande	Elementos cuyo tamaño esté entre 500 kilobytes y 1 megabyte.
marca de seguimiento:seguimiento	Los elementos con la marca "Seguimiento".
tamaño del mensaje:enorme	Elementos cuyo tamaño sea mayor de 5 megabytes.
tiene indicador:true	Elementos que ha marcado para su seguimiento.

de:miguel (recibido:7/1/17 O recibido:8/1/17)	Los elementos de *miguel* que han llegado el 7/1/17 o el 8/1/17. Observe el uso de paréntesis para agrupar las fechas.
recibido > = 1/10/16 y recibido < =5/10/16	Los elementos recibidos entre 1/10/16 y 5/10/16. **Nota**: Para los intervalos recibidos, no use dos puntos.
recibido > = 1/10/16 y recibido < = 5/10/16	Los elementos que llegaron después del 1/10/16 pero antes del 5/10/16. Nota: Para los intervalos recibidos, no use dos puntos.
enviado: ayer	Devuelve todos los elementos enviados ayer (por cualquier usuario). Esta búsqueda devolverá los elementos que envió a otros usuarios y los que recibió de otros usuarios.
para:carlos	Los elementos que envió a *carlos* cuando está buscando en la carpeta **Elementos enviados**.
lectura:no	Elementos que no se han leído. También puede usar "lectura:false" para obtener los mismos resultados.
asunto:estado recibido:mayo	Elementos recibidos de cualquier persona durante el mes de mayo (cualquier año) donde el asunto contenga *estado*.

2.2.7. Pestaña: Enviar y recibir

Esta pestaña solo aparecerá cuando estemos dentro de la opción de Correo.

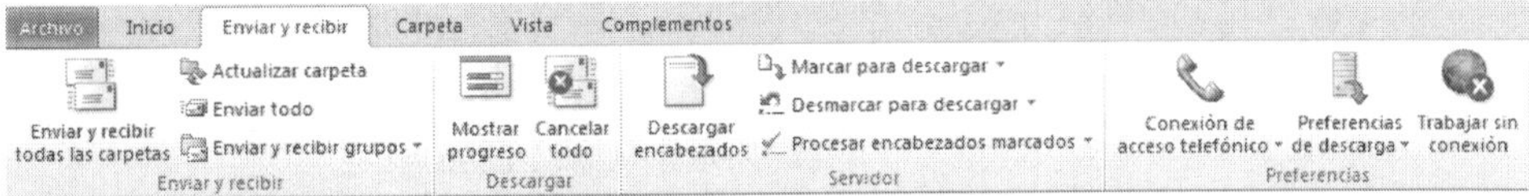

Comentaremos solamente **los dos grupos más importantes** y que desarrollaremos en apartados posteriores:

Grupo → Enviar y Recibir.

N.º	Nombre	Descripción
1	*Enviar y recibir todas las carpetas*	Ejecuta una orden de enviar o recibir todo lo que pueda estar pendiente en las carpetas de correo
2	*Actualizar carpeta*	Actualiza la carpeta seleccionada
3	*Enviar todo*	Envía todos los correos que estén sin enviar

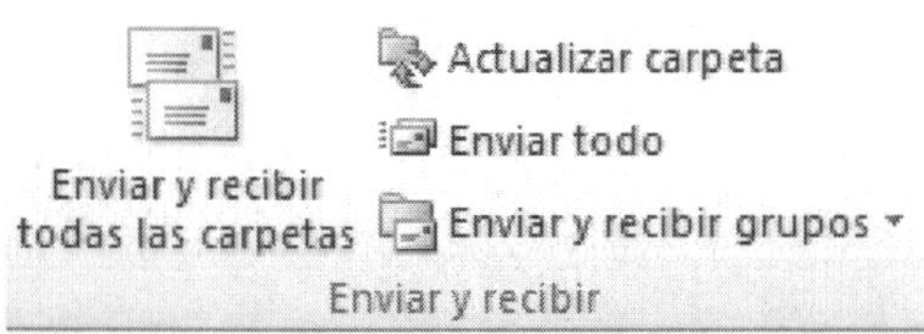

Grupo → Descargar.

N.º	Nombre	Descripción
1	*Mostrar progreso*	Muestra una ventana con el proceso de descarga o envío de información
2	*Cancelar todo*	Cancela el proceso de descarga o envío de información

2.3. Enviar, recibir, responder y reenviar mensajes

Veamos ahora las acciones más comunes e importantes de la gestión del correo, las relativas a cómo Enviar y recibir mensajes, así como poder responder a correos entrantes y reenviar mensajes recibidos a otros remitentes.

2.3.1. Enviar mensajes

Empezamos viendo cómo podemos enviar un mensaje de correo electrónico.

Estando dentro del **Correo**, en la pestaña **Inicio**, en el grupo **Nuevo**, haga clic en **Nuevo correo electrónico**.

Existe un método abreviado de teclado para crear un mensaje de correo electrónico desde cualquier carpeta de Outlook, presione *CTRL+MAYÚS+M*. Aparecerá la ventana de *Mensaje nuevo.*

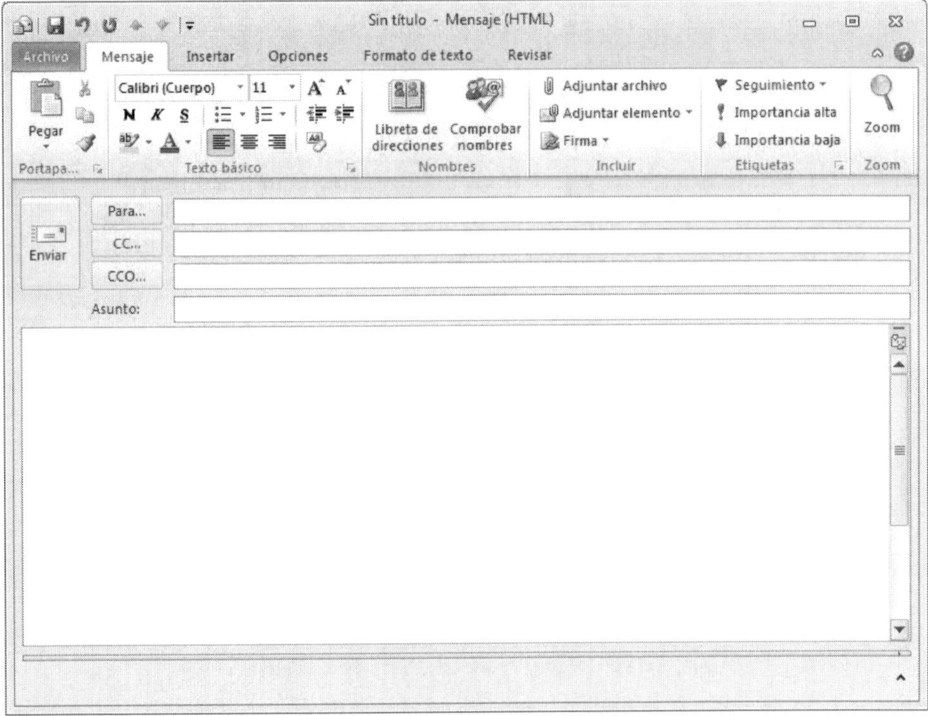

En el cuadro **Asunto**, escriba el asunto del mensaje, como un título a una redacción, teniendo en cuenta que será lo primero que el destinatario verá y que debe dar al mismo una buena información de lo que va a encontrarse al leer todo el correo.

Escriba los nombres y las direcciones de correo electrónico de los destinatarios en los cuadros Para, CC y CCO. Separe con punto y coma cuando haya más de un destinatario.

Para seleccionar los nombres de los destinatarios de una lista en la Libreta de direcciones, haga clic en Para, CC o CCO y, a continuación, en los nombres que desee.

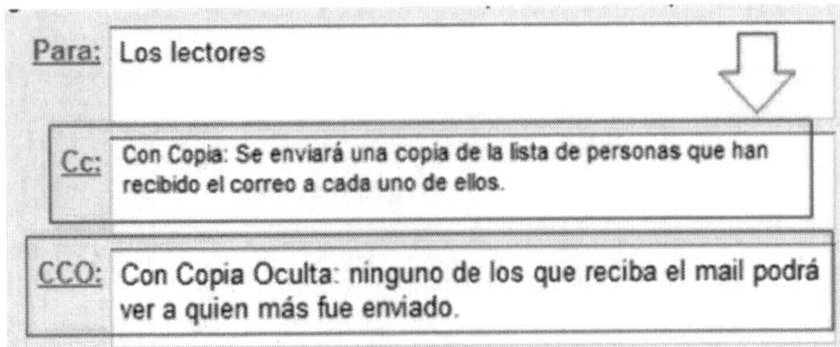

Cada uno tiene un objetivo claramente distinto.

El campo **Para** de un correo electrónico permite identificar al destinatario al que queremos enviar directamente el mensaje que estamos escribiendo. Este puede ser un único destinatario o varios.

Tanto los destinatarios incluidos en **Para** como en **CC**, pueden responderse entre ellos y todas las direcciones están visibles, cada una en su campo correspondiente, por parte de todos los interlocutores.

El campo **CCO** presenta mayores diferencias frente al resto. En este campo incluimos las personas a las que queremos notificar del mensaje, pero de forma oculta. Es decir, que sus direcciones de correo no serán visibles para los demás.

Los destinatarios incluidos en un campo **CCO** pueden recibir el correo y ver el resto de destinatarios incluidos en los campos **Para** y **CC**, así como responderles, pero no pueden ver a otros posibles destinatarios incluidos en **CCO**.

Del mismo modo, ningún destinatario, independientemente del campo donde se encuentre, tendrá constancia de alguna dirección de correo electrónico incluida en **CCO**, no podrá saber qué personas han recibido el mensaje en copia oculta ni, desde luego, podrá comunicarse con ellos mediante la opción *Responder a todos*.

Si no se ve el cuadro **CCO**, ¿cómo lo activo? Para mostrar el cuadro **CCO** en este mensaje y en todos los futuros mensajes, en la ficha **Opciones**, en el grupo Mostrar campos, haga clic en **CCO**.

En la pantalla del nuevo mensaje también podemos marcar si el mensaje tiene una prioridad ALTA o BAJA. Al llegar los correos al destinatario el usuario verá el símbolo en la lista de correos, una admiración roja si es ALTA o una flecha hacia abajo azul si es BAJA.

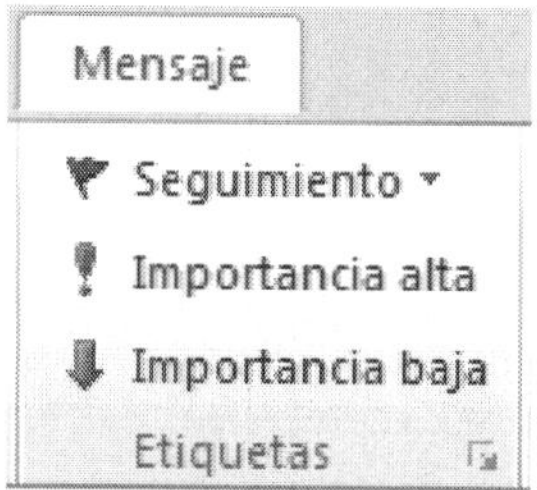

Después de haber redactado el mensaje, haga clic en Enviar.

Si estando escribiendo un mensaje vemos que no podemos enviarlo en ese momento, pero no queremos perder lo que ya hemos escrito, podemos grabarlo y continuar con el más tarde. Cuando un mensaje se guarda queda automáticamente almacenado en la carpeta de **Borradores.**

Si por el contrario no lo guardamos y no lo enviamos, al cerrar el programa este nos preguntará qué hacer con el mensaje.

2.3.1.1. Formato del mensaje

Antes de enviar el mensaje podemos realizar cambios en el formato del mismo, como formateo del texto, párrafo, numeraciones, viñetas, etc.

Podemos realizar estas labores desde la pestaña MENSAJE, donde también tenemos las opciones usuales del portapapeles de CORTAR, COPIAR y PEGAR para traer objetos desde otras aplicaciones u objetos.

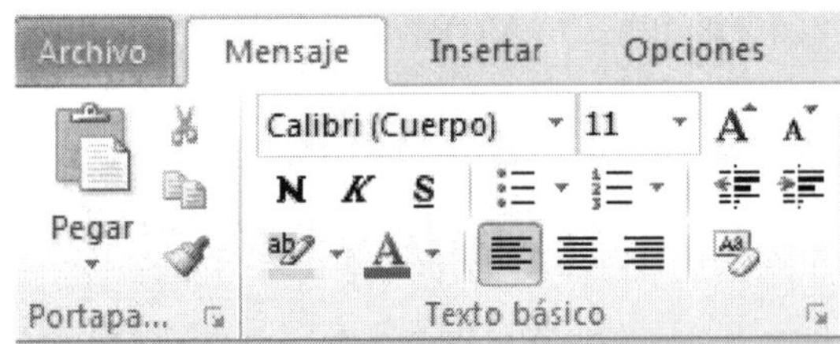

También podemos realizarlo desde la pestaña de *Formato de texto*, donde existe una lista más completa de opciones, llegando casi a ser un editor de texto en funciones o como un Microsoft Word a pequeña escala.

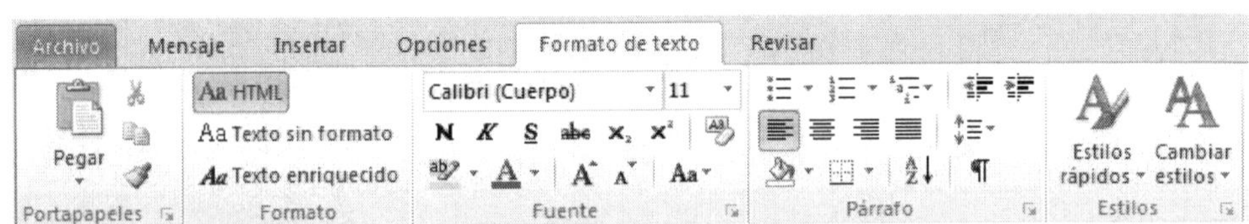

2.3.1.2. Insertar objetos en el mensaje

Antes de enviar el mensaje también podemos insertar en el mismo diferentes objetos como Archivos, Imágenes, Tablas, Formas, etc.; podemos hacerlo desde la pestaña de **Insertar.**

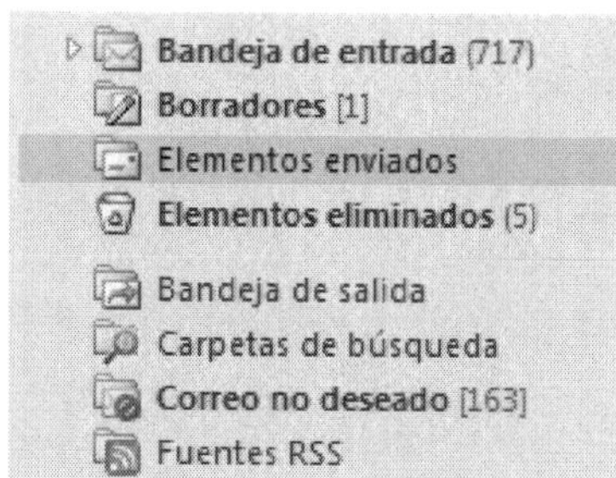

Los elementos que hayamos enviado podremos verlos pulsando en la carpeta de **Elementos enviados**.

2.3.2. Recibir mensajes

La parte más fácil será la de recibir los mensajes; para ello bastará con estar situados en la carpeta de **Bandeja de entrada (1)**, allí irán entrando los correos según el Buzón de correo los vaya recibiendo. Al hacer clic en dicha carpeta podremos ver la lista de los mensajes (**2**).

En color **Negrita** estarán los que todavía no hayan sido leídos.

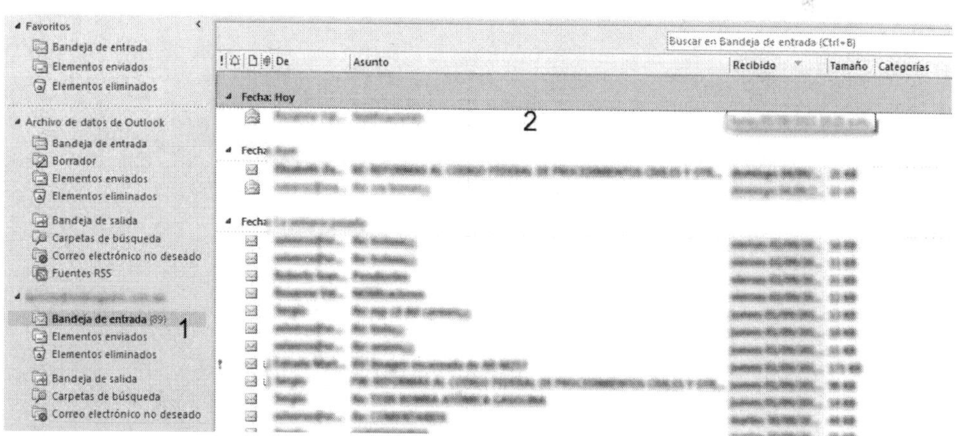

Al hacer clic en un mensaje (**1**) automáticamente aparecerá una **Vista previa** del correo (**2**).

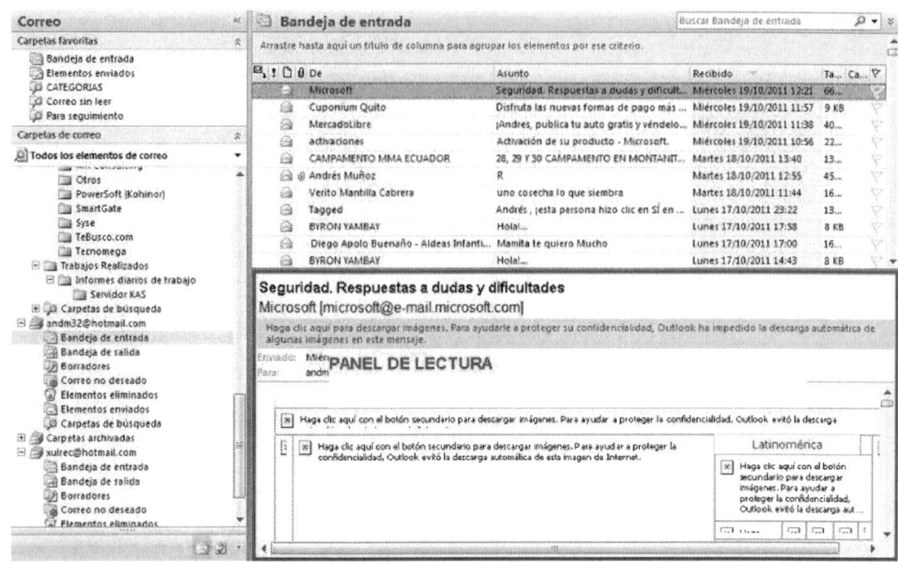

Conviene tener cuidado con esta forma de tener configurado el Outlook, porque si el correo fuera un correo malicioso estaría abriéndose sin poder evitarlo.

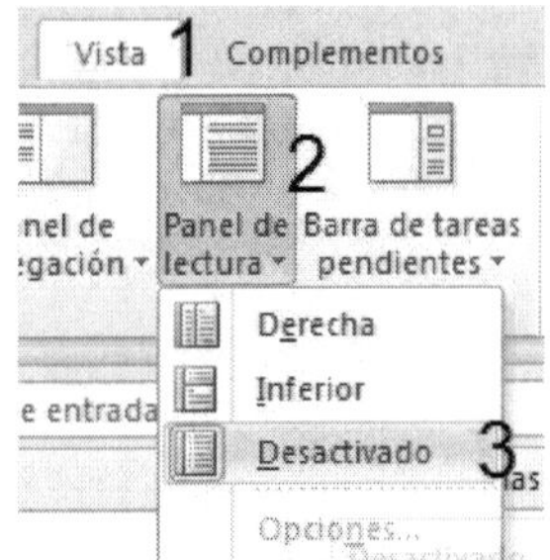

Es aconsejable desactivar la vista previa; podemos hacerlo en la pestaña de *Vista*, opción de *Panel de lectura*, eligiendo la opción de *Desactivado*.

2.3.3. Responder mensajes

Muchas veces, nos vamos a ver en la necesidad de contestar al destinatario de un mensaje que hayamos recibido como respuesta a su mensaje, y para ello bastará con hacer clic en el botón de *Responder* que aparece dentro de la opción de correo de Outlook.

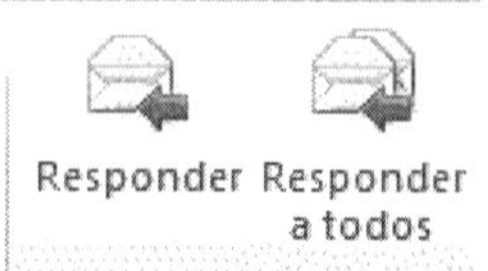

También podemos usar el botón de **Responder a todos**. La diferencia entre ambas es que si un mensaje viene con varias personas en las direcciones del mensaje, si solo queremos contestar a la persona que envía propiamente el mensaje usaremos **Responder**; si queremos que, además de la persona que envía el mensaje, el resto de destinatarios que estaban en el mensaje original reciban la respuesta, usaremos **Responder a todos**.

Así, aparecerá en pantalla una nueva ventana donde se escribirá una respuesta a través de la sección de «Contenido» o si es necesario, se puede adjuntar un archivo con la opción de «incluir". En el *Asunto* aparecerá la palabra RE: antes del asunto del mensaje original (**1**), y en la parte inferior se verá el mensaje original al que se responde (**2**).

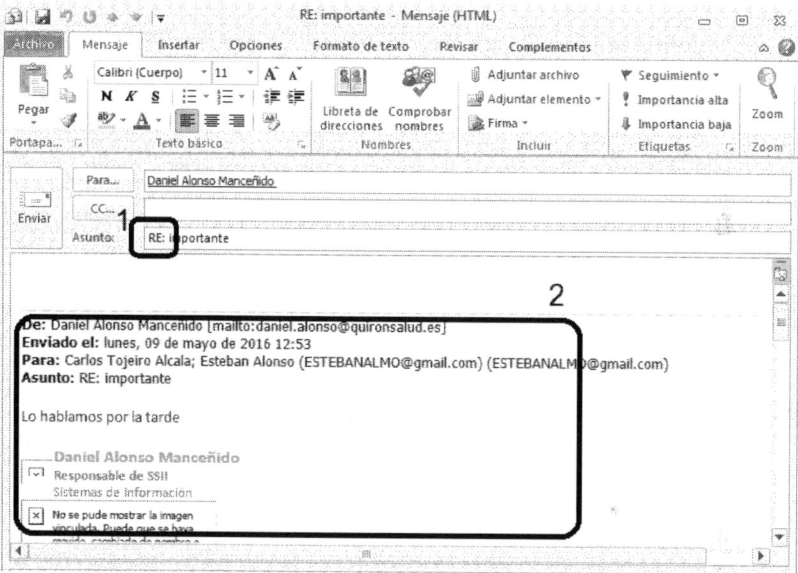

Una vez que se haya escrito el mensaje o adjuntado el archivo, se hace clic en *Enviar* para finalizar el proceso.

2.3.4. Reenviar mensajes

En ciertas ocasiones puede ser necesario enviar un correo que tengamos guardado en algunas de nuestras carpetas, a uno o varios contactos de nuestra lista.

Para ello usamos la opción *Reenviar* y luego solo hay que añadir los contactos a los que se les enviará el correo en el campo *Para*,CC o CCO.

En el asunto aparecerá la palabra RV: antes del asunto inicial.

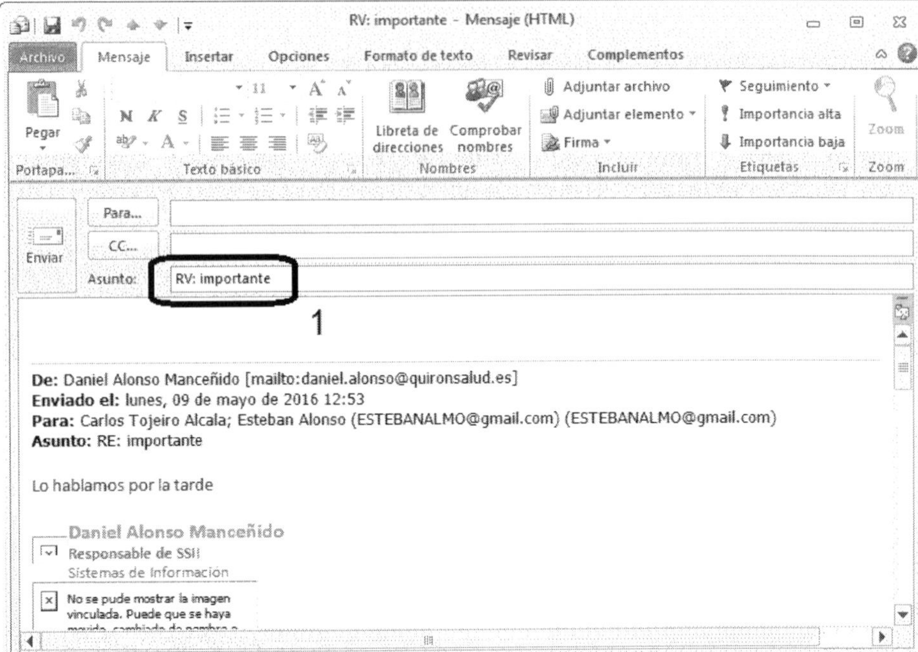

Una vez que se haya escrito el mensaje se hace clic en *Enviar* para finalizar el proceso.

2.4. Reglas de mensaje

Una regla es una acción que Microsoft Outlook realiza automáticamente sobre los mensajes entrantes y salientes que cumplen las condiciones especificadas en la misma. Las reglas reducen el archivado manual y evitan tener que realizar la misma acción manualmente cuando llegan mensajes parecidos.

Las reglas están siempre activadas y se ejecutan automáticamente. Por ejemplo, cuando se recibe un mensaje de alguien que ha especificado en una regla, el mensaje se mueve automáticamente a la carpeta que indique.

La gestión de las reglas están en la pestaña de **Inicio**, en el grupo **Mover**. Podemos gestionar las reglas que ya hay o crear nuevas.

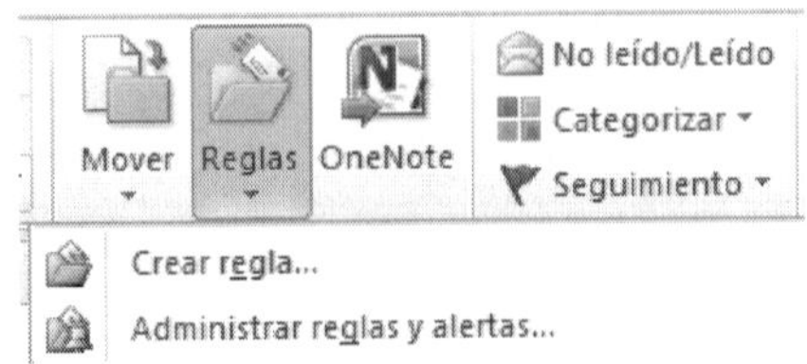

2.4.1. Administrar reglas

Se nos muestran las reglas existentes en el equipo, pueden estar activas si tienen la casilla de verificación marcada. Podemos eliminarlas o ejecutarlas manualmente a través de la opción *"Ejecutar reglas ahora"*.

También podemos modificar las propiedades de una regla marcándola y pulsando la opción de *"Cambiar Regla"*.

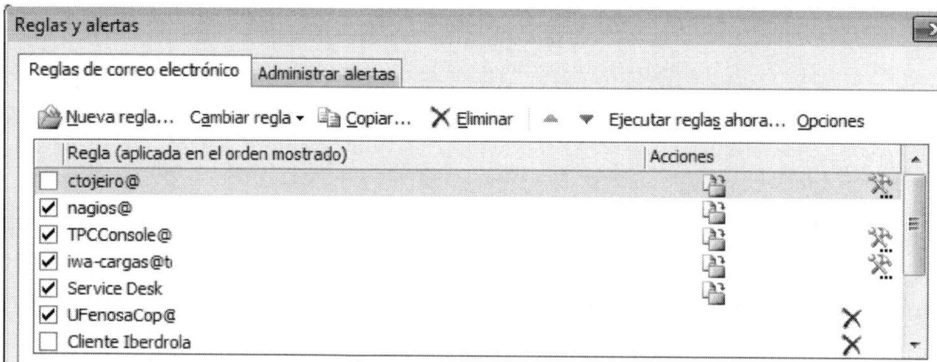

2.4.2. Crear reglas

Existen dos categorías: de organización y de notificación. Las reglas solo operan sobre los mensajes que aún no se han leído.

El asistente para reglas incluye plantillas con las más utilizadas, entre ellas las siguientes.

- **Mantenerse organizado.** Estas reglas le ayudan a archivar y realizar seguimiento de los mensajes. Por ejemplo, puede crear una regla para que los mensajes de un remitente específico (por ejemplo, *Carlos Tojeiro Alcala*) que incluyan la palabra "ventas" en Asunto separa su seguimiento, se trasladen a una carpeta llamada "Ventas" de "Carlos Tojeiro Alcala.
- **Mantenerse actualizado.** Estas reglas le envían alguna clase de notificación cuando recibe un mensaje en particular. Por ejemplo, puede crear una regla que envíe automáticamente una alerta a su dispositivo móvil cuando reciba un mensaje de un familiar.
- **Iniciar desde una regla en blanco**. Estas son reglas creadas sin la ayuda de una plantilla y es posible personalizarlas por completo.

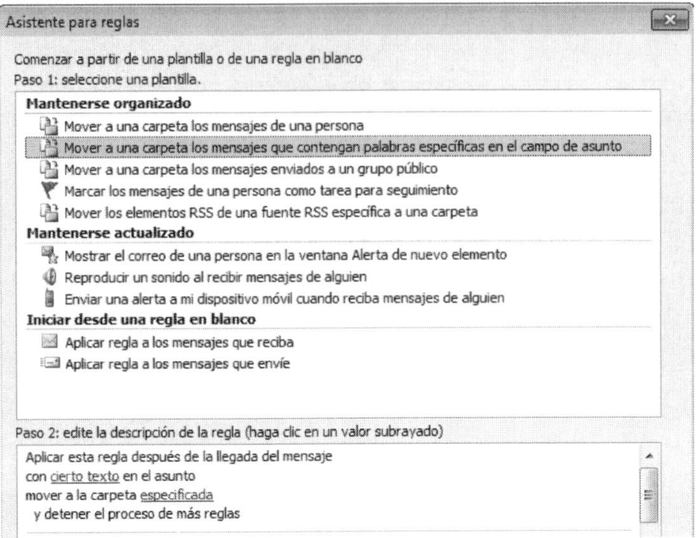

2.5. Archivado de mensajes

Microsoft Outlook te permite archivar correos con el fin de liberar espacio en tu bandeja de entrada. Son guardados en el formato de Outlook o "**.pst**".

Puedes configurar la opción de archivado automático o bien archivar manualmente los correos y elementos.

2.5.1. Archivar manualmente

Pulsamos en el botón de Archivo (**1**), luego en la opción de *Información* (**2**), donde aparecerán varias opciones entre ellas **Herramientas de limpieza** (**3**).

En el submenú que aparece elegimos la opción **Archivar** (**4**)

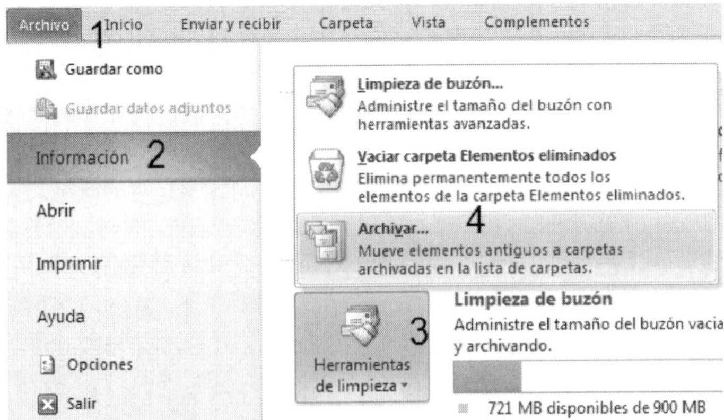

En la ventana del navegador (**1**) debes seleccionar la carpeta en la que te gustaría guardar y archivar los correos. Puedes archivar las carpetas una por una o seleccionar el nivel superior para archivar toda la bandeja de entrada.

Elige una fecha cuando desees que Outlook archive (**2**). Todos los correos, calendarios, citas y documentos originados antes de esta fecha serán archivados.

Selecciona la ubicación en la que deseas guardar el archivo (**3**). Es posible que se guarde automáticamente en la carpeta de archivos en "Archivos de Outlook". Sin embargo, puedes utilizar la función de buscar para escoger la ubicación, ya sea en tu ordenador o en algún disco duro externo, donde desees guardar tus archivos de Outlook.

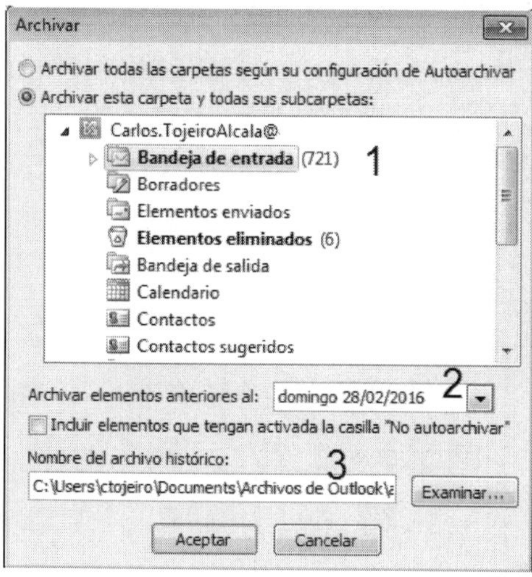

2.5.2. Archivar automáticamente

Pulsamos en el botón de *Archivo*, luego en *Opciones* y en la ventana que aparece en la pestaña de **Avanzado** (**1**), y en la zona de **Autoarchivar** seleccionaremos el botón de "**Configuración de Autoarchivar**" (**2**).

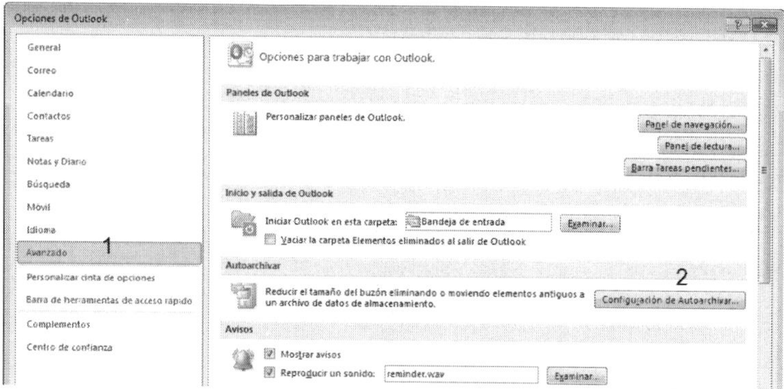

Elige la frecuencia con la que deseas que el autoarchivo se ejecute. Escribe un número en la sección que dice "Ejecutar Autoarchivo cada _ días".

Elige opciones adicionales. Por ejemplo, puedes optar por eliminar los mensajes archivados automáticamente.

También puedes elegir que "Autoarchivar" te avise antes de comenzar el proceso de archivo. Puedes seleccionar esta opción si no quieres que el Autoarchivo se ejecute sin tu consentimiento.

Selecciona el archivo donde deseas que los elementos archivados sean almacenados. Utiliza la opción de buscar para cambiar el archivo predeterminado.

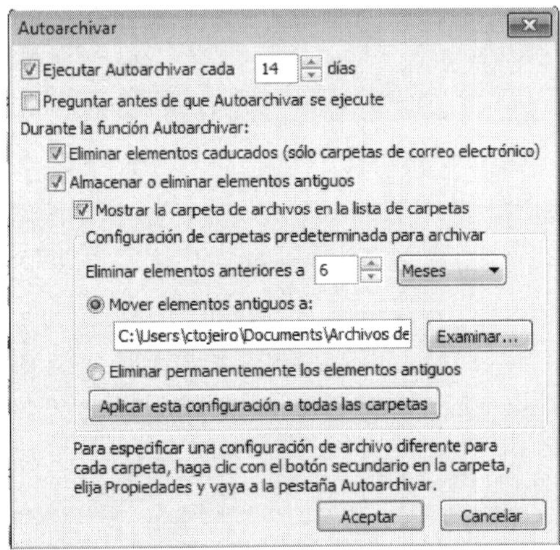

2.6. Libreta de direcciones

La Libreta de direcciones es un contenedor para todos los contactos. Esto significa que cada carpeta de contactos, como el trabajo, casa, sociales, clientes potenciales, etc., es un subconjunto de la libreta de direcciones.

Cada carpeta de contactos aparece en el panel de navegación. Por defecto solo tendremos los "**Contactos**" y "**Contactos sugeridos**".

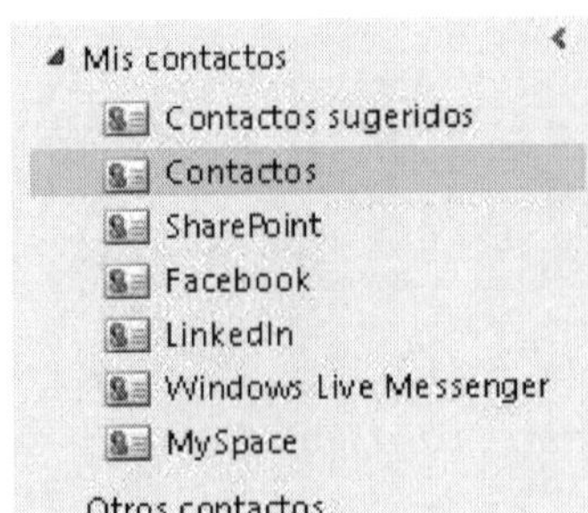

La carpeta Contactos de Outlook es el lugar donde se puede organizar y guardar información sobre las personas y las organizaciones con las que el usuario se comunica.

Los contactos pueden ser tan básicos como un nombre y una dirección de correo electrónico, o incluir información detallada adicional como su calle, varios números de teléfono, una imagen, la fecha de nacimiento y cualquier otra información relacionada con el contacto.

Para crear un nuevo contacto, vamos al apartado de *Contactos*, en la ficha *Inicio*, en el grupo *Nuevo*, haga clic en **Nuevo contacto**.

Escriba un nombre (**1**) y cualquier otra información que desee incluir para el contacto, datos de correos electrónicos (**2**), teléfonos (**3**) o direcciones (**4**).

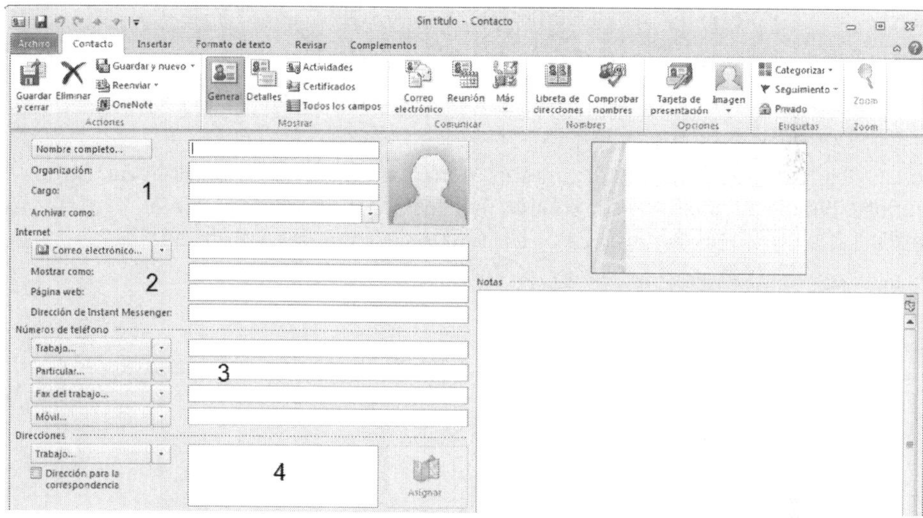

Para terminar de escribir los contactos, en la pestaña contacto, en el grupo acciones, haga clic en **Guardar y cerrar**.

Permitir que otra persona administre su correo y su calendario

Al igual que si tuviera un asistente que lo ayudara con la recepción del correo postal, otra persona, denominada "delegado", puede recibir y responder a convocatorias de reunión, mensajes de correo y respuestas en su nombre. Además, puede conceder permisos adicionales al delegado para que lea, cree o cambie elementos en el buzón

¿Qué hace el acceso delegado?

El acceso delegado consiste en algo más que permitir a otros tener acceso a sus carpetas. Los delegados gozan de permisos adicionales, como los de crear mensajes de correo o responder a convocatorias de reunión en su nombre.

Como persona que concede el permiso, usted determina el nivel de acceso que tendrá el delegado para sus carpetas. Puede conceder permiso a un delegado para que lea los elementos de sus carpetas o para leer, crear, cambiar y eliminar los elementos. De forma predeterminada, si agrega un delegado, éste tendrá acceso a las carpetas Calendario y Tareas. Asimismo, puede responder a las convocatorias de reunión en su nombre.

¿Cuáles son los niveles de permiso de los delegados?

- **Revisor:** con este permiso, el delegado puede leer los elementos contenidos en sus carpetas.
- **Autor:** con este permiso, el delegado puede leer y crear elementos y modificar y eliminar los elementos que cree. Por ejemplo, un delegado puede crear solicitudes de tareas y convocatorias de reunión directamente en sus carpetas Tareas o Calendario y después enviar un elemento en su nombre.
- **Editor:** con este permiso, el delegado puede hacer lo mismo que un autor además de modificar y eliminar elementos que usted haya creado.

Hacer a alguien mi delegado

Un delegado recibe automáticamente permisos de Envío en nombre de. De forma predeterminada, el delegado solo puede leer sus convocatorias de reunión y respuestas, es decir, que no puede leer ningún otro mensaje de la Bandeja de entrada.

Para ello:

- Haga clic en la pestaña *Archivo*.
- Haga clic en *Configuración de la cuenta* y, a continuación, en *Delegar acceso.*

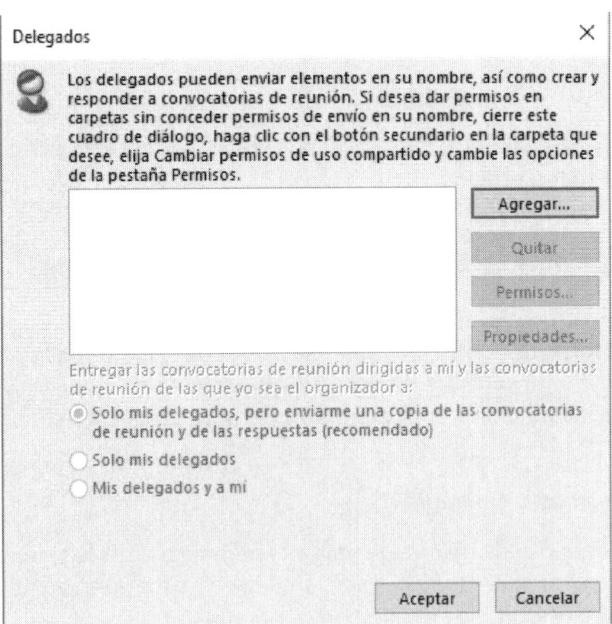

- Haga clic en *Agregar*. Escriba el nombre de la persona que desee designar como su delegado o bien busque su nombre en la lista y haga clic en él.
- Haga clic en *Agregar* y luego en *Aceptar*.

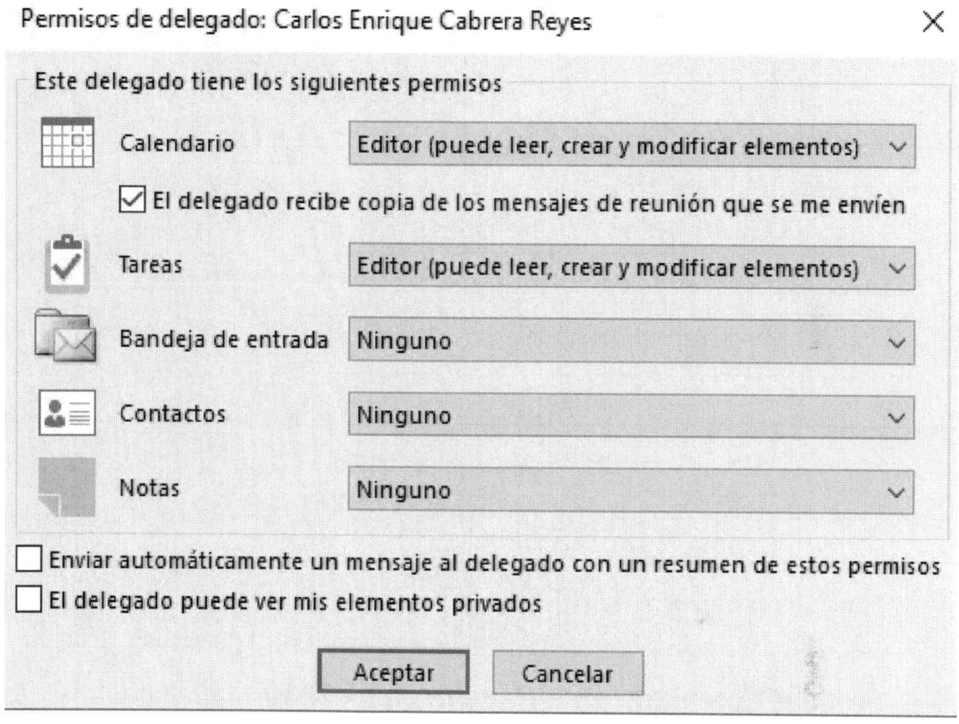

En el cuadro de diálogo *Permisos de delegado*, acepte la configuración predeterminada o seleccione niveles de acceso personalizados a las carpetas de Exchange.

Si un delegado necesita permiso solamente para trabajar con convocatorias de reunión y respuestas, bastan los permisos predeterminados, como "El delegado recibe copia de los mensajes de reunión que se me envíen". Puede dejar la configuración de permisos de la Bandeja de entrada establecida en "Ninguno". Las convocatorias de reunión y las respuestas irán directamente a la Bandeja de entrada del delegado.

Para enviar un mensaje al delegado para comunicarle los permisos que ha cambiado, active la casilla de verificación "Enviar automáticamente un mensaje al delegado con los permisos en activo".

Si lo desea, active la casilla de verificación "El delegado puede ver mis elementos privados".

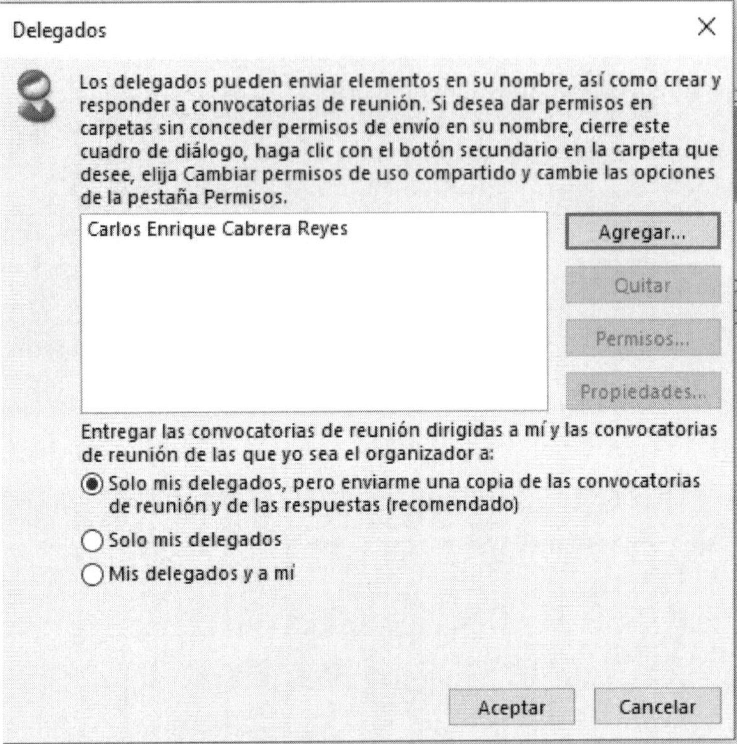

- Haga clic en *Aceptar.*

2.7. Métodos abreviado de teclado Outlook 2010

Veamos los atajos de teclado más importantes que se pueden hacer en Outlook, divididos por los diferentes apartados del programa.

Navegación básica

Presione	Para ello
CTRL+1	Cambiar a Correo.
CTRL+2	Cambiar a Calendario.
CTRL+3	Cambiar a Contactos.
CTRL+4	Cambiar a Tareas.
CTRL+5	Cambiar a Notas.
CTRL+6	Cambiar a la lista de carpetas en el **panel de navegación.**.
CTRL+7	Cambiar a Acceso directo.

Ctrl+Punto	Cambiar al mensaje siguiente (con un mensaje abierto).
Ctrl+Coma	Cambiar al mensaje anterior (con un mensaje abierto).
Ctrl+Mayús+Tab o Mayús+Tab	Desplazarse entre el **panel de navegación**, la ventana principal de Outlook, el **panel de lectura** y la **barra Tareas pendientes**.
Tab	Desplazarse entre la ventana de Outlook, los paneles más pequeños del **panel de navegación**, el **panel de lectura** y las secciones de la **barra Tareas pendientes**.
F6	Desplazarse entre la ventana de Outlook, los paneles más pequeños del **panel de navegación**, el **panel de lectura** y las secciones de la **barra Tareas pendientes**, y mostrar las teclas de acceso en la cinta de Outlook.
Ctrl+Tab	Desplazarse por las líneas de encabezados de mensajes en el **panel de navegación** o en un mensaje abierto.
Teclas de dirección	Desplazarse por el **panel de navegación**.
Ctrl+Y	Ir a otra carpeta.
F3 o Ctrl+E	Ir al cuadro de **búsqueda**.
Alt+Flecha arriba o Ctrl+coma o Alt+Re Pág.	En el **panel de lectura**, ir al mensaje anterior.
Barra espaciadora	En el **panel de lectura**, avanzar página a página por el texto.
Mayús+barra espaciadora	En el **panel de lectura**, retroceder página a página por el texto.
Flecha izquierda o Flecha derecha	Expandir o contraer un grupo de la lista de mensajes de correo electrónico.
Alt+B o Alt+Flecha izquierda	Regresar a la vista anterior en la ventana principal de Outlook.
Alt+Flecha derecha	Avanzar a la vista siguiente en la ventana principal de Outlook.
Ctrl+Mayús+W	Seleccionar la **Barra de información** y, si está disponible, mostrar el menú de comandos.

Buscar

Presione	Para ello
Ctrl+E	Buscar un mensaje u otro elemento.
Esc	Borrar los resultados de la búsqueda.
Ctrl+Alt+A	Expandir la búsqueda para incluir Todos los elementos de correo, Todos los elementos del Calendario o Todos los elementos de contactos, dependiendo de la vista en la que se encuentre.
Ctrl +Mayús +F	Utilizar Búsqueda avanzada.
Ctrl +Mayús +P	Crear una carpeta de búsqueda.
F4	Buscar texto dentro de un elemento abierto.
Ctrl +H	Buscar y reemplazar texto, símbolos o algún comando de formato. Funciona en el Panel de lectura, en un elemento abierto.
Ctrl +Alt +K	Expandir una búsqueda para incluir elementos de la carpeta actual.
Ctrl +Alt +Z	Expandir una búsqueda para incluir subcarpetas.

Crear un elemento o archivo

Presione	Para ello
Ctrl +Mayús +A	Crear una cita.
Ctrl +Mayús +C	Crear un contacto.
Ctrl +Mayús +L	Crear una lista de contactos.
Ctrl +Mayús +X	Crear un fax.
Ctrl +Mayús +E	Crear una carpeta.
Ctrl +Mayús +J	Crear una entrada de diario.
Ctrl +Mayús +Q	Crear una convocatoria de reunión.
Ctrl +Mayús +M	Cree un mensaje.
Ctrl +Mayús +N	Crear una nota.
Ctrl +Mayús +H	Crear un documento de Microsoft Office.
Ctrl +Mayús +S	Enviar a esta carpeta.
Ctrl +T	Enviar una respuesta a esta carpeta
Ctrl +Mayús +P	Crear una carpeta de búsqueda.
Ctrl +Mayús +K	Crear una tarea.
Ctrl +Mayús +U	Crear una solicitud de tarea.

Procedimientos de todos los elementos

Presione	Para ello
Ctrl +G o Mayús +F12	Guardar (excepto en Tareas).
Alt +S	Guardar y cerrar (excepto en Correo).
F12	Guardar como (solo en Correo).
Ctrl +Z o Alt +Retroceso	Deshacer.
Ctrl +D	Eliminar un elemento.
Ctrl +P	Imprimir.
Ctrl +Mayús +Y	Copiar un elemento.
Ctrl +Mayús +V	Mover un elemento.
Ctrl +K	Comprobar nombres.
F7	Revisar la ortografía.
Ctrl +Mayús +G	Marcar para seguimiento.
Ctrl +F	Reenviar.
Alt +S	Enviar o invitar a todos.
F2	Habilitar la edición en un campo (excepto en la vista de iconos o correo).
Ctrl +L	Justificar el texto a la izquierda.
Ctrl +E	Justificar el texto en el centro.
Ctrl +R	Justificar el texto a la derecha.

Correo electrónico

Presione	Para ello
Ctrl +Mayús +I	Cambiar a **Bandeja de entrada**.
Ctrl +Mayús +O	Cambiar a **Bandeja de salida**.
Ctrl +K	Comprobar nombres.
Alt +S	Enviar.
Ctrl +R	Responder a un mensaje
Ctrl +Mayús +R	Responder a todos.
Ctrl +Alt +R	Responder con una convocatoria de reunión.
Ctrl +F	Reenviar un mensaje.
Ctrl +Alt +J	Marcar un mensaje como correo deseado.
Ctrl +Mayús +I	Mostrar el contenido externo bloqueado (en un mensaje).
Ctrl +Mayús +S	Enviar a una carpeta.
Ctrl +Mayús +N	Aplicar el estilo normal.
Ctrl +M o F9	Comprobar si hay nuevos mensajes.
FLECHA ARRIBA	Ir al mensaje anterior.
FLECHA ABAJO	Ir al mensaje siguiente.
Ctrl +N	Crear un mensaje (desde la vista de correo).
Ctrl +Mayús +M	Crear un mensaje (desde cualquier vista de Outlook).
Ctrl +O	Abrir un mensaje recibido.
Ctrl +Supr	Eliminar o ignorar una conversación.
Ctrl +Mayús +B	Abrir la Libreta de direcciones.
INSERTAR	Agrega una marca rápida a un mensaje sin abrir.
Ctrl +Mayús +G	Mostrar el cuadro de diálogo **Marcar mensaje para seguimiento**.
Ctrl +Q	Marcar como leído.
Ctrl +U	Marcar como no leído.
Ctrl +Mayús +W	Abrir Sugerencias de correo electrónico en el mensaje seleccionado.
F4	Buscar o reemplazar.
Mayús +F4	Buscar el siguiente elemento.
Ctrl +Entrar	Enviar.
Ctrl +P	Imprimir.
Ctrl +F	Reenviar.
Ctrl +Alt +F	Reenviar como datos adjuntos.
Alt +Entrar	Mostrar las propiedades del elemento seleccionado.
Ctrl +Mayús +U	Crear un mensaje multimedia.
Ctrl +Mayús +T	Crear un mensaje de texto.
Ctrl +Alt +M	Marcar para descargar.
Ctrl +Alt +U	Quitar la marca para descargar.
Ctrl +B (cuando Enviar y recibir está en curso)	Mostrar progreso de envío/recepción.

Calendario

Presione	Para ello
Ctrl +N	Crear una cita (desde el Calendario).
Ctrl +Mayús +A	Crear una cita (desde cualquier vista de Outlook).
Ctrl +Mayús +Q	Crear una convocatoria de reunión.
Ctrl +F	Reenviar una cita o una reunión.
Ctrl +R	Responder a todos los convocados a una reunión con un mensaje.
Ctrl +Mayús +R	Responder a una convocatoria de reunión con un mensaje.
Alt +0	Mostrar 10 días en el calendario.
Alt +1	Mostrar 1 día en el calendario.
Alt +2	Mostrar 2 días en el calendario.
Alt +3	Mostrar 3 días en el calendario.
Alt +4	Mostrar 4 días en el calendario.
Alt +5	Mostrar 5 días en el calendario.
Alt +6	Mostrar 6 días en el calendario.
Alt +7	Mostrar 7 días en el calendario.
Alt +8	Mostrar 8 días en el calendario.
Alt +9	Mostrar 9 días en el calendario.
Ctrl +G	Ir a una fecha.
Alt += o Ctrl +Alt +4	Cambiar a la vista Mes.
Ctrl+Flecha derecha	Ir al día siguiente.
ALT + Flecha abajo	Ir a la semana siguiente.
Alt +AvPág	Ir al mes siguiente.
Ctrl+Flecha izquierda	Ir al día anterior.
Alt +flecha arriba	Ir a la semana anterior.
Alt +RePág	Ir al mes anterior.
Alt +Inicio	Ir al final de la semana.
Alt +Fin	Ir al principio de la semana.
Alt +signo menos o Ctrl +Alt +3	Cambiar a la vista de semana completa.
Ctrl +Alt +2	Cambiar a la vista de semana laboral.
Ctrl +coma o Ctrl +Mayús +coma	Ir a la cita anterior.
Ctrl +punto o Ctrl +Mayús +punto	Ir a la cita siguiente.
Ctrl +G	Establecer la periodicidad de una cita o reunión abierta.

Contactos

Presione	Para ello
Ctrl +Mayús +D	Marcar una nueva llamada.
F3 o Ctrl +E	Buscar un contacto u otro elemento (Búsqueda).
F11	Escribir un nombre en el cuadro **Buscar en libretas**.
Mayús+letra	En la vista de tarjeta y tarjeta de presentación de los contactos, vaya al primer contacto que empieza por una letra determinada.
Ctrl +A	Seleccionar todos los contactos.
Ctrl +F	Crear un mensaje que use el contacto seleccionado como asunto.
Ctrl +J	Crear una entrada de diario para el contacto seleccionado.
Ctrl +N	Crear un contacto (desde Contactos).
Ctrl +Mayús +C	Crear un contacto (desde cualquier vista de Outlook).
Ctrl +O	Abrir un formulario de contacto que usa el contacto seleccionado.
Ctrl +Mayús +L	Crear una lista de contactos.
Ctrl +P	Imprimir.
F5	Actualizar una lista de miembros de la lista de contactos.
Ctrl +Y	Ir a otra carpeta.
Ctrl +Mayús +B	Abrir la Libreta de direcciones.
Ctrl +Mayús +F	Utilizar Búsqueda avanzada.
Ctrl +Mayús +punto	Con un contacto abierto, abre el siguiente contacto de la lista.
F11	Buscar un contacto.
ESC	Cerrar un contacto.
Ctrl +Mayús +X	Enviar un fax al contacto seleccionado.
Alt +D	Abrir el cuadro de diálogo Comprobar la dirección.
Alt +Mayús +1	En un formulario de contacto, en Internet, mostrar la información de Correo electrónico 1.
Alt +Mayús +2	En un formulario de contacto, en Internet, mostrar la información de Correo electrónico 2.
Alt +Mayús +3	En un formulario de contacto, en Internet, mostrar la información de Correo electrónico 3.

Tareas

Presione	Para ello
Alt +F2	Mostrar u ocultar la Barra Tareas pendientes.
Alt +C	Aceptar una solicitud de tarea.
Alt +D	Rechazar una solicitud de tarea.
Ctrl +E	Busca una tarea u otro elemento.
Ctrl +Y	Abrir el cuadro de diálogo Ir a la carpeta.

Ctrl +N	Crear una tarea (desde Tareas).
Ctrl +Mayús +K	Crear una tarea (desde cualquier vista de Outlook).
Ctrl +O	Abrir un elemento seleccionado.
Ctrl +P	Imprimir un elemento seleccionado.
Ctrl +A	Seleccionar todos los elementos.
Ctrl +D	Eliminar un elemento seleccionado.
Ctrl +F	Reenviar una tarea como datos adjuntos.
Ctrl +Mayús +Alt +U	Crear una solicitud de tarea.
TAB o Mayús +TAB	Cambiar entre el Panel de navegación, la lista Tareas y la Barra Tareas pendientes.
Ctrl +J	Abrir el elemento seleccionado como un elemento de diario.
Ctrl +Z	Deshacer la última acción.
INSERTAR	Marcar un elemento o marca como completado.

Dar formato al texto

Presione	Para ello
Alt +O	Mostrar el menú Formato.
Ctrl +Mayús +P	Mostrar el cuadro de diálogo Fuente.
Mayús +F3	Cambiar de mayúsculas a minúsculas y viceversa (con el texto seleccionado).
Ctrl +Mayús +K	Aplicar el formato de versales a las letras.
Ctrl +B	Aplicar negrita a las letras.
Ctrl +Mayús +L	Agregar viñetas.
Ctrl +I	Aplicar cursiva a las letras.
Ctrl +T	Aumentar sangría.
Ctrl +Mayús +T	Disminuir sangría.
Ctrl +L	Alinear a la izquierda.
Ctrl +E	Centrar.
Ctrl +U	Subrayado.
Ctrl +] o Ctrl +Mayús +>	Aumentar el tamaño de la fuente.
Ctrl +[o Ctrl +Mayús +<	Reducir el tamaño de la fuente.
Ctrl +X o Mayús +SUPR	Cortar.
Ctrl +C o Ctrl +INSERT	Copiar.
Ctrl +V o Mayús +INSERT	Pegar.
Ctrl +Mayús +Z o Ctrl +barra espaciadora	Borrar formato.
Ctrl +Mayús +H	Borrar la siguiente palabra.
Ctrl +Mayús +J	Estirar un párrafo para que vaya de margen a margen.

Ctrl +Mayús +S	Aplicar estilos.
Ctrl +T	Crear una sangría francesa.
Ctrl +K	Insertar un hipervínculo.
Ctrl +Q	Alinear un párrafo a la izquierda.
Ctrl +R	Alinear un párrafo a la derecha.
Ctrl +Mayús +H	Reducir una sangría francesa.
Ctrl +Q	Quitar el formato de párrafo.

Impresión

Presione	Para ello
Presione Alt +F y, después, presione P	Abra la pestaña Imprimir en la vista Backstage.
Alt +F, presione P y, después, presione F y presione 1	Para imprimir un elemento desde una ventana abierta.
Alt +S o Alt +U	Abrir Configuración de página en la Vista preliminar.
Alt +F, presione P y, después, presione I	Para seleccionar una impresora desde Vista preliminar.
Alt +F, presione P y, después, presione L	Para definir estilos de impresión.
Alt +F, presione P y, después, presione R	Para abrir Opciones de impresión.

Enviar y recibir

Presione	Para ello
F9	Iniciar el envío o la recepción para todos los grupos definidos con la opción Incluir este grupo en envío y recepción (F9) seleccionada. Esto puede incluir encabezados, elementos completos, carpetas específicas, elementos con un tamaño menor que el especificado o cualquier otra combinación que se defina.
Mayús +F9	Iniciar el envío o la recepción en la carpeta actual recuperando elementos completos (encabezado, elemento y datos adjuntos).
Ctrl +M	Iniciar un envío o una recepción.
Ctrl +Alt +S	Definir grupos de envío o recepción.

Editor de Visual Basic

Presione	Para ello
Alt +F11	Abrir el editor de Visual Basic.
Alt +F8	Reproducir macro.

Cómo acceder al Curso

Personal Auxiliar de Servicios Generales y Auxiliar de Conserjería de Universidades

Temario general volumen 2

El uso de los códigos **es exclusivo de los compradores de los productos de Editorial MAD**. Cada producto posee un código único y de un solo uso. Es personal e intransferible y da acceso a servicios y contenidos adicionales. Editorial MAD se reserva el derecho de hacer cuantas comprobaciones sean necesarias para identificar al legítimo poseedor del código y dejar de dar servicio a quien haga uso fraudulento del mismo, además de emprender cuantas acciones legales estime oportunas según la legislación vigente.

Deberás acceder a:

mad.es/registro-campus

Si una vez aceptadas las condiciones de uso del Campus decides hacer uso del mismo, necesitarás del siguiente código de acceso junto con los códigos del resto de títulos que se exigen (si fuera el caso):

IN5KG9UYW1